普通高等教育规划教材

市 场 营 销 学
第 2 版

主　编　段淑梅　万　平
副主编　刘建军　张纯荣
参　编　张　晓　杜泽宇　杜春晶
　　　　于洪深　刘　慧　王　芳

机械工业出版社

本书共14章，内容包括：市场营销概论，生产者市场与消费者市场，市场调查与预测，消费者需求研究，市场营销环境，目标市场的选择，产品组合与产品开发，品牌、商标与包装策略，定价策略，分销渠道策略，促销策略，市场营销组合、计划与战略，国际市场营销，市场营销的新趋势与新概念。

本书通过案例帮助学生理解理论知识，深入浅出地阐述了市场营销学的基本理论与方法，具有很强的实用性。

本书主要作为普通高等院校经管类专业本、专科学生的教材，也可作为企业管理人员的培训教材及自学参考书。

图书在版编目（CIP）数据

市场营销学/段淑梅，万平主编．—2版．—北京：机械工业出版社，2017.10（2020.1重印）
普通高等教育规划教材
ISBN 978-7-111-58243-4

Ⅰ.①市… Ⅱ.①段… ②万… Ⅲ.①市场营销学–高等学校–教材 Ⅳ.①F713.50

中国版本图书馆CIP数据核字（2017）第245557号

机械工业出版社（北京市百万庄大街22号　邮政编码100037）
策划编辑：曹俊玲　责任编辑：曹俊玲　何　洋　商红云
责任校对：王明欣　封面设计：张　静　责任印制：孙　炜
保定市中画美凯印刷有限公司印刷
2020年1月第2版第2次印刷
184mm×260mm・22.5印张・552千字
标准书号：ISBN 978-7-111-58243-4
定价：48.00元

凡购本书，如有缺页、倒页、脱页，由本社发行部调换

电话服务	网络服务
服务咨询热线：010-88379833	机 工 官 网：www.cmpbook.com
读者购书热线：010-88379649	机 工 官 博：weibo.com/cmp1952
	教育服务网：www.cmpedu.com
封面无防伪标均为盗版	金 书 网：www.golden-book.com

前　言

　　市场营销学以消费者的需求为中心，研究市场的产品和服务、市场观念、经营意识、产品定价、营销渠道、促销策略等经营哲学。它不仅是研究如何赚钱的学问，也是一门常学常新、奥秘无穷、使人终身受益的学科。现代企业要想在技术创新迅速发展、市场竞争日趋激烈的新环境下取得经营管理的成功，就必须借助市场营销这个有效工具。市场营销技能和方法不仅能使企业提高经济效益，而且有助于民众树立诚实守信、互敬互助的良好道德风尚。在充满挑战的21世纪，只有那些营销技能超群的国家、企业和个人才能更好地生存与发展。

　　市场营销学是一门与市场营销实战紧密联系的应用型学科，是高等院校经管类专业的必修课程，而且很多非经管类专业也开设了市场营销学选修课程，该课程已经成为高等院校的热门课程之一。完美的人生需要营销，成功的企业需要营销，国家的昌盛需要营销。现在人们已经认识到营销的重要性。市场营销学的原理和理论已经突破了营利性组织的框架，越来越多的政府部门也开始采用市场营销的方法来实现自己的目标。市场营销实践的优势，无不牵动着市场营销学者的思考与探索，影响着市场营销学的发展。

　　针对高等院校教学的特点，本书力求内容精练、逻辑严密、基础理论表述规范，适应高等院校经管类专业学生的需要，容量有度、深入浅出。每章选用的案例多为我国本土企业的案例，突出案例教学，每章均包括导入案例、阅读案例及案例分析。本书也可作为工商企业、事业单位的培训教材，同时具有较强的实践性，能够有效地促进学生的学习和思考。其内容主要包括：市场营销概论，生产者市场与消费者市场，市场调查与预测，消费者需求研究，市场营销环境，目标市场的选择，产品组合与产品开发，品牌、商标与包装策略，定价策略，分销渠道策略，促销策略，市场营销组合、计划与战略，国际市场营销，市场营销的新趋势与新概念。

　　本书由段淑梅、万平担任主编，刘建军、张纯荣担任副主编，段淑梅负责本书大纲的编制、书稿的修改和定稿，并负责全书整体框架的设计。具体编写分工如下：段淑梅编写第一章、第八章，刘建军编写第二章、第十二章，张晓编写第三章，刘慧编写第四章，张纯荣编写第五章、第七章，万平编写第六章、第九章，杜泽宇编写第十章，于洪深编写第十一章，杜春晶编写第十三章，王芳编写第十四章。

　　在编写过程中，得到了同行的大力支持和指导，在此表示衷心的感谢。

　　由于市场营销学理论与方法仍在发展之中，有待不断充实和完善，加上编者水平有限，因此本书可能仍有许多不足之处，恳请广大读者和营销学界的同行批评指正。

编　者

目 录

前言
第一章 市场营销概论 ………………… 1
学习目标 ………………………………… 1
导入案例 ………………………………… 1
第一节 市场和市场营销 ………………… 2
第二节 市场营销学的产生、传播和发展 …… 11
第三节 市场营销学的研究对象和研究
方法 ……………………………… 15
第四节 市场营销观念及其演变 ………… 16
第五节 市场营销管理的过程和任务 …… 19
第六节 顾客让渡价值、顾客满意及顾客
忠诚 ……………………………… 25
主要名词 ………………………………… 27
案例分析 ………………………………… 27
本章小结 ………………………………… 29
思考与实训 ……………………………… 30

第二章 生产者市场与消费者市场 …… 31
学习目标 ………………………………… 31
导入案例 ………………………………… 31
第一节 市场的功能及构成 ……………… 32
第二节 消费者市场 ……………………… 34
第三节 生产者市场 ……………………… 35
第四节 其他类型的市场 ………………… 42
主要名词 ………………………………… 52
案例分析 ………………………………… 52
本章小结 ………………………………… 55
思考与实训 ……………………………… 56

第三章 市场调查与预测 ……………… 57
学习目标 ………………………………… 57
导入案例 ………………………………… 57
第一节 市场调查的内容与分类 ………… 58
第二节 市场调查的程序与方法 ………… 63
第三节 市场预测的内容与步骤 ………… 69

第四节 市场预测的基本方法 …………… 73
主要名词 ………………………………… 77
案例分析 ………………………………… 77
本章小结 ………………………………… 79
思考与实训 ……………………………… 79

第四章 消费者需求研究 ……………… 80
学习目标 ………………………………… 80
导入案例 ………………………………… 80
第一节 影响消费者购买行为的主要因素 …… 81
第二节 消费者需求特征 ………………… 90
第三节 消费者购买行为 ………………… 94
第四节 消费者购买决策过程 …………… 98
主要名词 ………………………………… 104
案例分析 ………………………………… 104
本章小结 ………………………………… 105
思考与实训 ……………………………… 105

第五章 市场营销环境 ………………… 107
学习目标 ………………………………… 107
导入案例 ………………………………… 107
第一节 市场营销环境概述 ……………… 107
第二节 市场营销微观环境 ……………… 110
第三节 市场营销宏观环境 ……………… 114
第四节 市场营销环境分析 ……………… 124
主要名词 ………………………………… 130
案例分析 ………………………………… 130
本章小结 ………………………………… 133
思考与实训 ……………………………… 133

第六章 目标市场的选择 ……………… 134
学习目标 ………………………………… 134
导入案例 ………………………………… 134
第一节 市场细分 ………………………… 135
第二节 目标市场选择 …………………… 143
第三节 市场定位 ………………………… 149

主要名词	154
案例分析	154
本章小结	157
思考与实训	157

第七章 产品组合与产品开发 ... 158
学习目标	158
导入案例	158
第一节 产品与产品分类	159
第二节 产品组合	162
第三节 产品生命周期	165
第四节 新产品开发策略	169
主要名词	174
案例分析	174
本章小结	175
思考与实训	176

第八章 品牌、商标与包装策略 ... 177
学习目标	177
导入案例	177
第一节 品牌	177
第二节 商标	183
第三节 包装及包装策略	186
主要名词	190
案例分析	191
本章小结	192
思考与实训	193

第九章 定价策略 ... 194
学习目标	194
导入案例	194
第一节 研究定价策略的意义	194
第二节 企业定价的程序和方法	196
第三节 影响定价的因素	201
第四节 企业定价的技巧	207
第五节 企业价格调整及应对	213
主要名词	217
案例分析	217
本章小结	219
思考与实训	220

第十章 分销渠道策略 ... 221
| 学习目标 | 221 |

导入案例	221
第一节 分销渠道概述	221
第二节 渠道设计	227
第三节 中间商	232
第四节 产品实体分销	237
第五节 分销渠道的管理	241
主要名词	248
案例分析	248
本章小结	250
思考与实训	250

第十一章 促销策略 ... 251
学习目标	251
导入案例	251
第一节 促销与促销组合	251
第二节 人员推销	255
第三节 营业推广	266
第四节 公共关系	271
第五节 广告	276
主要名词	282
案例分析	282
本章小结	283
思考与实训	283

第十二章 市场营销组合、计划与战略 ... 284
学习目标	284
导入案例	284
第一节 市场营销组合	284
第二节 市场营销计划	288
第三节 市场营销战略	290
主要名词	297
案例分析	297
本章小结	299
思考与实训	299

第十三章 国际市场营销 ... 300
学习目标	300
导入案例	300
第一节 国际市场营销概述	301
第二节 国际市场营销的环境	304
第三节 国际目标市场的选择	308

第四节 进入国际市场的决策 ……… 311
第五节 国际市场营销的策略 ……… 316
主要名词 ………………………… 323
案例分析 ………………………… 323
本章小结 ………………………… 324
思考与实训 ……………………… 324

第十四章 市场营销的新趋势与新概念 ……… 325
学习目标 ………………………… 325
导入案例 ………………………… 325
第一节 服务营销 ………………… 325

第二节 关系营销 ………………… 332
第三节 整合营销 ………………… 338
第四节 直复营销 ………………… 339
第五节 绿色营销 ………………… 343
第六节 网络营销 ………………… 345
主要名词 ………………………… 351
案例分析 ………………………… 351
本章小结 ………………………… 352
思考与实训 ……………………… 353

参考文献 ……………………………… 354

第一章

市场营销概论

学习目标

1. 理解市场和市场营销的含义
2. 掌握市场营销研究的范围
3. 了解市场营销学的产生、传播和发展及研究方法
4. 树立市场营销观念,了解其由来和发展
5. 掌握顾客让渡价值的含义,学会提高顾客让渡价值的方法

导入案例

星巴克的营销理念

1971年,第一家星巴克公司在美国西雅图诞生。1987年,舒尔茨斥资400万美元重组星巴克,并完全按照给消费者以"咖啡体验"的理念来经营星巴克,为公司注入了长足发展的动力。

1992年6月26日,星巴克在美国号称高科技公司摇篮的纳斯达克成功上市。作为一家传统的咖啡连锁店,1996年8月之后,星巴克大力开拓亚洲市场,并进入中国台湾和中国大陆,以每天新开一家分店的速度快速扩张。自1992年上市以来,其销售额平均每年增长20%以上,利润平均增长则达到30%。经过10多年的发展,星巴克遍布全球40多个国家和地区。星巴克的股价攀升了22倍,收益之高超过了通用电气、百事可乐、可口可乐、微软以及IBM等大型公司。

星巴克品牌为何能取得如此辉煌的成功呢?

在经济界,有人把公司分为三类:一类公司出售的是体验;另一类公司出售的是服务;还有一类公司出售的是质量。星巴克公司的经营理念就是向消费者出售对咖啡的体验,相比之下,优质的咖啡、完美的服务被列在其次。

在星巴克咖啡店里,精湛的钢琴演奏、欧美经典的音乐背景、流行时尚的报纸杂志、精美的饰品等配套设施,给消费者营造了高贵、时尚、浪漫的氛围,提供了一个除工作单位和家庭以外的新场所。在这样特定的环境中喝咖啡,变成一种生活体验。在一些消费者眼里,星巴克服务生端上来的咖啡不是咖啡,而是一杯"星巴克"。正因为如此,星巴克可以把一杯成本3美分的咖啡卖到3美元。

没有竞争的竞争才是最高明的竞争。咖啡诞生几百年了,在世界范围内,速溶咖啡、营养咖啡、伴侣咖啡……各种名目的咖啡层出不穷。星巴克从诞生那天起,就没有在传统领域里与其他咖啡公司竞争,而是独辟蹊径,用服务搭建舞台,把咖啡这种人人熟悉的商品作为道具,让

消费者在喝咖啡时了解咖啡的传奇,在了解中体验自然、体验文化,留下一段让消费者值得回忆的经历。

独特的营销理念使星巴克在短短20多年时间里成了世界范围内的传奇品牌,中国企业是否也可以从星巴克身上学一学经营策略呢?

(资料来源:戴秀英. 市场营销学 [M]. 北京:北京大学出版社,中国农业大学出版社,2009.)

决定企业获得成功的因素有很多。市场在哪里?消费者是谁?企业如何去营销?这是很多企业都关心的问题。但是,通过深入研究发现,所有成功的企业都有一个共同点,就是它们都强调以顾客为中心并十分重视市场营销。在本章中,首先介绍市场营销的基本理论,在此基础上掌握市场营销学研究的对象和方法、市场营销学的发展过程、市场营销观念的演变过程及顾客让渡价值等理论,为学好市场营销学奠定基础。

第一节 市场和市场营销

一、市场

(一) 如何理解市场的含义

市场是商品经济特有的经济范畴,是一种以商品交换为内容的经济联系形式。它是社会分工和商品生产的产物,是商品经济中社会分工的表现。没有社会分工和商品生产,就没有市场。社会分工和商品生产的发展决定了市场的发展规模与发展水平。市场的基本关系是商品供求关系,基本的活动则是商品交换(商品买卖)活动。市场的基本经济内容是商品供求和商品买卖。市场的形成必须具备下列基本条件:存在可供交换的商品(包括有形的货物和无形的服务,下同),存在提供商品的卖方和具有购买欲望与购买能力的买方,具备买卖双方都能接受的交易价格、行为规范及其他条件(如场所、信息、储运、保管、信用、保险、资金渠道、服务等)。只有具备了这些条件,才能实现商品的让渡,形成有意义的现实的市场。而这样一些形成市场的现实条件,就成为企业市场营销活动的最基本的制约因素。那么,究竟什么是市场呢?市场是一个含义广泛的概念。就其空间形式和经济关系等方面而言,可以从下面几种含义对市场进行分析:

(1) 市场是商品交换的场所,亦即买方和卖方发生作用的地点或地区。

这是从空间形式的角度来考察市场。市场就是一个地理的概念,如安徽市场、国内市场、国际市场等。

(2) 市场是指某种或某类商品需求的总和。

商品需求是通过买方体现出来的,因而也可以说,市场是某一产品所有现实买方和潜在买方所组成的群体。例如,当人们说"北京的水果市场很大"时,显然不是指水果交换场所,而是指北京对水果的市场需求量很大,现实的和潜在的买方很多。

(3) 市场是买方和卖方力量的集合,是商品供求双方的力量相互作用的总和。

这一含义是从商品供求关系的角度提出来的,反映的是"作为供求机制"的市场。"买方市场""卖方市场"这些名词反映了供求力量的相对强度,反映了交易力量的不同状况。在买方市场条件下,商品的供给量大大超过商品的需求量,整个市场对买方有利,价格下降,服务质量要求高,顾客支配着销售关系;而在卖方市场条件下,商品需求量大于商品供给量，市场商品匮乏、品种不全、价格看涨，改善服务态度缺乏动力，由卖方支配着市场销售关系，整个市场对卖方有利。

（4）市场是指商品流通领域，它所反映的是商品流通全局，是交换关系的总和。

这是一个"社会整体市场"，也是通常所说的"广义市场"。按照对这一含义的理解，首先，市场是商品使用价值和价值及其外化形式——商品和货币的关系；其次，它反映商品所有者（卖方）和货币所有者（买方）之间的关系；最后，现代商品经济的重要特征就是客观经济职能的形成，这一职能应由政府来行使。这就形成了企业、消费者和政府三要素的市场主体结构，市场所反映的经济关系就表现为三类主体的相互关系，这些关系及其性质支配着经济的运行过程。

（二）营销市场

企业的市场营销活动均具有重要意义。任何企业都必须考虑其产品的市场需求、市场的供求状况以及与企业产品有关的当事人，必须兼顾各方的经济利益，协调彼此间的各种关系。但作为营销市场，却具有特定的含义，即从营销的角度看待市场，市场是由人口、购买力和购买动机（欲望）有机组成的总和。它包含三个主要因素：有某种需要的人、有满足这种需要的购买力和购买欲望，即市场＝人口＋购买力＋购买欲望。

1. 人口

人口是构成市场最基本的条件。凡是有人居住的地方，就有各种各样的物质和精神方面的需求，从而才可能有市场。没有人就不存在市场。

2. 购买力

购买力是消费者支付货币、购买商品或劳务的能力。消费者的购买力是由消费者的收入决定的。有支付能力的需求才会构成有意义的市场。所以，购买力是构成营销市场的又一个重要因素。

3. 购买欲望

购买欲望是指消费主体购买商品的动机、愿望或要求，是消费者把潜在购买力变成现实购买力的重要条件，因而也是构成市场的基本因素。人口再多，购买力水平再高，如果对某种商品没有需求的动机，没有购买商品的欲望，也形成不了购买行为，这个商品市场实际上也就不存在。从这个意义上讲，购买欲望是决定市场容量最权威的因素。

总之，市场容量的大小完全受上述三个因素的制约，只有当这三个因素一个不少地有机结合时，才能使观念上的市场变为现实市场，才能决定市场的规模和容量。例如，一个国家或地区人口众多，但收入很低，购买力有限，则不能构成容量很大的市场；或者购买力虽然很高，但人口很少，也不能成为很大的市场。只有人口多，购买力又高，才能成为一个有潜力的大市场。但是，如果产品不适合需要，不能引起人们的购买欲望，对销售者来说，仍然不能成为现实的市场，所以，市场是上述三个因素的统一。

（三）市场的类型

根据不同的分类标志，可以将市场分为不同的类型，并根据不同类型市场消费者的需求特点，制定不同的营销策略。

1. 根据市场范围划分

根据市场范围的不同，市场可以划分为区域市场、国内市场和国际市场。商品在地区范围内流通形成区域市场，区域市场一般是在经济区域的基础上形成的。区域市场又可分为本地市场和外地市场、城市市场和农村市场、沿海市场和内陆及民族地区市场等。国内市场则是在主权国家的范围内建立起来的，在国内市场（包括区域市场）上，币制是统一的，指导商品流通的宏观调控目标及效果也应该协调。国际市场是在国际分工的基础上形成的商品在世界范围内流通的市场，与国内（区域）市场不同，商品不完全是按照商品自由流通组织进行交换的，只有在若干个国内市场建立了自由贸易区的基础上，才能在国际市场上实行商品的自由流通。

2. 根据市场客体划分

随着商品经济的发展，按市场客体确认的市场类型是一个历史过程。在商品经济发展的初级阶段，产品的商品化使得物质产品首先进入市场，从而形成商品市场。商品市场是由生产资料市场和生活资料市场构成的。在商品经济发展的第二阶段，实现了要素商品化，从而形成了劳动力市场、房地产市场、金融市场、资本市场等。在商品经济发展的第三阶段，实现了财产的社会化，生产力得到了较快的发展，财产社会化大大丰富了资本市场的内容，其范围和机制都发生了显著的变化。生产力的极大发展使得技术和信息成为市场的重要内容，技术市场和信息市场也应运而生。

3. 根据市场状况划分

根据市场状况划分，市场可以划分为买方市场和卖方市场。市场状况是由市场供求关系决定的，在商品供不应求的条件下，卖方把握市场的主动权，由此形成卖方市场；在供求大体平衡或供大于求的条件下，买方具有市场主动权，从而形成买方市场。

4. 根据竞争程度划分

根据竞争程度划分，市场可以划分为完全竞争市场、完全垄断市场、寡头垄断市场和不完全垄断市场。完全竞争市场是指一个行业中有非常多的独立生产者，他们都以相同的方式向市场提供同类的、标准化的产品。这种完全竞争市场的例子并不多见，最接近的例子是粮食、棉花、西瓜、大白菜等农副产品市场。完全垄断市场是指一个行业只有一家企业，或一种产品只有一个销售者或生产者，没有或基本没有其他替代者，如电力公司、自来水公司等。寡头垄断市场是指一种产品在拥有大量消费者或用户的情况下，由少数几家大企业控制了绝大部分生产量和销售量，剩下的一部分则由众多小企业去经营，如手表、电视机、电冰箱等。不完全垄断市场是指一个行业中有许多企业生产和销售同一种商品，每一个企业的生产量或销售量只占总需求量的一部分，如食品、服装、百货、化妆品等。

5. 根据商品流通环节划分

根据商品流通环节划分，市场可以划分为批发市场和零售市场。批发市场是指个人或企业单位把从生产企业购入的商品售给其他商人或最终消费者的交易活动。零售市场是指个人或企业单位把商品直接卖给最终消费者的交易活动。由于批发市场与零售市场在商品流通过程中处于不同的地位，履行着不同的功能，遵循着不同的运行规则，因此有着不同的营销方法。

（四）当代市场的特征

在市场经济条件下，企业的命运取决于市场。企业要真正走向市场，就必须面向市场、了解市场、适应市场。特别是在21世纪，企业如何认识国内市场和国际市场发展的大趋势，探索当代市场发展的一般规律，对于制定市场营销战略具有十分重要的作用。纵观国内市场和21世纪市场所依托的经济发展全球化、知识化的趋势，当代市场具有以下明显的特征：

1. 市场的科技化

市场的科技化是当代世界市场发展的一个大趋势。每一次重大的科学技术革命，必将造成相应的产业革命，从而造成相应的市场革命和消费革命。由于科学技术的飞速发展，市场面貌日新月异，各种新产品、新材料、新能源、新服务、新观念、新技术、新工具、新组织等新的市场要素层出不穷，极大地改变了人们的社会生活方式、生产方式和思维方式，改变了科学技术的市场流通与市场配置，形成科技的市场化，包括科技发展目标的市场化、科技人员的市场化、科技经费投入的市场化、科技成果的市场化等。而科技的市场化必将造成市场的科技化，包括市场主体的科技化、市场客体的科技化、市场关系的科技化等。为了适应科技市场发展的大趋势，企业必须采取相应的科技型营销战略。

2. 市场的国际化

现代科学技术的发展，有力地推动了市场的国际化进程，包括市场主体的国际化、市场客体的国际化、市场关系的国际化等。我国自实行改革开放政策以来，在积极引进和利用外资、开放国内市场、参与国际市场竞争等方面取得了较大的进展，为实现国内市场与国际市场接轨、中国市场与世界市场一体化创造了条件，开辟了道路。

3. 市场的软化

所谓市场的软化，是指市场的知识化、信息化、无形化等。市场的软化导致了生产的软化，这也造就了营销的软化。在现代商品价值中，商品的知识价值、美学价值、信息价值、形象价值、服务价值、心理功能价值等无形价值所占的比重不断提高，企业也必须采取相应的发展战略。为适应市场软化的发展趋势，企业应采取软化的市场发展战略。

4. 市场的绿化

所谓市场的绿化，就是要实现商品生产及市场营销的无污染化、无害化、清洁化等，包括清洁生产、清洁包装、清洁销售、清洁运输和清洁消费。当今世界各国政府和企业都十分重视市场绿化问题，大力开展绿色生产和绿色营销，消费者也非常重视绿色消费，从而大大推动了市场的绿化。为了适应市场绿化发展的大趋势，我国企业应及早行动，树立市场绿化的新概念，制定市场绿化的新战略，积极开发绿色产品，采用绿色包装，提倡绿色消费，进行绿色市场定位，树立绿色企业形象，这样就可以变被动适应为主动适应，提高企业及其产品的市场地位和市场竞争力。

5. 市场的标准化

为了使市场交易场活动正常进行，必须建立新的市场秩序，制定必要的市场标准，如产品的设计标准、环境保护标准、产品责任标准、安全卫生标准、计量标准、包装标准、产品质量标准、服务标准、合同标准、交易方式标准等，这也是当代市场发展的一个基本趋势。要适应这种市场标准化的发展趋势，我国企业应面向世界市场，尽快与国际市场惯例、市场法规等市场标准接轨，用新的市场规范和标准来约束自己的市场行为，否则就会碰壁，无法进入国际市场。

6. 市场的差别化

市场发展的不平衡性和市场环境的复杂多变性，造成了市场需求的多样性。一方面，市场的科技化、国际化、标准化与规范化造成了市场的统一性；另一方面，市场的软化、区域化、个性化又造成了市场的差异性。要适应多样化的市场需求，企业就必须采取相应的市场差别化战略，包括产品差别化、价格差别化、顾客差别化、服务差别化、营销差别化等。例

如，在日本家电行业中，东芝强调产品差别化，松下以价格差别化为主，而三洋则实行服务差别化战略。

从对市场的理解中，可以看出一个市场的形成必须具备以下要素：

（1）必须具有消费主体。消费主体即购买商品或服务的消费者和各类社会组织的总和。消费者是构成市场最基本的条件。凡有人居住的地方，就有各种各样的物质和精神方面的需求，从而才可能有市场。没有人就不存在市场。一个国家和地区消费者人口的总量决定着潜在市场的大小；而家庭户数和家庭平均人口的多少直接影响着商品的需求结构与方向；不同年龄、不同性别的消费者及其需求与购买行为都有明显的差别；文化教育水平和职业、不同的民族与宗教信仰都会影响消费者的需求和购买行为；消费者人口的地理分布和流动也会影响市场的构成和变化。

（2）必须具有消费客体。消费客体即具有能够满足消费者某种需要的一定量的商品或劳务。这是市场交易的对象，是构成市场的物质基础。

（3）必须有消费者的需求。消费者的需求即以购买力为基础，在购买欲望的驱动下所形成的购买需求。购买力是指人们支付货币购买商品或服务的能力。通常，消费者的购买力是由其收入多少而决定的，收入越高，购买力越强；收入越低，购买力越弱。购买欲望是指人们愿意购买某种商品的心理要求。

上述三个要素构成了整个市场，缺少其中任何一个要素，市场活动就无法进行。这三个要素构成市场的矛盾运动，制约市场规模，决定市场的基本状况及其发展趋向。

二、市场营销的基本含义

"市场营销"是由英文"marketing"一词翻译而来的。它有两层意思：一是指企业依据消费者需求生产适销对路的产品，扩大市场销售所进行的一整套经济活动；二是指建立在经济科学、行为科学、现代管理理论基础之上的应用学科，是经济学、行为科学、心理学、社会学、现代管理学、广告学、公共关系学等学科密切结合的一门综合性、边缘性的经营管理学科。当"marketing"指经济活动时，称为"市场营销"或"营销活动"；当它指学科时，称为"市场营销学"。市场营销的发展是一个过程。

市场营销是指"个人和集体通过创造、提供出售，并同别人自由交换产品和价值，以获得其所需所欲之物的一种社会过程"。从这一定义可以看出，市场营销主要包括以下内容：

1. 营销是一种创造性行为

营销不仅寻找已存在的需要并满足它，而且激发和解决消费者并没有提出的需要，并促使他们响应企业的营销行为。正像索尼公司的创始人盛田昭夫宣称的，它不是服务于市场，而是创造市场。

2. 营销是一种自愿的交换行为

买卖双方自由交换，使各方通过提供某种东西取得回报。交换是构成营销的基础。

3. 营销是一种满足人们需要的行为

消费者的各种需要和欲望是企业营销工作的出发点，因此，企业必须对市场进行调研、寻求、了解、识别、研究和掌握消费者的需要和欲望，从而确定需求量的大小。

4. **市场营销是一个系统的管理过程**

市场营销不仅包括生产、经营之前的具体经济活动，如收集市场环境信息、进行市场调研、分析市场机会、进行市场细分、选择目标市场、设计开发新产品等，还包括生产过程完成之后进入销售过程的一系列具体的经济活动，如产品定价、选择分销渠道、开展促销活动、提供销售服务等，也包括销售过程之后的售后服务、信息反馈等一系列活动。可见，市场营销过程是远远超出流通范围而涉及生产、分配、交换和消费的整个过程。

5. 营销是企业参与社会的一种纽带

营销是连接企业与社会的纽带。营销工作者在制定营销政策时，必须权衡企业利益、消费者需要和社会利益。只有满足社会利益的企业才能长久不衰地获得经营成功。

◆ 阅读案例1-1

让销售变得多余——营销大师科特勒谈营销理念

什么叫市场营销？是能说会道地挨家挨户上门推销吗？还是设计玉米片的包装？或是用免费玩具吸引你买欢乐套餐？抑或是购物时给你积分卡？

面对在餐桌另一边的英国《金融时报》记者，世界上权威的市场营销学泰斗菲利普·科特勒（Philip Kotler）面露不悦，那种不悦就像是一位金融学教授因为被问到简单问题时的感受一样。科特勒说："市场营销最简短的解释是：发现还没有被满足的需求并满足它。这是一个整体思维体系，你的成功不是跟着干别人已经干成功的事，而是找到人们想买却只有你能卖的东西。"科特勒是美国西北大学凯洛格商学院国际市场营销学教授，他正在伦敦负责一个关于市场营销的研讨会。我们在伦敦西区皇家咖啡厅里的私人饭厅中共进午餐，无论是就食物还是就我们掌握的知识而言，这次午餐都是一面倒的。73岁高龄的科特勒教授将去欧洲进行两个星期的疲劳旅行，途中包括参加研讨会、讲座和演讲，去的地方有巴黎、里斯本、马德里、米兰和伦敦。他说，他每年都有两次这样的旅行，他还将在亚洲和南美逗留一到两个星期。人们之所以聚到一起听科特勒教授的讲话，是因为他是市场营销的权威。他1967年出版的《营销管理》现在已经印到第11版，是世界上最重要的市场营销课本，教育了数以百万计的学生。他还写过25本关于市场营销的书，有的非常专业，有的则是面对广大读者。他的新作《市场营销A～Z》也是写给刚入门的人看的。正如书中指出的，今天商家的问题是世界上大多数行业生产的产品比消费者能购买的要多。生产能力过剩导致了超强竞争，超强竞争又导致了价格战。市场营销就是要让公司在其他方面进行竞争，而不是在价格方面。科特勒教授说："人们经常把市场营销和销售混为一谈。不过彼得·德鲁克的《经营权威》里面一段著名的话说得好：'市场营销的目标是让销售变得多余。'这就是说，如果你真能找到没有被满足的需求并做好满足需求的工作，你就不用在销售上下太多功夫。"换句话说，市场营销的目的不是像在50或100年前那样为了把已经生产的产品销售出去；相反，制造产品是为了支持市场营销。一家公司总可以在外面采购其所需的产品，但使其繁荣的却是市场营销的理念和做法。公司的其他职能——制造、研发、采购和财务——都是为了支持公司在市场上运作而存在的。理论上是如此，但为什么时刻想着"消费者"的公司那么少？为什么那么多公司承认提供良好消费者服务的重要性但却屡屡做不到呢？科特勒说，问题主要在于财务总监在董事局中位高权重，而市场营销总监却没有什么发言权。因此，良好的服务所需的开支很容易因为竞争压力增加而被削减。"这就好像用电话录音代替接电话的人。"科特勒教授说。问题是，用电话录音节约的钱比较容易计算出来，而沮丧的客户可能会转向竞争对手的代价却不容易计算。当你失去一个客户的时候,"你失去的不仅是一次交易,而是那位客户的终生客户价值。"不过,如果没有好的产品,再好的服务都等于零。科特勒教授谈到了满足尚未满足的需求。在这个后工业化、后物质化社会中,至少主要的消费者产品市场中大多数人的需求已经被满足了。那怎么办呢?科特勒教授说,已被推动的市场和推动中的市场是不一样的。特别是在技术领域中的公司,都遵循索尼老总盛田昭夫的格言:"我们不是为市场服务,我们是创造市场。"的确,在录像机、摄像机、传真机和个人数码用品面世前,谁想得到自己会有这种需求呢?

(资料来源:谭树森. 让销售变多余 [N]. 参考消息,2003-03-06.)

◆ **阅读案例1-2**

某厂厂长会议发言纪要

厂长:"今天,专门研究一下成立销售公司的问题。"

副厂长(主管经营):"销售一直是我厂的老大难问题。产品堆满了仓库,资金占压,光是利息付出这个包袱就背不起了。成立销售公司刻不容缓,是我厂起死回生的关键一着。"

销售处长:"厂部开始重视销售,这很对。但决心要大,措施要果断。销售公司的人员数量要在目前7人的基础上,扩展到50人左右。我们计划要在十几个大城市设立销售办事处,每个城市派出3人,就需要40多人。还有,目前的销售政策也要做出重大调整。要加大销售政策的激励力度,提请厂长会议研究,应实行按销售额的一定比例提成制度,以调动销售人员的积极性。"

副厂长(主管生产):"这恐怕要慎重考虑,销售人员收入太高,一线工人怎么办,工程技术人员又怎么办?平均化不好,过于不平衡也会出问题的。"

厂长:"销售政策问题先不讨论,集中讨论成立销售公司问题。我的想法是采取公开招聘方式,招聘公司总经理,内部人员可以竞聘,也向社会上公开招聘。再由销售公司总经理搭班子,提出公司建设方案。"

分析讨论:

以上企业各位领导的发言反映了什么样的营销观念?

三、市场营销学研究的内容

从市场营销的概念可知,市场营销是一项协调生产与满足消费者需求的经济活动。市场营销的范围包括下列十个不同的方面:

(1)商品。商品是满足需要的有形实体,是构成大多数国家市场营销总体的主要部分。例如,生活用品,包括粮食、水果、副食、日用品、家用电器等;生产用品,包括水泥、钢材、机器设备等。

(2)服务。服务是一种无形产品。随着经济的发展,服务在市场营销中所占的比重越来越高。服务行业则包括航空、旅店、理发、美容、维修、餐饮、物流、咨询等。

(3)体验。通过协调多种类型的服务和商品,公司能够创造表演和营销体验。沃特·迪士尼世界的梦幻王国就是这样一种体验。人们可以拜访童话王国,登上海盗船,或走进鬼屋猎奇。

（4）事件。利用事件的影响力或魅力可为机构树立声誉或推介产品。通常被利用来营销的事件有奥林匹克运动会、大型体育赛事、各种博览会、商展会、欢乐节、专题社会公益活动等。这些事件的主办单位，可就其操办事件的赞助权、参展权、专用产品冠名权、特殊标志使用权等向社会招标拍卖，而获得相应的收入及财政支持。

（5）信息。信息也可以像产品一样被生产和营销。百科全书和许多非小说性质的图书就是在销售信息，通过市场调查、各种报纸、杂志资料的整理和分析，向需要帮助的机构和个人有偿提供，如市场调查公司、咨询公司、剪报公司采集并提供信息。目前，信息的生产、包装和分销已成为一种重要的社会行业。

（6）观念。每个市场供应物的核心都是一个基本的观念，而产品和服务是传递一些观念或利益的平台。例如，钻头的购买者实际上是想获得一个洞。社会营销家在忙于促销这些观念，如"不要接触毒品""挽救雨林""天天锻炼"或"避开油脂食品"等。

（7）人物。人物营销是指利用名人效应进行营销。这种营销一个时期以来已经变成一种重要行业，现在每个有影响的影视明星、体育明星都有经纪人、个人代理和处理公共关系的经办。通过明星的影响力创造了一种"形象文化"，于是各个企业不惜重金，精心挑选后隆重推出自己产品或品牌的形象代言人。此外，当前各种艺术家、音乐家、首席执行官、医生、律师和金融家以及其他专家，都从名人营销者那里获得过帮助，还包括向某些机构或工商企业出让自己的肖像权或冠名权。

（8）地点。地点营销者包括经济发展专家、房地产经销商、商业银行、本地区商业协会、广告和公共关系机构等，他们积极地争取吸引游客到特定的地区；工厂、公司总部和新的居民通过努力改善国家、城市的形象，吸引新的投资。

（9）财产权。财产权是指对所拥有财产的无形的权利，包括真实财产（如房地产产权）和金融资产（股票、债券）。财产权可以买卖，这个过程就包含了营销力量。

（10）机构。机构组织试图影响其他人，让他人认同该机构的目标，接受机构的服务或以某种方式与机构共享。采用机构营销的组织包括互利性机构（教堂、工会、政党）、服务性机构（大学、医院、博物馆）和政府机构（军队、警察、消防局）。

◆ **阅读案例 1—3**

蚊帐将"寿终正寝"了吗？

C市英华路，大名鼎鼎的王德荣蚊帐店门可罗雀。"王德荣"在C市是个人尽皆知的人物。改革开放之初，他以优质蚊帐赢得了顾客，从而率先致富。作为全市第一个公开承认自己资产已达百万的个体户，他一度成了C市人茶余饭后的议论中心。

然而，如今走进王德荣蚊帐店，稍事逗留，就会发现这里难得进来一位顾客。作为销售旺季的6月份，当年的销售额仅40多万元，与往年70多万元的月销售额形成了巨大的落差。而这还是全市蚊帐店中境况最好的一家，有的蚊帐厂家已濒临倒闭。

为了挽救衰败的局势，王德荣使出了浑身解数，亮出了一招又一招：开展照图加工业务，顾客想把蚊帐做成什么样子，只需画张图，哪怕只做一顶，他也承接；对老弱病残顾客，不仅在店里笑脸相迎，提供优质服务，还负责上门给挂好新买的蚊帐。在蚊帐生产上，他提出九个字的指导思想:"高档化、装饰化、礼品化"。他坚持全部采用上乘进口原材料进行加工,生产出来的蚊帐有五六个款式、10余个品种、20多个颜色,围帐、圆帐、方帐,色彩鲜艳、款式新颖,上至365元一床的呢绒静电提花围帐,下至24元一顶的儿童蚊帐,琳琅满目、争奇斗艳。其中有一款圆帐,白天一收起来俨然是一个美丽的花篮。

然而,这仍无补大局。与蚊帐滞销形成鲜明对比的是,今年以来在C市的如意牌驱蚊器正由于供不应求而令那名气颇大的刘宏厂长如坐针毡。来自全国各地的信件、电报、长途电话一个劲儿地催货,更有许多老顾客驻扎在C市死盯住他,工人们加班加点仍然满足不了需求。

同是生产抵御蚊子的工具——蚊帐和电子驱蚊器,这两家却是一家欢乐一家愁。

王德荣在被问及蚊帐市场前景的展望时说:"我想世界上只要还有蚊子,人们对蚊帐的需求恐怕就不会消失。"然而,C市某公司10名刚刚结婚或正在筹备结婚的新人,当被问及"您是否已经或正要为您的新房购置一顶漂亮的蚊帐"时,答案却完全一边倒:"既没买,也不打算买。"一位新娘甚至还反问一句:"现在结婚谁还买蚊帐啊?"接着,她还历数了蚊帐的种种"弊端":挂蚊帐让本来就小得可怜的居室显得更小,给人以压抑、憋闷感;钻进蚊帐,只能被动地躲避蚊子,人不自由,而蚊子仍然无孔不入,永远处于"进攻"状态;蚊帐洗涤和收拾起来都很不方便;挂蚊帐也无法吹电扇;一顶蚊帐100多元,只能新鲜三五年,旧了再挂也不好看……有人还拿出一本厚厚的《国外居室布置》翻着说:"看看发达国家谁还在卧室里不伦不类地挂一顶蚊帐呀?"

难道随着小小电子驱蚊器的问世,蚊帐这种有着悠久历史的居室用品将"寿终正寝"了吗?

(资料来源:http://www.ltcem.com/jpkc/scyx/jiaoXueNeiRong/anLiKu/1/anLi3.htm.)

分析讨论:

1. 蚊帐这个"几乎家家户户的必需品"现在真的没有市场了吗?为什么?
2. 王德荣在被问及蚊帐市场前景的展望时说:"我想世界上只要还有蚊子,人们对蚊帐的需求恐怕就不会消失。"这句话反映出他什么样的市场观念?
3. 你觉得王德荣的市场观念问题出在哪里?

◆ 阅读案例1—4

如何把木梳卖给和尚?

一个公司派出甲、乙、丙三个推销员去向和尚推销木梳,其推销业绩和推销过程如下:

甲:卖出1把。

他找到庙中的每个和尚,历尽千辛万苦,遭受和尚责骂也没人买,偶遇一个小和尚,一边晒太阳一边挠头皮,于是灵机一动,递上木梳……

乙:卖出10把。

他找到一座名山古寺,看到拜佛者头发被风吹散了,于是对住持说:"蓬头垢面是对佛的不敬,您应在每座庙的香案上放一把木梳,供善男信女梳理头发。"那座山上有10座庙,于是住持买了10把木梳。

丙：卖出1000把。

他找到一处香火极旺的深山宝刹，先赞美住持，然后趁机说："凡来进香参观者，多有虔诚之心，宝刹理当有所回馈，一来给香客做纪念保佑其平安，鼓励其多做善事；二来可以树立口碑，提高宝刹的声誉，会使香火更旺。我有一批木梳，众人皆知您书法超群，刻'积善梳'三字，便可做赠品。"住持听后大喜，当即买下1000把。

第二节　市场营销学的产生、传播和发展

一、市场营销学的产生和发展

市场营销学的产生和发展大致经历了四个阶段。

（一）形成阶段

从19世纪末到20世纪30年代，是市场营销学的形成阶段。

在这个时期，各主要西方国家经过工业革命，生产迅速增长，城市经济发达，商品需求量急剧增长。由于需求增加，市场的基本特征是供不应求，即卖方市场。企业集中要解决的问题是增加产品产量，降低成本，以满足市场需要，而产品销售不是企业的主要问题。在20世纪初，美国工程师弗雷德里克·温斯洛·泰勒（Frederick Winslow Taylor）所著《科学管理原理》一书出版后，许多大企业相继推行该书提出的生产管理科学的理论和方法——泰勒制，使生产效率大为提高，生产能力的增长速度开始超过市场增长速度。在这种情况下，有远见的企业家在经营管理实践中，开始重视商品推销和刺激需求，注重推销术和广告的研究和应用。与此同时，一些经济学家根据企业营销活动的需要，着手从理论上研究商品销售问题。美国哈佛大学的赫杰特齐（J. E. Hegerty）于1921年写出第一本以《市场营销》命名的教科书。这本书的问世被视为市场营销作为一门独立学科出现的里程碑。同时，美国密歇根州大学、宾夕法尼亚大学、威斯康星大学等高等院校相继开设了市场营销学课程，并且形成了若干研究市场营销学的中心。

在这个阶段，市场营销学的研究具有两个特点：①它仍以传统的经济学，如马歇尔的需求学说为理论基础，市场营销学本身没有明确的理论原则，只着重研究推销的方法；②研究活动基本上局限在大学里进行，没有参与企业主争夺市场的业务活动，因此没有引起社会的足够重视。

（二）应用阶段

从20世纪30年代到第二次世界大战结束，是市场营销学应用于流通领域的时期。

1929—1933年西方国家的经济危机震撼了各主要西方国家。由于生产严重过剩，商品销售困难，企业纷纷倒闭。这时，企业面对的已经完全不是求过于供的卖方市场，而是供过于求的买方市场。面对危机的市场，与企业休戚相关的首要问题不是怎样扩大生产和降低成本，而是如何把产品卖出去。市场营销学家为了帮助企业家争夺市场，解决产品销售问题，开始重视市场调查研究，分析、预测和刺激消费者的需求，这就为大规模地开展市场营销学的研究开辟了道路。这时，市场营销学进入了在流通领域的应用阶段，参与了企业争夺市场的业务活动。

1926 年，美国建立了全国市场营销学和广告学教师协会。1931 年，美国市场营销协会成立，并专门设立了为企业管理人员讲授销售学的讲习班。几年后，许多企业家也参加了协会，他们与销售学研究人员共同组成了现在的美国市场营销协会（American Marketing Association，AMA）。这个协会在全国各地设有几十个分会，从事市场营销学的研究和培训企业销售人才，并且参与研究企业的销售决策。

但是，在这个阶段，企业重视的是如何在更大规模上推销已经生产出来的商品，市场营销学的研究对象仍然局限于商品推销术和广告，以及推销商品的组织机构和推销策略等，还没有超越商品流通的范围。

（三）"革命"阶段

在 20 世纪 50 年代到 80 年代，市场营销学的概念、策略和内容发生了许多重大的改变，这一时期是市场营销学的"革命"时期。

第二次世界大战以后，美国急剧膨胀的军事工业转向民用工业，随着第三次科技革命的深入，劳动生产率大幅度提高，社会产品的数量剧增，花色品种日新月异；同时，垄断资产阶级及其政府汲取 20 世纪 30 年代经济危机的教训，推行所谓高工资、高福利、高消费以及缩短工作时间的政策，刺激人们的购买力，使市场需求在量和质的方面都发生了重大的变化。这时，市场的基本趋势是产品进一步供过于求，顾客的需求和欲望不断变化，竞争范围更加广阔。原有的市场销售学越来越不能适应新形势的要求。

20 世纪 50 年代被菲利普·科特勒称为市场营销学发展的黄金时代。1950 年，尼尔·鲍顿（Neil H. Borden）提出了具有划时代意义的"市场组合"概念；同年，乔尔·迪安（Joel Dean）提出了"产品生命周期"概念；1955 年，温德尔·史密斯（Wendell R. Smith）提出了"市场细分"概念……这些全新概念对市场营销学与市场营销行为的影响可以用美国通用电气公司约翰·麦基特里克（John B. Mckitterick）1957 年提出的"市场营销"概念来概括。市场营销由从前的以产品为出发点，以销售为手段，以增加获取销售利润为目标的传统经营观念，到以顾客为出发点，以市场营销组合为手段，以满足顾客需求来获取利润的市场营销观念的转变，被公认为是现代市场营销学的"第一次革命"。这一革命要求企业把市场在生产中的位置颠倒过来：过去市场是生产过程的终点，而现在市场则成为生产过程的起点；过去是"以产定销"，而现在是以"以销定产"。重视顾客需求并以之为起点的市场营销活动，使顾客实际上参与了企业生产、投资、开发与研究等计划的制订。这些新概念和新理论不仅促使销售职能扩大和强化，并且使企业的组织机构也发生了相应的巨大变化；销售部门不仅从企业的职能部门中独立出来，而且成为企业市场活动的核心部门。

20 世纪 60 年代是市场营销学发展的又一个黄金年代。1960 年，杰罗姆·麦卡锡提出了著名的"4P"——产品（Product）、价格（Price）、分销（Place）、促销（Promotion）组合理论；1961 年，西奥多·莱维特（Theodore Levitt）提出了顾客消费差异的"生活方式"概念；1967 年，约翰·霍华德（John A. Howard）等人提出了"买方行为理论"；1969 年，西德尼·莱维（Sydney Levy）和菲利普·科特勒提出了"扩大的营销"概念。他们使 20 世纪 50 年代诞生的"市场营销观念"进一步系统与深化。

20 世纪 70 年代是第二次世界大战后经历了五六十年代的黄金发展时期后，西方国家经济发展重新面临动荡不定的年代，能源危机、环境污染、经济滞胀等严峻的宏观营销环境使微观市场营销面临新的挑战。

1971年，杰拉尔德·泽曼尔（Fitzgerald ZeManel）和菲利普·科特勒提出了"低营销"概念；次年，阿尔·赖斯（Al Ries）和杰克·特鲁塔（Jack Tront）提出了富有吸引力的"定位"概念；在20世纪70年代的经济冲击和消费领域的社会问题压力下，市场营销学辞典中还增加了"战略营销""社会责任营销""宏观营销"等新概念。这一时期另一个值得指出的新概念是G. L. 肖斯塔克（G. Lynn Shostack）于1977年在美国《营销》杂志上提出的"服务营销"，她对此概念的论述反映了西方发达国家20世纪70年代后期以来产业结果日益服务化对市场营销的影响。

20世纪80年代西方经济虽然发展缓慢，但却是市场营销学发展史上的又一个成果丰硕的年代。这一时期诞生的重要的市场营销学新概念包括：雷维·辛格（Ravi Singh）和菲利普·科特勒1981年提出的"营销战略"；克里斯琴·格罗路斯（Christian Gronroos）1981年提出的"内部营销"；西奥多·莱维特1983年提出的"全球营销"；巴巴拉·本德·杰克逊（Barbara Bund Jackson）1985年提出的"关系营销"；菲利普·科特勒1986年提出的"直接营销"。其中最为辉煌的成就当属科特勒的"大市场营销"理论，他将市场营销组合由麦卡锡的"4P"组合扩展为"6P"组合，即加上了政治力量（Political Power）和公共关系（Public Relations）。科特勒认为，一个企业可能有精湛的优质产品、完善的营销方案，但要进入某个特定的地理区域时，可能面临各种政治壁垒和公共舆论的障碍。当代营销者要想有效开展营销工作，需要借助政治技巧和公共关系技巧。后来，他又将其发展成为"10P"组合理论，即在"6P"组合基础上又加上市场研究（Probing）、市场细分（Partitioning）、目标优选（Prioritizing）和市场定位（Positioning）。不久，科特勒在上述"10P"组合的基础上再加上了第11P——人（People），意指理解人和向人们提供服务。这个"P"贯穿于市场营销活动的全过程，它是实施前面10个"P"的重要保证。该"P"将企业内部营销理论纳入市场营销组合理论之中，主张经营管理者了解和掌握职工的需求动向和规律，解决职工的实际困难，适当满足职工的物质和精神需求，以此来激励职工的工作积极性。"大市场营销"理论将市场营销组合从战术营销转为战略营销，意义十分重大，被称为市场营销学的"第二次革命"。

（四）新的变革阶段

从20世纪90年代至今，市场营销又开始孕育新的变革时代。

早在1987年，菲利普·科特勒就曾经预言，90年代将开创"市场营销系统"的新纪元。进入20世纪90年代以后，由于现代加工制造技术的发展，信息产业的崛起，以及日益全球化的竞争趋势，营销观念和方式又产生了新的变化。由于竞争日益激烈，全面顾客服务将是企业制胜的终极武器。企业要研究如何创造顾客及满足顾客需求，如何留住顾客，如何提高顾客的满意度，如何赢得顾客并建立顾客忠诚等诸多问题，为顾客服务将贯穿于企业经营活动的全过程。1990年，美国营销专家罗伯特·劳特朋（Robert F. Lauterborn）教授提出了"4C"理论，它以顾客需求为导向，重新设定了市场营销组合的四个基本要素，即消费者（Consumer）、成本（Cost）、便利（Convenience）和沟通（Communication）。它强调企业首先应该把追求顾客满意放在第一位，其次是努力降低顾客的购买成本，然后要充分注意到顾客购买过程中的便利性，而不是从企业的角度来决定销售渠道策略，最后还应以顾客为中心实施有效的营销沟通。4C理论不仅是对传统营销理论的革命，而且使"以顾客为中心"理念得以在营销中全面体现，这将对长期占统治地位的4P营销理论产生重要的变革。以此为基础,整合营销、定制营销、关系营销、绿色营销、网络营销、营销决策支持系统、营销工作站等新的营销理论和营销方式不断被推出和应用。可以预见,市场营销活动在21世纪,将会在营销技术、营销决策、营销手段等方面取得突飞猛进的发展,新的市场营销革命正在孕育之中。

二、市场营销学在中国的传播和发展

20世纪三四十年代,市场营销学在中国曾有一轮传播。现存最早的教材,是丁馨伯编译的《市场学》,由复旦大学于1933年出版。当时一些大学的商学院开设了市场学课程,教师主要是欧美留学归来的学者。但由于长期战乱及半殖民地半封建社会政治经济条件的限制,其研究和应用没有很好地展开。新中国成立后,从20世纪50年代到70年代末,由于西方的外部封锁和国内实行高度集中的计划经济体制,市场和商品经济在理论上遭到否定,在实践中没有基础,缺乏需要,市场营销学的研究在中国大陆基本中断。在这段时间里,中国内地学术界对国外迅速发展的市场营销学知之甚少。

党的十一届三中全会以后,我国确定实施以经济建设为中心,对外开放、对内搞活的方针。社会经济学界努力为商品生产恢复名誉,改革开放的实践则不断冲击着旧体制,逐步明晰了以市场为导向,建立社会主义市场经济体制的改革目标,为我国重新引进和研究市场营销学创造了良好条件。

1978—1985年,是市场营销学再次引进中国并初步传播时期。其间,北京、上海和广州等地的学者率先从国外引进市场营销学,为这一学科的宣传、研究、应用和人才培养做了大量工作。通过论著、教材翻译,到国外访问、考察和学习,邀请境外专家学者来华讲学等方式,系统介绍了当代市场营销理论和方法。高等院校相继开设了市场营销学课程,组织编写了第一批市场营销学教材。1980年,国家经济委员会(现商务部)与美国政府合作建立了以国有企业厂长、经理为培训对象的大连培训中心,聘请美国著名的营销专家讲课,对营销理论方法的实际运用起到了推动作用。1984年1月,为加强学术交流和教学研究,推进市场营销学的普及与发展,全国高等财经院校、综合性大学市场学教学研究会在湖南长沙成立(1987年改名为中国高等院校市场学研究会)。该研究会汇集了全国100多所高等学校的市场营销学学者,每年定期交流研讨,公开出版论文集,对市场营销学的传播、深化和创新运用做出了积极贡献。往后几年,许多省、市(区)也逐步成立了市场营销学会,广泛吸纳学者和有影响的企业家参加研讨活动。各类学会举办多种形式的培训班,通过电视讲座和广播讲座,推广传播营销知识。广东营销学会还定期出版《营销管理》会刊。

1985—1992年,是市场营销学在中国进一步传播与应用时期。为适应国内深化改革、经济快速增长和市场竞争加剧的环境,企业界的营销管理意识开始形成。市场营销的运用热潮从外贸企业、商业企业、乡镇企业逐步扩展到国有工业企业;从消费品市场扩展到工业品市场。能源、材料、交通、通讯企业也开始接受市场营销概念。市场营销热点也开始从沿海向内地推进。全社会对市场营销管理人才出现了旺盛的需求。

到1988年,国内各大学已普遍开设了市场营销学课程,专业教师超过4000人。不少学校增设了市场营销专业,有50多家大学招收了市场营销方向的研究生。1992年前后,部分高校开始培养市场营销方向的博士研究生。与此同时,国内学者编著出版了市场营销学教材、专著300多种，发行销售超过1000万册。国内最早编写的《市场学辞典》和篇幅达210万字的《现代市场营销大全》，也在1987—1990年问世。

1991年3月，中国市场学会在北京成立。该学会成员包括高等院校、科研机构的学者，国家经济管理部门官员和企业经理人员。此后，中国高等院校市场学研究会、中国市场学会作为中国营销的主要学术团体，开展了一系列活动，促进学术界和企业界、理论与实践的结合，为企业提供营销管理咨询服务和培训服务，建立对外交流渠道，做了大量卓有成效的工作。

1992年以后，是市场营销学研究结合中国实际提高、创新时期。邓小平南行讲话，奠定了建立社会主义市场经济体制的改革基调。几年时间，改革全方位展开，经济结构迅速变化，外资企业大量进入，买方市场特征逐步明显，中国市场竞争进一步加剧。在这种形势下，强化营销和营销创新成为企业的重要课题。为此，中国营销学术界一方面加强国际沟通，举办了一系列市场营销国际学术会议；另一方面，展开了以中国企业实现"两个转变"（从计划经济向市场经济转变、从粗放经营向集约化经营转变）为主题的营销创新研究，以及以"跨世纪的中国市场营销""21世纪中国营销创新"等专题的营销学术研究。在这一阶段，出现了一批颇有价值的研究成果。

第三节 市场营销学的研究对象和研究方法

一、市场营销学的研究对象

市场营销学的研究对象主要是工商企事业及服务行业的营销活动及其规律性，是研究企业的营销活动，并为企业营销管理服务而不是为宏观经济管理服务的学科。具体地说，它主要是研究卖方的产品和劳务如何转移到消费者或用户手中的全过程。当然，任何市场都是由买卖或供求双方构成的，市场是供给和需求的统一，但市场营销学不是在这个一般意义上来运用市场这一概念的。它是站在卖方（主要是商品生产者）的角度，作为供给一方来研究如何适应市场需求，如何使产品具有吸引力、定价合理、质量合格、购买方便，使买方满意，从而提高企业的市场占有率和经济效益。另一方面，一门学科的研究对象是不可任意改变的，联系我国实际不等于改变学科的研究对象，否则，那将是另外一门学科，而不是举世公认的"市场营销学"（Marketing）。现代市场营销学研究的基本内容有：市场分析与研究，包括市场与市场营销、市场营销宏观环境、各种市场类型及其购买行为特点、市场调查与预测等；营销对象及其选择，包括市场细分及目标市场选择；企业营销战略与营销策略。现代市场营销学具有以下两个鲜明的特征：①综合性。它汲取了包括经济学、行为科学、社会学和心理学等学科的有关理论和方法，结合自身特点，形成了具有自身特色的学科体系。②实践性。它所拥有的基本原理大部分来自营销实践活动，是长期经验的积累和总结，这些理论和方法反过来又作用于实践，从而使这门学科显示出较强的实践性（务实性）。

二、市场营销学的研究方法

市场营销学的研究方法应贯彻理论联系实际原则，注重调查研究，结合案例分析，掌握市场变化规律，指导市场营销活动，并在实践中不断地总结和提高。不同的市场环境、不同的地理区域，市场营销活动具有不同的特点，因此，需要采用不同的方法研究。具体研究方法如下：

(1) 商品研究法。商品研究法主要是以商品为主体，研究特定的商品或产品大类的生产问题，以及如何分销到中间商和最终消费者等市场营销问题。国外市场营销学一般将产品分为工业品与消费品两大类，主要产品按大类又可分为农产品、矿产品、制造品和劳务等，其着眼点是产品。

(2) 组织研究法。组织研究法主要是研究市场营销系统中的各种机构的特性、变革和功能，包括生产者、代理商、批发商、零售商及各种辅助机构，以商品流通的各个环节为主线，研究营销活动。

(3) 功能研究法。市场营销的基本功能一般可分为交换功能、供给功能和便利功能三大类，包括购、销、存、运、金融、信息等方面的内容。功能研究法主要是研究各种营销功能的特性及动态，着重研究不同的营销机构和不同的产品市场如何执行这些功能。

(4) 管理研究法。管理研究法也称决策研究法，即从管理决策的角度来研究市场营销。这种方法强调：通过营销实行组织和产品的有效的市场定位，并且特别重视市场营销分析、计划、组织、实施和控制。它把卖方的市场营销活动中有关的各种因素（变数）分为两大类：一类是不可控因素，即营销者本身不可控制的营销环境，包括微观环境和宏观环境；另一类是可控因素，即营销者自己可以控制的产品、商标、包装、价格、广告、渠道等。1960年，美国著名营销学家 E. J. 麦卡锡（E. J. McCarthy）把各种可控因素归纳为四大类（4P）。西方市场营销学主要是运用这种管理决策法进行研究。

(5) 社会研究法。社会研究法主要是研究各种营销活动和营销机构对社会的贡献及其所付出的成本。这种方法提出的课题有市场效率、产品更新换代、广告真实性及市场营销对生态系统的影响等。

第四节 市场营销观念及其演变

市场营销观念是企业市场行为的指导思想，即企业在开展市场营销管理的过程中，处理企业、顾客和社会三者利益方面所持的态度、思想和观念，集中体现在企业以什么样的方法和态度对待市场、顾客和社会。

营销大师菲利普·科特勒将现代企业的营销观念分为五种，即生产观念、产品观念、推销观念、市场营销观念和社会营销观念。企业营销观念选择得恰当与否取决于营销观念同经营环境的适应程度，营销观念随客观环境的变化而变化，不同的营销观念创造或选择不同的市场行为模式。

一、生产观念

生产观念是指导销售行为的最古老的观念之一。生产观念认为，生产是最重要的因素，只要生产出有用的产品，就不愁没有销路。"我们生产什么就卖什么"是这种观念的典型反映。这种观念的核心思想认为，顾客主要关心的是产品价格低廉和可以随处购得，而企业则把注意力集中在追求高生产率和建立庞大的销售网络上。

生产观念在两种情形下是有使用价值的：第一种情形是，当对一种产品的需求超过了供给，对于饥不择食的顾客，取得产品比对产品的优点更感兴趣。这时，管理者需要寻求能够扩大生产的方法。第二种情形是，当一种产品的成本过高时，需要提高生产率来降低成本，使顾客买得起。

在商品供不应求的卖方市场时代，这种"大量生产，降低价格"的思想尚有其生命力，也常成为某些企业的策略选择，许多公用事业、垄断行业的生产经营和服务机构还依照生产观念行事，如医院、学校、电力公司、煤气公司等。它们按照装配线的原理组成，这种组织形式虽能以高效率处理很多事，却受到缺乏人性、冷冰冰待客的公开指责，但垄断的打破和竞争的形成将会促使其转变营销观念。

◆ **阅读案例1-5**

汽车大王的经营观

著名的美国汽车大王亨利·福特（Henry Ford）于1908年年初，按照当时一般大众，尤其是广大农场主的需要，做出了明智的选择：致力于生产统一规格、价格低廉、大众需要而又买得起的"T型车"，并在产品实行标准化的基础上，组织大规模生产。以后的十多年里，福特车适销对路，销量迅速增加，最高的年份曾达100万辆。到1925年10月30日，福特公司一天就能制造9109辆"T型车"，平均10s一辆。在20世纪20年代中期的前几年，福特公司的纯收入高达5亿美元，成为当时世界上最大的汽车公司。后来，随着美国经济增长和人们收入、生活水平的提高，形势发生了变化：公路四通八达，路况大大改善，马车时代坎坷、泥泞的路面已经消失，消费者开始追求时髦。简陋的"T型车"虽然价格低廉，但已经难以招徕顾客。可是，亨利·福特没有面对现实。1922年，他在推销员全国年会上听到"T型车"需要根本改进的呼吁以后，静坐了两个小时，然后答道："据我看，福特车的唯一缺点，就是我们造得还不够快。"在他坚持"不管顾客需要什么颜色，我们只有一种是黑色的"的观念时，一种新的式样——雪佛兰A型车出现。虽然价格稍高，但雪佛兰车很快开始排挤"T型车"。1926年，"T型车"销量陡降。1927年5月，亨利·福特不得不停产"T型车"，改产"A型车"。改产不仅耗资1亿美元，而且延误了时机。通用汽车公司乘虚而入，占领了福特公司汽车市场的大量份额。

二、产品观念

产品观念认为，消费者更喜欢高品质、具有更多性能和属性特色的产品，因此，组织应该致力于对产品进行持续不断的改进；只要物美价廉，顾客必然会找上门，无须大力推销。

在动态市场上，这种致力于品质提高、忽视市场需求的观念，必然导致"市场营销近视症"（Market Myopia），即不适当地把注意力放在产品上，而不是放在市场需要上，在市场营销管理中缺乏远见，只看到自己的产品质量好，看不到市场需求在变化，致使企业经营陷入困境。

从20世纪70年代中期开始，瑞士钟表业陷入了严重的危机，日本和中国香港的电子石英表冲击着以生产机械表为主的瑞士钟表业。危机使瑞士的两大钟表集团遭到严重损失，为了重返钟表王国霸主的地位，它们开始研制并推出了新款"瑞士表"。这种表仍是机械机芯，但小巧、超薄，价格略高于塑料机芯表，它时代气息浓烈、款式多样，能够适合各种人群的爱好，又能满足人们对质量的要求，深受人们的喜爱。

三、推销观念

推销观念认为，消费者通常有一种购买惰性或抗衡心理，听其自然就不会大量购买本企业的产品，因此，企业营销管理的重心是积极推销和大力促销。推销观念在现代市场经济条件下被大量用于推销那些非渴求品，如保险、百科全书等，也应用于非营利领域，如资金募集、政党竞选等。

企业在生产能力过剩的时候，往往会持有推销观念，致力于产品的推广和广告活动，力求说服甚至强制消费者购买它们的产品。其目的是推销它们所制造的产品，而不是制造它们能推销、切合顾客需求的产品。这种方式蕴含着很大的风险。它专注于创造买卖交易，而不是建立长期营利性的客户关系。它假定消费者在被说服购买产品以后会喜欢上产品，或者如果他们不喜欢产品，也可能会忘记之前的失望，然后再次购买。这些假设经常是不堪一击的，更多研究显示，不满意的顾客将不会再次购买。

四、市场营销观念

市场营销观念认为，组织目标的实现在于理解目标市场的需求和欲望，并且比竞争者更好地向顾客提供他们所渴望的产品。在营销观念的指导下，以顾客为中心和价值是销售与获得利润的途径。

市场营销观念不是产品观念的"生产并销售"的理念，而是一种以顾客为中心的"认识并响应"的营销原则。营销者需要做的不是为自己的产品寻找适合的顾客，而是为顾客寻找适当的产品。正如管理大师彼得·德鲁克所说：营销的目的在于很好地了解顾客，使产品或服务适应顾客需要而能自行销售。所以，市场营销观念的基本特征是以市场为出发点，以顾客为中心，以协调的市场营销手段，通过满足消费者的需求来盈利。

从推销观念到市场营销观念是一场根本性的革命。推销观念以一种从内向外的视角，从工厂出发，以企业现有产品为中心，并且需要用大量的推销和促销活动来获得盈利的销售。它致力于征服顾客——赢得短期销售，而不关心谁买或为什么买。

与之相比，营销观念是用以外向内的视角，从一个明确定义的市场出发，以消费者需求为中心，并且整合各种营销活动来影响消费者。接着，它将通过创造基于顾客价值和顾客满意的长期客户关系来获得利润。

◆ **阅读案例 1-6**

通用汽车公司的经营观

第二次世界大战以前，福特汽车公司依靠老福特的黑色"T型车"取得了辉煌的成就，但老福特过分相信自己的经营哲学，不管市场环境的变化和需求的变动。而通用汽车公司的创始人斯隆（Alfred P. Sloan）觉察到战争给全世界人民所带来的灾难，特别是从战场回来的青年人，厌倦了战争，期望充分享乐，珍惜生命，因而，对汽车的需求不再只满足于单调的黑色"T型车"，希望得到款式多样、色彩鲜艳、驾驶灵活、体现个性、流线型的汽车。通用汽车公司抓住需求变革的时机，推出了适应市场需要的汽车，很快占领了市场，把老福特从"汽车大王"的位置上拉了下来，取而代之成了新的"汽车大王"。

五、社会营销观念

社会营销观念认为,企业应该明确目标市场的需要、欲望和利益,并以保护或者提高消费者和社会福利的方式,比竞争者更有效、更有利地向目标市场提供所期待的满足。

近年来,由于消费者主义的兴起,市场营销观念开始受到抨击。人们认为,市场营销观念能极好地发觉消费者的个人需求并为之服务,但没有关心消费者与社会的长期利益。例如,一次性饭盒、塑料包装、一次性筷子等迎合了人们某些方面的需要,但同时每年也留下了几十万吨无法消除的垃圾和脏乱的环境,还导致森林资源耗减等。这就要求企业在制定营销策略时,要考虑企业利润、消费者需要和社会利益三者的平衡。社会营销观念认为,营销就是创造和提供更高的人类生活水准。企业向社会提供产品或服务,不仅要满足消费者的眼前欲望和需要,而且要符合消费者和社会的最大长期利益,求得企业利益、消费者利益和社会长远利益三者之间的平衡。

第五节　市场营销管理的过程和任务

现代市场营销学具有强烈的"管理导向",即从管理决策的角度研究营销者(企业)的市场营销问题。"营销学"最深的内涵是"管理学"。英语"Economy"(经济)是由希腊语"Oikonomia"词根派生的,而"Oikonomia"是由"Oikos"(家庭)和"Nomos"(管理)两个词组成的。从词源学看,经济的实质就是由"家"的管理延伸到对"国"的管理。市场营销问题说到底是一个管理问题。当今企业,讲营销而不讲管理是行不通的,有效营销需要严格的营销管理。

一、市场营销管理的实质

所谓营销管理,美国学者菲利普·科特勒解释为通过分析、计划、执行和控制,谋求和创造、建立及保持与目标市场之间互相有益的交换和联系,以达到营销组织的目标。也就是说,在营销过程中,要充分运用现代管理理论和方法,积极发挥管理的计划、组织、指挥、监督和调节等职能的作用,使企业形成比较科学的营销战略,构成比较理想的营销环境,制定比较实际的营销策略,进而优化资源配置,扩大市场销售,树立良好的企业形象,高效率地实现企业的营销目标。

市场营销管理的实质是需求管理,其目标就是使企业推销工作成为多余。市场调查和研究是发现与创造市场需求,产品开发和设计是提供一种满足市场需求的手段与方法,而产品策略、价格策略、渠道策略及促销策略是一系列开展需求实现的活动。需求管理同其他任何管理一样具有计划、组织、领导、控制等基本职能,其中计划位于其他管理职能之前,而且营销策划也是营销工作中最为重要的。

二、市场营销管理的过程

在现代市场经济条件下,企业必须十分重视市场营销管理,根据市场需求的现状和趋势，制订计划，配置资源。市场营销管理的过程是企业为实现企业任务和目标而发现、分析、选择、利用市场机会的管理过程。市场营销管理的过程包括分析市场营销机会，研究和选择目标市场，市场定位，确定市场营销策略，制定市场营销规划，以及市场营销工作的组织、执行和控制，如图1-1所示。

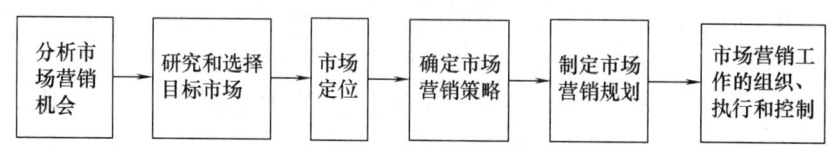

图1-1　市场营销管理的过程

1. 分析市场营销机会

分析市场营销机会是市场营销管理的首要任务，它要求企业必须从环境机会中找到企业机会。因此，在市场营销机会分析中，要分析环境机会和企业机会两个方面。

环境机会是指企业所处的市场环境所提供的机会。分析环境机会时，主要是分析各种环境因素的变化可能引起的需求及其变化。企业所处的市场环境，一般由各种具体的环境因素构成，如人口因素、经济因素、自然因素、技术因素、政治法律因素、社会文化因素、竞争因素等。每一因素的变化都可能创造某种需求，或引起原来的需求发生变化。因此，只要环境因素的变化是向创造需求或向有利于原来需求增大的方向变化，这些环境的变化就会引起环境机会的出现。由于环境因素总是处于动态的变动之中，所以环境机会是经常存在的。

企业机会是指与一个具体企业的内部条件相适应的环境机会。环境机会虽然是经常存在的，但并不是说环境机会就是企业机会。判断环境机会是否是企业机会，还必须对企业的内部条件进行分析。企业的内部条件实际上就是企业内部资源，主要包括资金、技术、生产、营销及组织管理等方面。分析企业现有的和可以获得的这些方面的条件能否达到利用特定的环境机会所需要的条件，还要看利用某种环境机会的条件能否具有较强的竞争能力。如果环境机会变成企业机会，企业就可以利用这种机会得到发展。

2. 研究和选择目标市场

研究和选择目标市场是对企业机会进行进一步的研究，以达到从中找到企业的目标市场的目的。研究和选择目标市场包括市场预测、市场细分和目标市场选择。

市场预测是对市场机会的定量化描述。通过市场预测，可以了解市场的需求规模及发展变化趋势，便于企业判断所选市场对企业吸引力的大小，以及企业进入该市场所需要投入资源的多少。

市场细分是指将一个市场按照消费者需求的差异划分为一系列的具有不同特征的细分市场的过程。针对不同的市场可以使用不同的细分因素。

对市场进行细分以后，企业需要从不同的细分市场中选择自己要进入的细分市场，这种细分市场就是企业的目标市场。在选择目标市场时，需要对不同的细分市场进行评价，评价的内容主要包括细分市场的规模及潜力、细分市场的吸引力及企业的目标和资源。当这些方面都符合要求时，这样的细分市场就可以作为企业的目标市场。

◆ 阅读案例 1-7

如何发现和创造营销机会

一个鞋业公司派一名推销员到东南亚某国,去了解公司的鞋能否在那里找到销路。一星期后,这位推销员打电报回来说:"这里的人不穿鞋,这里没有鞋的市场。"

接着,该鞋业公司总经理决定派市场部经理到这个国家,对此进行仔细调查。一星期后,经理打电报回来说:"这里的人不穿鞋,是一个巨大的市场。"

3. 市场定位

企业选定了目标市场后,接下来要做的营销管理工作就是在目标市场上进行产品的市场定位。

企业需要对所提供的产品在目标市场消费者心目中占据什么样的位置做出决策,即进行产品定位,以便企业在制定市场营销策略时突出企业产品的定位。在进行产品定位时,主要是找到能吸引目标市场消费者需求的企业优势,使企业的优势能为企业创造更多的价值。

4. 确定市场营销策略

确定市场营销策略是指决定企业在市场中应处于什么样的竞争地位,企业的新产品投放市场以后,怎样经历不同的产品生命周期过程以及企业如何开拓国际市场。

企业在市场中的竞争地位可以分为领导者、挑战者、追随者和补缺者四种。处于不同竞争地位的企业,所使用的市场营销策略不同。

在新产品投放市场以后,必然要经历不同的产品生命周期阶段,而在产品生命周期的不同阶段,由于市场环境的变化,企业必须调整其营销策略。

开拓国际市场是我国在新形势下必须面对的问题。在国际市场营销策略中,应根据变化的国际市场环境,选择正确的进入国际市场的方式,制定正确的国际市场营销策略。

5. 制定市场营销规划

市场营销策略只有转化为市场营销规划,才能真正发挥作用。市场营销规划的内容包括市场营销费用、市场营销组合、市场营销资源分配等方面的基本决策。

市场营销费用决策对企业营销目标的实现有决定性的影响。市场营销费用的决定可以采取多种不同的方法,如可以按照企业预期销售额的百分比决定,也可以参照竞争者营销费用的比例决定,还可以根据企业的营销能力及各方面营销目标的要求,计算出所需的营销费用。

市场营销策略组合就是可控制的各种营销手段的综合应用。通常把众多营销手段概括为四种基本营销手段,也称为市场营销策略,即产品(Product)策略、价格(Price)策略、分销渠道(Place)策略和促销(Promotion)策略。这四种营销策略的英文字母开头都是P,所以简称4P。4P都是企业可控制的变数,市场营销策略组合实际上就是4P的最优组合。

市场营销组合是一种动态组合。由于每一个组合因素不仅都是可变的,而且又是互相影响的,每一个因素的改变都会引起整体组合的变化,形成一种新的组合,因此,市场营销人员可以根据这种动态性的特点,灵活地选择符合营销目标的组合。

市场营销资源分配是指对企业可使用的营销资源在各种营销因素中进行分配。营销资源的分配与市场营销组合决策密切相关。在市场营销资源分配中，一般可参考本企业和其他企业的成功经验，然后在此基础上结合市场营销环境的变化进行调整。

成功的市场营销组合和市场营销资源分配方案，应该是每一个因素都能适合消费者的要求。企业的市场营销组合和市场营销资源分配如果能达到消费者的这些要求，企业的市场营销工作就能够取得成功。

6. 市场营销工作的组织、执行和控制

市场营销工作的组织、执行和控制是保证企业的市场营销策略和规划顺利实施的重要条件。市场营销工作的组织是指根据企业市场营销工作的要求组织市场营销资源，建立市场营销组织。市场营销工作的执行是指营销各职能部门按照营销计划的要求去完成各项营销工作。市场营销工作的控制是指企业采取必要的信息反馈和控制措施，以确保企业所制定的营销目标能够实现。

市场营销控制一般包括计划控制、盈利性控制和策略控制三方面。计划控制是将反映企业营销目标的指标按时间阶段进一步具体化，定期检查这些指标的完成情况。盈利性控制是对不同产品、不同市场的盈利情况进行监控，以检查所制定的盈利目标是否实现。策略控制是评价企业采取的营销策略是否适合市场环境的要求。对市场营销工作无论实施哪些方面的控制，最主要的是通过营销审计和诊断，找出计划与实际执行情况的差距及产生这些差距的原因，以便对症下药，对企业的市场营销工作的不同方面进行调整。

◆ 阅读案例 1-8

日本电视机进入中国市场

1979 年，我国放宽了对家用电器进口的控制。当时，日本电视机厂商首先分析了中国市场需求的特点，从市场营销角度出发，认为市场是由人口、购买力及购买动机构成的，当时中国人均收入虽然较低，但总人口有 10 亿人，而且有储蓄的习惯，已形成了一定的购买力，具有对电视机的消费需求，由此得出结论：中国存在一个很有潜力的黑白电视机市场。日本电视机厂在分析中国电视机市场需求特点的基础上，制定了相应的市场营销策略以满足中国消费者的需求。

（1）产品策略。中国电压系统与日本不同，必须将 110V 改为 220V；中国电力不足、电压不稳定，需配置稳压器；中国住房面积偏小，应以提供 12～14in① 的电视机为主；要提供质量保证及修理服务。

（2）分销策略。因为中国内地国营商业尚未进口电视机，所以需要经中国香港、澳门有关公司和代理商销售，或通过港澳同胞和其他归国人员携带电视机进入内地。

（3）促销策略。主要采用广告策略，在《大公报》《文汇报》等报刊大量刊登广告；在香港电视台发动宣传攻势，介绍有关日本电视机的知识。

（4）定价策略。考虑到当时中国市场上尚无其他外国电视机的竞争，因此，制定的价格比中国同类电视机要高。

---

① 1in = 0.0254m。

日本电视机厂在有针对性地制定市场营销组合的基础上,将电视机源源不断地推向了中国市场。

(资料来源:方光罗. 市场营销学[M]. 大连:东北财经大学出版社,2004.)

三、市场营销管理的任务

市场营销是一个复杂的过程,各环节之间需要相互协调、相互配合、相互促进。市场营销管理的任务就是为了促进企业目标的实现而调节需求的水平、时机和性质。在不同需求情况下,企业营销管理有不同的任务,针对出现的问题要采取相应的措施。根据市场需求状况和营销任务的不同,营销管理包括以下几个方面:

1. 负需求

负需求是指绝大多数人不喜欢,甚至愿意花一定代价来回避某种产品的需求状况。在负需求状况下,市场营销管理的任务是改变市场营销,即企业要调查研究、分析为什么市场不喜欢某种产品或者劳务,以及是否可以通过产品重新设计、降低价格和更积极促销等营销方式,千方百计地改变市场对这种产品或劳务的信念和态度,从而把负需求变为正需求。例如,随着收入水平的提高,人们表现出厌恶和忽视粗、杂粮营养价值的一面,通过改变加工方法来改变口味,并加大宣传,使粗、杂粮制品重新进入百姓家。

2. 无需求

无需求是指目标市场对产品毫无兴趣或漠不关心的一种需求状况。通常市场对下列产品无需求:①人们一般认为无价值的废旧物资;②人们一般认为有价值,但在特定市场无价值的东西,如新产品或消费者平常不熟悉的物品等;③与消费者传统观念、生活习惯等相抵触的产品。在无需求状况下,市场营销的任务是通过刺激市场来创造需求。

3. 潜在需求

潜在需求是指现在产品尚不能满足的、隐而不现的需求状况。例如,人们对无害香烟、节能汽车和癌症特效药品的需求。在潜在需求状况下,市场营销管理的任务是开发市场需求,即开展市场营销研究和潜在市场范围测量,进而开发有效的产品和服务来满足这些需求,将潜在需求变为现实有效需求。

4. 下降需求

下降需求是指市场对一个或几个产品的需求呈下降趋势的状况。营销管理者要分析需求下降的原因,决定能否通过开辟新的目标市场、改变产品特色或采用更有效的促销手段来重新刺激需求,扭转其下降趋势,即重新营销。

5. 不规则需求

不规则需求是指市场对某些产品(服务)的需求在不同季节、不同日期,甚至一天的不同时刻呈现出很大波动的状况。在不规则需求情况下,市场营销管理的任务是协调市场营销,使需求平衡化,同时保证产品和服务的质量,即通过灵活定价、大力促销及其他刺激手段来改变需求的时间模式,使物品或服务的市场供给与需求在时间上协调一致。

6. 充分需求

充分需求是指某种产品或服务目前的需求水平和时间等于预期的需求水平和时间的一种需求状况。这对企业来说是最理想的一种需求状况。在充分需求状况下,企业市场营销管理的任务是维持市场营销，保证需求充足恒定。但在动态市场上，消费者的偏好会不断发生变化，竞争也会日益激烈，因此企业经常通过努力保持产品品质、测量消费者满意度、降低成本来保持合理价格，并激励营销人员和经销商大力推销，千方百计地维持目前的需求水平。

7. 过度需求

过度需求是指某种产品或服务的市场需求超过了企业所能供给或所愿供给的水平的一种需求状况。在过度需求状况下，市场营销管理的任务是降低市场需求，实现供需平衡化，即通过提高价格、合理分销产品、减少服务和促销等措施，暂时或永久地降低市场需求水平。需要指出的是，降低市场营销并不是杜绝需求，而是抑制需求水平。特别是我国消费结构的趋同性会引起需求爆发性增长，面对这种情况，如果企业一味地扩大供给来满足过度需求，不久就会面临生产能力闲置的难堪局面。

8. 有害需求

有害需求是指市场对某种有害产品（如香烟、酒、毒品）或劳务的需求。在这种需求状况下，企业市场营销管理的任务是反市场营销或劝人放弃有害需求，即大力宣传有害产品和服务的严重危害性，大幅度提高价格，以及停止生产供应等。降低市场营销与反市场营销的区别在于：前者是采取措施减少需求，后者是采取措施消灭需求。

在市场的营销实践中，企业不仅可以适应需求，而且可以创造需求，改变人们的价值观念和生活方式。

◆ **阅读案例1-9**

索尼公司的创造营销

公关专家伯内斯（Edward Bernays）曾说，工商企业要"投公众所好"。这似乎成了实业界一条"颠扑不破且放之四海而皆准"的真理。但索尼公司敢于毅然地说"不"。索尼的营销政策"并不是先调查消费者喜欢什么商品，然后再投其所好，而是以新产品去引导他们进行消费"。因为"消费者不可能从技术方面考虑一种产品的可行性，而我们则可以做到这一点。因此，我们并不在市场调查方面投入过多的兵力，而是集中力量探索新产品及其用途的各种可能性，通过与消费者的直接交流，教会他们使用这些新产品，达到开拓市场的目的"。

索尼的创始人盛田昭夫认为，新产品的发明往往来自突然闪现且稍纵即逝的灵感。曾流行于全世界的便携式立体声单放机的诞生，就出自一种必然中的"偶然"。一天，井深抱着一台索尼公司生产的便携式立体声盒式录音机，头戴一副标准规格的耳机，来到盛田昭夫的房间。从一进门，井深便一直抱怨这台机器如何笨重。盛田昭夫问其原因，他解释说："我想欣赏音乐，又怕妨碍别人，但也不能为此而整天坐在这台录音机前，所以就带上它边走边听。不过这家伙太重了，实在受不了。"井深的烦恼点亮了盛田昭夫酝酿已久的构想，他连忙找来技师，希望他们能研制出一种新式的超小型放音机。

然而，索尼公司的员工几乎众口一词地反对盛田昭夫的新创意。但盛田昭夫毫不动摇，坚持研制。结果不出所料，该产品投放市场后空前畅销。索尼为该机取了一个通俗易懂的名字——"随身听"（Walkman）。日后每谈起这件事，盛田昭夫都不禁感慨万千。当时无论怎样进行市场调查，都不可能由此产生"随身听"的设想，而恰恰正是这一不起眼的小小的产品，改变了世界上几百万、几千万人的音乐欣赏方式。

索尼公司的"创立旨趣书"上写着这样一条经营哲学："最大限度地发挥技术人员的技能，自由开朗，建设一个欢乐的理想工厂。这就是'创造需求'的哲学依据。"

第六节　顾客让渡价值、顾客满意及顾客忠诚

一、顾客让渡价值

1. 顾客让渡价值的概念

顾客让渡价值是顾客总价值与顾客总成本的差额。顾客总价值包括产品价值、服务价值、人员价值和形象价值；顾客总成本包括货币成本、时间成本、体力成本和精力成本。

2. 顾客让渡价值的构成

顾客让渡价值的构成可用式子表述为

$$\begin{aligned}顾客让渡价值 &= 顾客总价值 - 顾客总成本 \\ &= （产品价值 + 服务价值 + 人员价值 + 形象价值）- \\ &\quad （货币成本 + 时间成本 + 体力成本 + 精力成本）\end{aligned}$$

二、顾客满意

科特勒认为："满意是一种感觉状态的水平，它来源于对一件产品所设想的绩效或产出与人们的期望所进行的比较。"顾客对产品或服务的期望来源于其以往的经验、他人经验的影响以及营销人员或竞争者的信息承诺；而绩效来源于整体顾客价值（由产品价值、服务价值、人员价值、形象价值构成）与整体顾客成本（由货币成本、时间成本、体力成本、精力成本构成）之间的差异。

购买行为往往是顾客形成了一个价值判断并根据这一判断采取的行动。顾客购后是否满意取决于与其期望值相关联的供应品的功效。顾客满意的定义是指顾客通过对一个产品可感知的效果（或结果）与其期望值相比较后所形成的感觉状态。它用公式表示为

$$顾客满意 = \frac{可感知效果}{期望值} = \begin{cases} >1, & 高度满意 \\ =1, & 满意 \\ <1, & 不满意 \end{cases}$$

能否实现顾客满意有如下三个重要因素：①顾客对产品的预期期望；②产品的实际表现；③产品表现与顾客期望的比较。如果效果低于期望，顾客就会不满意；如果可感知效果与期望相匹配，顾客就会满意；如果可感知效果超过期望，顾客就会高度满意、高兴或欣喜。

在今天大多数成功的公司中，有一些公司的期望值与其可感知的效果是相对应的，这些公司追求"全面顾客满意"（TCS）。例如，施乐公司保证"全面满意"，即它保证在顾客购买该公司产品后三年内，如有任何不满意，公司将为其更换相同或类似的产品，一切费用由公司承担。施乐多年来一直坚持运用顾客满意测评系统，不断改进服务质量，及时解决顾客抱怨的问题。

之所以要追求全面顾客满意（TCS），是因为那些所谓"满意"的顾客一旦发现有更好的产品，依然会很容易地更换供应商。在一个消费包装品目录里，发现44%据称"满意"的顾客后来改变了品牌选择；而只有那些真正十分满意的顾客（即"忠诚的顾客"）才不打算更换供应商。事实是，高度满意和愉快引发了一种对品牌在情绪上的共鸣，而不仅仅是一种理性偏好，这种共鸣树立了顾客的高度忠诚。这里的挑战就是要创造一种公司文化，要求公司内每一个员工都努力使顾客愉悦。对于以顾客为导向的公司来说，顾客满意既是目标，也是工具，顾客满意率高的公司确信它们的目标市场是知道这一点的。

图1-2是顾客让渡价值构成示意图。

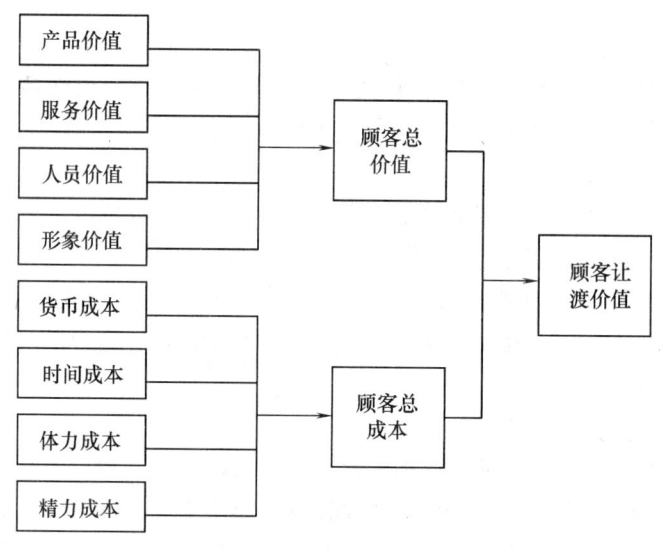

图1-2　顾客让渡价值构成示意图

三、顾客忠诚

1. 顾客忠诚的含义

所谓顾客忠诚，是指顾客在满意的基础上，进一步对某品牌或企业做出长期购买的行为，是顾客一种意识和行为的结合。顾客忠诚所表现的特征主要有：再次或大量地购买同一企业该品牌的产品或服务；主动向亲朋好友和周围的人员推荐该品牌产品或服务；几乎没有选择其他品牌产品或服务的念头，能抵制其他品牌的促销诱惑；发现该品牌产品或服务的某些缺陷，能以谅解的心情主动向企业反馈信息，求得解决，而且不影响再次购买。"老顾客是最好的顾客。"高度忠诚的顾客层是企业最宝贵的财富。建立顾客忠诚非常重要。强调顾客对企业做出贡献的帕累托原理（Pareto Principle）认为，企业80%的利润来自20%的顾客（忠诚消费者）。美国的一家策略咨询公司认为，客户保持率上升5%，利润可上升25%~80%。开发一个顾客比维护一个顾客要多花几倍甚至更多的精力和费用。

2. 顾客满意与忠诚的关系

"满意"与"忠诚"是两个完全不同的概念，满意度不断增加并不代表顾客的忠诚度也在增加。满意本身具有多个层次，声称"满意"的人们，其满意的水平和原因可能是大相径庭的：有些顾客会对产品产生高度满意，如惊喜的感受并再次购买，从而表现出忠诚行为；而大部分顾客所经历的满意程度则不足以产生这种效果。因此，顾客满意先于顾客忠诚，并且有可能直接引起顾客忠诚，但是又不是必然如此。调查显示，65%~85% 表示"满意"的顾客会毫不犹豫地选择竞争对手的产品。所以，顾客满意的最高目标是提升顾客的忠诚度，而不只是满意度。

图 1-3 展示了顾客满意与顾客忠诚之间的关系。

按照满意度与忠诚度的匹配程度，可以将顾客分为四种类型并在图上划分四个象限。那些低忠诚度与低满意度的顾客被称为"破坏者"，他们会利用每一次机会来表达对以前产品或服务的不满，并转向其他供应商；满意度不高却具有高忠诚度的顾客被称为"囚禁者"，他们对产品或服务极不满意，但却没有或很少有其他选择机会，多在顾客无法做出选择的垄断行业出现；而满意度很高忠诚度却较低的顾客被称为"图利者"，这是一些会为谋求低价格而转换供应商的人；最后，把那些满意度和忠诚度都很高的顾客称为"传道者"，这样的顾客不仅忠诚地经常性购买，并致力于向他人推荐。

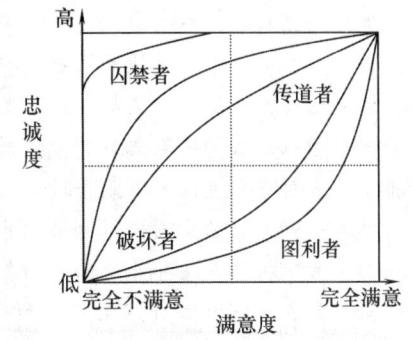

图 1-3　顾客满意与顾客忠诚之间的关系

如图可知，顾客满意与顾客忠诚之间的关系表现在以下几个方面：

（1）随着企业外部市场的发展，将必然导致垄断行业的顾客由"囚禁者"向"传道者"转变，因此，依靠垄断强制顾客忠诚是不现实的。

（2）多数行业的"顾客满意与顾客忠诚"曲线表明，顾客满意与顾客忠诚是正相关的。

（3）各个行业的"顾客满意与顾客忠诚"曲线由"破坏者"发展到"传道者"的速度并不一致。

（4）顾客满意度持续大于1。

主要名词

市场　市场营销　市场营销观念　推销观念　顾客让渡价值　顾客满意　顾客忠诚

案例分析

"王老吉"的软文化、硬实力

2008 年月 7 月 7 日，中国知名凉茶品牌王老吉现身美国纽约哈德逊河，载有"2008, Welcome to Beijing, China"巨大背景板和横幅的游船游弋在自由女神像海域，邀请国外友人光临北京参加举世瞩目的盛事，并了解中国的当代生活、文化和社会发展，现场还向美国当地民众派发了精心准备的北京旅游指南。

借助举世瞩目的北京奥运会即将举行之机，王老吉选择在这个时候举行海外迎宾活动，可谓是一次绝妙的文化营销——当商业化炒作在市场营销中甚嚣尘上、让人觉得心生厌烦时，根植于传播文化土壤的文化营销反倒成为吸引消费者眼球的有效方式。美国动画片《功夫熊猫》在中国大受欢迎，正好印证了文化营销在占领消费者心智与刺激商业成功方面的惊人功效。

在受到"二乐"（可口可乐、百事可乐）强大压迫、本土化品牌层出不穷的中国饮料市场中，王老吉用独特的文化输出不仅使自己成为草根饮料文化代表，更成为中国饮料品牌的领军者。软文化打造出了硬实力，王老吉开始踏上奔向中国饮料第一罐的征程。

中国经济的腾飞有目共睹，以传统文化为背景的中国元素也在全球商业领域越来越受到重视。中华文化不仅是中华民族几千年发展的文明结晶，在新的时代背景下，更是被赋予了一种强大的商业生命力。

越来越多的中国企业在世界范围内进行推广时，开始加入中国文化的元素，并取得了不俗的业绩：吉利汽车在法兰克福车展上用原汁原味的京剧脸谱进行表演，吸引了大量的参观者驻足；李宁运动鞋从赵州桥设计上获取灵感，在产品设计中将中华民族的历史文化与现代科技进行成功融合，受到了许多消费者的喜欢；王老吉在自由女神像之下，用中国式的"红"邀请世界人民光临北京奥运会，吸引了诸多美国人的关注。

当中国崛起成为世界瞩目的焦点时，含有深厚中国传统文化的中国元素便成为企业进行营销推广、吸引世人关注的有效手段。

作为一种传统的中国饮料，王老吉是继承了千年中国传统养生精华的集大成者，它同时又是人们生活中极为常见和普通的一种饮料，是真正社会生活的一部分。王老吉作为中国传统文化的商业代表，以中国日常消费流行文化的面貌出现在美国纽约，邀请海外友人到北京旅游、观光、看奥运，当外国民众关注北京奥运会、感兴趣中国文化时，自然而然地会将注意力延伸到将中国文化输出作为自己营销推广主轴的王老吉身上，这无疑是中国企业在海外推广的绝妙的文化营销方式。

可以说，当一个行业、品牌深深印上某种文化的烙印时，品牌的影响力就会与文化的生命力一样具有极强的扩张性。对传统文化的汲取、融合、创新，将商业元素与文化元素进行有机融合，通过规模化的运作提升行业竞争力，从而实现文化传承下的产业复兴，正是王老吉在短短数年内迅速崛起的深层次原因。

在文化传承的背景下，融入新的商业元素，从而实现品牌内涵的创新，同时整合行业的力量，实现规模化生产，提升全体民众对于行业的有效认知，是许多中国企业异军突起的重要原因。在传统文化传承下进行现代营销推广，正是王老吉在新市场环境下迅速崛起的强大动力。

凉茶作为中国非物质文化遗产，有着中国传统文化深厚的根基，代表了中华民族数千年来沉淀的养生文化。凉茶正式被国务院列入第一批国家级非物质文化遗产代表名录。作为有着数百年发展历史的"纯中国式"饮料，凉茶的发展虽然经历了无数的波折起伏，但始终长盛不衰。"申遗"成功使得凉茶正式从一种物质性的消费品，变成凝聚着中华传统养生智慧的文化遗产。

近年来，中国对非物质文化遗产的保护及重塑运动将这种趋势提升到了空前的高度，官方鼎力支持的态度也使凉茶这一沉沦了一个多世纪的中华文化首次迎来新发展的契机。作为罐装凉茶始祖和行业的领军者，180多年的经营历程使王老吉意识到，物质实体的生命力是有限的，而文化的生命力才是无限的。

王老吉把握住凉茶成为"非物质文化遗产"的机会，整合行业力量，通过赞助世界杯转播、开办论坛、与其他行业结盟等方式，大力突出凉茶的独特功效，将作为饮料的凉茶与文化成功地融合，从而在推广消费认知上取得了巨大的成功，2003年，红罐王老吉销售额6亿元，2005年销售额超过25亿元，2007年更是达到70亿元，几何级的增长体现出王老吉在业内龙头地位。中国式文化营销加上出色的商业化运作，使王老吉取得了巨大的成功。

如果说联想、海尔向世界输出了中国制造力，华为、中兴代表着中国的技术创造力，有着180多年历史的王老吉则向外输出了中国最本土、最传统、最有文化沉淀的饮料文化。

同样是在中国市场卖凉茶，饮料巨头可口可乐的"健康工坊"却在意犹未尽的落寞声中败走麦城。一直以来，可口可乐这个全球最大的饮料生产商，在全世界出售的不只是一罐小小的饮料，更是一种美式消费文化和生活方式。然而，可口可乐横扫全世界的文化基因在中国却遭遇了王老吉这罐从概念到包装、从配方到卖点完全中国式的凉茶的"狙击"，其"防上火"的诉求点在外国人看来甚至是无法理解的。然而，他们无法理解的诉求和一个并不怎么现代的红色罐子，其来势之猛烈、发展之迅速，则完全超出了那些跨国饮料生产商对中国市场的想象力。

在凉茶这个特殊的市场领域，有着比资金更重要的底蕴，那就是中华文化的精髓——既有中国人生活习惯的诉求，也有中华民族的养生理念，更凝聚了前人代代相传的努力。与其说凉茶是一个市场，不如说它是一种文化。所以，王老吉在中国市场上能够战胜品牌、资金实力远胜于自己的可口可乐，其背后其实是文化的推动力而非商业推动力。

哈德逊河上游弋的那艘载着巨大王老吉红罐的船在告诉世人：许多年前屹立在上海外滩的巨型可口可乐广告牌和今天这一次热邀海外友人访华看奥运的举动，相同的是一个品牌对自己市场疆域延伸的欲望，不同的是，前者只是纯粹的商业展示，后者则是以商业的力量在进行一次礼仪之邦的中国式的文化微笑。

（资料来源：中国营销传播网，2008-07-23.）

讨论并回答问题：
1. "王老吉"与"可口可乐"或"百事可乐"相比，营销理念有什么不同？
2. 商业营销方式与文化营销相比，哪一个更能深刻把握消费者的心理需求？

本 章 小 结

本章共分六节，分别讲述了市场和市场营销、市场营销学的产生、传播和发展、市场营销学的研究对象和研究方法、市场营销观念及其演变、市场营销管理过程和任务、顾客让渡价值和顾客满意及顾客忠诚内容。

对市场的理解是：

(1) 市场是商品交换的场所，亦即买方和卖方发生作用的地点或地区。

(2) 市场是指某种或某类商品需求的总和。

(3) 市场是买方和卖方力量的集合，是商品供求双方的力量相互作用的总和。

从营销的角度看待市场，市场是由人口、购买力和购动机（欲望）有机组成的总合。它包含三个主要因素：有某种需要的人，有满足这种需要的购买力和购买欲望，即市场＝人口＋购买力＋购买欲望。

市场营销是指"个人和集体通过创造、提供出售，并同别人自由交换产品和价值，以获得其所需所欲之物的一种社会过程"。

进一步理解，市场营销是指企业及其他组织为在变化的环境中，满足目标市场的需求和欲望，从而实现组织目标而制定和实施产品、价格、渠道、促销计划的综合性经营管理活动。市场营销管理过程包括如下步骤：市场探测；选择目标市场；设计市场营销组合；管理市场营销活动。市场营销的主要应用领域是企业。市场营销和创新这是企业的两个功能。其中，营销是企业与众不同、独一无二的职能。要重点掌握市场营销的相关概念。

市场营销学研究的内容包括商品、服务、体验、事件、信息、观念、人物、地点、财产权和机构。

市场营销学的研究对象主要是工商企事业及服务行业的营销活动及其规律性，是研究企业的营销活动，并为企业营销管理服务而不是为宏观经济管理服务的学科。

市场营销学是一门应用科学，属于管理学的范畴。是一门建立在经济科学、行为科学和现代管理理论基础上的应用科学。其研究对象是以满足顾客需求为中心的企业及其他组织市场营销活动过程及其规律性。市场营销学的产生和发展大致经历了形成、应用、"革命"、新的变革四个阶段。我国改革开放后，市场营销学在我国得到了快速传播和发展。

市场营销观念是指导企业经营活动的理念或指导思想。市场营销观念随着经济的发展而不断演变，经历了五个发展阶段，即生产观念、产品观念、推销观念、市场营销观念和社会营销观念。其中，生产观念、产品观念和推销观念统称为传统观念；市场营销观念和社会市场营销观念统称为现代观念。传统观念和现代观念有着明显的区别。

顾客让渡价值是顾客总价值与顾客总成本的差额。顾客总价值包括产品价值、服务价值、人员价值和形象价值；顾客总成本包括货币成本、时间成本、体力成本和精力成本。顾客满意是指顾客通过对一件产品可感知的效果（或结果）与其期望值进行比较后所形成的感觉状态。

思考与实训

1. 如何理解市场的含义？
2. 什么是市场营销？为什么说推销不等于市场营销？
3. 市场营销管理过程是怎样的？
4. 传统营销观念和现代营销观念包括哪些观念？二者的区别在哪里？
5. 什么是顾客让渡价值？怎样才能提高顾客让渡价值？
6. 调研某一个服务行业，利用顾客让渡价值和顾客满意理论，谈谈如何提高顾客的让渡价值和顾客满意度。

第二章 生产者市场与消费者市场

> **学习目标**
> 1. 了解市场的功能和类型
> 2. 理解消费品的分类、生产资料的分类
> 3. 掌握消费者市场的特点、生产者市场的特点
> 4. 理解影响生产者市场需求的主要因素
> 5. 了解生产者市场的购买对象
> 6. 掌握生产者市场购买类型与购买决策

导入案例

海尔集团的原材料网上采购（BBP）系统

海尔集团之所以成为全球家电企业十强和我国最优秀的民族企业之一，与其完善的产供销系统是分不开的。仅在原材料供应方面，海尔的供应商多达978家。目前，海尔平均每月的销售订单多达6000多个，定制产品达7000多种，需要采购的物料品种达15万余种。

为了适应新经济时代的要求，海尔集团成立了海尔电子商务有限公司，成为我国国内家电行业中第一个成立电子商务公司的企业。海尔的电子商务项目实行国际化招标，其中，B2B电子商务平台由全球著名电子商务解决方案供应商德国SAP公司提供。海尔采用了SAP公司的ERP（企业资源计划）系统和BBP系统，对企业进行流程改造，建立起高效、迅速的物流系统，将海尔的电子商务平台扩展到了包含客户和供应商在内的整个供应链管理。

海尔的BBP系统建立了海尔与供应商之间基于互联网的业务和信息协同平台，以降低采购成本、优化产供方案，以至成为一个公用的平台，创造新的利润来源。

首先，BBP系统实现了业务过程的协同。通过BBP系统，海尔与供应商之间可跨越企业的界限，实现网上招标、投标、供应商自我维护以及订单状态跟踪等业务过程，共享采购计划、采购订单、库存信息、供应商供货清单、配额以及采购价格和计划交货时间等物流管理业务信息。它将海尔与供应商紧密联系起来，建立协同合作的关系，降低了采购成本，缩短了采购周期，提高了采购业务的效率。

其次，BBP系统实现了非业务信息的协同。构架了在BBP采购平台上的信息中心，为海尔与供应商之间进行沟通交互和反馈提供了集成环境。信息中心利用浏览器和互联网作为中介，整合了海尔过去通过纸张、传真、电话和电子邮件等手段才能完成的信息交互，实现了非业务

数据的集中存储和网上发布。

最后，海尔通过 BBP 系统和整个 B2B 平台，利用自身的品牌优势和采购价格优势，将所有的采购商和供应商整合在一起并为之服务，使得 BBP 系统和 B2B 平台不仅是一个海尔与供应商之间的业务平台，而且是一个物料的采购和分析中心。

（资料来源：吴建安. 市场营销学[M]. 3 版. 北京：高等教育出版社，2007. 引文有改动）

第一节　市场的功能及构成

一、市场的功能

市场的功能是指市场机体在运行过程中发生的功用或效能。尽管由于社会形态和商品经济发达程度的不同，市场在性质、规模以及发育状况、地位、作用等方面存在着差别，但其基本功能是一切市场所共有的，是市场活动所具有的内在属性。这具体表现在以下几个方面：

1. 交换功能

交换功能表现为以市场为场所和中介，促进和实现商品交换的活动。在商品经济条件下，商品生产者出售商品，消费者购买商品，以及经营者买进卖出商品的活动，都是通过市场进行的。市场不仅为买卖各方提供交换商品的场所，而且通过等价交换的方式促成商品所有权在各当事人之间让渡和转移，实现商品所有权的交换。与此同时，市场通过提供流通渠道，组织商品存储和运输，推动商品实体从生产者手中向消费者手中转移，完成商品实体的交换。这种促成和实现商品所有权交换与实体转移的活动，是市场最基本的功能。尽管随着市场经济的发展，商品的范围已扩展到各种无形产品及生产要素，如服务、信息、技术、资金、房地产、劳动力、产权等，但上述商品仍然是通过市场完成其交换和流通运动的。

2. 反馈功能

市场把交换活动中产生的经济信息传递、反映给交换当事人，就是市场的反馈功能。商品出售者和购买者在市场上进行交换活动的同时，不断输入有关生产、消费等方面的信息。这些信息经过市场转换，又以新的形式反馈输出。市场信息的形式、内容多种多样，归结起来都是市场上商品供应能力和需求能力的显像，是市场供求变动趋势的预示，其实质反映了社会资源在各部门的配置比例。市场的信息反馈功能，可以为国家宏观经济决策和企业生产经营决策提供重要依据：一方面，国家可以根据市场商品总量及其结构的信息反馈，判断国民经济各部门之间的比例关系恰当与否，并据此规划和调整社会资源在各部门的分配比例；另一方面，企业也可以根据商品的市场销售状况的信息反馈，对消费偏好和需求潜力做出判断和预测，从而决定和调整企业的经营方向。

随着社会信息化程度的提高，市场的信息反馈功能将日益加强。

3. 调节功能

调节功能是指市场在其内在机制的作用下，能够自动调节社会经济的运行过程和基本比例关系。市场作为商品经济的运行载体和现实表现，本质上是价值规律发生作用的实现形式。价值规律通过价格、供求、竞争等作用形式转化为经济活动的内在机制。市场机制以价格调节、供求调节、竞争调节等方式，对社会生产、分配、交换、消费的全过程进行自动调节。例如，调节社会资源在各部门、行业、企业间的配置与生产产品总量和种类构成，调节各个市场主体之间的利益分配关系，调节市场商品的供求总量与供求结构，调节社会消费水平、消费结构和消费方式等。在上述调节的基础上，最终达到对社会经济基本比例关系的自动调节。调节功能是市场最主要的具有核心意义的功能。

除上述基本功能外，在市场经济条件下，市场作为经济运行的中枢和集中体现，还具有如下重要作用：

（1）市场是社会资源的主要配置者。资源是指社会经济活动中人力、物力、财力的总和。资源配置是对相对稀缺的资源在各种可能的生产用途之间做出选择，或者说是各种资源在不同使用方向上的分配，以获得最佳效率的过程。合理配置资源，使其得到充分利用，避免不必要的闲置和浪费，是任何社会经济活动的中心问题。资源配置有自然配置、市场配置和计划配置三种方式。其中，市场配置是市场经济中资源配置的主要方式，即各种资源通过市场调节实现组合和再组合。

（2）市场是国家对社会经济实行间接管理的中介、手段和直接作用对象。在我国，国家作为全民利益的代表者，担负和行使管理社会经济的职能。但是，按照市场经济的内在要求，国家无权直接干预企业的微观经济活动，而只能采取间接调控方式进行宏观管理。市场作为全社会微观经济活动的场所和总体形式，可以成为连接宏观管理主体与微观经济活动的中介。国家运用各种宏观调控手段，直接调节市场商品供求总量及其结构的平衡关系，通过市场发出信号，间接引导和调节企业的生产经营方向，从而实现对社会经济活动全面、有效的控制。

（3）市场对企业的生产经营活动具有直接导向作用。在社会主义市场经济体制下，企业的生产经营活动直接取决于市场的调节和导向。市场运用供求、价格等调节机制引导企业的生产方向，企业也根据市场供求信息决定生产什么，生产多少。企业要遵守公平竞争的市场法则积极参与竞争，实现优胜劣汰。在营销活动中，同样要依照市场导向制定市场营销战略，选择市场营销组合，以使企业获得最佳市场营销效果。

二、市场的类型

市场是一个有机的整体，随着交换关系的发展也越来越复杂化。从不同角度来考察，市场可以分为多种类型：按照市场的国界不同，可以划分为国内市场与国际市场；按照市场的地理位置不同，可以划分为城市市场和农村市场；按照市场的构成要素不同，可以划分为商品市场、资金市场、劳动力市场、技术市场和信息市场；按照商品用途或商品满足消费者需求的性质不同，可以划分为生活资料市场和生产资料市场；消费者所需要的商品，从供货来源来说，还可以进一步划分为工业产品与农业产品；从商品是否具有实物形态，可以进一步划分为物质产品和劳务产品；按照市场的竞争形态不同，可以划分为完全竞争市场、垄断竞争市场、寡头垄断市场和完全垄断市场。认真研究不同类型市场的特征，有利于寻找市场机会，确定目标市场，掌握市场运行规律，制定正确的市场营销策略。

由于市场营销学是以消费者需求为中心的，按消费主体的身份特点来划分市场，有利于研究不同类型买主的购买动机、购买行为模式等，因此，将市场划分为消费者市场、组织机构市场（包括生产者市场、中间商市场和政府市场等），分别讨论其特征，具有重要意义。

第二节　消费者市场

消费者市场是向个人和家庭销售消费品和服务的市场，又称消费品市场、生活资料市场和最终产品市场。现代市场营销的口号是"消费者至上"，因此，一切企业，无论是生产企业还是商业、服务企业，也无论是否直接为消费者服务，都必须研究消费者市场。只有消费者市场才是商品的最终归宿，即最终市场。其他市场，如生产者市场、中间商市场等，虽然购买数量很大，常常超过消费者市场，但其最终服务对象还是消费者市场，仍然要以最终消费者的需要和偏好为转移。因此，即使从来不与消费者直接交易的企业，如制造厂商、批发商等，也必须研究消费者市场。从这个意义上，可以说消费者市场是一切市场的基础，是最终起决定作用的市场。

一、消费者市场的特点

消费者需求由于受多种主观和客观因素的影响而呈现出多样性。但从总体上看，各种需求之间又呈现某些共性、某些一般特性即消费者市场需求的特点。这些特点主要表现在如下几个方面：

1. 需求的无限扩展性

人类的需求是永无止境的，永远不会停留在某一水准上。随着社会经济技术的进步和消费者收入的增长，消费需求也将不断扩展。例如，过去在我国市场很少见的高档消费品，现在已开始进入消费者家庭；过去几乎完全由家庭承担的劳务，现在已部分转为由社会服务行业承担。消费者的一种需求满足了，又会产生新的需求，这是一个永无止境的发展过程。因此，营销人员要不断开发新产品、开拓新市场。

2. 需求的多层次性

复杂多样（人多面广）的消费者需求是在一定的购买力和其他条件下形成的。尽管人们的需求无穷无尽，但不可能同时得到满足，每个人总要按照自己的支付能力和客观条件的许可，依据需求的轻重缓急有序地实现，这就形成了需求的多层次性。在同一时间、同一市场上，不同消费者群体由于社会地位、收入水平和文化教养等方面的差异，必然表现为多层次的需求，绝不会千篇一律。因此，营销人员要慎重选择目标市场，并准确地为自己的产品定位。

3. 需求的复杂多变性

由于各种因素的影响，消费者对商品和服务的需求不但是复杂多样、千差万别的，而且是经常变化的。因此，营销人员必须注意研究消费者市场需求，并预测其变化趋势，从而提高企业的应变能力和竞争能力。

4. 需求的可诱导性

消费者需求有些是本能的、生而有之的，而大部分是在外界的刺激诱导下产生的。宏观环境的变动，企业营销活动的影响，社会交往、人际沟通的启发，以及政府的政策导向等，都可使消费者需求发生变化和转移。潜在需求可变为现实需求，微弱的欲望可形成强烈的购买欲望，有害的不良需求和嗜好可得到控制……可见，消费者需求是可诱导和可调节的。因此，营销人员不仅要适应和满足消费者的需求，而且要通过各种促销手段正确地影响和引导消费。

此外，消费者市场需求及其购买行为还有其他一些重要特点，如需求及购买行为的分散性、批量小而频率高、需求的（价格）弹性大（敏感度高）、购买行为的冲动性强（非专家式购买）、购买的流动性大等。

总之，研究消费者市场需求的这些特点，对一切市场营销管理者都是十分必要和有益的。只有了解它、适应它，才能得到生存和发展。因此，企业的营销策划必须以市场为出发点，首先考虑消费者市场的结构和消费者行为的特点，而不是考虑产品本身。

二、消费品的分类

消费品是指消费者为了满足个人生活需要，而不是为了加工生产所购买的商品。它是消费者最主要和最经常的购买对象。消费品包括工业消费品和农产品。这里所说的消费品，主要是指工业消费品。如果以消费者的购买习惯为标准，消费者的购买对象一般分为三类，即日用品、选购品和特殊品。

（1）日用品。日用品又称方便品，是指消费者经常购买，在购买时不用花时间和精力进行选择比较就做出购买决策的消费品，如手巾、肥皂、牙刷等。对于这类消费品，消费者要求能方便购买，即能随时随地购买，因此，这种商品要有广泛分布的销售网点。

（2）选购品。选购品又称半耐用品，是指价格比较高、使用周期比较长，消费者在购买时会花一定的时间就产品的质量、价格、式样等方面进行比较选择的商品，如家具、服装、家用电器等。对于这种商品，消费者对其差异性要求比较高。因此，经营这类商品的企业应注意商品的差异化，并能提供各种不同品种供消费者选择，在开展促销活动时，要注意突出本企业产品的特点，以吸引消费者购买。

（3）特殊品。特殊品是指消费者对其有特殊偏好并愿意花较多时间去购买的商品，如电视机、电冰箱、化妆品等。消费者在购买前对这些商品有了一定的认识，偏爱特定的厂牌和商标，不愿接受代用品。为此，企业应注意争创名牌产品，以赢得消费者的青睐。企业要加强广告宣传，扩大本企业产品的知名度，同时要切实做好售后服务和维修工作。或者说，特殊品是指具备独有特征和（或）品牌标记的商品，对这些商品，有相当多的消费者愿意做出特殊的购买努力，如特殊品牌和特殊式样的商品、小汽车、立体声音响、摄影器材以及男士西服等。

第三节　生产者市场

生产者市场又称生产资料市场，由购买商品和劳务，并将它们用于生产其他商品或劳务，以供销售、出租或供应给他人的个人和组织构成。生产者市场在购买的规模和集中程度方面都不同于消费者市场，因而生产者的市场购买行为具有明显的特点。通常，消费者市场的购买是由个人或家庭成员来做出购买决策的，而生产者市场的购买则常常是由组织制定购买决策。生产资料的购买活动，每次购进的数量大、价格高，购进商品的质量直接关系到企业产品的质量和劳动生产率的提高，关系到能源的节约、人员操作的安全，因此，生产者市场的购买动机常常为理智型的，购买行为是专家型的。

一、生产者市场的特点

相对于消费者市场而言,生产者市场具有如下特点:

1. 需求的派生性

相对于消费者市场需求是初始需求而言,生产者市场的需求则属于派生性需求。消费者对面包之类的食品需求是消费者的生理和心理需要、食品的价格、替代品的供应情况和价格水平等各种情况的直接反应。而食品加工厂对面粉与食品加工机械等生产资料的需求,则是消费者对面包之类食品需求所引起(派生)的。如果消费者对食品的需求上升,那么对食品加工企业来说,就有了扩大市场、增加生产的前提和可能性,这就派生出要食品加工机械生产企业提供更多的食品加工机械的需要。掌握生产者市场的需求派生性这一购买特点,为生产资料的生产者和经营者开展市场营销活动、开拓新市场和开发新产品等工作指明了前进的方向。

2. 需求的弹性较小

由于生产者市场需求具有派生性,于是制约着生产资料的购销双方,从而相对于消费资料的需求来说,生产资料的需求就显得缺乏弹性。一般来说,生产资料不会因价格变动而增减其需求。在一个充满竞争的生产资料市场中,如果某个企业想单独提高自己产品的价格,那么,结果必然是对这个企业的产品需求减少。这就决定了从事生产资料产品生产的企业要想立足于市场,就必须在给自己产品定价时,使自己的产品和市场上的同类产品保持同价或低价,或采取产品差异化策略去参与竞争。

3. 属于专家型购买

属于专家型购买这个特点是由于生产资料购买的技术性强、数量大、价值高、责任重等特点所决定的,所以,通常又称为理智型购买。这就是说,生产资料的购买或销售是由具有相当专业知识的专业技术人员来完成的,不少生产资料生产企业都由推销工程师担任市场营销工作。特别是机电设备等产品的销售,包括安装、调试在内,要求推销人员具备相当的专业知识。

4. 购买的大量性

生产资料的购买次数要比消费资料的购买次数少得多,这是因为主要设备一般若干年才更新一次,原材料、零配件则根据供货合同定期供应。而生产资料的购买,常常要满足整个生产过程较长时间的需要,所以购买的数量一般要比消费资料的购买大得多。

5. 购买活动花时较多

由于生产资料要按特定的规格交易,购买的数量又较大,需要一定的准备时间,这就使交易的谈判时间较长,其购买活动花费的时间比消费品的购买要长得多。

6. 购买决策的集体性

由于生产资料的购买直接影响企业生产的成果,因此购买决策比较慎重。大中型企业购买主要生产资料的决策往往需要集体讨论,共同商定,很少单独由一个人做出;即使是小型企业,厂长在做出购买决策前,通常也要听取技术人员和某些职工的意见。

二、生产资料的分类

生产资料是用于人们生产消费的,是社会进行生产和扩大再生产的物质要素。它的范围很广，涉及许多部门和企业，分类方法也很多。依所起的作用不同，生产资料可以分成以下四大类：

1. 装置类产品

装置类产品属于需要花费大量资金的项目，如厂房、流水线、大型设备等。装置类产品是企业生产经营的基本条件，也是获得生产成果和利润的决定性因素。由于装置类产品的价值高、技术复杂，并且有相对的固定性，因此，它们的购置属于企业的一项主要投资。企业往往根据投资资金利润率来决定是否购买。同时，装置类产品对服务的要求也比较高，买卖双方并不是达成交易后就中断了来往，许多买方在购买前后经常需要从卖方那里获得专门性服务，如为买方专门设计的特定的装置产品提供产前、产中、产后的各项服务等。

2. 附属设备

工具、车辆、打字机等都属于附属设备。附属设备与装置类产品的不同点是，它的使用寿命通常较短，替换频率较高。因此，买方在购买时比较注重价格。同时，由于附属设备的通用性较强，所以广告宣传对附属设备购买的影响要大于装置类产品的购买。

3. 原材料

原材料是构成产品的实体。原材料购买的特点是它们在规格上都有比较明确的规定性，如水泥有标号，钢材有型号。在同一规格的情况下，价格则是买方要考虑的首要因素。同时，买方要求卖方在特定的时间里按质按量地发货，这样既能避免原材料的积压，又能保证生产有计划地进行，从而有利于资金的周转。

4. 零配件

零件和配件是企业最终产品的组成部分。它们不同于原料，是经过供应者的加工处理，买来后即可使用的产品，如自行车上的辐条、洗衣机上的定时器等。这类生产资料对质量的要求较严格，而价格主要是由双方议定的。

三、影响生产者市场需求的主要因素

影响生产者市场需求的主要因素有很多，其中最重要的有四类，即市场环境、组织、人际关系及个人因素。供应商必须研究影响购买行为的因素，以便有针对性地采取措施。

1. 市场环境

市场环境是指生产者无法控制的宏观环境因素，包括国家的经济前景市场需求水平、技术发展、竞争态势、政治法律状况等。市场环境对生产资料的发展影响很大，从而对购买者的影响很大。生产经营生产资料的企业必须注意有关环境因素的发展变化，并就其对生产经营者的需求与购买行为可能产生的影响做出判断，进而调整自己的营销活动。

2. 组织

生产者市场用户的组织因素是指用户的营销目标、采购政策、工作程序、组织结构和管理机制。上述因素从不同的侧面对生产者的购买行为产生更为直接和具体的影响，这种影响涉及购买的具体对象、评价的标准与要求，参加购买决策过程的人员构成、决策权限、采购人员的购买活动受到的具体约束等。例如，有的企业购买决策权相对集中，有的适当分散；有的企业规定只允许采购本地区的原材料，有的规定只允许购买本国货，不允许购买外国货；也有的规定购买金额超过一定限度时要经过上级部门的审批；还有的规定每种商品至少向两个供应商采购，等等。

3. 人际关系

生产者市场用户的采购工作常常受企业内人际关系、非正式组织成员的影响,尤其是采购中心的人员之间关系的影响。采购中心的使用者、影响者、决策者、采购者在企业中的实际地位、职权、威信、感染力、说服力等各方面都各有特点,相互之间的关系也有所不同,这些都会影响生产者市场用户的购买行为。供应商若能掌握这些特点,注意上述人际关系对生产资料购买者购买决策及购买行为的影响,特别要注意搞清楚决策者和决策中心,以及对决策产生影响的主要力量和因素,然后施加相应的影响,将有助于销售。

4. 个人因素

生产者市场用户的购买行为是一种组织行为,但这种组织行为最终还是由若干个个人做出决策并执行购买的,这难免要受到参与采购决策的个人因素的影响。个人因素包括年龄、职位、受教育程度、阅历、动机、认识能力、个性和对风险的态度等,这些因素会使决策参与者对要采购的产品及供应商形成不同看法,并最终影响生产经营者的购买决策和购买行为。由于生产资料的供应商在营销工作中要施加影响的主要是产业用品购买企业的各个决策者,而不是抽象的企业,因此,不能忽视个人因素。供应商必须准确地把握这些个人因素,以便争取到更多的成交机会。

四、生产者市场的购买对象

生产者购买的产品,一般可分为原材料、主要设备、附属设备、零配件、半成品和消耗品。

1. 原材料

原材料是指生产某种产品的基本原料,它是用于生产过程起点的产品。原材料分为两大类:一类是在自然形态下的森林产品、矿产品与海洋产品,如铁矿石、原油等;另一类是农产品,如粮、棉、油、烟草等。这类产品的供货方较多,且质量上没有什么差别。因此,在营销上要根据各类产品的特点采取适当的措施。例如,对矿产品、海洋产品等自然形态的产品宜采取直接销售的方式,分配路线应尽可能短,运输成本应尽可能低;而对农产品则应加强对产品的保管,减少分销环节,有些产品还可以由商业收购网点集中供应给生产企业。

2. 主要设备

主要设备是指保证企业进行某项生产的基本设备,它直接影响企业的产品质量和生产效率。主要设备包括重型机床、厂房建筑、大中型电子计算机等。这类产品一般体积较大、价格昂贵、技术复杂。生产者企业购买主要设备是一项重大决策,不仅要求产品的性能先进、有效,而且希望有良好的服务。产品供应者应注意产品性能的改进、宣传和售后服务工作,以使购买者对本企业的产品建立良好的信任感。

3. 附属设备

机械工具、办公设备等均属附属设备。相对主要设备而言,附属设备对生产的重要性略差一些,价格也相对较低,供应厂家较多,产品标准化突出,采购人员可以自主做出购买决定,并能自由地从几家供应商那里购买,而且在购买时比较注重价格。对这类产品的经营,供应商要充分发挥价格机制和广告促销的作用,多采用间接销售的形式销售产品。

4. 零配件

零配件是指已经完工、构成用户产品的组成部分的产品,如集成电路块、仪表、仪器等。零配件虽不能独立发挥生产作用，但它却直接影响生产的正常进行。这类产品品种复杂、专用性强，及时按标准供货是零配件购买者最基本的要求。零配件供应者可以通过订立合同直接销售的方式，采取合理的定价策略，满足购买者的需求，提高市场占有率。

5. 半成品

半成品是指经过初步加工，供生产者生产新产品的产品。例如，由铁矿砂加工成生铁，又由生铁加工成钢材等。半成品可塑性强，其质量、规格有明确要求，产品来源较多，供应者除确保供货及时外，还应加强销售服务。可以说，销售服务是半成品供应者最有利的竞争手段。

6. 消耗品

消耗品是指保证和维持企业生产正常进行而消耗的如煤、润滑油、办公用品等产品。这类产品价格低、替代性强、寿命周期短，多属重复购买，购买者较注重购买是否方便。供应者要通过广泛的分销渠道，以价格的优惠、交货的及时实现营销目标。

五、生产者市场购买行为的参与者与主要类型

（一）生产者购买决策过程的参与者

技术人员和高层领导，在买方选择供应商的阶段，应当把产品信息传递给采购部门负责人。在多数情况下，买方的采购决策受到许多人直接或间接的影响，这些人分别扮演着以下六种角色中的一种或几种：

1. 使用者

使用者是指生产者用户内部使用这种产品或服务的成员。使用者往往首先提出购买建议，并协助确定产品规格。

2. 影响者

影响者是指生产者用户的内部和外部能够直接或间接地影响采购决策的人员。他们协助确定产品的规格和购买条件，影响供应商的选择。

3. 决策者

决策者是指有权决定买与不买，有权决定产品规格、购买数量和供应商的人员。有些购买活动的决策者很明显，有些却不明显，供应商应当设法弄清谁是决策者，以便有效地促成交易。

4. 批准者

批准者是指有权批准决策者或购买者所提购买方案的人员。

5. 采购者

采购者是指被赋予权力按照采购方案选择供应商和商谈采购条款的人员。如果采购活动较为重要，采购者中还会包括高层管理人员。

6. 信息控制者

信息控制者是指生产者用户的内部或外部能够控制信息流向采购中心成员的人员。例如，采购代理人或技术人员可以拒绝或终止某些供应商和产品的信息，接待员、电话接线员、秘书、门卫等可以阻止推销者与使用者或决策者接触。

上述六种决策参与者并非必然在企业的各种采购活动中都参与决策过程。由于采购的生产资料类别不同、数量不同，参与者的人数和参与程度也不同。供应者应分析用户在每次采

购活动中的主要决策者及其对产品的评价标准，以制定适当的措施，对其施加影响。

（二）生产者购买行为的主要类型

生产资料的购买决策大体上有以下三种：

1. 直接重购

直接重购是指购买前已经买过同一产品，购买的通常是一些质量规格相同又需要不断补充的产品。事实上，许多直接再购买是自动进行的，即定期或定量购买的。因此，当买方一经选定某个供应者生产的产品，这种交易关系就可能持续下去，而供应者也不必成年累月地进行推销工作，只要供求双方本着对双方有利、双方满意的原则进行即可。一旦这种交易关系固定下来，任何一个竞争对手要想挤进来，都要付出极大的努力。

2. 修正重购

修正重购是指购买目前正在供应，但要求的规格、数量和其他条件又有所不同的产品。修正再购买型的手续比直接再购买型通常要复杂一些，这常常是由于买方企业对产品设计有了新的修改，或对生产设备做了部分更新，这些都会要求采用新的零配件和原材料，这就使购买活动变得复杂起来。尽管如此，它仍要比消费资料的购买简单得多。

3. 新购

新购是指企业为了进行新的生产加工任务或进行设备改造，要求购置新的设备装置的购买活动。由于这是一种新的购买活动，不但价值量大，而且对企业今后的劳动生产率、产品质量保证等关系都十分重大，因此，在购买时应十分谨慎，需要获得多家供应者的大量有关产品质量、成本、价格方面的信息，以便进行比较、择优、确定成交对象。由于首次购买是很重要的，因而常常要求由企业领导组织有关专家共同商定如何购买。显然，这种新任务购买给生产资料的供应者提供了扩大销售的机会。

六、生产者市场的购买决策过程

生产者购买决策过程一般包括八个阶段，由于购买活动类型不同，其所经历的购买阶段也不相同，见表2-1。

表2-1　生产者购买决策过程

购买阶段	购买类型		
	新购	修正重购	直接重购
1. 认识需要	是	可能	否
2. 阐明总体要求	是	可能	否
3. 确定产品规格	是	是	是
4. 寻找供应者	是	可能	否
5. 征求供应者建议	是	可能	否
6. 选择供应商	是	可能	否
7. 确定订货	是	可能	否
8. 绩效评价	是	是	是

下面将着重分析典型的新任务购买型的购买决策过程所经历的八个阶段的主要内容：

1. 认识需要

生产资料采购企业的购买过程起始于企业认识到某种需要的存在，并能通过购买某种产品和服务而得到满足。认识需要由企业的内部刺激或外部刺激引起。内部刺激来自：①企业投资生产新产品，需要新的生产资料；②更新设备需要；③原材料更新等。就外部刺激而言，各生产资料供应者的促销活动使企业采购人员得到新的生产资料供应信息，从而产生购买的新设想。在此阶段，供应者的营销重点是采取各种有力的促销手段刺激生产资料购买者产生购买欲望，使其认识到需要的存在。

2. 阐明总体要求

当采购企业认识到需要后，就要着手决定所需产品的特征及其数量，如产品安全性、耐用性、价格及其他必备属性，并按其重要性进行排列，以确定优先考虑的因素。在这一阶段，生产资料供应者应提供详细的产品说明及有关资料，帮助采购人员了解产品特性和价值。

3. 确定产品规格

明确了总体要求后，采购企业就要决定所购生产资料的技术指标，对所需产品的规格、型号等做出进一步详细的技术说明，并形成书面材料，作为采购人员采购时的依据。

4. 寻找供应者

在这一阶段，采购企业通过各种途径寻找合适的供应者。如果采购产品复杂、金额较大，或购买活动属于新任务购买，则采购人员对供应者的寻找会更下功夫，同时也对供应者的生产能力、技术水平、供货保障、资信等方面进行调查。因此，生产资料供应者应力求将本企业列入工商企业通讯录，加强广告宣传，扩大知名度，并努力建立良好的信誉。

5. 征求供应者建议

在这一阶段，采购企业将邀请符合采购标准的供应者提供有关建议（包括产品使用说明、价目表、质量标准等）。如果采购企业所需要的生产资料是复杂的和价值高的，往往要求每个潜在供应者提供详细的书面建议。因此，生产资料经营者必须善于研究和提出建议。其建议不仅包括技术方面的，而且还要包括市场营销方面的，并努力取得买方的信任，以压倒竞争对手。

6. 选择供应商

采购企业的决策参与者应对每个供应者的建议进行评价，在此基础上选择最终的供应者。采购企业对供应者评价的标准有：①交货及时性；②产品质量；③技术和生产能力；④价格；⑤信誉；⑥维修服务能力；⑦财务状况；⑧对顾客态度；⑨产品项目的完整性等。采购企业按上述标准评价供应者，并从中选择最具吸引力的供应者。但是，一般来说，企业不会仅依靠单一的供应者，而通常会保持若干条供货渠道，以避免单一供货渠道可能带来的不利影响，同时也有利于对不同供应者的供货条件进行比较。对供应者而言，要扩大其供应份额，则需向采购企业提供更为优良的产品和服务以及其他优惠条件。

7. 确定订货

选定供应者后，采购企业即发出订单，订单上列明产品的技术规格、订货数量、交货时间、产品保证和其他有关事项。近年来，采购企业趋向于与供应者签订"一揽子合同"，即双方建立起长期协作关系，当采购企业需要某种生产资料时，供应者按事先商定的供货条款随时供货。这种做法有利于降低采购企业的库存，因此，"一揽子合同"又被称为"无库存采购合同"，它被用来取代原来的周期性采购订货。这种情况会导致采购企业与供应者之间的购销关系更为密切，这样，对原供应者来说，要保持供货的稳定性和提供良好的服务；对竞争者而言，则较难打入市场。

8. 绩效评价

在生产资料购进使用后，采购人员需要与使用部门保持联系，了解产品的使用情况，要求使用者做出满意评价，并对供应者的履约情况进行考评。评价的结果将决定其今后对各供应者的态度。

第四节　其他类型的市场

一、中间商市场

中间商市场又称转卖者市场，它是由以营利为目的、购进商品后再转卖或出租给别人的所有组织和个人所组成的市场。其基本类型有批发商和零售商两种。批发商是指购买商品后转卖给其他商人、工业用户及其他机关团体的商业组织。零售商是指购进商品后销售给最终消费者的商业组织。在地理分布上，中间商市场相比生产者市场较为分散，但较消费者市场集中。同时，除少数产品由生产者直接卖给最终用户外，绝大多数商品都通过中间商卖给最终消费者，可见，中间商在商品流通中起着十分重要的作用。

（一）中间商市场的类型

1. 新产品采购

新产品采购是指中间商对是否购进以及向谁购进以前未经营过的某一新产品做出决策，即首先要考虑"买"与"不买"，然后再考虑"向谁购买"。中间商会通过对该产品的进价、售价、市场需求和市场风险等因素进行分析后做出决定。

2. 最佳供应商选择

最佳供应商选择是指中间商已经确定需要购进的产品，在寻找最合适的供应商。这种购买类型的发生往往与以下情况有关：①各种品牌货源充裕，但是中间商缺乏足够的经营场地，只能选择经营某些品牌；②中间商打算用自创的品牌销售产品，选择愿意为自己制造定牌产品的生产企业。国内外许多大型零售商场都有自己的品牌。

3. 改善交易条件的采购

改善交易条件的采购是指中间商希望现有供应商在原交易条件上再做些让步，使自己得到更多的利益。如果同类产品的供应增多或其他供应商提出了更有诱惑力的价格和供货条件，中间商就会要求现有供应商加大折扣、增加服务、给予信贷优惠等。他们并不真的想更换供应商，但是会把这作为一种施加压力的手段。

4. 直接重购

直接重购是指中间商的采购部门按照过去的订货目录和交易条件，继续向原先的供应商购买产品。中间商会对以往的供应商进行评估，选择满意的作为直接重购的供应商，在商品库存低于规定水平时按照常规续购。

（二）中间商购买决策过程

如同生产者用户一样，中间商完整的购买过程也分为八个阶段，即认识需要、确定需要、说明需要、物色供应商、征求供应者建议、选择供应商、签订合约和绩效评价。改善交易条件的采购和最佳供应商选择可能跳过某些阶段，新产品采购则会完整地经历各个阶段。

1. 认识需要

认识需要是指中间商认识自己的需要，即明确所要解决的问题。认识需要可以由内在刺激和外在刺激引起。内在刺激是指中间商通过销售业绩分析，认为目前经营的品种陈旧落伍，不适应市场需求潮流，从而主动寻求购进新产品，改善产品结构。外在刺激是指中间商的采购人员通过广告、展销会、供应商的推销人员或消费者等途径了解到有更加适销对路的新产品，产生购买欲望。

2. 确定需要

确定需要是指中间商根据产品组合策略确定购进产品的品牌、规格和数量。批发商和零售商的产品组合策略主要有以下四种：

1）独家产品。独家产品即所销售的不同花色、型号的同类产品都是同一品牌或由同一厂家生产的。例如，某电视机商场专门经营王牌电视机。

2）深度产品。深度产品即所销售的不同花色、型号的同类产品是由不同品牌或不同厂家产品搭配而成的。例如，某电视机商场经营多种品牌的电视机。

3）广度产品。广度产品即经营某一行业的多系列、多品种产品。例如，电器商场经营电视机、电冰箱、洗衣机、收录机、VCD、DVD等。

4）混合产品。混合产品即跨行业经营多种互不相关的产品。例如，某商场经营电视机、电冰箱、服装、食品、鞋帽等。

3. 说明需要

说明需要是指明所购产品的品种、规格、质量、价格、数量和购进时间，写出详细的采购说明书，作为采购人员的采购依据。中间商为了减少"买进卖出"带来的风险，对产品购进时间的要求极其严格，或者要求立即购进以赶上消费潮流，或者把购进时间一拖再拖以看清消费趋向。中间商决定购买数量的主要依据是现有的存货水平、预期的需求水平和成本/效益的比较。当大量进货能够获得较大折扣时，则大量进货；当小量进货能够减少库存成本时，则小量进货。供应商应了解中间商的购买意图，采取相应的营销策略。

4. 物色供应商

采购人员根据采购说明书的要求通过多种途径收集信息，寻找最佳供应商。如果新产品采购或所需品种复杂，这项工作量就比较大。

5. 征求供应者建议

征求供应者建议是指邀请合格的供应商提交供应建议书，筛选后留下少数选择对象。

6. 选择供应商

采购部门和决策部门分析评价供应建议书，确定所购产品的供应商。中间商的购买多属专家型购买、理智型购买，希望从供应商那里得到最大限度的优惠条件。选择供应商主要考虑的因素包括：有强烈的合作愿望和良好的合作态度；产品质量可靠、适销对路，与本店的经营风格一致；价格低廉、折扣大，允许推迟付款；信用保证，减少中间商进货风险，补偿因商品滞销、跌价而产生的损失；交货及时；给予广告支持或广告津贴；提供完善的售后服务，有专门维修点，允许退换有缺陷破损的商品，遇有顾客投诉或产品质量事故等纠纷无条件地承担责任等。

7. 签订合约

中间商根据采购说明书和有关交易条件与供应商签订合约。他们也倾向于签订长期有效的合约，以保证货源稳定、供货及时，减少库存成本。

8. 绩效评价

中间商应对各个供应商的绩效、信誉、合作诚意等因素进行评价，以决定下一步是否继续合作。

（三）中间商采购人员的类型和影响中间商购买行为的因素

中间商采购人员的类型可以分为以下几类：

1. 忠实的采购者

忠实的采购者是指长期忠实地从某一供应商处进货的采购者。这种采购者对供应商是最有利的，供应商应当分析能够使采购者保持"忠实"的原因，采取有效的措施使现有的忠实采购者保持忠实，并将其他采购者转变为忠实的采购者。采购者忠实于某一渠道的原因有多种：首先是利益因素。对供应商的产品质量、价格、服务和交易条件感到满意或未发现更理想的替代者。其次是情感因素。长期合作，感情深重，有过在困难时期互相帮助的经历，即使对方偶有不周之处也不计较，即使其他供应商的产品质量和交易条件与之相同或略优也不愿轻易更换。最后是个性因素。该采购者认识稳定，习惯同自己熟悉的供应商打交道，习惯购买自己熟悉的产品。

2. 随机型采购者

这类采购者事先选择若干符合采购要求、满足自己长期利益的供应商，然后随机地确定交易对象并经常更换。他们喜爱变换和不断地尝试，对任一供应商都没有长期的合作关系和感情基础，也不认为某一供应商的产品和交易条件优于他人。对于这类采购者，供应商应在保证产品质量的前提下提供理想的交易条件，同时增进交流，帮助解决业务的和个人的有关困难，加强感情投资，使之成为忠实的采购者。

3. 最佳交易采购者

最佳交易采购者是指力图在一定时间和场合中实现最佳交易条件的采购者。这类采购者在与某一供应商保持业务关系的同时，还会不断地收集其他供应商的信息，一旦发现产品或交易条件更佳的供应商，就立刻转换购买。他们一般不会成为某一供应商的长期顾客，除非该供应商始终保持着其他竞争者无法比拟的交易条件。这类采购者的购买行为理智性强，不太受情感因素支配，关注的焦点是交易所带来的实际利益，供应商若单纯依靠感情投资来强化联系则难以奏效，最重要的是密切关注竞争者的动向和市场需求的变化，随时调整营销策略和交易条件，提供比竞争者更多的利益。

4. 创造性的采购者

创造性的采购者是指经常对交易条件提出一些创造性的想法并要求供应商接受的采购者。这类采购者有思想，爱动脑，喜创新，常常提出一些新的尝试性的交易办法，在执行决策部门制订的采购方案时，最大限度地运用自己的权限，按照自己的想法去做。对于交易中的矛盾分歧，能提出多种解决方案以使双方接受，如果实在无法调和，则更换供应商。对于这类采购者，供应商要给予充分尊重，对好的想法给予鼓励和配合，对不成熟的想法也不能讥笑，在不损害自己根本利益的前提下，尽可能地接受他们的意见和想法。

5. 追求广告支持的采购者

追求广告支持的采购者是指把获得广告补贴作为每笔交易的一个组成部分，甚至是首要目标的采购者。这类采购者重视产品购进后的销售状况，希望供应商给予广告支持，以扩大影响，刺激需求。这种要求符合买卖双方的利益，在力所能及或合理的限度内，供应商可考虑给予满足。

6. 斤斤计较的采购者

斤斤计较的采购者是指每笔交易都反复地讨价还价，力图得到最大折扣的采购者。这类采购者自认为非常精明，每笔交易都要求对方做出特别的让步，一些蝇头小利也不放过，只选择价格最低或折扣最大的供应商。与这类采购者打交道是比较困难的，让步太多则无利可图，让步太少则丢了生意。供应商在谈判中要有耐心和忍让的态度，以大量的事实和数据说明自己已经做出了最大限度的让步，争取达成交易。

7. 琐碎的采购者

琐碎的采购者是指每次购买的总量不大，但品种繁多，重视不同品种的搭配，力图实现最佳产品组合的采购者。供应商与这类采购者打交道会增加许多工作量，如算账、开单、包装和送货等，应当提供细致周到的服务，不能有丝毫厌烦之意。

影响中间商购买行为的因素主要有环境因素、组织因素、人际因素和个人因素，即与影响生产者购买行为的因素基本一致。

◆ 阅读案例 2-1

对中间商推销失败的原因分析

某推销员王某销售一种家庭用的食品加工机，努力工作却收效甚微。以下是他的一些推销经历，读者阅读后试分析其失败的原因。

（1）王某连续数次去一家百货商场推销，采购经理每次都详细了解产品的性能、质量、价格、维修和各项保证，但是拖了月余不表态是否购买，总是说"再等等，再等等"。王某认为采购经理无购买诚意，就放弃了努力。

（2）王某经过事先调查，了解到某超市的购买决策者是该店的采购经理和商品经理。他先找到采购经理做工作，采购经理详细了解产品的性能、质量、价格和服务后同意购买，王某轻松地过了这一关。他又找到商品经理介绍产品，商品经理听后沉吟未决，王某为了尽快促成交易，就告诉他，采购经理已经同意购买。不料商品经理一听这话就说："既然采购经理已经同意，就不用再找我了。"结果这笔眼看就要成功的生意又泡了汤。

（3）某大型商场采购部经理张先生是一位大学毕业生，从事采购工作多年，业务精通，擅长计算，头脑清楚，反应敏锐，总是从公司利益出发去考虑问题，多次受到商场领导的表扬，有望升为商场副总经理。王某通过耐心地介绍产品和谈判交易条件，终于使他成为客户，并保持了数年的关系。这数年间，王某在征得公司同意的情况下满足了张先生提出的许多要求，如保证交货时间、次品退换、延长保修期、指导营业员掌握产品使用方法和销售技巧、开展合作广告，等等；还注意加强感情投资，经常与张先生交流沟通，并在张先生和妻子、孩子生日时送上鲜花和纪念品，双方的关系日益密切。可是，有一天张先生突然通知王某停止购进他的产品，因为另一家企业提供了性能更加优异的改进型同类产品。王某听了十分生气，认为张先生一点不讲感情，办事不留余地，是个不可交的人，从此断绝了与张先生的联系，也断绝了与该商场的生意关系。

原因分析：

（1）该商场以前未经营过这种产品，要对该产品的价格、服务、市场需求和市场风险等因素做全面分析和预测后才做出决定。王某不了解中间商对新产品的采购过程较为复杂，操之过急而丧失了机会。

（2）推销员应当了解中间商内部参与购买过程的各种角色的职务、地位和相互关系对购买行为的影响。该超市的采购经理与商品经理之间存在关系不协调现象，王某虽然通过调查探悉该超市的购买决策者有哪些，但是未能进一步了解他们相互之间的关系，未能在推销过程中利用有利关系和回避不利关系，从而引起了商品经理的抵触情绪。

（3）推销员应当注意分析采购人员的购买风格，以制定有针对性的推销策略。加强感情投资最适用于"忠实的采购者"或"情感型采购者"，而对其他类型采购者的效用则有局限性。张先生是一个"最佳交易采购者"，一旦发现产品或交易条件更佳的供应商就立刻转换购买，购买行为理智性强，不太受感情因素支配。对这类采购者，供应商仅仅依靠感情投资难以奏效，必须密切关注竞争者的动向和市场需求变化，随时调整营销策略和交易条件，提供比竞争者更多的利益。王某片面地以为感情投资可以解决一切问题，忽视分析不同购买者的购买风格，忽视提高产品、服务和交易条件的竞争力，采取了意气用事的错误做法。正确的做法是继续与张先生保持良好的关系并及时向本公司反映竞争者的动向，改进产品后再重新进入该商场。

二、政府市场

政府市场是指那些为执行政府的主要职能而采购或租用商品的各级政府单位。政府市场的购买者是政府的采购机构。政府市场是一个庞大的市场，其购买产品种类繁多，涉及国计民生的各个方面。政府购买力在有的国家占国民生产总值的20%左右，是最大的社会购买力。政府采购的目的是维护国家安全，维护社会公众利益，维持政府组织正常运转。

近几年来，我国政府为了加强对政府采购的管理，提高财政支出的使用效益，促进公开、公平和公正交易，对使用财政性资金采购物资或服务的各级政府机构和社会团体的采购行为进行法律约束和规范，颁布了一些政府采购条例，对政府购买行为进行监管。在这种市场环境下，研究政府市场的购买行为，有效地满足政府市场的需求，对增加企业销售收入具有重要意义。

（一）政府市场采购的特点和采购方式

1. 政府采购的特点

（1）政府采购决策要受到公众监督，因此他们经常要求供应商提供大量的书面材料。

（2）经常要求供应商竞价投标。多数情况下他们选择索价最低者，有时也选择那些能提供优质产品或具有及时履约信誉的供应商。

（3）往往倾向于照顾本国的公司。因此，许多跨国公司总是与东道国的供应商联合投标。

基于多种原因，许多面向政府部门销售的公司并没有表现出市场营销的倾向。政府部门在采购政策中已强调了价格标准，并会引导供应商在降低成本方面做出努力。另外，由于产品的各项特征已被严格设定，因而产品差异也不是市场营销的可利用因素，甚至广告和人员推销也起不了太大作用。不管怎么说，已经有一些公司开始建立专门针对政府部门的营销机构。例如，新加坡的惠普公司及不少大银行都把政府部门作为一个单独的目标细分市场，并设专门人员负责管理。这些公司都积极了解政府部门的需求和项目，参与其产品规格设计过程，积聚竞争优势，认真筹备投标，对外加强沟通和联系，以树立和强化本公司的信誉。

2. 政府采购方式

政府采购方式有公开招标和议价合约选购等方式，其中招标为最主要的方式。

（1）公开招标。公开招标是指政府采购办事处邀请合格的供应商对政府拟采购的商品品目进行投标，一般来说，获得合同的是出价最低的供应商，供应商必须考虑能否满足产品的各种规格及接受的条件。就日用品和标准品来说，如燃料、学校日常用品，各种规格并不是障碍，但是对非标准品来说，这也许就是障碍，政府采购办事处通常被要求以胜利者得到一切为基础，把订货合同给予报价最低的投标人。在有些情况下，政府采购办事处会因为供应商的产品优越或完成合同的信誉好而给予一些折让。例如，1994年马来西亚政府决定招标修建新的吉隆坡国际机场，结果中标的主要是日本的一些公司，中标价格为1.74亿马来西亚元，高于当时的最低竞标价1.508亿马来西亚元。但是，该公司却以"最实用的技术"和"最精确的价格计算"而中标。

（2）议价合约选购。议价合约选购是指政府采购部门和一个或几个供应商进行谈判，最后只和其中一个符合条件的供应商签订合同，达成交易。这种采购类型主要发生在与复杂项目有关的交易中，经常涉及巨大的研究与开发费用及风险，或发生在缺乏有效竞争的场合。合同方式多种多样，如成本加成定价法、固定价格法、固定价格和奖励法（供应商如果把成本降低，就可以赚得更多）。当供应商的利润显得过高时，则合同履行情况可公开复审或重新谈判。

◆ **阅读案例2－2**

政府采购方式变革为企业带来什么？

据有关资料测算，全国事业单位一年的采购金额约为7000亿元，政府实际上成为国内最大的组织消费者。为适应市场经济体制的新形势，政府采购方式正在发生变革。

通常，政府机构要购买设备，首先向机构计划部门报预算，经财务科按市场价格核定后给予拨款，再由各使用单位自行购买。但是，财务科的人员时常心里打鼓：商品价格究竟是多少，我们没底，采购环节的伸缩性实在太大了。为了节约开支，许多政府机构在购买大宗商品时采用竞争性招标、投标采购。例如，北京市海淀区出台的《海淀区采购试行办法》中就规定区属各行政事业单位由区财政安排专项经费，购置设备单项价值在10万元以上，或全区范围内一次集中配置的批量采购总价值在29万元以上，均需采取公开的竞争性招标、投标采购。在招标投标大会上，投标公司单独介绍产品技术、质量、价格等内容，并接受由相关专家组成的评审委员会的质询，经专家们反复比较论证，最后选择相对最优的投标商中标。

国家财政部的有关专家正在积极制定我国统一、规范的政府采购制度。他们认为，政府采购是加强采购支出管理的必由之路，一定要做到规范、统一，使制度在各地不走样。要建立采购主管机构，明确采购模式，设立仲裁机构；财政部门不直接主管采购，防止由分散采购改为集中采购后出现新的"集中腐败。"

（二）政府市场购买过程的参与者

各个国家和各级政府机构都有采购组织，一般分为以下两大类：

（1）军事部门的购买组织。军事部门主要采购军事装备（武器）和一般军需品（生活消费品）；国防部采购军事装备；国防后勤部（局）采购一般军需品，各大军区、各兵种也由后勤部（局）负责采购军需品。

（2）行政部门的购买组织。行政部门的购买组织是指各级政府机构都设有的采购组织。行政部门的采购经费由财政拨款，具体采购业务由各自的采购办负责。

（三）影响政府购买行为的主要因素

政府市场与生产者市场和中间商市场一样，也受到环境因素、组织因素、人际因素和个人因素的影响。但是在以下方面有所不同：

1. 受到社会公众的监督

虽然各国的政治经济制度不同，但是政府采购工作都受到各方面的监督。主要的监督者有：

（1）国家权力机关，我国即人民代表大会。政府的重要预算项目必须提交国家权力机关审议通过，经费使用情况也受到监督。

（2）行政管理和预算办公室。有的国家成立专门的行政管理和预算办公室，审核政府的各项支出并试图提高使用效率。

（3）传播媒体。报纸、杂志、广播、电视等传播媒体密切关注政府经费的使用情况，对不合理之处予以披露，起到有效的舆论监督作用。

（4）公民和民间团体。国家公民和各种民间团体对自己缴纳的税赋是否切实地用之于民也非常关注，通过多种途径表达自己的意见。

2. 受到国际和国内政治形势的影响

例如，在国家安全受到威胁或出于某种原因发动对外战争时，军备开支和军需品需求就大；和平时期，用于建设和社会福利的支出就大。

3. 受到国际和国内经济形势的影响

经济疲软时期，政府会缩减支出；经济高涨时期，则增加支出。国家经济形势不同，政府用于调控经济的支出也会随之增减。我国出现"卖粮难"现象时，政府按照最低保护价收购粮食，增加了政府采购支出。美国前总统罗斯福在经济衰退时期实行"新政"，由国家投资大搞基础设施建设，刺激了经济增长。

4. 受到自然因素的影响

各类自然灾害会使政府用于救灾的资金和物资大量增加。

三、技术市场

狭义的技术市场概念是指作为商品的技术成果进行交换的场所。广义的技术市场概念是指技术成果的流通领域，是技术成果交换关系的总和。技术市场的交换关系，主要是技术成果的生产者、经营者、消费者之间的关系。技术市场是连接科技与经济的桥梁，在促进科技与经济的结合、增强科技事业的自我发展能力、加快科技的社会传播与普及、增强企业的活力、促进科技人才的流动、发展商品经济等方面都具有重要作用。

（一）技术商品的特点

技术商品是通过市场进行交换的非物质形态的商品。由于技术商品是长期的科研成果，在整个研究过程中，需要花费较多智力资源，因此，其中凝结的价值多为脑力劳动所创造的价值。技术商品同物质商品相比，具有以下特殊性：

（1）技术商品是知识商品，它以图样、数据、技术资料、工艺流程、操作技巧、配方等形式出现。

（2）技术商品交易的实质是使用权的转让。

（3）技术商品转让形式特殊，往往通过转让、咨询、交流、鉴定等形式，直到买方掌握了这项技术，交换过程才完成。

（4）技术商品价格的确定比较困难，价格往往由买卖双方协商确定。技术市场在我国经济发展中具有重要作用。它与科技经济发展之间存在着良性循环的关系，能促进科技成果迅速转化为现实的生产力，有利于科研与生产的密切结合，能促进科技人员合理流动，优化科技人才的合理配置，有利于减少人才资源的浪费。

（二）技术市场的特点

技术商品的特殊性，决定了技术市场的特点。

（1）在技术市场上，技术商品往往同技术性劳务相结合。获取技术商品，通常以聘用技术人才来实现。

（2）技术市场上的商品配套性强。为使技术发挥应有的作用，要同时供应或取得一定的物质技术条件。

（3）技术市场的时间性强。技术商品的实现过程越快，价值越高，超过一定期限，会丧失价值，也就失去了商品化的条件。

（4）技术市场上商品价格的确定，常取决于三个因素：创造技术商品的个别必要劳动时间、技术转让中发生的直接费用以及技术商品创造利润的能力。

（三）技术市场的分类

技术市场属于商品经济范畴，哪里有技术商品生产与交换，哪里就有技术市场。

按照地区，技术市场可以分为本埠技术市场、省区技术市场、全国技术市场和国际技术市场；按照产业，它可分为工业技术市场、农业技术市场、交通运输技术市场、建筑技术市场；按照技术商品的形态，它可分为软件市场、硬件市场和综合技术市场等。软件市场一般采取报告会、学术交流会、成果鉴定会、技术信息交流以及技术咨询服务等形式；硬件市场一般采取技术成果交易会、展览会和技术协作攻关等形式；综合技术市场是多种新产品、新工艺、新装备和新技术的展销活动。

（四）技术市场的组织形式

1. 科技交流会和科技商店

科技交流会和科技商店都是以科技成果为交易内容的。其区别在于，前者是一种集市性质的市场，后者则是常设的市场。

2. 咨询服务公司

咨询服务公司的业务内容非常广泛，主要包括决策咨询服务、工程技术咨询服务、管理咨询服务等。

3. 行业技术开发

行业技术开发服务的重点是行业内的中小企业。

4. 许可证贸易

许可证贸易通常是指许可方通过与被许可方签订书面合同，允许被许可方在一定条件下使用专利权人所拥有的某种技术的一种贸易，已成为技术贸易的主要形式之一。

四、农业市场

狭义的农产品市场是指进行农产品交换的场所。广义的农产品市场是指农产品流通领域交换关系的总和，也是一种经济资源配置的调节机制或调节手段。由于农业是国民经济的基础，因此，由众多农产品交换行为所形成的农产品，在很大程度上起着影响整个市场的作用。

（一）农业市场的特点

农业市场在很大程度上受农业生产所制约，它具有不同于其他产品市场的明显特点：

（1）农业生产具有自给性和商品性相结合的特点。由于农产品是城乡人民都需要的生活资料，因此，农产品市场供应的伸缩性较大。农民生产的产品除满足自身的生活需要外，剩余部分才拿到市场出售。随着经济的发展，农产品商品率将不断提高。

（2）农产品的生产和上市极为分散，消费则相对集中。这是因为农产品的生产分散在全国广大农村，而农产品的商品消费则主要集中在城市、工矿区，直接供应给城镇居民以满足城镇居民的生活需要，或者供给工厂做生产加工的原料。因此，农产品的流转方向为由分散到集中，由农村到城市。而要把分散在农民手中的农产品集中起来，就需要建立收购网点和做好储运工作。

（3）农产品的生产和上市季节性特别强，而消费则比较均衡。农产品在产销时间、季节上的矛盾特别突出，这就要求市场营销活动必须适应这一特点，在农产品上市的旺季，要求做好收购、仓储工作，以保证消费需要的均衡供应。

（4）生产和上市的数量与质量不稳，价格对供求的影响较大。因为农业生产受自然条件的影响，产量有丰有欠，质量极不稳定，规格也不统一。上市数量除受产量决定外，还受价格变动的影响。价格高会刺激上市量增加；价格低会减少上市量。所以，要正确地运用价值规律的作用来调节农产品的供求。

（5）运输路途遥远，又容易变质，给营销带来时间、地点方面的限制。

（二）农业市场的结构

农产品的生产地区分散，生产者人数众多，而消费相对集中。因此，大多数农产品就要从广泛的地区加以集中，并经过相应的市场环节，然后分散供应给消费者。这样，农产品在集中过程中就分别形成了不同类型的集散市场。我国的农产品市场大体分为农村初级市场、中心集散市场和消费市场三大类。

1. 农村初级市场

农村初级市场是散布在全国各地广大农村与集镇相结合的、定期或不定期的小型市场。农村集市贸易是它的基本形式。这类市场的基本作用是便于大宗农副产品的初级集运和初步加工、整理、分级，便于农民之间互通有无和集镇居民购买。

2. 中心集散市场

中心集散市场包括地区性的集散市场与全国性的中心集散市场两部分。这类市场一般是在大的生产区、消费区、加工区及交通枢纽点。这类市场的作用：一是进行农产品的大宗交易，完成农产品的集运、中转，并向消费地分散，提供各种运输、仓储服务；二是为市场经营活动提供各种金融、保险等服务；三是提供各种综合的市场情报。

3. 消费市场

农产品的消费市场主要在城市，尤其是大中城市、工矿区等人口密集地区。许多消费市场往往同中心集散市场结合在一起。这类市场的基本作用是完成农产品的流转过程，把产品分散供应给消费者，并为消费者提供各种服务。

以上三类市场是农产品从生产领域向消费领域转移过程中自然形成的，是农产品的正常流转方向和路线。但是，并不是所有的农产品都必须通过每一市场才能完成流转过程。农产品经营者可以根据不同情况，正确选择采购地点和分配途径。

五、服务市场

服务市场又称劳务市场，既包括满足生活服务需要的市场，也包括满足生产服务需要的市场。它提供的是一种特殊的产品，虽然这种产品即服务与实物产品在很多营销原理方面是相同的，但是服务产品有它的特殊性。这种完全无形或基本无形的产品可直接从服务的提供者转换给服务的购买者，它不需要被运输或储藏，因此具有极大的易消失性。它是国民经济的重要组成部分，对促进国家经济发展起着巨大的作用。

（一）服务市场的特点

服务市场运行中的供求机制有别于商品市场。其突出的特点具体表现在以下几个方面：

1. 购买的盲目性

如果说消费品市场的购买带有盲目性是由于消费者的非专家型购买所致，那么服务市场购买的盲目性则是由于商品的无形、购买前消费者无法得到展示所致。尽管消费者对成千上万的消费品不可能拥有全面的知识，不可避免地产生购买的盲目性，但消费者毕竟购买的是有形的实物，可以通过触摸、观察及接受服务人员的商品展示和介绍等途径来进行商品的选择与比较，最后做出购买与否的决策。但服务产品的不可触摸性使得消费者在接受服务之前很难判断服务产品的质量。

2. 购买的习惯性与转移性

服务商品的无形性特点，往往会导致消费者购买的盲目性。消费者解决购买盲目性的常用办法是先寻找几家声誉较高的服务点接受服务，以切身体验（有时是询问和观察其他消费者接受服务后的情况）判断出较高质量的服务商，继而成为该服务商的常客，形成习惯性购买。从某种角度来说，服务商品市场的购买习惯性特征是消费者对无形服务商品购买缺乏自信心的体现。服务产品的差异性特征，决定了不仅不同的服务商的服务质量存在差异，而且同一服务商在不同的时间受心情、设施、环境等的影响也会出现服务差异。然而，消费者对服务的质量要求则是始终如一的，因此矛盾时常可能产生。矛盾的结果往往是消费者购买出现转移。即使是对某个服务商已形成习惯性购买的消费者，也会由于服务商的一两次疏忽而发生购买的转移。可见，购买的转移性是服务市场的又一特点。

3. 服务与消费的同步性

在生活资料市场中，生产者与消费者之间无论联系多么紧密，在空间与时间上都存在一定的距离，商品从生产者转移到消费者手中，需要经过实物运输或中间商等中间环节。而在服务市场中,服务与消费是同步进行的,即消费者在完成购买服务商品的同时,就已完成了消费,因而买卖双方的行为对彼此影响较大。

4. 需求的不均衡性

受消费者的个人生活习惯、时间安排、兴趣爱好等因素的影响,在不同时间、地区,消费者对服务的需求呈现出不均衡性。例如,餐馆中午与晚上就餐的人多,而其他时间少;旅店节假日人多,平常人少等。由于服务市场中用于生产服务的设备和劳动力等只代表一种生产能力而非服务产品本身,如果顾客需求小于服务供给,就意味着生产能力的浪费;反之,当服务需求超过供给能力,又会因服务产品无存货(事实上服务产品无法储存)而使顾客失望,导致顾客的流失。因此,如何协调不均衡的需求与服务,已成为服务市场营销的一个难题。

由以上分析可见,要搞好服务市场经营,必须牢牢抓住服务质量这个根本。服务业出售的产品主要是服务,因此,服务企业必须把"顾客第一、服务质量第一"作为经营之道,并把这一经营思想贯穿于企业经营管理全过程。

(二) 服务市场的类型

(1) 与出售商品有连带关系的服务市场,如商品的推销、广告宣传等。这类市场随着进入流通的商品量的变化而变化。

(2) 为恢复商品使用价值服务的市场,如商品的售后服务市场,加工维修、洗染、修补等行业。随着耐用消费品的广泛使用,这类市场有逐渐扩大的趋势。

(3) 用有形的商品和设备直接为消费者提供服务的市场,如旅馆、立法、美容等。这类市场往往是采取直接服务的方式。消费者对于这方面的服务需要满足的程度,取决于服务人员技能的高低、服务态度的好坏以及服务方式是否适合消费者的需要。在一般情况下,服务技术高超、服务热情周到、服务方式灵活,就能吸引更多的消费者。

(4) 饮食服务市场,如各种饭馆、舞厅、小吃店、咖啡馆、冷饮店、茶馆等。这类市场兼有生产加工、商品销售和消费服务三种职能。消费者对饮食服务市场的需求,不仅要有美味佳肴,而且要有良好的服务。

(5) 旅游服务市场。旅游服务市场是指利用国家的自然资源和人力资源,通过提供必要的设备、设施、工具和服务性劳动,为旅游消费者服务的市场。旅游市场是一个综合性市场,它的发展要依赖于整个国民经济的发展。

主要名词

消费者市场　　生产者市场　　修正重购　　政府市场　　技术市场　　服务市场

案例分析

××电子有限公司的片式电阻器销售

"今年片式电阻器销售有点儿悬",姚总自言自语道。在××市××科技大厦8层总裁办公室中,他斜靠在真皮沙发上,双眉紧锁,外面天气似乎有点阴郁。

姚总是退伍军人,于1992年到××市打拼,先后从事过娱乐业、生物科技等,现为××市××高科技产业股份公司总裁。××市××高科技产业股份有限公司创建于1993年,1998年股票发行上市,2002年3月成功增发5000万新股。经过几年努力,××科技已构筑了以电力系统自动化及电气设备、新型电子元器件、软件开发和系统集成为支柱的产业经营格局,其中,片式电阻器部下属公司××市××电子有限公司(简称××电子),是1998年利用上市募集的资金于1998年建立的,当年投产,产能60亿只/年,并于2002年6月份扩产到120亿只/年,到2003年5月份,公司再度扩产到300亿只/年,成为中国国内最大的片式电阻器生产基地。

一、片式电阻器行业发展状况

国内片式电阻器行业是伴随着国内整机行业发展的。大约10年前,国内整机市场进入一个高速发展期,国内片式电阻器厂家也进入了一个繁荣期,导致国内片式电阻器出现了大量投资。近年来,国内整机行业竞争惨烈,"城门失火,殃及池鱼",国内厂家由于整机厂的竞相压价也开始逐步步入下降期,但利好的消息还是有的,比如国外整机企业出于相关的采购和运输成本考虑,将加大本地化采购比例,这将为国内的片式电阻器厂商带来无限商机。

国内企业与国际同行之间技术差距不大,但在品牌效应上,日本产品略胜一筹,我国台湾地区的厂家在规模产能上也略占上风。此外,国外企业在资金规模、管理水平、全球化营销能力方面具有较大的优势。国内片式电阻器产业链上存在一些缺陷,主要是下游配套的材料和设备技术与国外存在较大的差距。由于这些限制,国内企业在新品的研发速度上落后于国外同行。

再有,片式电阻器行业的价格压力越来越大,片式电阻器的生产已经进入超大规模时代,只有具备一定规模的企业才能从目前的困境中挺过来。而一些规模小的片式电阻器厂商因不具备成本、价格优势,则会逐渐在激烈的竞争中被淘汰。

国内片式电阻器企业的优势主要体现在国际市场上的成本竞争优势和国内企业的地理优势。世界银行在2003年6月发布的一份新的研究报告中指出,中国在全球电子制造业市场的占有率将2005年前成倍增长,从而取代西欧成为该产业的新中心。由于国际电子信息产品制造业加速向中国转移,下游企业出于相关的采购和运输成本考虑,将加大本地化采购的比例,这将为国内的片式电阻器厂商带来无限商机。可以预期,未来几年内,国内的片式电阻器产业还将保持快速发展,最终将成为全球片式电阻器的制造中心。加上国内片式电阻器企业经过大规模生产的实践,技术研发能力不断提高,市场开发力度也不断加大,正在逐渐缩小与国外厂商之间的差距。另外,国内片式电阻器制造企业起步虽晚,但是硬件设备投资的起点却最高。目前,片式电阻器的生产技术比较成熟,高自动化的设备在相当程度上决定了产品的品质。

二、片式电阻器采购的特点及流程

1. 特点

(1) 购买者少。购买以国内大型整机厂为主,在正常的情况下,这类客户购买量占90%左右。在这类客户当中,又遵循"二八法则"原则,即约20%的客户购买的产品数量约占销售数量的80%。

(2) 购买量大。在短期内,厂家为规避换货带来的质量风险,表现出一定的购买忠诚度。

一般大型整机厂家都有相对固定的供货厂家,为了获得更大的折扣,在定点供货厂家处,其购买数量一般达到购买总数的70%以上,但为了避免断货或提高讨价还价能力,它们也会选择2~3家小型供货厂家,一般在这类厂家的总采购量不低于15%。当然,有时这类厂家也会逐步变成该整机厂的定点供货厂家,关键是其价格和质量的竞争力。

2. 购买流程

一般情况下,整机厂家都会在有限的供货厂家里选择4~5个作为考核对象,在前期,厂家的知名度和规模起到了决定性的作用。对这些候选对象,一般整机厂家会要求它们先提交一份第三方检验机构的产品实验报告，并要求提供一个初始报价，一旦实验报告显示内容基本符合要求，再就一些特别要求的指标跟客户探讨（不一定非得这样，这取决于该用户对产品是否有特殊要求），各类技术参数确认下来后，厂家会对供应商进行质量体系的现场审核（有的整机厂家直接进入小批量试用阶段），然后根据现场审核筛选掉1~2家供应商，其他厂家则进入小批量供货阶段，然后逐步提高采购批量。但一般进入中批量供货后，要么继续扩大供货批量成为其定点供应商，要么维持目前的供货批量。对多数片式电阻器厂家而言，这是决定其销量的最重要的一道门槛，但其中导致两种不同结果的原因是不得而知的，有可能是付款条件、价格、供货及时性、服务、产品质量等因素。××电子认为，起最大作用的应该是产品质量和付款条件，但整机厂家一般的答复是价格因素起主导作用，当试探性地询问其价格底线时，得到的答复往往是低于目前产品市场价格的15%~20%，因此××电子认为这是不可信的。

三、××电子的渠道选择转变

在2000年以前的好几年时间里，片式电阻器行业市场一直是不温不火的，总体销量基本达到行业产能的80%，但价格一直不是很高，净利润基本维持在10%左右，但个别厂家可能会稍微高一点。当时××电子的产能为60亿只/年，规模在国内企业中处于第三位，利润大概是行业平均水平，还没有达到一定的规模经济。

2000年是片式电阻器行业的一个分水岭，当年可以说是片式电阻器销售的一个黄金年，整个片式电阻器出现罕见的供不应求的现象，确切原因谁也说不上来。在当时，流行着各种各样的说法，其中最流行的说法是，作为片式电阻器的一个重要生产基地的我国台湾发生大地震，严重影响了台湾片式电阻器的生产（片式电阻器生产厂家及部分原材料供应厂家受到一定程度的损失），但不管怎样，我国大陆片式电阻器厂家迎来了久违的春天。当然，对片式电阻器供求关系最为敏感的当属各代理机构，虽然在平常年份，其采购量仅占整个片式电阻器采购量的10%。各代理机构有自己的运行特点，它们一般是国内厂家与国外整机厂之间的一个桥梁，其对外出口片式电阻器有两种方式：对于原有品牌建立较早、知名度较高的企业，其一般直接采用原品牌输出；而对于新建立的品牌，其一般是贴上自己的自创品牌后输出（在当时，××电子也是采用这种方式输出的）。

1999年，当各整机厂的采购在有序进行的时候，各代理机构的订单就如雪片一样地飞来，报价也比一般的大型整机厂高10%~15%，它们一般都要求贴上其创建的品牌。对于片式电阻器这种微利产品来说，其报价无疑具有很高的吸引力，对于××电子而言，2000年各代理商的订货量达到了40%多。2000年3月初，片式电阻供不应求的局面开始引起各大整机厂的注意，其每月要求的供货量平均提高了50%，价格也比原来高5%~8%，但由于生产能力的限制，××电子在前期已经接了大量的供应商订单，再加上对代理商供货所获利润确实高于各整机厂，故对整机厂的要求没能很好地满足，因此引起了部分整机厂的强烈不满，这里面包括原有客户及其他一些由于采购压力而转向××电子采购的潜在大客户。当然，对于公司以往长期合作的大客户（约占公司采购量的30%）的要求是得到基本满足的，但针对具体规格产品的需求也发生过一些不愉快的事情。

关于引起潜在大客户强烈不满的一个典型例子就是康佳。在2000年前，康佳曾零星地在××电子采购过一些片式电阻器，2000年4月，康佳忽然将采购量提高到××电子产能的10%，其元件采购副总甚至亲自到××市住了4天要货。××电子出于利润的考虑及生产的压力而没有答应，康佳采购副总最终不得不悻悻而归。

但到了2000年年末，片式电阻器市场销售形势逆转。到2001年3月初，××电子销售量仅占产能的60%，价格下降到1999年的水平甚至更低。在大型整机厂的销售当中，其采购量比1999年下降了20%，但销售下降最为严重的是各大代理商，其采购量甚至仅占公司销售量的4%左右。

公司又开始重新努力去开发新客户，但情况不容乐观。其中在与康佳接触的过程当中，康佳元件采购部副总意味深长地说了一句："我们去年在其他厂家采购的片式电阻器至今都没用完呢！"

公司于2003年5月份将片式电阻器扩产到300亿只/年，成为中国国内最大的片式电阻器生产基地后，应该说公司具有了一定的规模。论经济性，其平均成本大约比行业平均成本低5%左右（满产情况），但随着产量的增加，其市场压力也更大了。针对片式电阻器市场价格逐步下降的情况，公司有人建议利用四川××电子有限公司的关系（原军工厂），生产高附加值的军品，以弥补公司利润过低的缺陷。但反对者则认为，目前利润不高是由于公司的设备不能得到有效利用，如果公司能努力争取到更多的客户，就会获得更多的利润；如要生产每年需求量不到公司产能1%的军品（价格约为市价的20倍，成本基本不变，但工艺要求更高，赔付风险更大），不但会牺牲公司的规模经济性（维持原60亿只/年的产能也足够生产军品了），还可能因为产品质量问题导致公司血本无归。

但有一点公司内部是达成共识的，那就是积极开拓海外市场，但在具体实施方式上存在着分歧。有人主张先通过分销商的渠道出口，贴供应商自己的品牌，从而减少风险；有人则主张直接与国外厂家联系，这样可获得更高的利润。但由于产品试验、体系审核等原因可能耗时较长，有"远水解不了近渴"的可能，再加上缺乏经验，很多事情不一定进展得顺利，也是一个问题。

"何去何从？"姚总点了一支烟，陷入了沉思。

（资料来源：圣才学习网（管理类），www.guanli.100xuexi.com.）

讨论并回答问题：

1. 试分析片式电阻器采购行为的特点。
2. 在产量增加以后，该电子有限公司该如何拓展市场？你同意有人提出的通过生产高附加值的军品来弥补低利润的建议吗？为什么？

本章小结

本章主要介绍了市场的功能及构成、消费者市场、生产者市场和其他类型的市场。

市场的功能有交换功能、反馈功能和调节功能。

除上述基本功能外，在市场经济条件下，市场作为经济运行的中枢和集中体现，还具有如下重要作用：

(1) 市场是社会资源的主要配置者。
(2) 市场是国家对社会经济实行间接管理的中介、手段和直接作用对象。
(3) 市场对企业的生产经营活动具有直接导向作用。

消费者市场是向个人和家庭销售消费品和服务的市场，又称消费品市场、生活资料市场和最终产品市场。现代市场营销的口号是"消费者至上"，因此，一切企业，无论是生产企业还是商业、服务企业，也无论是否直接为消费者服务，都必须研究消费者市场。只有消费者市场才是商品的最终归宿，即最终市场。

消费者需求由于受多种主观和客观因素的影响而呈现出多样性。但从总体上看，各种需求之间又呈现某些共性、某些一般特性即消费者市场需求的特点。这些特点主要表现在如下几个方面：①需求的无限扩展性；②需求的多层次性；③需求的复杂多变性；④需求的可诱导性。研究消费者市场需求的这些特点，对市场营销管理者都是十分必要和有益的。只有了解它、适应它，才能得到生存和发展。因此，企业的营销策划必须以市场为出发点，首先考虑消费者市场的结构和消费者行为的特点，而不是考虑产品本身。

消费品是指消费者为了满足个人生活需要，而不是为了加工生产所购买的商品。它是消费者最主要和最经常的购买对象。消费品包括工业消费品和农产品。这里所说的消费品，主要是指工业消费品。如果按消费者的购买习惯为标准，消费者的购买对象一般分为三类：①日用品，又称方便品，是指消费者经常购买，在购买时不用花时间和精力进行选择比较就做出购买决策的消费品；②选购品，又称半耐用品，是指价格比较高、使用周期比较长，消费者在购买时会花一定的时间就产品的质量、价格、式样等方面进行比较选择的商品；③特殊品，是指消费者对其有特殊偏好并愿意花较多时间去购买的商品，如电视机、电冰箱、化妆品等。

生产者市场又称生产资料市场，由购买商品和劳务，并将它们用于生产其他商品或劳务，以供销售、出租或供应给他人的个人和组织构成。生产者市场的特点有：①需求的派生性；②需求的弹性较小；③属于专家型购买；④购买的大量性；⑤购买活动花时较多；⑥购买决策的集体性。

其他类型的市场包括中间商市场、政府市场、技术市场、农业市场和服务市场。

思考与实训

1. 消费者市场有哪些特点？举例说明消费者市场属于非专家型购买。
2. 生产者市场的主要特点有哪些？列出影响生产者用户购买行为的因素。
3. 简述生产者市场的购买决策过程。
4. 试分析影响政府购买行为的主要因素。
5. 分别列出技术市场、农业市场和服务市场的特点。
6. 某公司新开张前拟采购全套办公设备，其购买过程已进入"寻求供应商"阶段，而你恰是该地有竞争实力的办公设备供应公司的销售主要负责人，你将如何努力使自己成为某公司的供应商？

第三章

市场调查与预测

学习目标

1. 了解市场调查的概念和作用
2. 明确市场调查的内容
3. 掌握市场调查的程序和方法
4. 明确市场预测的内容
5. 学会应用市场预测的具体方法

导入案例

1974年,以生产安全刀片而著称的美国吉列公司做出了一个"荒唐"的举动——推出面向女性的雏菊牌专用"刮毛刀"。结果,该产品一炮打响,畅销全美国,销售额已达20亿美元的吉列公司又发了一笔横财。是偶然?是巧合?还是瞎猫碰上了死老鼠?统统不是。吉列公司雏菊牌刮毛刀的成功完全是建立在精心周密的市场调查基础之上的。

1973年,吉列公司在市场调查中发现,美国8360万名30岁以上的女性中,大约有6490万人为了保持自身美好的形象,要定期刮除腿毛和腋毛,这与她们的衣着趋向于较多的"暴露"不无关系。调查者还取得了这样的统计数据,即在这些女性中,除约4000万人使用电动刮刀和脱毛剂外,有2000多万人主要是通过购买各种男用刮胡刀来美化自身形象,一年的费用高达7500万美元。这是一笔很大的开销,丝毫不亚于女性在化妆品上的支出。例如,美国女性花在眉笔和眼影上的钱仅有6300万美元,染发剂5900万美元,染眉剂5500万美元。不言而喻,这些费用与刮胡刀的费用相比或多或少地相形见绌。无疑,这是一个极富诱惑力的潜在市场,谁能抢先发现它、开发它,谁就将大发利市。

根据市场调查的结果,吉列公司在雏菊牌刮毛刀的设计和广告宣传上也非常注重女性的特点。例如,刀架不采用男用刮胡刀通常使用的黑色和白色,而是选取了色彩绚烂的彩色塑料以增加美感,把柄上还印压了一朵雏菊图形,更是平添了几分情趣。把柄由直线形改为弧形,以利于女性使用并显示出女性刮毛刀的特点。广告宣传上则是着力强调安全,不伤皮肤。这也是调查中广泛征求意见后而做出的决策。一言以蔽之,吉列公司决定生产女性刮毛刀绝非心血来潮、异想天开,而是基于周密的市场调查后得出的慎重的结论;产品的式样或促销、广告宣传的重心也不是光凭主观想象,同样是来自实地调查。因此,它的成功绝非偶然,而在于经过市场调查,切实把握住了消费者的需求倾向。那些原先嘲弄吉列公司荒唐可笑的同行们则只能眼睁睁地看着"肥肉"落入他人之口。

> 吉列公司开发女性"刮毛刀"这一产品，可以说是一项具有高度创造性的营销活动。此举的重大意义在于，开拓了一个全新的、具有巨大潜在消费量的市场。因此，它获得成功是理所当然的。开发女性刮毛刀曾被同行们视为荒唐之举，但吉列公司却不为所动，逆风而上。其实，吉列公司这么做也不是异想天开、意气用事，它之所以不为流言所动，是因为胸中有数、心里有底——它的开发意向、产品特征、促销手法都是构筑在极为细致、深入的市场调查基础之上的。
>
> （资料来源：傅浙明. 产品与服务策略[M]. 广州：南方日报出版社，2004.）

第一节　市场调查的内容与分类

当今社会是信息社会，任何一个企业在进行市场营销活动时，在认识市场环境、制定营销策略时，都必须广泛系统地收集各种市场信息，并进行全面深入的分析。根据掌握的市场信息，进一步发现市场机会、选择目标市场、进行市场定位，进而科学地制定市场营销中的产品策略、价格策略、分销渠道策略和促销策略。由此可见，市场调查是市场营销活动的前提和基础。

一、市场调查的概念和作用

（一）市场调查的概念

所谓调查，是指根据研究的目的，采用科学的方法，对客观对象进行考察。它是人们认识事物、认识社会的重要方法。所谓市场调查，是指运用科学的方法，有目的、有计划、有步骤、系统地收集、记录、整理和分析有关市场活动的各种数据资料，为企业营销活动提供决策依据的一种活动。市场调查既是企业整体活动的起点，又贯穿于整体活动的始终。科学的市场调查在20世纪初起源于美国。1911年，美国柯迪斯出版公司设立了第一个市场营销调查组织，市场营销调查部经理派员通过对一百多个大城市的调查研究，编写了一本名为《销售机会》的书。该书全面分析了市场营销调查的主要方法，被管理界推崇为科学的市场营销调查的先驱。

（二）市场调查的作用

企业要做好市场营销工作，首先要进行市场调查。市场调查的重要作用主要体现在以下几个方面：

1. 市场调查是企业进行市场预测和决策的依据

现代企业的一项重要工作就是对市场的现状进行分析研究，对未来的市场发展趋势做出正确的判断和预见，能在市场需求变化之前采取相应的措施，使企业及时捕捉市场机会，规避市场风险，在激烈的市场竞争中立于不败之地。而要对市场有准确的预测和决策，首先要有对市场运行状况的全面了解，以及对市场变化规律的整体掌握；而企业要掌握市场运行的状况和市场变化的规律，又取决于对市场营销调查的深入程度。企业只有通过系统全面的市场调查，掌握市场变化的动向，才能预测市场变化的趋势，制定适应市场需求的新策略。

2. 市场调查是企业提高竞争力的有效手段

市场经济是竞争经济，竞争的基本法则是优胜劣汰，企业要想在强手如林的市场竞争中求得生存和发展，关键是要掌握市场动态，把握市场需求的状况和变化趋势，做到知己知彼，采取正确的竞争策略。而要做到这一点，企业必须通过市场调查，确切地掌握企业自身产品的竞争能力和竞争地位，把握竞争对手的优势、劣势和弱点，以做出正确的决策；否则，如果企业不注重市场调查，就会对市场竞争态势反应迟钝，不能及时采取切实有效的竞争策略，在竞争中就会处于不利地位。所以，加强市场调查可以有效地提高企业的市场竞争力。

3. 市场调查是企业了解消费者需求的有效方法

随着市场经济的发展和人民生活水平的不断提高，消费者的市场需求更加丰富多彩，不断变化更新。同时，科学技术的飞速发展又为满足消费者需求的多样化提供了可能，使得市场上的新产品不断涌现，产品更新换代的速度越来越快。企业只有通过广泛的市场调查，及时了解消费者对产品的需求信息，才能发现潜在需求；同时，通过对科学技术进步信息的收集，对产品销售数量、销售增长变化及产品普及率的分析，判断产品的生命周期。这样一来，既为改进产品性能和提高产品质量提供了依据，也为满足消费者需求、开发适销对路的新产品提供了思路。

4. 市场调查是企业提高整体经营管理水平的助推器

企业经营管理水平的高低，直接影响着企业的决策、生产和营销等各方面的状况和水平，并最终影响企业的发展。而企业通过市场营销调查，通过对竞争对手各方面情况的了解和掌握，有利于发现自身管理方式的不足，学习和借鉴竞争对手的成功经验和有效方法，不断提高自身的管理水平和管理素质，从而提高企业的整体经营管理水平。

二、市场调查的内容

市场调查的内容十分广泛，企业因调查的目的和要求不同，其调查的内容和侧重点也不同。一般来说，企业的市场调查主要包括以下几个方面的内容：

（一）市场环境调查

市场环境就是影响企业市场营销的宏观市场因素，一般为企业不可控制的因素。市场环境调查主要包括以下调查内容：

1. 政策法规调查

企业要了解和掌握一定时期内国家关于各行各业发展的方针和政策；有关价格、税收、信贷、财政和外贸等方面的政策和法规；政府颁布的有关法律和法令，如环境保护法、消费者权益保护法、质量法、广告法、经济合同法和公司法等。企业要认真分析这些政策法规对市场营销的影响。

2. 经济状况调查

企业要了解和掌握国民经济发展状况，包括国民生产总值、国内生产总值、工农业生产总值、国民收入、经济发展速度；还有消费者收入水平，包括个人收入、家庭收入、人均收入、个人可支配收入和个人可任意支配收入；同时，企业还要了解消费结构与消费者支出模式和水平及其变化趋向，据此分析这种变化会给市场供求总量和结构的变化趋势带来什么影响。

3. 社会环境调查

企业要了解并掌握一定时期和一定范围内全社会人口数量、人口增长速度、人口密度、地理分布、人口流动性、年龄结构、家庭及其文化、教育、职业等结构的变化；同时，掌握相关社会团体对各类消费者需求的影响。

4. 社会时尚调查

企业要了解和掌握一定时期内某种消费行为在社会中的流行趋势、流行周期及流行影响，进而采取措施，适应或引导社会时尚的变化。

5. 科技发展动态调查

企业要了解和掌握一定时期内与本企业生产有关的科技发展动态，新技术、新工艺、新产品的研制情况，以便及时将新的科技成果运用到企业的生产经营活动中。

6. 自然环境调查

企业要了解和掌握原材料、燃料等资源的供应情况和地区内的地理位置、气候条件和气象变化规律等。

（二）市场需求调查

市场需求调查主要是调查本企业的总体市场和各种商品的市场需求量。市场需求包括现实需求和潜在需求两个方面。现实需求是指用户已经意识到并有能力购买，也有准备购买某种商品的需求；潜在需求是指处于潜在状态的需求，其中有的需求用户已经意识到，但目前由于种种原因还不能购买。

1. 现实需求调查

现实需求调查主要是弄清楚整个市场在一段时期内需要某种商品的能力，也就是最大可能的需求量（即市场容量）以及变化趋势。它是企业选择目标市场、确定企业生产规模、制订生产经营计划的重要依据。

2. 潜在需求调查

潜在需求调查主要是弄清楚今后一段时间内需要的产品类型及其需求量。它是企业开发新产品、改进现有产品、开辟新市场的主要依据。

（三）产品调查

企业是从事各种产品或劳务的生产经营单位，它向社会提供的产品和劳务是否适销对路、质量是否优良、价格是否合理等，直接关系到企业经营的成败。因此，产品调查主要是产品的市场需求调查，它着重了解市场需要什么产品，这种产品的需求量是多少等。因此，产品调查是市场需求预测的重要依据。现代企业生产的产品多种多样，一个企业往往生产其中的一种或几种，虽然各个企业在产品的调查对象、具体内容和侧重点上各有不同，但调查的内容不外乎以下几个方面：

1. 产品品种调查

产品品种调查是指对产品规格、型号和式样等方面的调查。企业通过产品品种调查，重点弄清楚在本企业生产的同类产品中，市场上现在流行什么品种，本企业的品种是否适销对路，市场上还需要什么新品种，为企业根据市场需求和自身条件来调整产品结构及安排生产经营活动提供依据。

2. 产品质量调查

产品质量调查是指对企业自产或同类产品的用途、特性及满足使用者的程度和使用者对产品质量具体要求的调查。它主要是了解消费者对企业产品质量的反应。

3. 产品价格调查

在产品质量一定的情况下，适宜的价格可以大大提高产品的竞争力，扩大产品的销售市场，增加企业的利润。因此，企业应通过各种方式了解和掌握产品的品质差价、地区差价和季节差价。一般来说，产品价格与生产成本密切相关，但与市场因素也有重要关系。如果产品供大于求，则价格降低；如果供不应求，则价格提高。产品成本在竞争中占绝对优势时，则价格比同类产品要低一些；反之，产品价格在竞争中就要高一些。产品销售的批量大，价格就适当降低，实行薄利多销。产品销售的地点有远近，对于较远的地区，在确定价格时可以适当考虑运输费用及运输损失。此外，还应根据价格心理和季节因素等来进行调查。

4. 产品新用途调查

产品有各种用途，且其用途不是固定不变的。许多产品开始时往往使用范围小，在使用过程中有时会突破原有设计，产生新的用途。随着科学技术的发展，许多产品的新用途不断被发现。例如，有的食品原来是保健型的，后来又发现它有防癌作用，这就是新用途。通过对产品新用途的调查，经常注意产品的消费情况，可以发现产品用途的新领域、新范围，挖掘产品新市场，扩大产品的生产和销售。在进行产品新用途调查时，应尽可能宽泛一些，其调查范围主要是使用范围和产品新功能的调查。

5. 产品发展调查

随着生活水平的不断提高，人们对各种产品质量的要求也越来越高，对产品的需求也越来越广泛。人们对产品的取舍会引起产品结构的变化，有的产品会被淘汰，有的产品要进行改造，有的产品要不断扩大新的领域。因此，企业生产的现有产品中哪些要淘汰，哪些应该改进，应发展一些什么样的新产品，都需要通过市场调查来确定。因而，企业要进行产品发展调查，这项调查的内容实际上是本企业现有产品满足需要的状况和使用者对新产品的要求。

（四）市场竞争调查

市场竞争调查就是对企业某种产品在市场上竞争能力的调查。市场竞争调查的内容是多方面的，包括产品品种、质量、价格、交货期、成套性、零配件供应、技术服务、包装装潢以及推销方式等。这里主要介绍以下几个方面：

1. 产品竞争能力调查

体现产品竞争能力的强弱除了新技术因素之外，最主要的是产品的质量和价格。进行产品竞争能力调查，就是要向使用单位和消费者详细了解本企业产品和市场上同类产品的评价，在质量上各有什么长处和短处，在价格上哪个最合适，本企业的产品在市场上处于何种地位，哪个企业的产品在市场上竞争力最强，在质量和价格上有什么优点，等等。

2. 同类产品水平与经营特点调查

同类产品水平实质上就是同类企业同类产品的生产水平。产品的竞争实际上是企业生产力水平的竞争。企业进行这方面的调查，首先要摸清楚生产同类产品企业的生产情况，如生产同类产品的企业有多少家，它们各自的规模怎样，产量有多大，设备状况、技术力量、产品成本、产品质量以及协作单位如何，等等，根据调查资料建立生产情况档案。其次要摸清楚竞争对手的经营方式，如产品是单独经营还是合资经营，技术服务的方法和特点是什么，产品推销的方法和价格策略如何，等等，从中找出同类企业的优势和劣势，发现本企业的长处和短处，从而取长补短、扬长避短，充分发挥自己的优势，提高本企业产品的竞争能力。

3. 市场转换能力调查

改革开放以来，企业生产的产品由分配型转向市场竞争型，由本地区、本部门的小市场转向国内外的大市场。这就要求企业做好新市场、大市场的竞争调查，对新市场、大市场中消费者的需求、竞争对手的产品和竞争企业各方面的情况等都非常了解。

（五）销售渠道和促销方式调查

1. 销售渠道调查

销售渠道调查主要是调查本企业的销售方式和中间商的情况。主要内容有：

（1）销售方式，就是调查本企业销售渠道的宽窄长短以及对产品销售的影响。

（2）中间商的情况，如销售量、经营能力、利润、资金、经营设施和合作态度等。

（3）消费者对中间商的满意情况。

（4）商品储运及运输成本等。

2. 促销方式调查

促销方式调查就是调查企业采用的促销方式是否符合消费者的要求。主要内容有：

（1）根据本企业产品的特点，采用哪些促销方式比较经济有效。

（2）何种广告媒体最适合本企业产品的销售。

（3）本企业不同促销方式的费用与效果的调查对比。

企业需要进行市场营销调查的内容很多，除了上述几个方面外，还有与市场密切联系的劳动力资源、产品销路、购买行为等方面的调查。在做好这些调查的基础上，对所掌握的资料进行科学的分析、比较，从中找出有益的经验。

三、市场调查的类型

根据市场调查的目的，市场调查一般分为以下四种类型：

1. 探索性调查

探索性调查是企业对市场情况不甚了解或对问题不知从何处寻找突破口时所采用的一种方法。例如，某企业最近一段时间产品销售量下降，原因不明。是产品质量出了问题还是价格过高？是服务不好还是市场上出现了新的竞争性产品？对上述问题，企业可以对一些用户、中间商或企业营销人员进行试探性调查，从中发现问题的症结所在，并明确地揭示出来，以便确定调查的重点。探索性调查常常是对企业扩展方向和规模进行的调查研究，或者为了弄清楚某一问题、范围、情况和原因等进行的调查研究。

2. 描述性调查

描述性调查是对已揭示出来的问题做如实的反映和具体的答复。多数市场调查属于描述性调查，如对市场需求潜力、市场占有率、分销渠道、促销方式等进行的调查研究。根据了解和掌握的资料，从中找出相关因素，即各因素之间的关系，为进一步进行因果性调研和预测性调研提供资料和依据。与探索性调查相比较，描述性调查需要事先拟订一个调查研究计划以及准备收集资料的步骤。由于描述性调查的任务是对解决某个市场问题找出答案，因此调查计划要周密，对资料可靠性的要求较高。

3. 因果性调查

因果性调查是在描述性调查的基础上，通过进一步深入分析，从而寻找出问题发生的深层原因或根本原因，并弄清楚原因与结果存在的数量比例关系。例如，消费者为什么喜欢某一产品，为什么销售量增加，等等。因果性调查是一种最关键、最重要的调查方式。

4. 预测性调查

预测性调查是对未来市场需求变化及其趋势进行估计。预测性调查是否科学与准确，关系到企业生产经营的方向正确与否，关系到企业能否掌握市场的主动权。

从上述分析可知，探索性调查主要是发现问题并提出问题，描述性调查主要是说明问题，因果性调查主要是分析问题产生的原因，预测性调查主要是估计未来发展的趋势。这四种调查类型之间是相互联系、逐步深入的关系。任何企业的市场调查都离不开这四种类型，只是侧重点有所不同。

第二节　市场调查的程序与方法

一、市场调查的程序

各种市场调查由于其目的、范围和内容不同，步骤也不尽相同。归纳起来，市场调查的全过程可以划分为四个阶段：调查准备阶段、调查策划阶段、调查实施阶段、资料处理和追踪调查阶段。每个阶段又可以分为若干个基本步骤。

（一）调查准备阶段

调查准备是市场调查工作的第一个阶段，为了保证市场调查的顺利进行，企业必须充分做好准备工作。在这个阶段要做以下几个方面的工作：

（1）初步情况分析。调查人员通过对企业内部的各种报表、统计资料和用户来函等资料的分析，以及企业外部资料的分析，研究企业的市场营销状况，发现问题，为确定调查主题提供依据。

（2）非正式调查，也称试探性调查。调查人员根据初步情况分析所发现的问题，在小范围内做一些试探性调查，以寻找问题的关键所在。非正式调查通常采取访问有关专家、中间商，征求用户和销售人员的意见等小范围的典型调查、重点调查来进行。

（3）确定调查主题。通过初步情况分析和非正式调查，就可以针对本企业的具体情况确定调查主题，为下一阶段的调查打下基础。如果调查选题不准确，则整个调查将成为无效劳动。

（二）调查策划阶段

市场调查的第二个阶段是调查策划阶段。该阶段的工作主要是设计调查方案，市场调查方案是市场调查的基本框架。

（1）制订调查计划书。调查计划书是市场调查实施的指南。调查计划书应该包括以下几方面内容：调查目的、调查对象、调查项目、调查方法、调查时间和地点、调查日程安排、经费预算等。

（2）设计调查表格。调查表格是整个调查工作的一个重要工具。调查表格设计得好坏，直接影响到信息和资料收集的准确性和全面性。调查表应由经验丰富的调查人员在广泛调查的基础上设计。根据调查内容不同，调查表格应有不同的设计形式，总的要求是既具有科学性，又具有艺术性。调查表的提问要具体，文字要简洁。一般来说，较好的调查提问应具备两个功能：一是能将想问的问题传达给被问的人；二是能使被问者愿意回答问题，并将问题的答案反映出来。

（三）调查实施阶段

调查实施阶段的主要任务是组织调查人员，按照调查计划书的要求，系统地收集资料，听取被调查者的意见，对调查结果进行处理，编写调查报告。这个阶段的工作大体可以分为以下步骤：

（1）人员培训。人员培训包括项目执行人培训、督导培训、访问员培训。访问员的培训分为两种：一种是访问员的培训；另一种是有针对性的问卷培训。

（2）收集各种资料。要根据调查方案具体进行如下的资料收集：①原始资料的收集。原始资料也称第一手资料或实地调查资料，是通过实地调查，由调查现场取得的资料。其来源，一是消费者，即调查消费者的购买动机和购买习惯、消费者对商品的需求量和消费心理变化等；二是各有关部门，如通过竞争者、供货商、销售商、信息网等；三是公共场所，企业调查人员、采购员、销售员等到供销现场、机场、码头、车站和社交场所等收集所需要的信息；还可以通过展销会、订货会获取有关信息。原始资料的调查方法主要有询问法、观察法和实验法。②现有资料的收集。现有资料也称第二手资料，是由他人收集并经过整理的资料。其来源，一是企业内部资料，即企业内部的各种记录、统计表、报告、来函等；二是政府机关，即政府发布的有关经济政策和法令法规等文件，财政、银行、统计、商业等部门公布的统计资料；三是公开出版的期刊、文献、书籍和研究报告，各种内部调研资料、交流资料、会议论文等。现有资料的收集方法有直接查阅、购买、交换、索取以及通过市场情报网收集和复制等。资料的充分性和可靠程度直接影响市场调查的质量，因此，必须做好资料的收集工作。

（四）资料处理和追踪调查阶段

1. 资料处理

市场调查所收集到的资料是分散的、凌乱的，难以真正反映现象的本质和内在规律，因此，需要进行整理、分类、统计计算和分析等加工处理，以便得出科学的判断和结论。

（1）资料整理。资料整理就是对市场调查所获得的资料，特别是实地调查所获得的第一手资料进行筛选，去粗取精，去伪存真，以保证资料的系统、完整和真实可靠。

（2）资料分类。为了便于查找、归档、统计和分析，必须将经过整理的资料进行分类编号。如果资料需用计算机处理，则分类编号更显重要。

（3）资料统计计算。将已经分类的资料进行统计计算，如计算百分比、平均数和标准差等，以利于分析。

（4）资料分析。根据整理好的调查资料，进一步加以分析，以掌握市场发展动态。常用的分析方法有：①描述性分析，即对调查所需要解决的问题做出如实、具体和确切的回答；②因果性分析，即根据对调查资料中相关因素的分析，揭示出这些因素之间的因果关系，探明自变量对因变量的影响程度及其规律性；③预测性分析，即根据调查资料所呈现的变化趋势，采用一定的预测方法，对未来一段时间市场状况的发展变化动态做出推测。

（5）提出调查报告。这一阶段是提供调查结果的阶段。调查报告可以是口头汇报，也可以是书面汇报，应视问题的范围、复杂程度和重要性而定。对于比较重要的问题，因其对企业今后的经营方针和决策有重大的参考价值，涉及面广、时效较长，故应做出书面报告，以便存档备查。无论采取哪种报告形式，都应做到具体和简洁。

调查报告一般应包括以下内容：①导言，对调查的原因、背景、目的和任务等给予简要说明，对报告要说明的问题给予简要介绍；②正文，包括介绍调查的时间、地点、对象、范围、过程和基本方法及程序；③结论，依据所分析的资料和数据，运用科学方法，提出主要理论观点，做出结论；④附录，包括样本分析、统计图表和参考资料等。整个调查报告力求文字简明扼要、通俗易懂，所用统计数据真实准确，整个调查报告论证科学、分析有据、推理严谨并紧扣市场调查的目的。

2. 追踪调查

提出市场调查报告并不意味着市场调查的终结，一般还需要做进一步的追踪调查。其内容一般有以下三个方面：

（1）对调查报告中所提出的关键问题组织进一步深入、连续的调查。

（2）对调查报告中所得出的调查结论和提出的建议的采用率、转引率及对实际工作的使用价值的调查，同时检验调查结论和建议的正确程度与可行情况。

（3）了解调查报告中所得出的调查结论在实际执行中是否被曲解。

总之，追踪调查对评估该项市场调查的成果具有重要意义。

二、市场调查的方法

市场调查的方法很多，具体采用哪一种方法应根据市场调查的目的、内容和市场调查对象的特点来确定。一般来说，采用的调查方法不同，得出的结论也有所不同。从理论上说，对市场全部单位做调查是最可靠的方法，但由于市场范围既复杂又广大，经常进行全面调查是不可能的，所以除特殊情况外，一般是从市场上选取一部分作为调查对象，然后以点带面、以部分推断出总体的情况。在这里，适当地确定样本的大小，确定调查对象，就成为做好市场调查的关键因素之一。常用的市场调查的方法主要有以下几种：

（一）随机抽样调查

随机抽样调查法在市场调查中经常采用。在随机抽样中，样本的确定不受人们主观意志的支配，而是采取一定的统计方法进行抽取，总体中的每一个个体都有被抽取的机会。它主要包括以下方法：

1. 单纯随机抽样

这是对总体中的所有个体按完全符合随机原则的方法（随机数表）抽取样本的方法。单纯随机抽样是最基本的抽样方法，它适用于所有个体差别不大的总体。具体方法是：将要调查的每个单位编号，制成规范化的卡片或纸条，打乱后随意抽取，抽中者即作为调查对象。如居民家庭生活收入调查、农作物产量调查、产品质量跟踪调查等，都可以采用这种方法。这种方法简单、方便，但随机性太强，有时选取的样本代表性差。

2. 分层抽样

这是对总体按照某种特征划分为各层，然后再从各层中按单纯随机抽样的方法确定样本大小，并依据各层的单位数占整个调查对象总体数的比例抽取样本，由各层的样本组成一个总的样本的方法。例如，在研究个体商业经营者的季度零售额时，可以按资金大小将这些个体商业户规模分为大、中、小三类，在每类中随机抽取若干个单位，组成一个样本。这种方法的优点是可以保证样本的均匀性和具有充分的代表性。分层抽样分为等比例和不等比例分层抽样。

3. 等距抽样

这是将调查总体按一定的顺序排列，每隔一定的间隔抽取一个或若干个单位，并把这些被抽取的单位组成样本进行观察的一种抽样方法。等距抽样介于随机抽样和非随机抽样之间，关键在于抽取第一个单位时采取的方法，如果按随机原则抽取第一个单位，则属于随机抽样，如果是有意识地选取第一个单位，则属于非随机抽样。

4. 整群抽样

这是在当总体的所在基本单位自然组合为或被划分为若干个群后，从中抽取部分群并对抽中群内全部基本单位进行调查的一种抽样组合形式。例如，如果要对北京市居民家用电器的拥有情况进行调查，采用整群抽样方法，就是在北京市 4000 个居民委员会中随机抽取 20 个居民委员会，这 20 个居民委员会中的所有住户就成为调查样本。为了减少抽样误差，在分群时，要求群与群之间差异要尽可能小。

（二）典型调查

典型调查就是根据调查的目的，从市场总体中按照主观分类原则选取一些具有典型意义的、有代表性的单位作为调查对象。这种方法的特点如下：

（1）调查单位是根据调查目的有意识地选取出来的少数具有代表性的单位。调查方法可以灵活机动，达到节省时间和人力、提高调查效果的目的。

（2）这是一种深入和细致的调查，通过典型深入实际，对具体事物进行具体和细致的研究，详细观察事物的发展过程，具体了解现象发生的原因，同时掌握现象各方面的因果关系。在典型调查中，正确地选择典型是做好典型调查、保证调查质量的关键。这里可以选择中等或平均水平的单位进行调查。选择的数量应根据总体的情况来确定，如果总体发展条件基本一致，则选择一个或几个有足够代表性的典型进行调查；如果总体比较复杂，总体中各个单位发展水平差异较大时，则需要将总体按研究问题的有关标志分成若干类型，然后按每个类型在总体中所占比例的大小，选出若干典型调查单位进行调查。典型调查适用于调查总体庞大、调查人员对总体情况非常了解、能比较准确地选择有代表性的单位作为调查对象的情况。

（三）实地调查

1. 询问调查法

询问调查法就是通过询问的方式收集市场信息资料的一种方法。它要求被调查者回答有关"事实""意见"和"原因"等几个方面的问题，了解用户对本企业产品的品种、质量、价格、技术服务和交货期等方面的意见，了解用户要求改进产品结构的理由和购买动机。询问调查法主要包括以下几种：

（1）走访调查法。这是一种调查人员当面向被调查者提出问题，由被调查者回答，从而获取所需要的信息和资料的调查方法。这种调查方法可以是个别访问，也可以是小组访问；可以是一次访问，也可以是多次访问；可以是入户访问，也可以是街头拦截访问，还可以是定点访问。这种方法的优点是：能够与被调查者进行深入细致的面谈，调查的内容可以完全放开并灵活掌握，对不清楚的问题可以当面解释清楚和补充，因此，所获得的调查资料比较准确。其缺点是：费用高，周期长，调查结果受调查人员业务水平影响较大。

（2）电话调查法。这是一种用电话询问被调查者，从而获取所需要的信息和资料的调查方法。电话访问需要采用精心设计的问卷进行,提问要简单明了,便于受访者回答,不会引起读音上的歧义,内容也不可太多。访问的时机要从受访者的特点出发,选择受访者认为比较合适的时机,以提高电话调查的效率。这种方法的优点是:获取市场信息快,不需要进行任何现场组织工作,效率高,成本低,并能用统一格式进行访问,所得资料便于统一处理。其缺点是:询问时间短,情况不具体,访问人员无法观察受访者的动作、表情等非语音信息,无法使用任何辅助工具。

(3)邮寄调查法。这是一种通过信函,邮寄询问表(或调查表)给消费者,由被调查者填好询问表后再寄回的调查方法。这种方法的优点是:调查的区域广泛,被调查者有足够的时间来考虑答案,调查费用低。其缺点是:调查表的回收率低,回收时间也比较长。

(4)留置调查法。这是一种调查人员把调查表或问卷当面交给或转交给被调查者,并说明调查的要求,然后定期由被调查者寄回的一种调查方法。这实际上是邮寄和走访相结合的调查方法。这种方法的优点是:回收率较高,能反映实际情况。其缺点是:调查费用较高,时间较长。

2. 观察调查法

观察调查法就是调查者亲临调查现场或利用观察器材,客观地观察调查对象并忠实地记录其人其事或其物的状态、过程或结果,这是收集第一手市场信息的一种实地调查方法。其特点是调查人员在现场从旁观察、记录,被调查者并未感到自己正在被调查,因而收集的情报比较自然和真实。但观察法的经费开支较大,花费时间较长,只能报告事实的发生,不能说明其原因。观察调查法主要包括以下几种:

(1)行为记录法,即通过录音、录像或其他检测技术手段,直接了解消费者的不同偏好和营销服务中的种种问题。例如,在柜台里装置录像设备,拍下消费者在选择商品时的反应。

(2)直接观察法,即调查人员通过直接观察,了解消费者行为的"事实"。直接观察的方法很多,其主要方法有:①销售现场观察,是指企业派出调查人员到商店、商品展销会、交易会和销售点等去观察消费者购买商品的动向、心情和心理状态等;②使用现场观察,是指企业派出调查人员到使用现场了解本企业产品的使用情况,听取用户对产品的意见、要求和建议等;③生产现场观察,是指企业派出调查人员到与本企业有联系的生产厂家去观察产品的生产过程。

◆ **阅读案例3-1**

垃圾不只是垃圾

帕林是柯迪斯出版公司的经理,20世纪初,他在公司设立了世界上最早的调研组织。当时,柯迪斯公司的业务代表向美国鼎鼎有名的Campbell(金宝)汤料公司推销《星期六邮刊》的广告版面。

但对方告诉他:邮刊不是汤料公司的好媒体,因为邮刊的主要读者是工薪阶层,而Campbell(金宝)的汤主要是以高收入家庭购买为主。工薪阶层主妇为了省钱,往往自己烧汤,只有高收入家庭才愿意花10美分买已经调配好的Campbell汤。

帕林要想办法反驳对方的观点。为此，他抽取了一条垃圾运输线，让人从该线路的各个垃圾堆中收集汤料罐。他发现从富裕区收集到的汤料罐几乎没有，因为富裕家庭总是让仆人动手准备汤料。大部分汤料罐是从蓝领区收集到的，帕林认为，对蓝领阶层的妇女来说，节约做汤时间可以更多地为家人做衣服或者做其他挣钱的活。

在摆出这些发现后，Campbell 很快成为《星期六邮刊》的广告客户。从此，"垃圾调研法"就产生了。

（3）痕迹观察法，即对调查现场、调查对象的事后调查，调查的资料是现场和对象留下的痕迹。例如，通过售后服务保修点的维修观察，统计出不同部件的损坏率。损坏率很高的部件，说明设计质量本身可能存在某种问题，或推销宣传中所介绍的产品服务功能有偏差。

◆ 阅读案例 3-2

环球公司的刺探式销售调查

日本环球公司在日本服装纤维业中名列前茅。环球公司的发展不是靠偶然的运气，而是他们重视市场调查的结果。环球公司市场调查的工作，一是开设专营店，陈列公司的所有产品，给顾客以综合印象，售货员的主要任务是观察顾客的采购动向。公司除在东京银座外，还在日本全国 81 个城市中顾客集中的车站、繁华街道设立这种商店。二是事业部每周必须安排一天时间全员出动，3 个人一组、5 个人一群地分散到各地，有的到专营店，有的到竞争对手的商店观察顾客情绪，向售货员了解情况，找店主聊天。调查结束后，当晚回到公司进行讨论，分析顾客消费动向，提出改进工作的新措施。三是全国经销该公司时装的专营店有 1300 个，兼营店有 5000 多个，公司同 200 多个专营店建立了调查业务关系，他们制有顾客登记卡，详细地记载了每一个顾客的年龄、性别、体重、身高、体型、肤色、发色，使用化妆品种类，常去光顾哪家理发店，以及兴趣、嗜好、健康状况、家庭成员、家庭收入、现时穿着的情况等。这些卡片储存在信息中心，只要根据卡片就能判断顾客眼下想购买什么样的时装，今后有可能添置什么样的时装。

（资料来源：晓红. 世界知名企业市场营销策略[J]. 市场导刊，1997（6）.）

3. 试验调查法

试验调查法是指调查者在一定范围内有目的地控制一个或几个市场因素，来研究某种市场现象在这些因素的影响下所发生的变化的调查方法。它起源于自然科学中的试验求证，是对市场现象的试验。这里的"试验"是先试点，通过试点取得经验，再由点到面进行推广的方法。试验法是目前消费品市场上普遍采用的一种方法。如当企业要推出一种新产品或新营销策略时，按事先确定的调查项目选择一定的地点、对象和规模，开展小范围的试验，对试验结果进行全面分析、评价，看看消费者有什么新的建议，有没有大的推广价值，怎样改进才能更好地满足消费者的需求等。

这种调查方法的优点是：方法科学，通过试验可以观察和分析某些经济现象之间是否具有相关关系，以及相关关系的密切程度；根据试验数据和结果，可以为预测和决策提供依据。其缺点是：相同的试验条件不容易选择，变动的因素不容易掌握。

第三节　市场预测的内容与步骤

一、市场预测的概念和作用

（一）市场预测的概念

所谓预测，就是根据过去和现在的已知因素，运用已有的知识、经验和科学方法，预先推测与人们切身利益有关的事物今后可能的发展趋势，并对这种发展趋势做出定量化的估计和判断，以便调节人们的行动方向，使人们的实践活动更加自觉地按照客观规律朝预期的目标前进。简言之，预测就是对事物的未来发展做出的科学判断。在现代社会，预测有科学的理论指导和科学的手段与方法，已经发展成为一门科学。

市场预测是预测科学的一个重要组成部分，是经济预测领域里的重要内容。所谓市场预测，就是运用科学的方法和手段，在市场调查的基础上，根据所获得的市场信息，对市场未来的发展趋势做出估计和判断的过程。要准确和全面地理解市场预测，应把握以下要点：

（1）市场预测是探索市场未来发展趋势的行为。

（2）市场预测要有充分的依据，它是根据市场的过去和现在，来预先推测市场的未来。也就是说，探索的过程是依据充分的客观资料和环境条件进行的，因此，市场预测要在掌握系统和准确的市场信息的基础上来进行。

（3）市场预测必须运用科学的方法。其中包括科学的逻辑推断和数学计量方法，还包括实践中积累的经验和主观判断能力。

市场预测一般要经历以下三个阶段：第一阶段是详细地占有资料，广泛收集有关的市场信息资料，并进行去粗取精、去伪存真的加工整理；第二阶段是根据已知因素，根据主观经验和判断能力，运用科学的方法和手段，进行一系列的加工计算和科学分析，寻找市场发展的客观规律，并力图用一定的模式来表述这种规律；第三阶段是利用已经找到的反映市场发展的客观规律，运用定性和定量的方法来预测未来。预测技术是随着科学技术的迅速发展而日益丰富和发展起来的，自1950年以来，预测技术发展迅速，预测已逐步发展成为一门独立的综合性科学。

（二）市场预测的作用

1. 市场预测是决策的基础

预测和决策是企业营销过程中紧密相连的两个环节。市场预测是对市场形势发展的科学分析，而决策则是对企业目标、方针和任务的筹划，只有情况明确，决策才好制定。决策正确与否直接关系到企业的兴衰存亡。通过市场预测，可以为企业的决策提供大量有用的数据和资料，特别是有关企业所处市场环境及其发展变化趋势的资料，是企业进行经营决策时的重要依据。

2. 市场预测是编制计划的依据

计划是决策的具体化、条理化、系统化和指令化。企业编制生产经营计划离不开市场预测，不进行市场预测或者市场预测不准确，就会使企业计划与市场实际相脱离，使计划脱离现实，使计划失去预见性和指导性，从而给企业生产经营造成不应有的损失。所以，市场预测是企业编制计划的基础和依据。

3. 市场预测有利于提高企业的竞争力

市场需求是处在不断变化之中的，谁能把握市场需求变化的脉搏，谁就能在市场竞争中领先一步，占据上风，获得好的经济效益。企业通过市场预测，可以了解到不同企业的同类产品在市场竞争中对本企业产品的影响与冲击程度，以及产品的开发方向和发展趋势。当同一类产品有较多厂家生产时，企业要按照市场预测结果，正确地判断本企业所面临的形势以及应采取的措施，有针对性地提高产品的内在质量、价格、服务和交货期等方面的竞争力，更好地争取用户和市场。当某一种产品在市场上已经达到饱和或用户对新产品有新的要求时，企业就应该主动、适时地组织新产品生产，进行产品更新换代，使本企业的产品在市场竞争中能占有一席之地。

4. 市场预测是提高经济效益的基本途径之一

经济效益有两重含义。一重含义是指产出效用与投入成本、劳动成果与劳动消耗的对比关系。一般来讲，产出效用多，投入成本少，经济效益就高；反之就低。但这仅仅是经济效益的一个方面。如果企业以比较少的劳动消耗生产出了比较多的产品，而这些产品并不适销对路，或在产量上超过了市场需求量，就会造成一部分产品积压滞销。尽管投入成本少，由于产品卖不出去，仍是一种无效支出和浪费。经济效益的另一重含义是指产量与销量、供给量与需求量之间的对比关系。

二、市场预测的类型

市场预测主要是预测某种产品的需求量和销售量，而市场需求又是具体的，总是表现为一定的空间和时间的需求。按照不同的标准，市场需求可分为不同的类型。

1. 按产品层次分

（1）单项产品预测。单项产品预测是指根据市场的具体需求，对单项产品按规格、型号等预测市场需求量，如对空调的市场预测。

（2）同类产品预测。同类产品预测是指按商品类别预测市场需求量，如对服装类产品进行预测。

（3）分对象产品预测。分对象产品预测包括两种情况：一是按某一对象需要的各种商品进行预测，如对工人的衣、食、住、行等进行预测；二是某种商品按对象的不同需求进行具体预测，如服装可以根据男女的不同需求，对不同花色、式样和规格的服装产品进行具体预测。

（4）产品总量预测。产品总量预测是指对整个社会的产品需求总量进行预测。

2. 按需求的地区范围分

（1）全国性市场预测。全国性市场预测是指从宏观经济角度分析预测整个国内外市场需求的变化趋势。

（2）地区性市场预测。地区性市场预测是指以经济区为单位进行的市场预测。

（3）当地市场预测。当地市场预测是指对企业产品销售的所在市、县进行的市场预测。

（4）企业市场占有率预测。企业市场占有率预测是指对本企业产品销售量在本行业全部产品销售量中所占比例的预测。

3. 按预测的时间分

（1）短期预测。短期预测是指年度内的市场预测，包括近期一些市场活动的预测。这类预测活动大量、频繁地进行。企业的生产活动、业务活动和营销活动都需要短期的市场信息，因而就需要不断地进行短期市场预测。

（2）中期预测。中期预测是指1~5年内的市场预测。中期市场预测一般是为制定5年规划、确定市场营销的目标服务的，是为提供未来一定时间内市场变化的信息所进行的预测。

（3）长期预测。长期预测一般是指5年以上的市场预测。这类预测为制定长远规划、选择战略目标提供决策的依据。

4. 按预测的方法分

（1）定性预测。定性预测是指通过对调查资料的分析研究，由主观经验来推断未来市场的发展状况。它侧重于对某一事物性质的分析和预测，不在于精确地估算计量。定性预测是常用的预测方法，它可以充分考虑政治、经济、社会等各种因素对预测对象未来发展变化趋势的影响，简单易行；不足之处是对于未来变化趋势难以做出精确的说明。

（2）定量预测。定量预测是指根据市场调查的数据资料，运用数学和统计方法进行推算，对市场变化的前景做出的估计。它通常用于原始数据比较充分、数据来源多且稳定的情况。

三、市场预测的内容

市场需求关系是国民经济发展状况的综合反映。市场需求关系的变化取决于国民经济各种比例关系的变化，市场需求关系发生变化也会影响国民经济的各种比例关系。因此，企业市场预测的内容相当广泛，其主要内容有以下几个方面：

1. 市场需求预测

市场需求预测是指通过对过去和现在商品市场上的销售状况与影响市场需求的各种因素进行科学的分析和判断，预计市场对商品的需求量以及未来的发展趋势。在市场预测中，商品需求预测是一个十分重要的内容。企业要做好社会在短期、中期以及长期内对产品需求量和构成的预测，必须对引起需求变化的各种因素的变化进行预测。

（1）人口预测。人口预测就是预测人口数量和增减趋势，它对企业产品数量的需求具有决定性的影响。一般来说，人口多需求就多，人口少需求自然就少。

（2）购买力预测。企业生产的各种产品通常都是直接或间接地为消费者所用。随着企业生产的发展和人民生活水平的提高，人们对各种产品的日常需求也不断提高。因此，企业应做好人民群众购买力的预测，包括国民收入预测、家庭收入预测、人均收入预测以及粮油食品等方面的支出预测，以便据此采取正确的决策，及时生产出既适销对路又受消费者欢迎的产品。

（3）季节性预测。企业生产的一些产品是随着季节的变化而变化的，通常具有较强的规律性。例如，羽绒服冬天需求量大，裙子夏天需求量大。因此，企业应做好自然季节与风俗习惯、重大纪念日、节假日等所形成的社会季节性对企业各种产品的需求预测。

（4）社会预测。社会预测是指对社会思想、社会风尚和个人习惯的改变等对产品需求变化的预测。

（5）社会经济预测。社会经济预测是指对国民经济发展速度和国民经济结构变化以及发展趋势的预测。一般来说，企业的发展是随着国民经济的发展而发展的，做好经济发展的预测，可以使本企业的发展速度跟上国民经济发展的步伐，生产出更多更好的受市场欢迎的产品，满足人民群众的生活需要。

市场需求预测的众多因素之间是相互联系和相互影响的，因此，在进行市场需求预测时，企业应对以上五个方面的内容进行预测。

2. 市场销售预测

市场销售预测是指企业对各种产品市场销售前景的预测，包括对销售的产品品种、规格、价格、销售量、销售额、销售利润等方面变化的预测。它是企业制定和实施营销策略的依据之一，也是企业合理安排仓储与运输的主要依据之一。

3. 市场占有率预测

市场占有率预测是指在一定时期内对某种产品或某类产品需求量变化趋势的预测。在一定的时间内，企业对某种产品的销售额或销售量与市场上同类产品的全部销售额或销售量之间的比率称为市场占有率。对市场占有率的预测实际上是对企业竞争能力的预测。一个企业的产品由于处于市场竞争中，市场占有率会经常发生变化，原来购买本企业产品的用户可能去购买其他企业的同类产品，其他企业产品的购买者也可能转变为本企业的顾客。

影响企业产品销售量、市场占有率的因素主要有产品品种、质量、价格、交货期、成套性、技术服务、包装装潢以及推销方法等。在这些因素中，质量和价格是两个主要的影响因素。当市场上同类产品的质量不相上下时，价格上的竞争就占主要地位。价格是否适当，对产品的销售量和产品的市场占有率起着决定性作用。市场对产品的销售量的增减与产品的价格成反比例关系：商品价格低，购买者愿意购买，市场需求就会增加；商品价格高，购买者就少，市场需求也就会减少。但随着人民生活水平的提高，一些高档优质产品虽然价格高一些，购买者也可能不会少。因此，企业要做好市场占有率预测。

4. 竞争预测

竞争预测是指企业对原有竞争对手的生产水平、经营方针、发展趋势等进行预测和对潜在竞争对手进行预测。这些竞争对手的生产规模、技术力量、设备状况、竞争能力等，都是竞争预测的重要内容。随着科学技术的发展，往往会出现很多新产品，或扩大了产品的用途，这些新产品相比老产品有许多优点，有些新产品会成为老产品的强有力的竞争对手。因此，企业也应对新产品代替老产品的程度和发展趋势做出预测，以便采取适当的对策。

5. 科技发展预测

科技发展预测是指通过对科学技术的发展状况进行定性和定量的科学分析，以认识和掌握科学技术的发展规律，推测科学技术在未来的发展方向以及对产品发展的影响程度。它实际上是科学技术发展对产品需求影响的预测，是将技术与经济、技术发展趋势与市场发展动向结合起来。企业的科学技术预测包括科学预测和技术预测两个方面。前者主要包括对科学发展趋势、方向和可能出现的科学发明，科学发展与产品发展及社会生活各个方面的关系等的预测；而后者主要包括对新技术发明可能运用的领域、范围和运用速度的预测。

四、市场预测的步骤

市场预测的过程就是对各种调查资料按预测目的和要求进行整理、计算和分析的过程。市场预测一般按以下五个步骤进行：

1. 确定预测目的

确定预测的目的，是开展预测工作的第一步，也是最重要的一步。预测的目的不同，预测的项目、内容、需要的资料和采用的方法都会有所不同。确定预测目的，就是确定预测的内容以及要达到的目的，它根据各个时期的任务和所要解决的问题来确定。应该说，只有目标准、方向明，预测才会达到应有的效果。因此，预测目标是市场预测其他步骤的依据和方向。

2. 收集调查资料

收集有关资料是预测的基础工作，收集资料的多少及资料的可靠程度对预测结果准确与否会产生直接影响。市场调查的资料和企业内部会计系统的信息是重要的信息来源，对收集来的资料要进行归纳、分类和整理。

3. 选择预测方法

市场预测需要运用一定的科学方法来进行。市场预测的方法很多，但并不是对每一个预测对象和每项预测内容都完全适用，企业要根据预测问题的性质、要求以及占有资料的多少、收集数据的可靠性和预测成本的大小来进行选择。常用的预测方法有市场调研预测法、经验判断预测法、时间序列预测法和回归分析预测法。

4. 进行预测，得出结论

当所需资料收集齐全、预测方法选定之后，企业就可以按照选定的预测方法，对预测对象进行综合预测，得出初步预测结果。然后，根据过去和现在的状况，对预测结果进行分析和比较，检验初步预测结果是否正确，估计预测误差范围，研究是否有进一步缩小误差的方法。检验初步结果，通常有理论检验、资料检验和专家检验三种检验方式。理论检验是指运用经济学、市场学的理论和知识，采用逻辑分析的方法，检验预测结果的可靠程度。资料检验是指重新验证、核对预测所依据的数据，将新补充的数据和预测初步结果与历史数据进行对比分析，检查初步结果是否符合市场发展情况。专家检验是指邀请有关专家对初步结果做出检验和评估，综合专家意见，对预测结果进行充分论证。经过检查分析，对初步预测结果比较满意，就应准确地描述和记录预测的结果；如果对预测结果不满意，则应补充数据或选择新的预测方法，重复上述步骤。

5. 编写预测报告

对预测结果进行检验之后，就可以着手准备编写预测报告。报告要把历史和现状结合起来进行比较分析，既要有定性分析，又要有定量分析，并尽可能地利用统计图表及数学方法予以精确表述。预测报告要求数据真实准确，论证充实可靠，建议切实可行；对预测的指标、预测资料、预测的过程等应做出简要的说明；对预测结果及其误差应有一定的分析和说明。要形成一份好的市场预测报告，除了要精心组织安排报告的结构和格式外，还必须坚持以下三个原则：一是以客户为导向；二是客观准确；三是突出重点。

第四节　市场预测的基本方法

一、市场预测的依据

市场预测本身要借助数学、统计学方法。市场预测之所以可以用来为企业管理者服务，是因为市场预测是依据以下原则进行的：

1. 相关原则

相关原则是建立在"分类"的思想高度上，关注事物（类别）之间的关联性，当了解或假设已知的某个事物的变化，再推知另一个事物变化趋势的原则。最典型的相关有正相关和负相关。从思路上来讲，不完全是数据相关，更多的相关是"定性"的。

2. 惯性原则

任何事物的发展都具有一定的惯性，即在一定时间、条件下保持原来的趋势和状态。这也是大多数传统预测方法的理论基础，如"线性回归""趋势外推"等。

3. 类推原则

这个原则也是建立在"分类"的思想高度上，关注事物之间的关联性。它具体包括由小见大、由表及里、由此及彼、由过去现在推以后、由远及近、自下而上、自上而下等。

4. 概率推断原则

人们不可能完全把握未来，但根据经验和历史，很多时候能大致预估一个事物发生的大致概率，并根据这种可能性，采取对应措施。扑克、象棋游戏和企业博弈型决策都在不自觉地运用这个原则。有时可以通过抽样设计和调查等科学方法来确定某种情况发生的可能性。

二、市场预测的方法

市场预测方法是实现市场预测的手段。采用科学的市场预测方法，可以科学地估计出市场未来的发展趋势。市场预测的方法很多，但归纳起来，主要有定性预测法和定量预测法两类。

（一）定性预测法

定性预测法也称经验判断法或直观判断法。它是根据预测人员自己所掌握的信息情况、资料和数据，凭借自己的经验和集体的智慧，对预测项目做出科学的符合实际的判断。这样一来，预测的结果完全取决于预测人员的经验和综合判断力，难以提供准确的定量判断数据。但是，在预测对象受非定量因素影响较大而又缺乏详细可靠的统计数据的情况下，常常采用这种方法。

常用的定性预测法有以下几种：

1. 企业领导人员意见法

企业领导人员意见法即由企业领导人员把与营销有关或熟悉市场情况的各种人员和一些专家召集起来，让他们对未来市场的发展趋势或某一重大问题提供情况、发表意见并做出预测和判断。然后，企业领导将各种意见归纳汇总，进行分析研究、综合处理，最后得出预测结果。企业领导人员意见法通常采用会议形式，这样可以做到集思广益。这种方法经常用来对商品的规格品种，性能用途，款式花色，质量与服务，新产品开发前景，对消费者的消费心理、习惯、购买意向等做出预测分析。

这种方法的优点是：①简单、迅速、及时和经济。不需要进行复杂的计算，也不需要多少预测费用，就可以及时得到预测结果。②可以发挥集体智慧。这种方法集中了各个方面熟悉市场情况的有经验的经营管理人员的意见，因此能充分发挥管理层集体的智慧，预测结果有一定的可靠性。③使用这种方法不需要有大量的统计资料，特别适合对那些不可控因素较多的产品进行市场预测。④如果市场情况发生了变化，可以立即进行修改。

其缺点是：①预测结果容易受主观因素的影响，尤其容易受权威人士意见的影响。②对市场变化和消费者的要求等问题不能深入了解，所以预测结果一般化。

2. 销售人员意见法

销售人员意见法即由企业主管部门根据不同的对象、内容和要求，召集本企业销售人员和商业部门业务人员开会，征求他们的意见，在充分讨论和分析研究的基础上，对市场某一方面进行预测。例如，对市场需求量、本企业产品销售前景做出预测。

这种方法的优点是：①不需要经过复杂的计算，预测速度比较快，也较省钱。②由于销售人员一直在市场上活动，直接接触顾客，对市场情况、原有顾客的需求和潜在顾客的情况比较了解，所以，他们对市场的发展趋势可能比其他人员更加了解。尤其是在产品的技术性较强、产品的销售受技术变化影响较大的情况下更是如此，因而他们的预测结果比较准确。商业销售人员直接同顾客打交道，对顾客的购买心理、购买行为最熟悉，对商品的畅销和滞销也最清楚。企业充分利用销售人员进行预测，是一种花钱少、见效快的方法。

其缺点是：①销售人员由于只负责市场的一个方面，因而对市场预测有影响的全局性因素重视不够，预测会有片面性。②销售人员的判断容易受个人的认知水平和偏见的影响。如果销售人员对市场形势发展比较乐观，他们估计的数字就可能偏高；反之，有些销售人员对市场形势发展比较悲观，他们估计的数字就可能偏低。如果企业把制定销售定额、评定销售成绩同销售预测估计联系在一起，可能会给预测结果带来更大的影响。销售人员可能会担心如果把销售数字估计高了，将来完不成销售任务会得不到奖励，因而把可能争取到的销售数字不估计进去，降低了销售预测数字的准确性。

3. 专家人员意见法

专家人员意见法也称德尔菲法。其具体做法是，根据预测目的和要求，向有关专家提供一定的背景资料，邀请他们对有关问题做出预测。这是国内外广泛采用的一种方法，常用来做技术预测、经济政治预测、经济结构预测，同时也适用于市场预测。它是美国兰德公司于20世纪40年代首创和使用的，50年代以后在西方国家盛行起来。德尔菲是希腊的地名，相传希腊神在此降服妖龙。后人用德尔菲比喻神的高超预见能力，后来的不少预言家都曾在此地发表演说，提出种种预言。从此，德尔菲就成为专家提出预言的代名词。

（1）德尔菲法的预测程序。利用德尔菲法进行预测的程序大致可分为三个阶段。第一阶段是准备阶段。这一阶段的主要工作是成立预测小组，确定预测的课题，准备好调查所得的资料，选择好参与预测的人员。参与预测的人员主要是熟悉该行业的专家，有着丰富的经验并了解市场行情、商品产销动态的人员以及部分财务人员和技术人员。人数多少要根据预测问题的深度及其广度而定，一般以10~15人为宜。此外，要设计好咨询表。咨询表以表格的形式提出若干有针对性的问题，力求简明扼要，让人明确预测意图，不带附加条件。第二阶段是征询阶段。这一阶段的主要工作是轮番向参加预测的人员征求意见。首先向他们寄发咨询表及附带的背景资料，在规定时间内收回，由预测的主持者对各个问题进行汇总，统计归纳，然后将汇总的意见以及预测主持人对下一轮预测的要求再寄回给参加预测的人员。对那些意见差别较大的人员，要求其做出补充说明，陈述理由。这样，经过几轮反复征询预测，意见逐渐明朗，或者得到协调统一。第三阶段是统计结果最终处理阶段。预测的主持人在意见已趋于协调一致或分歧意见明朗化以后，应对意见进行统计分析，做出判断，得出预测结果。在这个时候，能否得出合乎实际的结果，往往有赖于主持者的工作作风、性格、心理因素、经验和能力。

（2）德尔菲法的特点。德尔菲法有三个特点：①匿名性，就是指预测人员"背靠背"，互不见面，因而可以避免某些人惧怕权威的心理，保证了他们能充分独立思考，自由发表意见，也避免了个别领导或权威人士在会上左右他人意见的可能性；②反馈性，就是指通过轮番多次反复征询意见,使预测人员能从反馈的咨询表中得到启发,逐渐修正个人认识的某些片面观点,做出新的判断,从而避免某些人不肯公开修正观点的缺点;③收敛性,就是指通过反复咨询,预测人员的意见能得到统计归纳,使意见趋于集中,分散程度缩小,便于决策。其缺点是:①轮番咨询时间长,而正确意见如果在个别人或少数人手中时,则有可能被预测者忽视;②受主观因素的影响比较大,责任比较分散。

(二)定量预测法

定量预测法又称数量预测法,它是根据市场调查获得的数据资料,运用数学或统计方法进行推算,得到数量预测结果的一种预测方法。定量预测法根据市场变化的量的规定性,借鉴统计学和数学等学科的研究方法,同时借助电子计算机等工具进行预测,使预测结果具有科学性、严密性和一定的准确性。但是,定量预测法只依据市场的量的变化规律来进行预测,分析某些可控因素间的数量关系,没有考虑错综复杂的环境因素的影响。因此,企业在实际预测时,应该将定量预测法与定性预测法结合起来进行综合预测。

以下是几种常用的定量预测法:

1. 简单平均法

简单平均法即算术平均法。这种方法假设事物在历史上各个时期的状况对未来的影响程度是相同的,所以预测时,将反映事物在历史上各个时期状况的数据看得同样重要,用它们的简单算术平均值作为下一时期的预测值。这种方法简便易行,但准确程度较低。其计算公式为

$$Y_t = \frac{X_1 + X_2 + \cdots + X_n}{n} = \frac{\sum_{i=1}^{n} X_i}{n}$$

式中,Y_t 表示第 t 期的预测值;X_i 表示第 i 期的实际值;n 表示资料期数。

2. 移动平均法

移动平均法假设事物在历史上比较远的时期的状况对未来状况没有什么影响,对未来影响较大的是靠近预测期的状况,所以在利用历史数据时,采用分段平均、逐步推移的方式来分析时间序列的趋势,取预测期最近的平均值作为预测值。其计算公式为

$$Y_t = \frac{X_{t-1} + X_{t-2} + \cdots + X_{t-m}}{m} = \frac{\sum_{i=1}^{m} X_{t-i}}{m}$$

式中,X_{t-i} 表示第 $t-i$ 期的实际数据($i=1, 2, \cdots, m$);m 表示移动资料期数。

3. 加权移动平均法

加权移动平均法是在移动平均法的基础上,对移动计算期中各期的资料分别给予不同的权数。一般对预测期影响大的,可以给予较大的权数;而对预测期影响较小的,可以给予较小的权数。其计算公式为

$$Y_t = \frac{W_{t-1}X_{t-1} + W_{t-2}X_{t-2} + \cdots + W_{t-m}X_{t-m}}{W_{t-1} + W_{t-2} + \cdots + W_{t-m}} = \frac{\sum_{i=1}^{m} W_{t-i}X_{t-i}}{\sum_{i=1}^{m} W_{t-i}}$$

式中，W_{t-1} 表示第 $t-i$ 期的权数（$i=1,2,\cdots,m$），且 $\sum_{i=1}^{m} W_{t-i} = 1$。

【例 3-1】 某企业 2017 年 1—4 月份某产品的实际销售量分别为 300 件、320 件、322 件、331 件，预测 5 月份的销售量为多少。其中，权数分别为 0.1、0.2、0.3、0.4。

$$Y_5 = \frac{(0.1 \times 300 + 0.2 \times 320 + 0.3 \times 322 + 0.4 \times 331) \text{件}}{0.1 + 0.2 + 0.3 + 0.4} = 323 \text{件}$$

4. 指数平滑法

指数平滑法是将上期的实际值用平滑系数加以调整，来求得预测期的预测值。平滑系数就是指上期预测值趋近于实际值的程度。其计算公式为

$$Y_t = \alpha X_{t-1} + (1-\alpha) Y_{t-1}$$

式中，α 表示平滑系数（$0 \leq \alpha \leq 1$）；X_{t-1} 表示第 $t-1$ 期的实际值；Y_{t-1} 表示第 $t-1$ 期的预测值。

平滑系数 α 的大小可以根据过去的预测值与实际值的比较来确定。差额大，α 的值应取得大些；差额小，则 α 的值应取得小些。

【例 3-2】 某企业 2016 年 5 月份销售额 42 万元，原预测销售 38 万元。选 $\alpha = 0.2$，该企业 2016 年 6 月份的销售预测值为多少？

$$Y_6 = 0.2 \times 42 \text{万元} + (1-0.2) \times 38 \text{万元} = 38.8 \text{万元}$$

以上几种定量预测法均为时间序列预测法。时间序列预测法就是根据过去的历史资料和数据来推算市场的发展趋势。这是连续性原理在预测中的应用。其特点是：把预测变量看做是时间的函数，假定未来一定时期内影响预测的各种因素不变，将时间序列延伸，就可以得到预测值。例如，企业要预测某种产品的销售趋势，可以将过去的实际销售按时间先后顺序进行排列，这样就形成了时间序列数列。通过分析这个数列，从中找出变化的规律，并假定未来市场发展按照这个趋势进行，就可以用它来推测未来的产品销售趋势。

主要名词

市场调查　抽样调查　定性预测法　定量预测法

 案例分析

只是因为口味吗？

1. 决策背景

20 世纪 70 年代中期以前，可口可乐公司是美国饮料市场上的"第一名"，它占据了全美 80% 的市场份额，年销量增长速度高达 10%。然而好景不长，70 年代中后期，百事可乐的迅速崛起令可口可乐公司不得不着手应对这个饮料业"后起之秀"的挑战。1975 年全美饮料业市场份额中，可口可乐领先百事可乐 7 个百分点；1984 年，市场份额中可口可乐领先百事可乐 3 个百分点。市场地位的逐渐势均力敌让可口可乐胆战心惊起来。百事可乐公司的战略意图十分明显，通过大量动感而时尚的广告冲击可口可乐市场。首先，百事可乐公司推出以饮料市场最大的消费群体年轻人为目标消费者群的"百事新一代"广告系列。由于该广告系列适宜青少年口味，以心理的冒险、青春、理想、激情、紧张等为题材，赢得了青少年的钟爱。同时，百事可乐

也使自身拥有了"年轻人的饮料"的品牌形象。随后，百事可乐又推出一款非常大胆而富有创意的"口味测试"广告。在被测试者毫不知情的情形下，请他们对两种不带任何标志的可乐口味进行品尝。由于百事可乐口感稍甜、柔和，因此，此番现场直播的广告中的结果令百事可乐公司非常满意：80%以上的人回答是百事可乐的口感优于可口可乐。这个名为"百事挑战"的直播广告令可口可乐一下子无力应对，市场上百事可乐的销量再一次激增。

2. 市场营销调研

为了着手应战并且得出可口可乐发展不如百事可乐的原因，可口可乐公司推出了一项代号为"堪萨斯工程"的市场调研活动。1982年，可口可乐广泛地深入到10个主要城市中，进行了大约2000次访问，通过调查，看口味因素是否是可口可乐市场份额下降的重要原因，同时征询顾客对新口味可乐的意见。于是，在问卷设计中，询问了例如"你想试一试新饮料吗？""可口可乐的口味变得更柔和一些，您是否满意？"等问题。调研最后结果表明，顾客愿意品尝新口味的可乐。这一结果更加坚定了可口可乐公司的决策者们的想法——长达99年的可口可乐配方已不再适合今天消费者的需要了。于是，满怀信心的可口可乐开始着手开发新口味可乐。可口可乐公司向世人展示了比老可乐口感更柔和、口味更甜、泡沫更少的新可口可乐样品。在新可乐推向市场之初，可口可乐公司不惜血本地进行了又一轮口味测试：可口可乐公司斥资400万美元，在13个城市中，邀请了约19.1万人参加对无标签的新、老可口可乐进行口味测试的活动。结果60%的消费者认为新可口可乐比原来的好，52%的人认为新可口可乐比百事可乐好。新可口可乐的受欢迎程度一下子打消了可口可乐领导者原有的顾虑。于是，新可口可乐推向市场只是时间问题。在推向生产线时，因为新的生产线必然要以不同瓶装的变化而进行调整，于是，可口可乐各地的瓶装商因为加大成本而拒绝新可口可乐。然而可口可乐公司为了争取市场，不惜又一次投入巨资帮助瓶装商们重新改装生产线。在新可口可乐上市之初，可口可乐又大造了一番广告声势。1985年4月23日，在纽约城的林肯中心举办了盛大的记者招待会，共有200多家报纸、杂志和电视台记者出席，依靠传媒的巨大力量，可口可乐公司的这一举措引起了轰动效应，终于使可口可乐公司进入了"变革时代"。

3. 灾难性后果

起初，新可口可乐销路不错，有1.5亿人试用了新可口可乐。然而，新可口可乐配方并不是每个人都能接受的，而不接受的原因往往并非口味，而这种"变化"受到了原可口可乐消费者的排挤。开始，可口可乐公司已为可能的抵制活动做好了应对准备，但不料顾客的愤怒情绪犹如火山爆发般难以驾驭。顾客之所以愤怒，是认为99年秘不示人的可口可乐配方代表了一种传统的美国精神，而热爱传统配方的可口可乐就是美国精神的体现，放弃传统配方的可口可乐意味着一种背叛。在西雅图，一群忠诚于传统可口可乐的人组成"美国老可口可乐饮者"组织，准备发起全国范围内的"抵制新可口可乐运动"。在洛杉矶，有顾客威胁说："如果推出新可口可乐，将再也不买可口可乐。"即使是新可口可乐推广策划经理的父亲，也开始批评起这项活动。而当时，老口味的传统可口可乐则由于人们的预期会减少，而居为奇货，价格竟在不断上涨。每天，可口可乐公司都会收到来自愤怒的消费者的成袋信件和1500多个电话。为数众多的批评，使可口可乐公司迫于压力，不得不开通83部热线电话，雇请大批公关人员来安抚愤怒的顾客。面临如此巨大的批评压力，公司决策者们不得不稍做动摇。在之后又一次推出的顾客意向调查中，30%的人说喜欢新口味可口可乐，而60%的人却明确拒绝新口味可口可乐。故此，可口可乐公司又一次恢复了传统配方的可口可乐的生产，同时也保留了新可口可乐的生产线和生产能力。在不到3个月的时间内，即1985年4—7月，尽管公司曾花费了400万美元，进行了长达2年的调查，但最终还是彻底失算了！百事可乐公司美国业务部总裁罗杰恩里科说："可口可乐公司推出'新可口可乐'是一个灾难性的错误。"

（资料来源：蒋萍．市场调查［M］．上海：上海人民出版社，2007．）

讨论并回答问题：

1. 可口可乐公司采用了哪些调查方法？
2. 你认为可口可乐公司推出新产品时疏忽了营销调研过程的哪个环节？
3. 根据本次可口可乐公司的失利，请你试策划一次成功的市场调研。

本 章 小 结

本章主要介绍了市场调查的内容与分类、市场调查的程序与方法、市场预测的内容与步骤以及市场预测的基本方法。

所谓调查，是指根据研究的目的，采用科学的方法，对客观对象进行考察。它是人们认识事物、认识社会的重要方法。所谓市场调查，是指运用科学的方法，有目的、有计划、有步骤、系统地收集、记录、整理和分析有关市场活动的各种数据资料，为企业营销活动提供决策依据的一种活动。

市场环境调查包括政策法规调查、经济状况调查、社会环境调查、社会时尚调查、科技发展动态调查和自然环境调查。

市场需求调查包括现实需求调查和潜在需求调查。

产品调查包括产品品种调查、产品质量调查、产品价格调查、产品新用途调查和产品发展调查。

市场竞争调查包括产品竞争能力调查、同类产品水平与经营特点调查和市场转换能力调查。

市场调查的类型包括探索性调查、描述性调查、因果性调查和预测性调查。

市场调查的方法有：随机抽验调查，包括单纯随机抽样、分层抽样、等距抽样、整群抽样；典型调查；实地调查，包括询问调查法（走访调查法、电话调查法、邮寄调查法、留置调查法）、观察调查法（行为记录法、直接观察法、痕迹观察法）。

思考与实训

1. 市场调查分为哪几个步骤？
2. 对比几种调查方法的优点与不足。
3. 选一种产品，设计一份市场调查方案书。
4. 市场预测的几种方法分别适用于什么情况？
5. 比较分析定性预测法与定量预测法的优缺点。

第四章

消费者需求研究

学习目标

1. 了解影响消费者购买行为的主要因素
2. 了解消费者需求的特征
3. 掌握消费者的购买行为类型和决策过程
4. 掌握消费者购买决策过程五个阶段的行为特点和要求
5. 掌握消费者的购买行为类型及针对性的营销策略

 导入案例

为客户服务，真诚到永远

近几年来，空调产品市场竞争激烈。每逢盛夏之际，空调大战硝烟四起，市场竞争进入白热化状态。

消费者对空调产品的选择和追求的重点，是优秀的产品品质和优秀的售后服务的完美结合。为此，众多厂商对其产品品质和售后服务均做出各自的承诺，如向消费者承诺对产品实行"三包"、送货上门、即买即装、文明作业、回访养护等。这些承诺已成为企业形象的象征和职业行为的规范。

"海尔"是中国家电产品的著名品牌。"海尔人"的服务宗旨与承诺是："您的需要就是我们的工作标准""为客户服务，真诚到永远"。

一年夏天，北京地区出现了历史上罕见的持续高温天气，空调市场突然火爆起来，消费者的现实需求付诸行动，潜在需求提前释放。于是，市场上空调产品断档脱销，安装维修人员应接不暇、疲倦不堪，许多厂商不得不向顾客致以歉意或改变原先的承诺。尽管买方市场瞬间转为卖方市场，但"海尔人"却牢记自己的承诺，"以信取人"，果断采取应急措施：一是动用各种运输力量，从总部和其他销售地区紧急调运产品进京，以满足消费者的需求；二是从总部紧急抽调一百多名安装维修人员，包租专机直飞北京，以加强北京地区安装维修人员的力量，确保对消费者各种承诺的兑现。

"海尔人"头顶烈日穿梭街头，汗流浃背，马不停蹄。炎夏终于过去了，"海尔"的品牌形象及其所产生的心理效应却深深地留在了广大消费者的心中。"先卖信誉，再卖产品""以诚取人、以信取人"的市场营销理念，在"海尔人"身上得到充分的体现。这也充分说明了，企业想要在竞争中立于不败之地，就必须从消费者需求的角度出发，为消费者服务。

（资料来源：中国营销传播网，引文有删改。）

第一节　影响消费者购买行为的主要因素

消费者行为研究的对象是消费者个人和群体的消费行为,其研究内容和研究体系结构由消费者行为及其影响因素所决定。一般来说,消费者行为会受到文化、心理、个人和社会等因素的影响。

一、文化因素

文化因素对消费者的购买行为有着最广泛和深远的影响,是影响消费者行为的最重要的因素。其中,文化、亚文化和社会阶层对消费者购买行为起到重要作用。

1. 文化

1982年,世界文化大会在其《总报告》和《宣言》中,对文化含义做了如此描述:"文化是体现出一个社会或一个社会群体特点的那些精神的、物质的、理智的和情感的特征的完整复合体。文化不仅包括艺术和文学,而且包括生活方式、基本人权、价值体系、传统和信仰。"文化不同,人们的审美观、价值观以及生活方式都有很大差别,从而影响人们的购买和消费行为。就东西方人的审美观来讲,差别就很大,在东方人看来是十分平常的手工制品,西方人则认为是艺术品。例如,在我国西安的秦始皇陵、兵马俑等地,一些农民小贩出售家织布、蜡染布做成的各种手帕和椅垫等,引起了外国游客的极大兴趣,许多人将其作为艺术品购买收藏。

在营销活动中,企业面对着错综复杂的文化环境,这些环境中的文化因素往往对企业的营销活动产生很大的作用和深远的影响。如果忽视文化的影响,将会给企业带来巨大的损失。例如,日本索尼收录机的电视广告曾在泰国引起轩然大波:画面上,佛祖释迦牟尼脸色凝重,闭目修炼。然而,当佛祖套上索尼收录机后,竟然凡心启动,在佛堂上眉飞色舞,手舞足蹈。泰国是佛教之国,这则广告触犯了其国教,激起了泰国人的愤怒,索尼公司在泰国的苦心经营竟然毁于这则广告。

2. 亚文化

所谓亚文化,是指存在于不同社会群体之间独有的基本文化因素,是人们因民族、籍贯、地区、种族、宗教、性别、年龄、职业等不同而形成的具有各自特点的、共有范围相对较小的文化。从消费者行为的角度来看,亚文化对消费者行为有着更直接的影响。属于不同亚文化影响范围的人,在消费方面存在着很大的差异;属于同一亚文化影响范围的人,在消费方面就有较多的相似之处。这里仅从市场细分的角度,分析讨论亚文化群对消费者行为的影响。

(1) 性别亚文化群及其影响。男性消费者的购买次数在绝对数量上要少得多。对于男性自己用的商品(如剃须刀)或家庭用的大件消费品(如汽车),男性消费者往往自己购买,或者在购买决策上拥有很大的发言权。男性消费者购买行为的目的性很强,在购买的过程中不易受到感情的支配,大部分属于理智型消费,购买过程比较迅速,独立性较强。相对而言,在我国,绝大部分女性现在有自己的劳动收入,而且她们承担了大部分家务,所以已婚女性在家庭中有很高的消费地位,有很强的购买力。但是,女性的情绪色彩比较浓重,因此在购买的过程中受环境因素影响较大,购买目的的模糊性较强,消费倾向个性化和多样化。

(2) 国家亚文化群及其影响。不同国家的人分属不同的亚文化影响范围,其消费习惯存在着许多差异。例如，日本的年轻人习惯群体活动，英国青年则喜欢男女成对的单独活动；中国以红色为大吉大利的欢喜颜色，而有些国家却将红色视为凶兆、不吉利的颜色。若企业不了解这些，用红色包装商品向视红色为不吉利颜色的国家出口，无疑会造成销售失败。

（3）民族亚文化群及其影响。一个国家往往由多个民族共同组成。我国就有56个民族，各民族之间存在宗教信仰、崇尚爱好和生活习惯等方面的差异，形成了相对独立的消费方式和具有民族特色的消费心理。

（4）地区亚文化群及其影响。地区亚文化群是指不同地区因自然环境、生产条件的差异而形成的地区性文化群体。不同地区有不同的消费观念和消费习惯。这些地区性的消费区别，既反映在行为方式上，也表现在对商品评判的价值标准上。从商品的消费方式和消费行为的差异，可以简要地把我国划分为南北两大亚文化群。北方的消费行为讲求粗犷和豪爽，南方人却表现出细致、精明。对食品的评价标准，北方人追求丰盛、热辣，南方人却更为注意精美、鲜活。了解不同地区亚文化群的消费特点及在消费观念上的差异，对企业更好地满足不同地区消费者的需要、巩固和扩大市场无疑有着重要的意义。

3. 社会阶层

社会阶层是社会学家根据职业、收入、受教育水平、价值观和居住区域对人们进行的一种社会分类，是按层次排列的、具有同质性和持久性的社会群体。

社会学家总结出了社会阶层的几个特点：①同一社会阶层内的人，其行为要比来自两个不同社会阶层的人的行为更加相似；②人们以自己所处的社会阶层来判断自己在社会中的地位高低；③某人所处的社会阶层并非由一个因素决定，而是受到职业、收入、受教育水平、价值观和居住区域等很多因素的制约；④个人能够在一生中改变自己所处的阶层，既可以向高阶层迈进，也可以跌至低阶层，然而，这种变化的程度因某一社会的层次森严程度不同而不同。

在一定程度上，某个阶层内的成员采取的行为模式差不多，他们具有相似的态度、价值观念、语言方式和财富。社会阶层对人们生活的许多方面都有影响。例如，它可以影响人们的职业、信仰、培养子女的方式和教育娱乐方式。由于社会阶层对人们生活的许多方面都有影响，因而也会影响人们的购买决策。

二、心理因素

（一）消费者的感觉与知觉

1. 消费者的感觉

感觉是刺激物作用于感觉器官，经过神经系统的信息加工所产生的对该刺激物个别属性的反映。人的感觉器官有眼、耳、鼻、舌、皮肤等，相应的感觉就是视觉、听觉、嗅觉、味觉和触觉。

视觉是人类和其他动物最复杂的、高度发展的感觉。营销人员经常利用视觉刺激来沟通和传达其营销信息，以此来吸引消费者的购买。视觉上的刺激主要包括颜色、外形、大小等。例如，心理学研究发现，在红色的环境中，人的脉搏会加快，血压会有所升高，情绪会兴奋冲动；而在蓝色环境中，人的脉搏会减缓，情绪也较沉静。

颜色引起的心理错觉，是设计师和营销人员最可利用的手段之一。1940年，纽约的码头工人因搬运的弹药箱太重而举行罢工，一位颜色专家出了个主意，把弹药箱的颜色改漆为浅绿色，尽管弹药箱的重量并未改变，但颜色的改变使工人觉得它变轻了。罢工终于停止了，颜色提高了劳动效率。

2. 消费者的知觉

知觉是在感觉的基础上产生的，但比感觉更为全面地认识世界的过程。确切地说，知觉就是个体选择、组织和解释刺激，形成一种有意义的、与外部世界相一致的心理画面的过程。

现实生活中，纯粹的感觉几乎是不存在的，它总是与知觉紧密结合在一起，因而也称感知觉。知觉与感觉既有联系又有区别。首先，知觉以感觉为基础，缺乏对事物个别属性的感觉，知觉就会不完整；其次，一旦刺激物从感官所涉及的范围消失，感觉和知觉就停止了；再次，知觉是对感觉材料的加工和解释，但又不是对感觉材料的简单汇总；最后，感觉是天生的反应，而知觉则要借助于过去的经验，知觉过程中还有思维、记忆等的参与，因而知觉对事物的反映比感觉要深入、完整。

3. 知觉的性质及其在市场营销中的应用

（1）知觉的选择性。知觉的选择性是指个体根据自己的需要与兴趣，有目的地把某些刺激信息或刺激的某些方面作为知觉对象而把其他事物作为背景进行组织加工的过程。由于人每时每刻所接触到的客观事物众多，因此不会也不可能对同时作用于感觉器官的所有刺激信息进行反映，而是主动地挑选某些刺激信息进行加工处理，从而排除其他信息的干扰，以形成清晰的知觉，并迅速而有效地感知客观事物来适应环境。

（2）知觉的整体性。人在知觉客观对象时，总是把它作为一个整体来反映，这就是知觉的整体性。知觉对象是由许多部分组成的，各部分具有不同的特征，但是人们并不把对象感知为许多个别的、孤立的部分，而总是把它知觉为一个统一的整体。例如，消费者来到商店，不只是看到商店的商品布置、装潢装饰，以及营业员的举止、着装和各种服务等某个方面，而是由此形成对商店的整体印象。

（3）知觉的理解性。人的知觉是一个非常主动的过程，它要根据主体的知识和经验，对感知的刺激物进行加工处理，并用概念的形式把它们表示出来，这种特性就是知觉的理解性。理解在知觉中起着重要作用。

（4）知觉的恒常性。当知觉的条件在一定范围内改变了的时候，知觉的映像仍然保持相对不变，这就是知觉的恒常性。例如，无论是在强光下还是在黑暗处，人们总是把煤看成是黑色的，把雪看成是白色的。实际上，强光下煤的反射亮度远远大于暗光下雪的反射亮度。

（二）消费者的需要和动机

消费者的需要是现代市场营销的基础。在高度竞争的市场环境里，比对手更早、更好地识别并满足消费者需要的能力，是企业得以生存和发展的关键。

1. 消费者的需要

人是自然属性和社会属性的统一体，对其自身和外部生活条件有各种各样的要求。当人的生理或心理因素缺乏时，就会产生需要。需要是个体对内在环境和外部条件的较为稳定的需求。

一般来说，消费者的需要包括心理需要和生理需要两方面，人的需要最主要的是生理需要，如渴了要喝水，饿了要吃饭；然后才是心理需要，如孤独时与人交往，对知识的渴求等。

2. 消费者的动机

动机是指引起和维持个体的活动，并使活动朝向某一目标的内部驱动力。动机的产生至少具备两个条件：一是需要；二是具有满足需要的对象。当需要被强化到一定程度，在客观上又有满足的对象时，需要才转化为动机。例如，在夏天的屋子里，当消费者感受到的炎热达到一定程度，并且商店有空调出售时，就会产生购买空调的动机。

根据性质，动机可分为生理性消费动机和心理性消费动机。生理性消费动机来源于人体得以生存和繁衍下去的最基本的生理需要，如对空气、水、休息、食物等的需要。由这些需要引发的动机来源于人体内部某些生理状况的先天驱动力，而并非通过后天学习和强加来的。心理性消费动机来源于人们的社会环境所带来的需要，如对安全和舒适的需要、被人尊重的需要等。由这些需要驱使的行为动机来自外部社会，一般通过外界学习而获得。与生理性消费动机相比，对于推动消费者的消费行为，心理性消费动机所起的作用有日益增强并逐渐占据主导地位的趋势。心理性消费动机又可分为感情动机、理智动机和惠顾动机。如何培养消费者的惠顾动机，是商家应该花时间去琢磨的。

惠顾动机是指消费者基于感情和理智的经验，逐步建立起对特定商品或厂商或商店的特殊的信任和爱好，使消费者重复地、习惯地前往购买的一种行为动机。在这种动机支配下，顾客重复地、习惯地向某一推销商或商店购买商品。顾客之所以产生这样的动机，是基于营业员礼貌周到、信誉良好、提供信用及劳务、品种繁多、品质优良、价格适当、店面布置美观等原因。因此，每一推销商和商店的声誉或特色均可以给予消费者一种不同的印象。具有惠顾动机的消费者往往是企业的忠实支持者，他们不仅通过自己的购买行为给企业带来巨大利益，同时还会把他们的感受、体验情绪传达给其他消费者，从而影响和带动其他消费者的购买行为。

◆ 阅读案例 4-1

培养消费者的惠顾动机

一位从美国归国的访问学者讲述了他在美国期间经历的一件事情。一天，他推着采购车在美国一家超级市场挑选货物时，不小心将货架上的四瓶"杜康酒"碰落，酒洒了一地。他当时心想，这下麻烦了，肯定要挨批且赔款了，于是便主动找到了售货员道歉，并表示愿意赔偿损失。那位售货员一边安慰他，一边用电话向经理通报事故，且检讨了因自己服务不周而让顾客受惊。更出乎他意料的是，经理出来满脸赔笑，说已经从闭路电视里看到了。经理不仅毫无责怪之意，反而向他赔不是，还拿手帕为他拭去酒污。当他再次提到赔款时，经理谦恭地说："是我的职员没把货架放稳，让您受惊，责任在我们。"经理还再度致歉，然后一直陪他将货物采购完，亲自送他走出商场。据这位学者说，他那次是倾其囊中所有，买了满满一车商品回家，并且以后每周一次的购物都要到这家商场去。他粗略估计了一下，他花在该商场的钱较他弄翻酒瓶所造成的损失多出不止百倍。

3. 马斯洛的需要层次理论

第二次世界大战后，美国行为学家马斯洛提出了需要层次论。他将人类的需要分为五个层次，即生理需要、安全需要、社交需要、尊重需要和自我实现需要，按由较低层次到较高层次依次排列。

(1) 生理需要。生理需要是人类的第一层次需要,是指能满足个体生存所必需的一切需要,如食物、衣服、性欲等。马斯洛认为,在一切需要中,生理需要是最优先的,对于一个处于饥饿的人来说,写诗的愿望或获得一辆汽车的愿望则统统被忘记或退居第二位。因为对于一个饥饿的人来说,除了食物,他没有其他兴趣。

(2) 安全需要。安全需要是指能满足个体免于身体与心理危害恐惧的一切需要,如稳定的收入、强大的治安力量、良好的福利条件、健全的法制等。安全需要包括对人身安全、生活稳定以及免遭痛苦、威胁或疾病等的需要。

(3) 社交需要。社交需要是指能满足个体与他人交往的一切需要,如友谊、爱情、归属感等。社交需要包括对友谊、爱情以及隶属关系的需要。当生理需要和安全需要得到满足后,社交需要就会凸显出来,进而产生激励作用。

(4) 尊重需要。尊重需要是指在社交活动中受人尊敬,取得一定社会地位、荣誉和权力的需要。例如,为了在社交中表现自己的能力而对受教育和知识产生需要,为了表明自己的身份和地位而对某些高级消费品的需要等。

(5) 自我实现需要。自我实现需要是人类最高层次的需要,是关于完成自我制订的计划或实现人生目标的需要。这是一个人能够实现的所有东西,去完成一个人有能力完成的每一件事的愿望。在人们所处的社会中,处在自我实现水平上的人常常是那些事业成功的人,是那些有足够的金融保险,从而确保他们的生理需要能得到满足的人,还有那些已经赢得他们所在社交群体的尊敬与尊重的人。这些人将变得热衷于慈善事业,或支持一些公共事业,或追求一些特别值得化时间的活动,而这些活动是没有经济回报的。

以上就是马斯洛需要层次理论中从低到高的五个需要层次。从消费者行为分析角度看,马斯洛需要层次理论对理解消费者行为动机,对企业针对消费者需要特点制定营销策略,具有重要价值。

(三) 消费者的学习

学习是基于经验而导致行为或行为潜能产生较为持久改变的历程。一般来说,外部环境和人的内在心理历程都会促成和影响人的学习。一般来说,消费者学习包括五个基本要素,即学习的模式(见图4-1)。

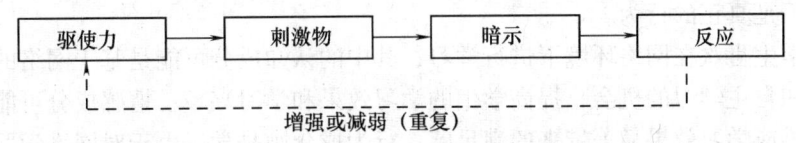

图4-1 消费者的学习模式

(1) 驱使力。驱使力是只存在于人体内驱使人们产生行动的内在刺激力。它是促成消费者学习的内在刺激。驱使力越强,学习者学习的积极性也就越高。

(2) 刺激物。刺激物是指可以满足内在驱使力的物品。例如,在人们特别饥饿的时候,食物就是刺激物。

(3) 暗示。驱使力和刺激物用来刺激学习,而暗示则为动机指向提供了线索。所有营销因素均可以成为暗示条件,如产品的质量、商标、包装、广告、价格、人员推销等。例如,过年过节时中国人讲究送礼,而且送礼要送健康,这时脑白金打出广告说"收礼就收脑白金""脑白金年轻态健康品",向很多要送礼的人提供了相应的暗示,人们就出现了相应的行为反应。

（4）反应。反应是指消费者根据刺激或暗示所采取的行动。暗示虽然可以为消费者的动机和反应提供一些方向，但现实生活中却有许多暗示在分散着消费者的注意力。因此，消费者最终购买什么产品，在很大程度上依赖于先前的学习；同样，学习依赖于这些反应是否得到强化和重复。

（5）增强或减弱。增强或减弱是指动机对一定暗示的产品发生反应后的效果。若效果良好，则反应被增强，以后对具有相同暗示的刺激物就会发生相应的反应；若效果不佳，则反应被削弱，以后对具有相同暗示的刺激物就不会发生反应。

（四）消费者的态度

消费者是否购买某个产品，在很大程度上取决于他对该商品的态度。因此，很多营销人员致力于调查消费者对自己商品的态度，并寻求在适当的情况下加以改善。

1. 态度的含义

态度是指个人对某一对象所持有的评价和行为倾向。在研究态度的时候，要注意这样几个问题：态度是习得的，而不是天生的；态度不是一种行为，而是对某一特定行为的一种倾向，并且可以通过行为判断出来；态度有一定的指向性，态度的对象可能是一个人、一个制度或一件物品等；态度相当稳定，并不随着环境的变化而变化。例如，某个消费者喜欢某品牌洗发水，无论她是不是在洗头发，她的这种态度都保持着，即使行为不发生时，她也喜欢这种洗发水。当然，态度也并非一成不变，当各种主客观条件发生变化时，态度也会随之发生变化。

2. 态度的三种成分

一般来说，态度是由三种具有层次性的心理成分组合而成的。这三种成分如下：

（1）认知成分。态度的认知成分是指对人、对事物的认识、理解和评价，即人们通常所说的信念和想法。它是态度形成的基础。

（2）情感成分。态度的情感成分即一个人对某事物的感觉，或在某事物激发下的情绪。它是指个人对一定事物的喜欢或厌恶、尊敬或蔑视、同情或冷淡。

（3）行为成分。态度的行为成分主要是指个人对态度对象的反应倾向。它是一种行为意图，而并不是真正的行为。

例如，学生喜欢在网络环境下进行学习，其中的认知成分可能是基于网络的学习给予学生协作学习和自主学习的机会，提高学生的学习效果和学习兴趣；情感成分可能是协作过程带来的愉悦感或学习效果显著带来的满足感；行为成分则是学生由于对网络学习的喜欢而产生的在这一方面的行动预备倾向。

3. 改变消费者态度的策略

了解消费者的态度主要是为了对其施加影响，从而最终影响消费者行为。

（1）改变态度的基本动机功能。改变基本动机功能是指通过使态度的某一功能特别突出，从而调整消费者的态度。例如，帅气的手表凭借新奇和有创意的外形设计，而将手表由原先以计时为主要功能转变成以传达个人风格和收藏的价值为主要功能，因此调整了过去消费者对手表的看法和态度，同时也吸引了那些喜欢价值表达功能的消费者。

（2）改变态度的构成成分。营销人员可以通过改变态度构成中的任意成分，来达到最终改变消费者态度的目的。

1）改变认知成分。改变认知成分的具体方法有增加产品的新属性、改变消费者对某产品的信念、改变属性的权数等。例如，本公司的某些属性相对较差，而消费者却认为这些属性的重要性高于其他属性，就会对本公司产品产生较不利的认知。在这种情况下，营销人员可以设法改变消费者的属性权数，强调本公司产品相对较强的属性是此类产品最重要的属性，以改变消费者的品牌认知。

2）改变情感成分。营销人员越来越多地试图在不直接影响消费者品牌信念和行为的条件下先影响他们的情感，促使他们对产品产生好感。一旦消费者以后对该类产品产生需要，就会导致购买行为。营销人员促使消费者对本企业品牌产生好感的方法有三种，分别是经典性条件反射、激发对广告本身的情感和增加对品牌的接触。

3）改变行为成分。行为能够直接导致认知和情感的形成。因此，营销人员可以直接引发消费者的行为，然后通过行为来改变他的态度。营销人员的关键任务是促使消费者使用或购买本企业产品，并确保产品的优异质量和功能，使消费者感到购买本企业的产品是值得的。吸引消费者试用和购买产品的常用技巧有派发优惠券、免费试用、购物现场的展示、搭售以及降价销售等。

◆ **阅读案例4-2**

天美时公司重视消费者心理大获成功

美国市场上每出售三只手表中，就有一只是天美时（Timex）牌手表；在欧洲、非洲，天美时手表投放到哪里，哪里的手表市场就受到猛烈冲击，使市场发生有利于天美时公司的改变。原因在哪里？

一是天美时公司抓住消费者的求廉心理，手表价格低得出奇，以出售低档天美时手表而闻名于世。1950年，男式手表零售价只有6.9～7.95美元；1954年，男式手表也只有12.95美元；1958年，天美时出售第一批整套女用手表——一只化妆用、一只打球用、一只普通用——全套价格50美元以下。这种低价手表成为人们的常用表和逢年过节的礼品，学生毕业、圣诞节或父母过生日都可以买一套。20世纪60年代，该公司声称它占有世界50美元以下女式手表市场的36%。

二是天美时公司抓住消费者的求实心理，即产品要耐用、质量可靠。为此，它的推销方式出奇地吸引人。据报道称：“天美时的推销方式完全是按照马戏团吸引观众的方式进行的，十分惊险。”这在保守的手表业中是前所未闻的。天美时的推销员访问零售店时，把手表猛摔在墙上，或浸在水桶里，以证明其防震和防水质量。公司因其所谓的"摔打试验"而在国内外享有盛名。在做商业广告时，以实况广播天美时手表被拴在马尾上，或从135 ft⊖高处投入水中，或被缚在冲浪板上面和进行水陆两栖飞行之后，人们可以看到它仍在继续走动，以此证明了它的产品质量。

因此，天美时手表不论到哪里，都给予消费者良好的印象。仅在1963年12月份，天美时手表就在非洲市场出售了一万只，接着顺利进入了法国市场。

⊖ 1ft＝0.3048m。

三、个人因素

1. 年龄和生命周期

消费者的欲望和行为因年龄不同而发生变化。消费者在年龄段上被分成以下四类：少年儿童、青年、中年和老年。少年儿童的购买行为喜欢与成年人比较，购买的倾向性开始确立，购买行为趋于稳定；青年消费者喜欢追求新颖时尚，在购买过程中有较强的感情色彩，有较强的购买力，比较喜欢能够体现个性的商品；中年消费者的购买行为大多属于计划性、理智性的，比较倾向于购买实用性和便利性的商品；我国目前老龄化问题日益突出，老年人在旅游、健身、保健品和营养品、医疗方面的消费比重大，因此老龄化带来的新商机会给保险业、医疗卫生业和生产保健品与营养品的企业带来巨大的市场潜力。

家庭生命周期是一个以家长为代表的家庭生活的全过程。在生命周期的不同阶段，消费者的行为呈现出不同的特性。

（1）单身期。处于单身阶段的消费者一般比较年轻，几乎没有经济负担，消费观念紧跟潮流，注重娱乐产品和基本的生活必需品的消费。

（2）新婚期。处于新婚期的消费者经济状况较好，具有比较大的需求量和比较强的购买力，耐用消费品的购买量高于处于家庭生命周期其他阶段的消费者。

（3）满巢期（Ⅰ）。处于满巢期（Ⅰ）的家庭是指最小的孩子在6岁以下的家庭。处于这一阶段的消费者往往需要购买住房和大量的生活必需品，常常感到购买力不足，对新产品感兴趣并且倾向于购买有广告的产品。

（4）满巢期（Ⅱ）。处于满巢期（Ⅱ）的家庭是指最小的孩子在6岁以上的家庭。处于这一阶段的消费者一般经济状况较好但消费慎重，已经形成比较稳定的购买习惯，极少受广告的影响，倾向于购买大规格包装的产品。

（5）满巢期（Ⅲ）。处于满巢期（Ⅲ）的家庭是指夫妇已经上了年纪但是有未成年的子女需要抚养的家庭。处于这一阶段的消费者经济状况尚可，消费习惯稳定，可能购买富余的耐用消费品。

（6）空巢期（Ⅰ）。处于空巢期（Ⅰ）的家庭是指子女已经成年并且独立生活，但是家长还在工作的家庭。处于这一阶段的消费者经济状况最好，可能购买娱乐品和奢侈品，但是对新产品不感兴趣，也很少受到广告的影响。

（7）空巢期（Ⅱ）。处于空巢期（Ⅱ）的家庭是指子女独立生活、家长退休的家庭。处于这一阶段的消费者收入大幅度减少，消费更趋谨慎，倾向于购买有益健康的产品。

（8）鳏寡就业期。处于鳏寡就业期的消费者尚有收入，但是经济状况不好，消费量减少，集中于生活必需品的消费。

（9）鳏寡退休期。处于鳏寡退休期的消费者收入很少，消费量很小，主要需要医疗产品。

2. 职业和经济环境

职业对消费心理与行为的影响也是不可忽视的。研究表明，具有较高职业声望的消费者经常出入有名气、讲究、高级的商店、饭店或有特色的消费场所，喜欢购买高档名牌产品，并特别重视产品的社会象征意义，力求符合自己的身份。

从我国的情况来看，由职业不同所引起的购买行为的差异，主要表现在社会分工不同所引起的购买差别。就农民来讲，消费观念比较节俭、保守，喜欢购买经济实惠、耐穿耐用的商品；公司的总裁则会购买贵重的西服乘飞机旅行，申请成为一些俱乐部的会员，等等。研究不同职业的人的消费特点，有利于企业有针对性地开展市场营销活动。

个人的经济环境通常会影响其购买的产品或服务。经济环境主要是指消费者的可支配收入、储蓄、资产和借款能力，以及对储蓄与花钱的态度等。例如，低收入家庭只能购买基本生活必需品，以维持温饱。

世界各国消费者的储蓄、债务和信贷倾向不同。日本人的储蓄倾向强，储蓄率为18%，而美国仅为6%，因此，日本银行有更多的钱以更低的利息贷给日本企业，日本企业有较便宜的资本用来加快发展。美国人的消费倾向强，债务、收入比率高，贷款利率高。营销人员应密切注意居民收入、支出、利息、储蓄和借款的变化情况，这对于价格敏感型产品的营销更为重要。

3. 生活方式

生活方式是消费者关于如何生活而选择的方式，可以通过个人的活动（Act）、兴趣（Interest）和意见（Opinion）来加以辨别，也就是所谓的AIO。不同的人有不同的生活方式。影响生活方式的因素有很多，如职业、动机、情绪、价值观、收入、家庭生命周期、文化和亚文化等。生活方式不但是影响市场细分的一个因素，也是影响消费者行为的重要因素。营销人员要研究他们的产品和品牌与具有不同生活方式的各群体之间的相互关系。

四、社会因素

1. 相关群体

相关群体又称为参考群体或参照群体，是指一个人在认知、情感的形成过程和行为的实施过程中用来作为参照标准的某个人或某些人的集合。

相关群体对消费者行为最重要的影响体现在两个方面：一是影响消费者的价值观念和生活习惯等；二是能导致人们产生模仿和从众的行为，影响人们对产品和品牌的选择。某个相关群体中有影响力的人物称为"意见领袖"或"意见领导者"，他们的行为会引起群体内追随者和崇拜者的仿效。

对于营销人员而言，由于意见领袖对某目标消费群体具有强大的影响力，因此，如何发现意见领袖是一个相当重要的工作。但是，意见领袖通常不太容易发现，于是现在很多营销人员就通过创造意见领袖来实现销售目的。例如，很多企业用影星、体育明星或其他社会名流来宣传其产品，于是这些影星、体育明星和其他社会名流就起到了意见领袖者的作用。

另外，某些产品领域有职业性的意见领袖。例如，计算机行业的从业人员对计算机的品牌、理发师或美容师对护发品或美容品的意见，对其他消费者的消费倾向来说确实很重要。

◆ **阅读案例 4-3**

克莱斯勒的新车上市

克莱斯勒公司在LH系列轿车全面上市之前，通过对25个城市数万名社会杰出人士的调查，从中选择出6000名企业或社会的领导者，并将LH系列轿车免费提供给他们试用。在试用期内，克莱斯勒公司通过遍布全国的营销网络与轿车使用者保持积极接触，及时倾听他们对新轿车的评价，迅速解决他们遇到的问题，与此同时，向这些试用者提供大量的产品信息，以增进他们对轿车各项性能的了解。在试用结束后的跟踪调查中发现：98%的试车者都向他们的朋友推荐了这一新车型。市场反应可想而知，克莱斯勒公司在新车上市的当年就出色地完成了销售任务。

2. 角色和家庭

每个人都在一定的组织、机关和团体中占有一定位置，与每个位置相联系的就是角色。由于人们占据多种位置，他们同时扮演多种角色。例如，一个男子不仅扮演父亲和丈夫的角色，而且还可能是公司主管、学会理事、体育教练或者大学夜校的学生。个人角色会影响到购买行为。个人的多种角色需求可能出现不一致的现象，假定上面提到过的男子打算买一辆汽车，他的妻子希望他买一辆广州本田汽车，他的儿子要买上海别克汽车，他的同事却建议买进口宝马汽车，因为那个品牌知名度更高。因而个人的购买行为部分地受到其他人意见的影响。

家庭是一个购买决策单位，消费者以个人或家庭为单位购买产品，家庭成员和其他有关人员在购买活动中往往起着不同作用并且相互影响。分析这个问题有助于企业抓住关键人物开展营销活动，提高营销效率。家庭的不同成员对购买决策的影响往往由家庭特点决定，家庭中夫妇双方的地位以及偏好、审美观和习惯等的不同，对决定产品的购买有着不同的影响。

另外，在不同国家或不同社会阶层，家庭购买决策的制定者往往也是不同的。例如，在一些传统的中国与日本家庭中，丈夫把工资交给妻子，由妻子管理家用开支的现象是很常见的；而印度则比较特殊，丈夫有较大的决策权。随着妇女地位的不断提高，特别是在那些新兴行业中，亚洲的传统购买模式也在逐步改变，传统上由男人购买的产品也要考虑妇女购买的可能性。例如，在日本，原本咖啡因口香糖只是男人的宠爱，用于在工作或办公时间恢复精力，乐天和 Warner-Lambert K. K 口香糖就把目标仅仅对准男性这个消费群体。后来 Warner-Lambert K. K 感觉到上班的妇女有新奇和追求时尚的想法，并且同样有工作压力，于是它也为办公室女性推出了这种有刺激作用的口香糖。这种口香糖用时尚的广告宣传，并用金银包装吸引女性。

第二节 消费者需求特征

一、研究消费者需求的重要性

消费者是市场经济活动的中心，他们创造了人类的财富。对消费者需求进行深入细致的研究，从消费者变化多端、错综复杂的购买动机与行为中找出规律性，对于搞好市场营销具有重要意义。

1. 有利于更好地满足消费者的需求

满足消费者的需求，是市场营销活动的起点和归宿。随着生产的发展，消费者对市场的需求也在不断发展、变化。只有深入研究消费者的需求、消费者的购买动机、购买心理、购买行为和购买过程，才能有针对性地向消费者提供适销对路的商品和优质服务，更好地满足消费者现实的和潜在的需求。

2. 有利于加强市场营销活动的针对性

研究消费者需求，了解消费者的新要求、新动向，分析消费者的购买动机与行为，就可以密切配合消费者的心理活动与购买程序，采取有针对性的营销手段，促使交易顺利进行。

3. 有利于企业做出正确决策，提高企业的管理水平

消费者是企业经营活动的对象，企业经营什么，在何时何地经营，怎样经营，都必须考虑如何适合消费者需求。企业只有对消费者需求进行仔细的分析研究，才能掌握经营的主动权，不断调整和改善企业的经营管理，使之与消费者的需求相适应，以取得良好的经济效益。

二、消费者的需求和欲望

消费者的需求是指人们为了满足物质和文化生活的需要而对物质产品和服务的具有货币支付能力的欲望和购买能力的总和。必须注意，需求与通常的欲望是不同的。市场需求的构成要素有两个：一是消费者愿意购买，即有购买的欲望；二是消费者能够购买，即有支付能力。二者缺一不可。这就说明，消费者的购买欲望只有与消费者的货币支付能力结合起来，才能变成现实的需求。只有欲望而没有货币支付能力，消费者的需求就不能成为现实。如果是一个仅有维持温饱货币支付能力的消费者，无论他对高档住宅、轿车等的消费欲望有多强烈，也都只是空想。当然，仅有货币支付能力而没有欲望，也不能成为现实的消费需求。

一般来说，按照需求的实现程度，需求可以分为现实需求和潜在需求两种。现实需求是指已经存在的市场需求，表现为消费者既有欲望，又有一定的购买力。潜在需求是指未来即将出现的消费需求。它主要有两种形式：一种形式是具有明确的消费意识，但目前缺乏足够的支付能力的需求。例如，我国基本上所有的家庭都对宽敞住房有需求，并且有相当一部分家庭也将它列入家庭未来发展计划中，但是很多家庭由于购买力的限制还买不起好的住房。另一种形式就是有足够的支付能力，但由于目前消费者的消费意识还不太明确或者市场上还没有这一类商品出现。例如，对无害香烟、癌症特效药的需求。潜在需求是十分重要的，在消费者的购买行为中，大部分需求是由消费者的潜在需求引起的。因此，企业要想在激烈的市场竞争中取胜，不仅要着眼于现实需求，更应捕捉市场的潜在需求，进而采取行之有效的开发措施。

三、消费者需求的特征

1. 消费者需求的多样性

由于各个消费者的收入水平、文化程度、职业、性别、年龄、民族和生活习惯不同，自然会有各式各样的爱好和兴趣，对商品和服务的需求是千差万别的。例如，对穿、用商品，每个人在品种、质量、花色、规格上的需求都不尽相同，对食物的需求也存在着习惯上的差异。这种不拘一格的需求，就是消费者需求的多样性。

2. 消费者需求的发展性

消费者需求随着社会生产力的发展和物质文化水平的提高而不断发展。这不仅体现在消费者需求的标准不断提高上，而且体现在消费者需求的种类日益复杂多样上。消费者需求的发展性在现实生活中随处可见，例如，现在正在流行的某种时装，过了一段时间后就可能成为过时商品而遭淘汰。或者人们原来的许多潜在需求，由于条件成熟，现在已经变成现实需求，当然同时又会产生新的潜在需求。

3. 消费者需求的伸缩性

消费者需求的伸缩性是指由于内因或者外因的影响，消费者的需求可以扩大、增加和延伸，也可以减少、抑制和收缩。其中内因主要是指消费者的个性特征、购买能力、生活方式等；外因是指市场产品的供应、价格、宣传、促销等。这些都会影响消费者的需求。

4. 消费者需求的周期性

消费者需求的周期性，是指消费者对消费对象的需求会因某些因素的影响而呈现出周期性的变化，具体表现在当某种消费者需求满足以后，经过一定时间，这种需求又重新出现。影响需求周期性的因素有消费者的生理规律、自然环境的变化、社会时代的变化、其他周期性因素等。

5. 消费者需求的可诱导性

消费者需求的产生、发展和变化，与现实的生活环境、当时的消费环境有着密切的联系。消费观念的更新、社会时尚的变化、人际变化的启迪、工作环境的改变、文化艺术的熏陶、广告宣传的诱导、消费现场的刺激、服务态度的感召等，都会不同限度地使消费者的兴趣发生转移并不断产生新的需求。

正是消费者需求的可引导性，为企业进行有效的营销提供了基础。企业通过大量的广告、店面刺激以及促销手段等，使消费者的需求意识由弱变强，由潜在需求转变为现实需求，从而成功地销售产品。

6. 消费者需求的联系性

消费者需求在某些商品上具有联系性，如消费者在购买皮鞋时，可能附带购买鞋油、鞋带、鞋刷等。经营有联系的商品，不仅会使消费者购买方便，还能提高商品的销售额。企业只有及时掌握市场发展变化的趋势，才能更好地满足消费者的需求。

7. 消费者需求的时代性

消费者需求常受到时代精神、风尚、环境的影响。时代不同，消费者的需求和爱好也会不同。例如，适应社会主义物质文明和精神文明建设的需要，对科技书籍和文化用品的需要日益增多，这就是一种消费者需求的时代性。

四、消费者需求的发展变化趋势

我国现阶段社会经济飞速发展，也将给消费者的消费观念和消费方式带来多方面的深层影响，并使消费者需求的结构、内容和形式发生显著变化。结合我国消费者现阶段的需求动态以及当今世界的消费发展潮流，可以将这一变化归纳为以下趋势：

1. 高档化趋势

随着人均收入和消费水平的提高，消费者的需求结构逐步趋于高档化。这一趋势在处于经济高速增长阶段的发展中国家表现得尤为明显。以我国为例，商品房、私人轿车、电子信息产品已经逐步进入城市家庭。

2. 感性化趋势

现代社会，经济活动的高度市场化和高科技浪潮的迅猛发展，引起了人们生活方式的剧烈变化。食物处理机、洗碗机、个人计算机等产品大量涌入家庭，使得人们越来越多地以机器作为交流对象。与全新的工作方式和生活方式相对应，人们的情感需要也日趋强烈。

感性消费趋势在西方发达国家的消费者中体现得尤为明显。例如，目前日本妇女越来越喜欢采购男士服装，这除了因为男士服装更加牢靠、结实外，也因其有一种男性的潇洒，西装吊带裤就是其一。现在的男装已经改变以前不是黑色就是素色的老式样，色彩、图案都变得缤纷多彩，有的还装饰着各种动物图案。在日本市场上，"感性商品"正在成为新的流行时尚。近年来，我国消费者需求的感性化趋势也在逐渐增强，以情感需求为核心的鲜花产业的迅速发展就是有力的证明。

3. 统一化趋势

统一化趋势是指消费与生活方式相统一的趋势。现代社会，人们在充分享受高度发达的物质文明所带来的高层次物质享受的同时，逐渐意识到高消费并不意味着生活的快乐和幸福。决定生活快乐的最主要的因素是对家庭生活的满足；其次是有满意的工作，能自由自在地发挥才干和建立融洽的友谊关系。基于上述认识，现代消费者越来越倾向于把消费与生活方式的其他方面统一、协调起来，从整体上把握、评价生活方式，注重提高生活方式的整体质量。

4. 绿色化趋势

绿色消费运动在发展中国家对消费者也产生着越来越大的影响。许多发展中国家的消费者意识到，节约资源和维护生态环境是现代社会条件下提高消费水平及生活质量的重要组成部分，不应重蹈许多发达国家在推进工业化进程中无节制地消耗资源和严重污染环境的覆辙。为了保护自身健康并获得一个安全、洁净的生存环境，从现在起就把"绿色消费"作为消费需求的重要内容，要求购买无公害、无污染、不含添加剂、使用易处理包装的绿色商品，并自动发起和支持抵制吸烟、禁止放射性污染等保护消费者的运动。因此，保护环境已成为现代消费者的基本共识和全球性的消费发展趋势。

5. 共创型趋势

生活在21世纪的消费者，具有高收入、高学历、高信息、高生活能力和高国际感觉的特性，因此也更加注重和追求精神消费。现代及未来的消费者将不再把消费视为一种对商品或劳务的纯耗费活动，也不再安于被动地接受企业经营者单方面的诱导和操纵，从生产厂商设计和提供的有限的种类、式样中选购商品，而是要求作为参与者，与企业一起按照消费者新的生活意识和消费需求，开发能与他们产生共鸣的"生活共感型"商品，开拓与消费者一起创造新的生活价值观和生活方式的"生活共创型"市场。在这一过程中，消费者将充分发挥自身的想象力和创造性，积极主动地参与商品的设计、制作和再加工，包括精神产品和物质产品，通过创造性消费来展示他们独特的个性，体现自身价值，从而获得更大的成就感、满足感。

6. 一站式消费趋势

随着消费者生活水平和文化素质的提高，当代消费者购物不仅是为了满足物质生活的需要，更将购物视为集休闲、娱乐、文化、沟通为一体的一种精神享受过程。这种一站式消费趋势促进了零售商业的变革，集多种功能于一身的规模庞大的现代购物中心——摩尔（MALL）应运而生，成为都市人的生活乐园。

摩尔是在毗邻的建筑群中或一个大型建筑物中，有一个管理机构组织、协调和规划，把一系列零售商店、服务机构组织在一起，提供购物、休闲、娱乐、饮食等各种服务的一站式消费中心。

总之，随着时代的发展和社会环境的变化，现代消费者的需求结构、内容和性质也在不断发展变化。及时分析了解消费者需求的变化动态和趋势，才能从整体上把握消费者心理与行为发展的基本脉络，从而制定相应的营销战略和策略，以便在日益激烈的市场竞争中立于不败之地。

◆ 阅读案例 4-4

了解消费者的需求

众所周知，海尔洗衣机的质量是非常好的，也很少出故障，但是在四川的海尔售后服务部却总会接到洗衣机出故障的电话。这是为什么呢？原来四川的农民喜欢用洗衣机洗土豆、地瓜、甘薯等物品，导致他们的机器总出故障。当海尔公司得知这一消息后，马上组织人员进行技术攻关，解决洗衣机不能洗土豆、地瓜等物品的缺陷。不久后，四川各地出售的海尔洗衣机上都贴有"主要供洗衣服、土豆、地瓜、甘薯等物品"的标签。洗衣机问世以来，其功能一直被定位在洗衣服上，从没人想到将其功能延伸到洗土豆、地瓜、甘薯等物品。其实，洗衣机洗土豆、地瓜并不是不可攻克的科技难题。据报道，海尔公司攻克这道难题只用了几个月的时间，投入也不是很多。

第三节 消费者购买行为

消费者购买行为是指消费者在寻求、购买、使用、评估和处理预期能满足其需要的产品和服务时所表现出来的行为。消费者购买行为是复杂的，其购买行为的产生会受到内在因素和外在因素的相互促进、交互影响。消费者购买行为是消费者的需要和购买动机在市场购买过程中的具体表现，它较之购买动机有着更加直观、具体、丰富的内容。

一、消费者购买行为模式

消费者购买行为模式往往包括下述七个方面：消费者购买的原因，购买什么，何时购买，何处购买，如何购买，有哪些消费者购买，购买时有哪些组织参与。与其相应的就是购买目的（Objectives）、购买对象（Objects）、购买时间（Occasions）、购买地点（Outlets）、购买方式（Operations）、购买者（Occupants）、购买组织（Organization）。西方市场营销学将这些决策内容称为消费者市场的"7O"研究法。

营销人员在制定针对消费者市场的营销组合之前，必须先研究消费者的购买行为。例如，针对牙膏这种产品，营销人员要研究以下问题：

（1）消费者为什么购买牙膏？

（2）消费者购买什么样的牙膏？

（3）消费者何时购买？

（4）消费者在何处购买？

（5）消费者如何购买？

（6）牙膏市场有哪些消费者？

(7) 有哪些组织参与到购买之中？

对上述几个问题的研究，有些比较直观，诸如消费者的购买对象、购买原因、购买时间、购买地点，这些问题的外显性很强，其答案可以通过对消费者行为的观察直接得到。但是，人们为什么购买则是非常复杂的问题，因为人们的内在心理是观察不到的，而且人们也会存在内心的想法与实际行为不一致的现象。不过通过本章第一节的学习，在对影响消费者行为的因素进行分析之后，可以通过相应的行为来适当地判断消费者的心理。

二、消费者参与

在研究消费者购买行为类型之前，要先介绍消费者的参与。

1. 消费者参与的含义

消费者参与也称消费者介入或消费者卷入，是指消费者对某一产品、事件、事物或行为的重要性与自我相关性的认识，可以分为有参与和无参与、高参与和低参与等不同情况。消费者对某种决策过程关心或感兴趣的程度可以用投入的时间或经历等来衡量。

2. 消费者参与的类型

（1）有参与和无参与。如果消费者认为该产品、品牌、事物、事件或行为与自我有关时，就会参与进来，即为有参与；否则，如果消费者认为该产品、品牌、事物、事件或行为与自我无关时，就不会参与进来，即为无参与。

（2）高参与和低参与。如果消费者认为该产品或品牌与自我相关性或重要性低，即为低参与；否则为高参与。一般来说，产品的价格越昂贵、消费者越缺乏有关产品的经验和知识、购买具有较大的风险和高度自我表现性的情况下，就会发生高参与的购买行为；反之则为低参与。消费者如果参与到一件产品中来，那么就会大量收集有关产品的信息，关注该产品的广告，与朋友交谈，多逛商店等，并努力整合这些信息，以评估不同的品牌和做出购买决策。

3. 影响消费者参与程度的因素

（1）先前经验。当消费者对某产品或服务有先前经验时，其参与程度较低。因为消费者先前多次购买或使用某产品，就会对该产品比较熟悉，也知道它能否满足自己的需要，所以在购买该产品时，消费者的参与程度就比较低。

（2）对负面结果的风险预知。如果消费者对购买某产品感到有较大的风险，那么他的参与程度就会相应较高；反之则较低。

（3）消费者的个人特征。有些消费者做事小心谨慎，只要时间和精力允许，他们在购买时都会有一定程度的参与；有的消费者兴趣变化比较快，很难形成品牌忠诚，因而在很多情况下将面临新的选择，当面临新选择时就会投入较多的精力。此外，人的价值观和生活目标也会影响购买时的参与程度。

（4）产品特征。对功能比较简单、价格比较低的产品，消费者购买的时候参与程度较低；相反，对功能比较复杂、价格比较昂贵的产品，消费者的参与程度就相应地提高。

（5）环境因素。环境因素是指自然环境、社会环境和营销环境。例如，在炎热的夏天，消费者比较喜欢在有空调的地方购物。在商场里，可以用适当的背景音乐来调节消费者的情绪，活跃购物气氛，影响消费者的购买行为。

三、消费者购买行为的类型

根据不同的标准,消费者的购买行为可以分为不同的类型。

1. 按消费者的购买态度与要求区分

(1) 习惯型。消费者对某种产品的态度,常取决于对产品的信念。信念可以建立在知识的基础上,也可以建立在见解或信任的基础上。属于此类型的消费者,往往根据过去的购买经验和使用习惯采取购买行为,或长期惠顾某商店,或长期使用某个厂牌、商标的产品。

(2) 慎重型。慎重型消费者的购买行为以理智为主、感情为辅。他们喜欢收集产品的有关信息,了解市场行情,在经过周密的分析和思考后,做到对产品特性心中有数。在购买过程中,他们的主观性较强,不愿别人介入,受广告宣传及售货员的介绍影响甚小,往往要经过对商品细致的检查、比较,反复衡量各种利弊因素后,才做购买决定。

(3) 经济型。经济型消费者选购产品多从经济角度考虑,对商品的价格非常敏感。例如,有人从价格是否昂贵的角度出发确认产品的质量优劣,从而选购高价商品;有人从价格是否低廉的角度出发评定产品的便宜程度,从而选购廉价商品。

(4) 冲动型。冲动型消费者的心理反应敏捷,易受产品外部质量和广告宣传的影响,以直观感觉为主,新产品、时尚产品对其吸引力较大,一般能快速做出购买的决定。

(5) 感情型。感情型消费者兴奋性较强,情感体验深刻,想象力和联想力丰富,审美感觉也比较灵敏,因而在购买行为上容易受感情的影响,也容易受销售宣传的诱导,往往以产品的品质是否符合其感情的需要来确定购买决策。

(6) 疑虑型。疑虑型消费者性格具有内向性,善于观察细小事物,行动谨慎、迟缓,体验深而疑心大。他们选购产品从不冒失仓促地做出决定,在听取营业员介绍和检查产品时,也往往小心谨慎和疑虑重重。他们挑选产品动作缓慢,费时较多,还可能因犹豫不决而中断;购买商品时虽"三思而后行",但购买后仍放心不下。

(7) 不定型。不定型消费者多属于新购买者,由于缺乏经验,购买心理不稳定,往往是随意购买或奉命购买商品。他们在选购商品时大多没有主见,一般都渴望得到营业员的帮助,乐于听取营业员的介绍,并很少亲自再去检验和查证产品的质量。

2. 按消费者在购买现场的情感反应区分

(1) 沉实型。沉实型消费者由于神经过程平静而灵活性低,反应比较缓慢而沉着,一般不为无所谓的动因而分心。因此,他们在购买活动中往往沉默寡言,情感不外露,举动不明显。他们购买态度持重,不愿与营业员交流那些离开产品内容的话题。

(2) 温顺型。温顺型消费者由于神经过程比较薄弱,在生理上不能忍受或大或小的神经紧张,选购产品时往往尊重营业员的介绍和意见,做出购买决定较快,并对营业员的服务比较放心,很少亲自重复检查商品的质量。这类消费者对购买的产品本身并不过多考虑,而更注重营业员的服务态度与服务质量。

(3) 健谈型。健谈型消费者神经过程平衡而灵活性高,能很快适应新的环境,但情感易变、兴趣广泛。在购买商品时,他们能很快与人们接近,愿意与营业员和其他顾客交换意见,并富有幽默感,喜爱开玩笑,有时甚至谈得忘掉选购商品。

(4) 反抗型。反抗型消费者具有高度的情绪敏感性,对外界环境的细小变化都能有所警觉，显得性情古怪、多愁善感。在选购中，他们往往不能接受别人的意见和推荐，对营业员的介绍异常警觉，抱有不信任的态度。

（5）激动型。激动型消费者由于具有强烈的兴奋过程和较弱的抑制过程，因而情绪易于激动，暴躁而有力，在言谈和举止、表情中都有狂热的表现。这类消费者选购商品时表现有不可遏止的劲头，在言语表情上显得傲气十足，甚至用命令的口气提出要求，对商品品质和营业员的服务要求极高，稍不如意就可能发脾气。这类消费者虽然为数不多，但营业员要用更多的注意力和精力接待这类顾客。

3. 阿萨尔购买行为类型

消费者的购买决策随其购买决策类型的不同而有所变化。例如，在购买牙膏、网球拍、计算机和汽车之间，购买决策存在着很大的不同。阿萨尔（Assael）根据消费者在购买过程的参与程度和产品品牌差异程度的不同，把消费者购买行为区分为以下四种类型（见表4-1）。

表4-1 消费者购买行为习惯

品牌差异程度 \ 购买参与程度	高	低
大	复杂的购买行为	寻求多样化的购买行为
小	减少失调感的购买行为	习惯性的购买行为

（1）复杂的购买行为。如果消费者参与购买程度较高，并且了解现有各品牌、品种和规格之间具有的显著差异，则会产生复杂的购买行为。一般来说，购买贵重物品、大型耐用消费品、风险较大的商品、外露性很强的商品以及其他需要消费者高度参与的商品，消费者往往会产生复杂的购买行为。

（2）减少失调感的购买行为。如果消费者属于高度参与，但是并不认为各品牌之间有显著差异，则会产生减少失调感的购买行为。减少失调感的购买行为是指消费者并不广泛收集产品信息，并不精心挑选品牌，购买决策过程迅速而简单，但是在购买以后会认为自己所买产品具有某些缺陷或其他同类产品具有更多的优点，进而产生失调感，怀疑原先购买决策的正确性。地毯、服装、家具和某些家用电器等商品的购买大多属于减少失调感的购买行为。此类商品价值高、不常购买，但是消费者看不出或不认为某一价格范围内的不同品牌有什么差别，无须在不同品牌之间精心比较和选择，购买决策过程迅速，可能会受到与产品质量和功能无关的其他因素的影响，如因价格便宜、销售地点近而决定购买。购买之后，会因使用过程中发现产品的缺陷或听到其他同类产品的优点而产生失调感。

（3）寻求多样化的购买行为。如果消费者属于低程度参与，并了解现有各品牌和品种之间具有的显著差异，则会产生寻求多样化的购买行为。寻求多样化的购买行为是指消费者购买产品有很大的随意性，并不深入收集信息和评估比较就决定购买某一品牌，在消费时才加以评估，但是在下次购买时又转换其他品牌。转换的原因是厌倦原口味或想试试新口味，是寻求产品的多样性而不一定有不满意之处。

（4）习惯性的购买行为。如果消费者属于低程度参与，并认为现有各品牌和品种之间没有显著差异时会产生习惯性的购买行为。习惯性的购买行为是指消费者并未深入收集信息和评估品牌，只是习惯于购买自己熟悉的品牌，在购买后可能评价产品，也可能不评价产品。

◆ 阅读案例 4-5

习惯的购买行为

在一项研究中,研究者对三个连锁店中的3120名购买衬衣清洁剂的消费者进行了观察。一个观察者站在清洁剂货区记录走进这个货区并挑出他们想要的清洁剂的消费者的行为。结果显示,对于大多数消费者,衬衣清洁剂的选择行为是十分例行化的。通过观察发现,大约有72%的消费者只看一种包装,而且绝大多数消费者不会咨询店内的售货员。他们对品牌和品牌之间的比较特别少,绝大多数消费者根本就没有做任何比较。最后,消费者从进入这个货区到做出对清洁剂的选择平均只花了13s的时间。

四、消费者购买行为的发展趋势

消费者购买行为没有固定不变的模式,随着社会经济的发展,人们的消费习惯和购买行为也必然随着变化。近30多年来,在一些经济发达国家,消费者购买习惯已有显著变化,主要有以下三种趋势:

1. 冲动式购买行为大量增加

冲动式购买即事先没有计划、在现场临时决定的购买。在个人可支配收入增加的条件下,由于商品包装和广告的吸引、售货人员的良好服务以及自选售货等因素的作用,消费者往往在售货现场临时决定购买,这对企业扩大销售是很有意义的。

2. 对便利的要求更高

现代消费者由于收入增加和生活节奏加快,对便利的要求越来越高。他们要求产品的形式多样,数量充足,规格品种齐全,售货时间、地点、方式便利以及产品本身具有自动化、小型化、组合化等特点。近年国际市场中流行的多功能产品,如电子收音机、无线电话、录音机组合、音响组合等,都是适应上述趋势的产物。

3. 闲暇时间更充分地利用

由于工作时间缩短和休假增多,人们有越来越多的闲暇,因此,这方面有大量未满足的需求,潜在市场容量很大。例如,旅游业以及与之相关的一些产品和服务市场就很有潜力。

第四节 消费者购买决策过程

消费者购买决策是指消费者为了满足某种需求,在一定的购买动机的支配下,在可供选择的两个或者两个以上的购买方案中,经过分析、评价、选择并且实施最佳购买方案,以及购后评价的活动过程。它是一个系统的决策活动过程,包括需求的确定、购买动机的形成、购买方案的抉择和实施、购后评价等环节。

一、消费者购买决策的参与者

就许多产品而言,识别购买者是非常容易的,如男士通常购买自己的刮胡刀、女士购买自己的化妆品。然而,如果以家庭作为购买单位的话,购买过程的参与者会增多,消费者在

购买活动中可能扮演下列五种角色中的一种或几种:
(1) 发起者:首先提出或购买某一种产品或服务意向的人。
(2) 影响者:其看法或建议对最终决策具有一定影响的人。
(3) 决定者:最后决定整个购买意向的人,决定买什么、怎么买、何时买等,也是营销人员最关心的人。
(4) 购买者:实际采购的人。
(5) 使用者:实际消费或使用产品或服务的人。

◆ **阅读案例 4-6**

儿童飞镖玩具的销售

某儿童玩具厂家为在暑期促进一种智力玩具的销售,煞费苦心地在产品上捆绑了一种时下在小学生中非常流行的飞镖玩具,以期博得他们的青睐。但结果令他们非常失望:销售额还不如上一个月。后来他们通过调查发现,有许多家长认为这种飞镖玩具的安全性有问题。

该厂家促销失败的原因是忽略了消费决定者的作用。虽然购买玩具的是儿童,但掏钱的是家长,这件玩具赠品安全性有问题,家长自然不会愿意给孩子购买。

二、消费者购买决策过程的五个阶段

市场营销者对决策过程阶段的划分不尽相同,菲利普·科特勒把决策过程划分为五个阶段,即问题确认、信息收集、方案评价、购买决策和购后行为(见图 4-2)。这个模式表明,

图 4-2 消费者购买决策过程的五个阶段

消费者的决策过程远在实际购买之前即已开始,直到购买之后。它告诉营销者,应该研究消费者的整个决策过程,而不仅仅注意购买决策。

(一)问题确认

消费者认识到自己已有某种需要时,是其决策过程的开始。这种需要可能由内部刺激引起,如个人的正常需要强烈到一定程度,就变成一种动力,例如饥饿。需要也可由外部刺激引起,如一个人路过一家烤鸭店,新出炉的烤鸭香味可能刺激他购买。在这一阶段,营销人员应研究消费者,及时发现他们的问题和需要。

影响消费者问题确认的外在刺激有很多种,主要有以下几个方面的因素:

(1) 缺货。当消费者使用的产品用完时就要补充存货,这时问题确认就出现了。此时的购买决策通常是一种简单和惯例的行为,并且经常选择一个熟悉的品牌。

(2) 对原有商品不满意。例如,消费者认为自己用的手机已经过时,需要更换新手机。广告可以帮助消费者确认什么时候他们有问题和需要使用何种购买决策。

(3) 新需要的产生。一个人生活方式或工作状态的变化可以创造新需要。例如,当搬家时,就可能重置一些新家具;当职务提升时,可能会需要购买一些高档的衣服和鞋子,等等。

（4）新产品的出现。当市场上出现了新产品，并且这种新产品引起了消费者的注意时，也能成为需求确认的诱因。营销者应经常介绍自己的新产品，告诉消费者新产品可以解决什么问题。

很多情况都可以引发消费者确认问题，市场营销人员应该深入了解消费者产生某种需要的环境，找到引发这种需要的内在和外在刺激因素，从而运用各种营销手段，促使消费者与刺激因素频繁接触，并强化刺激因素与该需要之间的必然联系。

（二）信息收集

消费者一旦确认自己有需要，而且这种需要可以通过某个产品加以满足，那么第二步信息收集就开始了。

1. 消费者的信息来源

（1）经验来源，如操作、实验和使用产品的经验等。

（2）个人来源，如家庭、亲友、邻居、同事等。

（3）公共来源，如大众传播媒体、消费者组织等。

（4）商业来源，如广告、推销员、分销商等。

以上这些信息来源的相对影响随着产品的类别和购买者特征而变化。一般来说，就某一产品而言，消费者最多的信息来源是商业来源，这是营销者可以控制的来源。但是，最有效的来源却是个人来源，因为这个来源对于消费者来说可信度更高一些。每类信息来源对购买决策都有着不同的影响，商业来源一般起着告知的作用，而个人来源则起着认定或评价的作用。

2. 消费者选择信息的过程

当面对大量的信息时，不同的消费者会有不同的理解，这是因为他们的个性、经验、需要等影响了他们对情境的知觉，进而影响了他们对信息的选择。通常情况下，消费者对信息选择的过程一般经过以下三个步骤：

（1）选择性注意。人们在日常生活中会接触到很多的刺激，但不可能注意到所有的刺激，其中大部分会被过滤掉。例如，让一个人平均一天接触1500多个广告，他印象比较深刻的可能只有20多个。所以，问题的关键是营销人员应该弄清楚哪些因素能引起消费者的注意。

（2）选择性扭曲。选择性扭曲是指人们有选择地将某些信息加以扭曲，使之符合自己的意向。受选择性扭曲的作用，人们在消费品购买和使用过程中，往往忽视所喜爱品牌的缺点和其他品牌的优点。

（3）选择性记忆。人们往往会忘记大多数接触过的信息，而倾向于记住那些符合自己的态度和信念的信息。

以上三种因素的存在，意味着市场营销人员必须尽力把信息传递给消费者；同时也要求市场营销人员在向消费者传递这些信息时，要尽可能地生动描述并多次重复，以加深消费者的印象。

（三）方案评价

消费者得到的各种有关信息可能是重复的，甚至是互相矛盾的，因此，还要对这些信息进行分析、评估和选择。这是决策过程中的决定性环节。

消费者基于对产品信息的了解，会不断分析、处理所得到的信息，逐渐对市场上各种品牌的产品形成不同评价，最后才能选择购买哪一品牌的产品。大多数消费者对产品的评价都是建立在自觉和理性的基础之上的。消费者对产品的评价一般会涉及以下几个要素：

1. 产品属性

产品属性就是产品能够满足消费者某种需要的特性。例如，照相机的属性包括成像清晰度、摄影速度、相机大小、价格等；旅馆的属性包括地理位置、清洁度、气氛、费用等；轮胎的属性包括安全性、耐磨性、行驶质量、价格等。产品的各种不同属性可以满足消费者的多方面需求，然而，并不是产品属性越丰富消费者就越满意。因为属性的增加意味着产品成本的增加，而这种成本的增加就意味着产品价格的提高。

2. 属性权重

属性权重即消费者因各种产品属性的重要程度不同而对其赋予的不同权重。属性权重具有很强的不确定性，消费者在不同时期对同一属性赋予的权重会发生变化，而且消费者对各种产品属性的关心程度也因人而异。显著的产品属性并非重要的产品属性。有些属性比较显著，仅仅是因为消费者经常接触相关信息，但它们不一定能满足消费者最迫切的需要。就计算机而言，造型、机壳颜色和价格可能都是显著属性，但对于某些购买者来说，他们也许更关心计算机的存储能力和图像的显示效果。

3. 效用函数

效用函数即描述消费者所期望的满意度随产品属性的不同而发生变化的函数关系。产品属性是一个集合，效用函数是关于各种产品属性所带来效用的组合关系。例如，消费者会运用效用函数对各品牌产品就其各种属性带来的效用进行整体评价，从而选出能带给其最大效用的产品。

此外，还有评价模型，即消费者对不同产品和品牌进行评价与选择的程序和方法。消费者会对以上要素进行综合考虑，对各种品牌进行评价、比较，然后才能做出购买选择。

在价格不变的条件下，产品有更多的属性将增加对消费者的吸引力，但是会增加企业的成本。营销人员应了解消费者主要对哪些属性感兴趣，以确定产品应具备的属性。

消费者经过某些评价程序，对不同品牌会形成不同的态度。假设消费者美玲的购买限定于四种品牌的计算机（A、B、C、D），再假定她主要对四种属性感兴趣，即存储能力、图像显示效果、计算机的大小与重量、价格。对每一属性的评分从0分到10分，10分表示属性的最高水平；但是对于价格来说，刚好相反，10分表示最低价格，0分表示最高价格。表4-2显示了美玲对这四种计算机的打分。

表4-2　四种产品属性打分

计算机	存储能力	图像显示效果	计算机的大小与重量	价格
A	10	8	6	4
B	8	9	8	3
C	6	8	10	5
D	4	3	7	8

对于不同的属性，美玲认为重要性是不同的，因此她给出了相应的权数，假定美玲对计算机存储能力确定的重要性是0.4，图像显示效果是0.3，计算机的大小与重量是0.2，价格是0.1。通过计算，得出相应的价值如下：

计算机 A =（0.4）(10 +0.3)（8 +0.2)（6 +0.1)（4）分 =8.0 分

计算机 B ＝（0.4）（8＋0.3）（9＋0.2）（8＋0.1）(3) 分 ＝7.8 分
计算机 C ＝（0.4）（6＋0.3）（8＋0.2）（10＋0.1）(5) 分 ＝7.3 分
计算机 D ＝（0.4）（4＋0.3）（3＋0.2）（7＋0.1）(8) 分 ＝4.7 分
因此，可以推测美玲喜欢 A 品牌的计算机。

在这一阶段，市场营销人员应当注意什么呢？首先，应当通过调查研究消费者期望的产品属性有哪些，以及各种属性所占的权重；其次，在提供充分符合消费者需要的产品的基础上，通过各种手段强化本企业品牌所具有的优势属性的权重，并弱化不太具有优势的属性的权重；最后，针对不同的评价模型，调整营销组合。

（四）购买决策

1. 购买决策的介入因素

消费者对商品信息进行比较和评选后，已形成购买意愿，然而从购买意愿到决定购买之间，还要受到如下两个因素的影响：

（1）他人的态度。他人所持的反对态度越强烈，或持反对态度者与消费者关系越密切，消费者修改购买意图的可能性就越大。在亚洲国家，来自家庭成员和朋友的社会影响尤其强大。群体一致的压力对消费者购买牙膏等非社交性产品的态度以及意图影响巨大，而面子的压力则会影响手表等社交产品的购买。

◆ **阅读案例 4-7**

强生的隐形眼镜广告

中国市场的一项调查显示，在强生隐形眼镜推出以前，有三种因素促使消费者放弃框架眼镜而选择隐形眼镜。这种因素分别是改善外貌、他人的赞赏和眼镜产品的便利性，其中前两种因素是社会因素。强生的电视广告展示了一位戴眼镜的女孩和她的男友在一家豪华饭店里进餐，食物装在一个热气腾腾的碟子里，结果她的眼镜上布满了水雾。于是，她的男友向她推荐了隐形眼镜以避免麻烦。第二次约会，女孩戴上了隐形眼镜，男友对她不戴眼镜的样子称赞不已。

（2）意外的情况。如果发生了意外的情况，如失业、意外急需、涨价等，则消费者很可能改变购买意图。

2. 购买决策的内容

消费者一旦决定实现购买意向，就必须做出以下购买决策：品牌决策、卖方决策、数量决策、时间决策、支付方式决策等。当然，对于日用品的购买，相比之下较少涉及这些因素，因为日用品往往都是习惯性购买的一些产品。例如，在购买食糖时，消费者几乎不考虑卖方是谁或使用什么支付方式。

（五）购后行为

消费者在购买产品之后会感到满意或不满意，并且产生评估营销者的购后行为。消费者的购后行为过程分为三个阶段，即购后评价、购后行动、购后产品的使用和处置。

1. 购后评价

决定消费者购买产品后是否满意的因素是什么呢？答案是要看消费者的期望与产品所表

现的绩效二者之间的关系。如果产品没有达到消费者的期望，消费者是失望的；如果达到了消费者的期望，消费者是满意的；如果超过期望，消费者会感到欣喜。

消费者的期望来自他们从销售者、朋友或其他来源得来的信息。如果销售者夸大了产品的性能，就达不到消费者的期望，消费者就会产生不满情绪。期望与绩效的差距越大，消费者的不满情绪就越强，这说明销售者应该如实地介绍产品，才会使消费者满意。一些销售者懂得产品性能，他们能利用产品性能促使消费者感到满意。例如，波音公司（Boeing）销售的每架飞机价值几千万美元，客户满意对重复购买和公司的声誉是很重要的。波音公司的销售人员在估计他们产品的潜在优点时有点保守，常低估油耗水平。他们说可节省5%的油，但实际节省了8%。客户因实际性能超过期望，所以感到很满意，他们继续购买波音飞机并告诉其他客户，说波音公司信守承诺。

2. 购后行动

消费者对产品是否满意会影响购买以后的行动。如果满意，则在下一次购买时，他们将极可能继续采购该产品。例如，很多消费者在购买汽车时，如果驾驶后很满意，下次可能继续倾向于购买该品牌汽车。

具有不满意感的消费者的反应则截然不同。他们可以通过放弃或退货来减少不满意，可以寻找到产品高价值信息来平和自己的心理，或者他们也可以通过法律途径来申诉，还有的购买者干脆停止购买该产品或告诫朋友。

许多营销者尽力满足消费者的期望，他们努力使消费者满意。一项研究证明，13%不满意的人大约对20人抱怨企业或产品。显然比起好话来，坏话传得既快又远，并且能迅速败坏消费者对某个企业或产品的印象。因此，一个企业常常衡量消费者的满意程度是明智的，不应等到消费者感到不满意而主动出来抱怨。

3. 购后产品的使用和处置

营销者还应注意购买者是怎样使用和处置该产品的。如果消费者将产品搁置不用，那应该说明消费者对这个产品不是很满意，那么消费者对产品的口碑也不会太好。如果消费者将产品出售或交换，那么可能会阻碍公司新产品的销售。如果消费者发现了一个产品的新用途，营销者就可以用广告来宣传这种用途。

◆ 阅读案例4-8

雅芳的SPF 15

多年来，雅芳公司的顾客已遍布全球。它有一款沐浴油是可以驱虫的，有些消费者用这种有香气的沐浴油沐浴，而另一些则把沐浴油放在他们的背包里，或放在沙滩房屋的木板上，把瓶盖打开，用来驱蚊。现在，经过环境保护机构的批准，雅芳推出了具有三重功效的护肤保湿防晒产品——驱虫、防水和保湿的SPF 15。

如果消费者要丢掉产品，则营销者应了解他们是怎样丢弃它的，特别是那些会对环境造成污染的产品。因此，现在越来越多的制造商重复利用产品包装。例如，出于对公共意识的考虑和经济上的考虑以及很多消费者抱怨把好看的瓶子丢掉太可惜，法国香水制造商巴黎罗莎（Rochas）正在考虑是否有必要引进一条香水重灌生产线。

研究消费者需求和购买决策过程是市场营销成功的基础。通过对购买决策五个阶段的分析,可以获得许多有助于满足消费者需求的线索;通过制订市场营销计划并采用有效的营销组合,可以强化消费者对本企业产品的认识,影响或引导其购买行为。

主要名词

需求 动机 相关群体 消费者需求 复杂的购买行为 寻求多样化的购买行为

案例分析

家庭住宅购买决策过程分析

陈晨从来没想过要买商品房。他现在住的房子是以前享受国家福利分房政策时购买的,尽管面积小了些,但是住得非常习惯。但是近几年来,他有些动摇了,因为周围的环境太吵了,严重地影响到他的睡眠和学习。朋友建议他再买一套住房,把现有房子租出去,用租金来供新房的贷款。

买房对许多人来说并不是一件容易的事情,因为对于绝大多数人的经济状况来说,一辈子能买一套好房子就很不错了。因为买到好房子是终身受益的事情,若买不到好房子,就有罪受了。因此,陈晨先从网上寻找,他在网上搜索了大量的楼盘,看到比较合意的楼盘就实地考察一番。一个多月下来,房子看了不少,但是没有特别适合自己的,倒是经常看到有关买房的负面新闻,这样一来,陈晨对买房越来越没有把握了。

陈晨自知不是买房的专家,他决定以勤补拙。网上资料看多了,实地楼盘考察多了,陈晨慢慢总结出了买房的要诀:一是选区域,最好是政府规划重点发展的区域,这些地方的房地产未来升值的潜力大;二是选环境,小区内要安静,最好有山有水,外围要有较好的购物环境和交通设施;三是选方位,方位要朝南;四是选房型,最好是跃式户型,四室两厅的结构比较合适,还要南北通透;五是选楼层,不要太高,也不要太低,最好是8层或9层;六是选开发商,要选大的、已经有不少成熟楼盘开发经验的开发商;七是选物业,最好是独立的、有良好信誉的物业管理公司;最后是价格与优惠,最好是在促销期间购买。有了这些想法,陈晨觉得自信多了。

经过近两个月的寻寻觅觅,陈晨终于看上了中海金沙湾的一套130m² 的房子,但标价是150万元,他觉得贵了一些。他并没有急着付定金,而是找了很多朋友,一是打听在售楼方面折扣的通常做法,二是打听金沙湾有关的折扣政策。最后,他希望能用130万元左右的价格买下来。当他有了较大把握之后,在国庆节"黄金周"的最后一天,与太太一起来到了售楼处。一位漂亮的售楼小姐接待了他们,并且提出了150万元的报价。陈晨对楼层优惠、黄金周促销优惠以及有关朋友介绍优惠等售楼政策侃侃道来,并请售楼小姐把经理叫来商量。在这一番铺垫后,他用140万元买下了房子,虽然比预想的价钱要高,但他还是比较满意的。他认为这里的升值潜力比较大,住上几年再出租或出售都很合算。

(资料来源:卢泰宏.消费者行为学[M].北京:高等教育出版社,2005,有改动。)

讨论并回答问题:

试从购买角色、信息来源、决策时间、参与程度及购买风险等几个方面分析消费者住宅购买决策的特点。

第四章 消费者需求研究

本章小结

本章共分为四节，主要分析了影响消费者购买行为的主要因素、消费者需求特征、消费者购买行为和消费者购买决策过程。

消费者市场又称最终消费者市场，是指向个人或家庭销售消费品和服务的市场。为满足生活需求而购买或租用商品的市场。消费者市场是现代市场营销理论研究的主要对象。影响消费者购买行为的主要因素有文化因素、心理因素、个人因素和社会因素。

消费者需求的特征有：①消费者需求的多样性；②消费者需求的发展性；③消费者需求的伸缩性；④消费者需求的周期性；⑤消费者需求的可诱导性；⑥消费者需求的联系性和替代性；⑦消费者需求的时代性。

根据不同的标准，消费者的购买行为可以分为不同类型。

1. 按消费者的购买态度与要求区分
①习惯型；②慎重型；③经济型；④冲动型；⑤感情型；⑥疑虑型；⑦不定型。

2. 按消费者在购买现场的情感反应区分
①沉实型；②温顺型；③健谈型；④反抗型；⑤激动型。

3. 阿萨尔购买行为类型
①复杂的购买行为；②减少失调感的购买行为；③寻求多样化的购买行为；④习惯性的购买行为。

市场营销者对决策过程阶段的划分不尽相同，菲利普·科特勒将决策过程划分为五个阶段：问题确认、信息收集、方案评价、购买决策和购后行为。这个模式表明，消费者的决策过程远在实际购买之前即已开始，直到购买之后。它告诉营销者，应该研究消费者的整个决策过程，而不仅仅注意购买决策。

（1）问题确认：消费者认识到自己有某种需要时，是其决策过程的开始。

（2）信息收集：消费者一旦确认自己有需要，而且这个需要可以通过某个产品加以满足，那么第二步信息收集就开始了。

（3）方案评价：消费者得到的各种有关信息可能是重复的，甚至是互相矛盾的，因此，还要进行分析、评估和选择，这是决策过程中的决定性环节。

（4）购买决策：消费者一旦决定实现购买意向，就必须做出以下购买决策：品牌决策、卖方决策、数量决策、时间决策、支付方式决策等。当然，对于日用品的购买，相比之下较少涉及这些因素，因为日用品往往都是习惯性购买的一些产品。

（5）购后行为。①购后评价。决定消费者买后是否满意的因素是什么呢？答案是要看消费者的期望与产品所表现的绩效二者之间的关系。如果产品没有达到期望，消费者是失望的；如果达到期望，消费者是满意的；如果超过期望，消费者会感到欣喜。②购后行动。消费者对产品是否满意会影响购买以后的行动。如果他们满意的话，则在下一次购买中，他们将极可能继续采购该产品。③购后产品的使用和处置。营销者还应注意购买者是怎样使用和处置该产品的。如果消费者将产品搁置不用，那应该说明消费者对这个产品不是很满意，那么消费者对产品的口碑也不会太好。如果消费者将产品出售或交换，那么可能会阻碍公司新产品的销售。如果消费者发现了一个产品的新用途，营销者就可以用广告来宣传这种用途。

思考与实训

1. 知觉是怎样影响消费者行为和企业营销活动的？
2. 消费者态度的构成成分有哪些？试举两三个例子加以说明。
3. 影响消费者购买行为的主要因素有哪些？
4. 试述消费者需求的特征及变化趋势。

5. 影响消费者参与程度的因素有哪些？
6. 消费者购买决策过程包括哪几个阶段？
7. 检视你身边的消费品（如手机），在每个需要层次各找到一个相对应的营销产品或服务，加以简要说明，并从马斯洛需要层次理论的角度分析此问题。

第五章

市场营销环境

学习目标

1. 了解市场营销环境的含义及特征
2. 掌握市场营销微观环境的构成及其与营销活动之间的关系
3. 掌握市场营销宏观环境的构成及其与营销活动之间的关系
4. 明确环境的威胁和机会，企业应采取哪些对策

导入案例

布鞋的"冷遇"与"热销"

前几年的一个秋季，山东荣成布鞋厂生产了一种海蓝色涤纶塔跟鞋，很受消费者欢迎，不少用户前来订货。为了优待老客户，该厂主动给滨州市一家大商店送了一批新产品，不久，这家商店却来信要求退货。这样的热销货怎么会被要求退货呢？厂方百思不得其解，便迅速派人前去调查，原来根据滨州的风俗，只有办丧事的人家，妇女才穿这种蓝色的布鞋，以示哀悼。这批布鞋款式虽新，颜色却为当地消费者所忌，因此成了"冷门货"。吃一堑，长一智，第二年春季，这家鞋厂了解到即墨县一带有一种风俗，每逢寒食节，所有第一年结婚的新婚妇女都要给七姑八姨每人买一双鞋。为此，该厂马上组织力量生产了4000双各种规格的布鞋，并赶在清明节前几天发到即墨，结果不到一天就销售一空。

山东荣成布鞋的"冷遇"与"热销"说明了什么？你从中受到什么启发？

第一节 市场营销环境概述

企业作为社会经济系统的基本单位，其营销活动不是在真空中进行的。营销环境作为一种动态性极强的因素，对企业的经营活动具有深远的影响，环境的变化不断地为企业提供新的发展机会和更加严峻的挑战，企业的各种经济行为都必然要受到营销环境的影响和制约。成功的企业无一不在坚持不断地观察并适应环境的变化，通过环境分析，发现市场机遇与风险，扬长避短，趋利避害。只有认识环境，才能适应和驾驭环境，及时对环境中有利于企业和不利于企业的营销趋势采取应变措施，进而使企业在竞争激烈和环境多变的形势下得以生存和发展。

一、市场营销环境的含义

菲利普·科特勒指出:"市场营销环境就是影响企业的市场和营销活动的不可控制的参与者和影响力。"企业的市场营销环境是指与企业市场营销有关的、影响产品的供给与需求的各种外界条件和因素的总和。根据营销环境对企业营销活动发生影响的方式和程度,市场营销环境可以大致分为两大类,即市场营销微观环境和市场营销宏观环境,如图 5-1 所示。

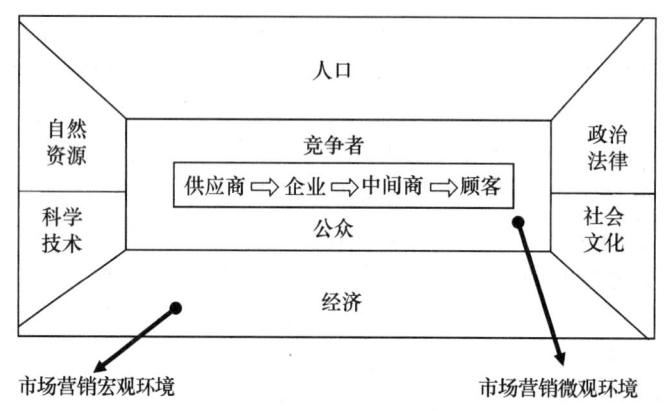

图 5-1 市场营销环境的构成

所谓市场营销微观环境,是指与企业紧密相关、直接影响企业为目标市场顾客服务的能力和效率的各种参与者,包括企业内部营销部门以外的企业因素、供应商、中间商、顾客、竞争者和公众。

所谓市场营销宏观环境,是指那些作用于市场营销微观环境,并因而造成市场机会或环境威胁的主要社会力量,包括人口、自然资源、经济、政治法律、社会文化和科学技术等企业不可控的宏观因素。

这两种环境之间不是并列关系,而是包容和从属关系。市场营销微观环境受市场营销宏观环境的大背景制约,市场营销宏观环境借助于市场营销微观环境发挥作用。

二、营销环境的特征

企业的市场营销环境是极其复杂的、多方面的,但也不是毫无规律的,归纳起来具有以下主要特征:

1. 客观性

企业的市场营销环境是客观存在的,它是企业可以通过努力去认识和了解的。这是营销环境最基本的特征。企业的营销活动能够适应或利用客观环境,但不能改变或违背营销环境,否则必然会导致营销决策失误,造成营销活动的失败。企业营销的关键,就在于正确地认识营销环境中的各种因素,把握其变化规律,发现机会,趋利避害,进而开拓市场。

2. 动态性

随着社会经济的发展,市场营销环境总是处于不断变化的动态过程中,如国家和地区的产业结构在调整,消费结构、顾客的消费需求在变化,竞争对手的策略在改变等。一方面,营销环境的动态性要求企业时刻关注经营环境的变化，不断调整自己的营销策略，以适应环境的变化；另一方面，营销环境的变化是有规律可循的。例如，过去 30 年间，我国政治稳定、经济发展及技术的不断进步促进了消费升级；近几年，我国油、煤、气运力紧张及产业结构的调整也必然会影响企业的营销活动。因此，企业必须在市场环境变化中寻找发展的规律，对规律认识得越准确，营销成功的可能性就越大。

3. 差异性

不同国家或地区之间，在人口、经济、社会文化、政治、法律、自然地理等各方面存在着广泛的差异性；不同的企业之间，微观环境也千差万别。由于环境因素的差异性，企业必须采取具有特点和针对性的营销策略。

4. 关联性

营销环境的关联性是指各环境因素之间的相互影响和相互制约。这种关联性表现在两个方面：一方面，某一环境因素的变化会引起其他因素的互动变化，如一个国家的体制、政策与法令总是影响着该国的科技、经济的发展速度和方向，继而改变社会习惯；另一方面，企业的营销活动不仅仅受单一环境因素的影响，而是受多个环境因素共同制约的，如企业的产品开发就要受制于国家环保政策、技术标准、消费者需求特点、竞争者产品、替代品等多种因素的制约，如果不考虑这些外在的力量，生产出来的产品能否进入市场就很难把握。这种关联性给企业营销带来了复杂性。

三、分析市场营销环境的意义

1. 市场营销环境分析是企业决策的客观基础

企业营销活动处于营销环境的制约中，企业要生存，要发展，只有通过对市场营销环境的研究，熟悉环境，了解环境的变化，才能对企业的全部营销活动做出正确的预测，制订和选择符合实际的、切实可行的、最优化的商品经营决策方案，并且要依据营销环境的变化，对原有决策灵敏地做出相应的修改和调整，及时纠正营销决策执行过程中的偏差和失误，使之趋于合理化和科学化。

2. 市场营销环境分析有利于企业发现市场机会

市场营销环境对企业的营销活动有着双重作用：一方面，市场营销环境为企业提供了市场营销机会；另一方面，市场营销环境也给企业市场营销活动带来威胁。企业通过对内外部环境的分析，可以了解自己的优势和劣势，可以发现市场机会，把握市场营销面临的威胁，从而制定能够把握机会、避开威胁的市场营销策略，使企业在竞争中求得生存和发展。

3. 市场营销环境分析可促使企业更好地满足社会需求并指导社会消费

在满足社会对产品的需求方面，企业只有不断推出适销对路的产品，才能满足消费者日益增长的对产品的需求。企业生产的产品是否适销对路，唯有在市场上才能见分晓。市场的检验，促进和引导企业按照消费者的需求决定生产、经营意向以及未来的发展方向。另一方面，消费者消费需求的形成受多方面因素的影响。他们对商品的多方面需求，除受生产和购买力的限制外，还要受到环境方面因素的影响。因此，营销环境对消费者有一定程度的指导作用，它可以引导消费需求方向，诱发新需求，促使消费方式、消费习惯的转变。

第二节　市场营销微观环境

市场营销微观环境主要包括企业自身、供应商、营销中介、竞争者、顾客和公众等。企业管理人员所采取的各种策略和措施的最终目的，是用来满足一组顾客的特定需要，从而获得更多的收益。在这一过程中，企业要同各种组织和个人打交道，首先需要从供应商那里获得各种原材料或其他物料；然后经过企业内部各职能部门和车间的协作，生产出产品；最后，这些产品要通过各层营销中介机构，才能到达对产品性能和质量都有一定要求的顾客手中。由于能够向某一目标市场提供产品或服务的企业不止一个，所以企业必须在许多竞争者的包围和进攻下开展营销活动。公众对某些产品和营销活动的态度也深刻地制约着企业的行为。市场营销各微观因素之间的关系如图5-2所示，下面依次分析这些因素对企业市场营销活动的影响。

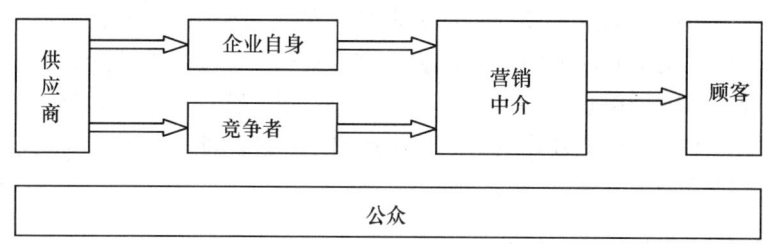

图5-2　市场营销微观环境组成

一、企业自身

企业的市场营销，起主动作用的是企业自身，企业的内部状态是微观环境因素的第一个因素。任何一个企业的市场营销活动都不是企业某个部门的孤立行为，而是企业整体实力与能力的体现，是企业内部各部门科学分工与密切协作的组织行为。仅仅靠企业分管具体销售业务的一个部门的努力是不可能将市场营销工作做好的，因为企业市场营销活动实质上是企业研究开发能力、生产能力、销售能力、资金能力、管理能力和适应能力等综合实力的具体体现，它是企业各部门（如研究与开发部门、计划与采购供应部门、生产制造部门、财务部门、行政管理部门、销售部门等）、各阶层（高级管理人员、一般管理人员、员工）通力合作、密切配合的结果。因此，一个企业开展市场营销必须注意各部门的协调配合，要通过内部的有效组织和大力支持为组织的共同目标而努力。企业内部的环境因素如图5-3所示。

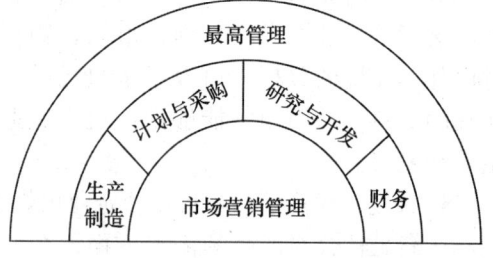

图5-3　企业内部的环境因素

二、供应商

供应商是向企业及其竞争对手提供生产经营所需资源的企业或个人，包括提供原材料、零配件、设备、能源、劳务及其他用品等。企业生产出适合消费者需求的产品，需要有特定的生产资料供应做保障，否则，企业根本无法进行正常生产。

（一）供应商对企业营销的影响

1. 供应商供货的及时性和稳定性直接影响企业经营

在现代市场经济中，市场需求千变万化且变化迅速，企业必须针对瞬息万变的市场需求及时地调整生产和营销计划，而这一调整又需要及时地提供相应的生产资料；否则，营销目标的实现将是一句空话。所以，原材料、零部件、能源、机器设备等生产资料的保证供应，是企业营销活动顺利进行的前提。这样，企业为了在时间上和连续性上保证货源的供应，就必须与供应商保持良好密切的关系，并且要及时地了解和掌握供应商的变化与动态，与某些供应商还要保持稳定的供货关系。在物资供应紧张时，供应商更是起着决定性的作用。

2. 供应商所供应的原材料质量直接影响产品的质量

任何企业生产的产品质量，除了严格的管理以外，与供应商供应的生产资料本身的质量好坏有密切的关系。例如，劣质的面粉难以生产出优质的面包，劣质的建筑材料难以建造坚固的建筑物。供应商的货物质量除了本身的质量以外，还包括各种销售服务。例如，有的企业的生产需要高质量的机器设备，同时还需要优良的维修服务作保障，才能保持机器设备本身的质量水平，从而生产出高质量的产品；有的机器设备中某些零部件容易损耗，需要不断更换质量好的零部件。

3. 供应商所提供的资源价格会直接影响产品成本、价格和利润

供应的货物价格变动必然直接影响企业产品的成本，这是浅显的道理。例如，一个纺织厂，当生产所需的棉花价格上涨，必然带来棉织品的成本上升，如果纺织品价格不变，那么企业利润必然减少，甚至可能会出现亏损。所以，企业在营销活动中，必须密切关注供应商的货物价格变动趋势，特别是对构成产品重要部分的原材料和主要零部件的价格现状及变化趋势，要做到心中有数，这样才能使企业应变自如，不致措手不及。

（二）企业与供应商的关系的协调

鉴于供应商对企业营销活动产生的上述影响，为了使企业获得良好的供应环境，企业对供应商可以从以下两个方面进行协调：

1. 对供应商进行等级分类

企业可以根据供应商所供货物在企业生产过程中的重要程度将其划分为不同等级，并对供应商进行等级归类，根据类别确定协调原则，确保重点，兼顾一般。

2. 使供货来源多样化

为了减少供应商对企业造成的影响和打击，企业要尽可能多地广开供应门路，多联系其他供应商。供应商和供货来源的多样化还能促使供应商之间进行竞争，使企业处在一个有利的位置，从而使所供货物的质量得到提高并可稳定价格。但是，在确定这一原则时，还要注意与一些主要供应商保持长期良好的特殊关系，绝不能以供应商多样化为由而排斥特殊关系，因为这种特殊关系在某些场合还是非常必要的。在遇到货物短缺时，有了这种特殊关系，就可使企业所需的生产资料得到优先供应。

例如，著名的电子游戏玩具商任天堂就很好地制衡了与游戏软件开发商的互补关系，从而稳固了在游戏产业中的地位。任天堂的产品依赖于软件开发商源源不断地提供游戏软件。当初，任天堂的供应商只有5家。任天堂认为，如果游戏软件开发商更多一些，它就有更大的选择余地和讨价还价的资本，于是，任天堂制定策略扶植中小软件企业开发游戏软件，给它们提供资金和技术的支持；但同时任天堂又限制开发商每家每年的"提货量"，不让任何一家开发商有机会发展成"老大"。这样，任天堂便成功地瓦解了独立游戏软件开发商的产业结构，牢牢地控制住了这种"互补者"的竞争关系。

三、营销中介

在多数情况下，企业推出的商品都要经过营销中介单位才能到达顾客手中。所谓营销中介，就是那些帮助企业推广、销售和分配商品给最终顾客的企业和个人，包括中间商、实体分配机构、市场营销服务机构（调研公司、广告公司、咨询公司）和金融中介机构（银行、信托公司、保险公司）等。它们是企业进行营销活动不可缺少的中间环节，企业的营销活动需要它们的协助才能顺利进行，如生产集中和消费分散的矛盾需要中间商的分销予以解决，广告策划需要得到广告公司的合作等。

1. 中间商

中间商是指协助企业寻找消费者或直接与消费者进行交易的商业企业，主要包括批发商和零售商两大类。中间商的主要任务是帮助企业寻找顾客，为企业的产品打开销路，并为顾客创造地点效用、时间效用及特有效用。除了某些规模较大的企业有自己的销售机构外，一般企业都需要与中间商打交道，通过中间商把自己的产品流向消费者。由于中间商一头连接生产者，一头连接最终消费者和工业用户，所以它的服务质量、销售效率、销售速度直接影响到产品的销售。可以说，企业能否选择到适合自己营销活动的中间商，关系到企业的兴衰。

2. 实体分配机构

实体分配机构主要是指帮助企业进行商品或原料的保管、储存及运输的专业企业。实体分配包括包装、运输、仓储、装卸、搬运、库存控制和订单处理等方面，基本功能是调节生产与消费之间的矛盾，弥合产销时空上的背离，提供商品的时间效用和空间效用，以利于适时、适地和适量地将商品供给消费者。

实体分配机构包括仓储公司、运输公司等机构。仓储公司主要储存和保护商品，它从两个方面为企业的营销活动提供服务：一是为企业生产的产品进行保管和储存；二是为企业生产所需的原材料及零部件进行保管和储存。运输公司以各种运输工具和运输方式为企业运输产品，既把产品送达目标市场，又把生产所需的生产资料运到企业。当企业建立自己的销售网络时，物资机构的作用就十分突出，需要物资分销机构提供时空效益的帮助。例如，企业需要运输公司来运输产品时，就要从运输成本、速度、安全性等方面考虑来选择运输公司。企业如果委托中间商销售产品，物资分销机构的各种服务功能就由中间商去承担。

3. 市场营销服务机构

市场营销服务机构主要为生产企业提供市场调研、市场定位、促销产品、营销咨询等方面的营销服务，包括市场调研机构、市场营销咨询机构、广告公司等。它们帮助企业选择市场并促进企业销售商品，是企业市场营销过程中不可缺少的伙伴。当然，有的大企业本身设有这些机构，或者自己能承担这些工作，但对于大多数中小企业而言，营销服务机构是企业营销活动不可缺少的。重要的问题是在营销活动中，企业面对众多的服务机构，要从中进行比较，看它们中间谁最具有创造性、服务质量最好、服务价格最适合等，从而选择最适合本企业并能有效提供所需服务的机构。

4. 金融中介机构

金融中介机构是为企业营销活动进行资金融通服务的机构，包括银行、信贷机构、保险公司等，其主要功能是为企业营销活动提供融资及风险保险服务。每一个企业都不可避免地要与金融机构建立一定的联系，有一定的业务往来。金融机构的行为会对企业的市场营销活动产生显著影响，如银行利率上调、保险金额上升、信贷来源受限，都会使企业的市场营销活动大受影响。因此，在企业营销活动中，必须考虑和研究金融机构及其业务变化动态。

四、顾客

顾客就是企业的目标市场，是企业服务的对象，也是营销活动的出发点和归宿。顾客是企业最重要的环境因素。顾客是企业产品的直接购买者，顾客的变化意味着企业市场的获得或丧失。企业的顾客市场可划分为消费者市场和组织者市场。在消费者市场中，消费者是为了个人和集体的消费而购买。分析与掌握消费者市场变化指标的目的是了解消费者市场需求什么和需求多少。组织者市场有生产者市场、中间商市场和政府市场等，它们的购买行为类型、购买决策参与者、购买决策过程和影响因素既有共性，又有各自的特点，需要认真地研究和把握，从中找出对应的营销策略。

五、竞争者

竞争者是指与企业存在利益争夺关系的其他经济主体。在健全的市场经济中，几乎没有一个企业能垄断整个目标市场，即使一个企业已经垄断了整个目标市场，竞争者仍然有可能参与进来，因为只要市场上存在着需求向替代产品转移的可能性，潜在的竞争者就会出现。因此，企业总会面对形形色色的竞争者，也不可避免地会遇到竞争者的挑战。竞争者的营销策略及营销活动的变化会直接影响到企业的营销，最为明显的是竞争者的价格、广告宣传、促销手段的变化以及产品的开发、各种销售服务的加强等，都将直接对企业造成威胁。对此，企业不能放松对竞争者的观察，需要在观察的基础上对竞争者的任何细微变化做出相应的对策。

通常，竞争者可以分为以下几种类型：

（1）愿望竞争者。愿望竞争者即提供不同产品、满足不同消费欲望的竞争者。

（2）属类竞争者。属类竞争即满足同一消费欲望的不同产品之间的可替代性，是消费者在决定需要的类型之后出现的次一级竞争，也称平行竞争。平行竞争中的对手即为属类竞争者。

（3）产品竞争者。产品竞争即满足同一消费欲望的同类产品不同产品形式之间的竞争。消费者在决定了需要的属类产品之后，还必须决定购买何种产品。产品竞争中的对手即为产品竞争者。

（4）品种竞争者。产品会有许多品种，消费者还要决定到底选择其中哪一种。提供不同产品品种的其他企业即为品种竞争者。

（5）品牌竞争者。品牌竞争即满足同一消费欲望的同种产品形式但不同品牌之间的竞争。品牌竞争中的对手即为品牌竞争者。

六、公众

公众是一个内涵广泛的概念，通常是指对企业实现营销目标的能力有实际或潜在利害关系和影响力的团体或个人。企业所面临的公众主要有以下几种：

（1）融资公众。融资公众是指影响企业融资能力的金融机构，如银行、投资公司、证券经纪公司、保险公司等。

（2）媒介公众。媒介公众是指报纸、杂志社、广播电台、电视台等大众传播媒介，它们对企业形象及声誉的建立具有举足轻重的作用。

（3）政府公众。政府公众是指负责管理企业营销活动的有关政府机构。企业在制订营销计划时，应充分考虑政府的政策，研究政府颁布的有关法规和条例。

（4）社团公众。社团公众是指保护消费者权益的组织、环保组织及其他群众团体等。企业营销活动关系到社会各方面的切身利益，必须密切注意并及时处理来自社团公众的批评和意见。

（5）社区公众。社区公众是指企业所在地附近的居民和社区组织。

（6）一般公众。一般公众是指上述各种公众之外的社会公众。一般公众虽然不会有组织地对企业采取行动，但企业形象会影响他们的惠顾。

（7）内部公众。内部公众是指企业内部的公众，包括董事会、经理、企业员工。

所有这些公众，均对企业的营销活动有着直接或间接的影响，处理好与广大公众的关系，是企业营销管理的一项极其重要的任务。

◆ **阅读案例 5－1**

"月饼危机"

2000年9月，南京冠生园利用陈馅做月饼事件被媒体曝光后，在消费者中引起轩然大波，尤其是南京冠生园老总说的一句"用去年未加工的封冻包馅料是月饼厂家的普遍现象"颇具杀伤力。由此，不仅南京冠生园厂家的月饼销量大跌，甚至无人问津，而且其他月饼生产厂家的销售也受到严重影响，使全国很多消费者出现了"恐月饼症"。

面对这场"月饼危机"，可以说南京冠生园厂家的做法是失败的，同时也充分说明了新闻媒介的影响力量。

第三节 市场营销宏观环境

企业的市场营销宏观环境是造成市场机会和环境威胁的主要社会力量，是企业的外部环境。制约和影响市场营销活动的宏观环境因素是多方面的，主要包括人口、经济、政治法律、自然、科技及社会文化六大方面。这些宏观因素共同组成了一个有机整体，各种因素不仅单独对营销本身有制约作用，而且各种因素之间也是相互制约、相互影响的，构成了营销活动的系统环境。市场营销宏观环境中任何因素的变化，都会引起整个营销环境的变化，这种变化对企业来说，无疑是一种压力、一种挑战，当然，同时也是一种机遇，为企业营销提供了新的机会。在营销过程中，任何企业都不能改变市场营销的宏观环境，但它们可以认识这种环境，可以通过经营方向的改变和内部管理的调整来适应环境的变化，以达到营销目标。

一、人口环境

人口是构成市场的直接因素,人口的数量决定消费者的数量,消费者的数量在一定程度上决定市场容量的大小,因此,人口环境对营销者而言是很重要的。人口环境包括人口数量、人口的地理分布及流动、人口结构等。

(一)人口数量

人口数量基本上反映了消费市场生活必需品的需求量。在其他经济和心理条件不变的情况下,总人口越多,市场容量就越大,企业营销的市场就越广阔。2006年,全球人口已经超过60亿人,预计到2050年将达到90亿人。世界人口仍在高速增长,但地区发展很不平衡,人口增长最快的地方恰恰是经济欠发达地区,而发达国家的人口20多年来一直保持较低水平。我国是世界人口最多的国家,2005年人口已超过13亿人,尽管实行计划生育,由于人口基数过大,每年仍净增1000万人以上。这种低出生率、高出生数量的特点,表明我国人口在一定时期内仍将持续增长。全球人口和我国人口的增长,一方面说明如果人们有足够的购买力,人口的增长意味着市场的扩大,这给企业的营销提供了广阔的市场;另一方面,人口的增长如果超过了经济的增长,会影响人们的购买力,同时人口的增长已经形成了对资源的巨大压力,人均资源的短缺将制约经济的发展。如何节约各种资源,研制新能源和新材料代替传统能源和原材料,将构成对企业的巨大挑战,同时也蕴藏了相当多的市场机会。

(二)人口的地理分布及流动

人口的地理分布是指人口在不同地区的密集程度。由于自然地理条件以及经济发展程度等多方面因素的影响,人口的分布绝不会是均匀的。世界人口正在加速城市化,在许多国家和地区,人口往往集中在几个大城市里。在我国,东南沿海一带人口多,而西北地区人口较少,而且人口密度由东南向西北递减。另外,城市的人口比较集中,尤其是大城市人口密度很大。在我国,上海、北京、重庆等几个城市的人口超过1000万人。而农村人口则相对分散。人口的这种地理分布表现在市场上,就是城市市场的集中程度高、销售周转快;农村市场广,但运输成本高。

随着经济的活跃和发展,人口的区域流动性也越来越大。人口流动的总趋势是人口从农村流向城市、由城市流向市郊、从欠发达地区流向发达地区、由一般地区流向开发开放地区。在发达国家,除了国家之间、地区之间、城市之间的人口流动外,还有一个突出的现象就是城市人口向农村流动。我国自1979年改革开放以来,人口的区域流动表现为农村人口向城市或工矿地区流动,内地人口向沿海经济开放地区流动,从而增加了人口流入较多地区的基本需求量,给当地企业带来较多的市场份额和营销机会。

◆ **阅读案例 5-2**

巴黎欧莱雅的中国经营之道

巴黎欧莱雅集团进入中国市场至今,以其与众不同的优雅品牌形象,深受消费者青睐。

欧莱雅认为,中国地域广阔,鉴于南北、东西地区气候、习俗、文化等的不同,人们对化妆品的偏好具有明显的差异。例如,中国南方由于气温高,人们一般比较少做白日妆或者喜欢使用清淡的装饰，因此较倾向于淡妆；而北方由于气候干燥以及文化习俗的缘故，一般都比较喜欢浓妆。同样，中国东、西部地区由于经济发达程度、观念、气候等存在差异，人们对化妆品也有不同的要求。巴黎欧莱雅集团敏锐地意识到了这一点，按照地区推出不同的主打产品，取得了成功。

（资料来源：寇小萱. 国际市场营销学［M］. 北京：对外经济贸易出版社，2007.）

（三）人口结构

1. 年龄结构

不同年龄阶段的人有不同的消费需要。在企业决定进入一个市场之前，不仅要研究人口的总量，还要研究人口的结构，并针对人口结构的特点开展企业的营销活动，制定相应的营销策略。表 5-1 显示了不同年龄组人群购买的主要商品类别。

表 5-1　不同年龄组人群购买的主要商品类别

年龄组	年龄组名称	购买的主要商品类别
0~5 岁	婴幼儿	婴儿食品、玩具、育儿室家具、幼儿服装
6~20 岁	学龄儿童和青少年	服装、体育用品、磁带、学习用品、快餐、软饮料、糖果、化妆品、电影
21~35 岁	青年人	汽车、家具、房屋、食品和啤酒、服装、钻石、家庭娱乐设备
36~50 岁	中年人	较大的房屋、较好的汽车、新家具、计算机、娱乐设备、珠宝、服装、食品和葡萄酒
51~65 岁	中老年人	娱乐活动用品、为年轻人结婚和婴儿购买的物品、旅行用品
65 岁以上	老年人	医疗服务、旅行用品、药品、为年轻人购买的物品

值得注意的是，全世界的人口已逐步趋于老龄化。这主要是由两个原因造成的：第一个原因是人口的出生率下降，致使年轻人减少；第二个原因是人口的期望寿命提高。

据联合国预测，到 2030 年，全世界 60 岁以上的老人将比 1990 年增加两倍，占全世界人口总数的比例将由 1990 的 9% 上升到 16%。同时，由于女性的平均寿命普遍高于男性，因此，未来的老年人中妇女要占多数。为了解决人口老龄化带来的诸多问题，联合国于 1991 年决定将每年的 10 月 1 日定为"国际老人节"。

2. 家庭结构

家庭包括家庭数量、家庭人口、家庭居住环境，这些都与生活消费品的数量、结构密切相关。例如，单身家庭和单亲家庭数量的增加，必然带动较小的公寓，便宜且较小的家具、陈设、家庭器皿，以及分量较小的包装食品的需求量的上升。

3. 性别结构

由于男女性别差异，往往导致消费需求、购买习惯与行为有很大的差别。例如，女性比男性更喜欢打扮、逛商场，更多地采购日用品、化妆品、服装等；而男性则在购买大件物品等方面表现出积极性。企业营销者有必要掌握人口性别的差异给企业产品营销带来的影响，以便顺利实现营销目标。

4. 学历结构

人口学历结构反映人口受教育程度不同的构成。不同学历的人口会表现出消费偏差。通常，高学历的人口更多地倾向于购买有知识、有品位的商品；低学历的人口则较多地讲究所购商品价廉、实用。随着我国九年义务教育的普及和人们接受高等教育机会的增加，人口的学历水平普遍提高，这给计算机等知识商品市场营销带来了机遇，甚至文化礼品市场也在我国逐渐兴起，成为市场的一个重要组成部分。

5. 民族结构

世界各国的民族结构有单一的，也有多元的。像日本，几乎所有人都属于一个民族，即大和民族。而在我国，除了占人口大多数的汉族以外，还有55个少数民族，他们在饮食、服饰、居住、婚丧、节日等物质和文化生活的各个方面各有特点。各民族不同的消费需求与风俗习惯影响了消费者需求的构成和购买行为。因此，企业营销者要注意民族市场的营销，重视开发适合各民族特点、受其欢迎的商品。

目前人口环境正在发生重大的变化，变化的总体趋势是：①世界人口迅速增长；②美国、日本等经济发达国家的人口出生率下降，儿童减少；③许多国家人口趋于老龄化；④许多国家家庭数量、人口规模、家庭生命周期出现新的变化；⑤西方国家非家庭住户也在迅速增加；⑥许多国家的人口流动性大；⑦有些国家的人口是由多民族构成的。这些变化需要引起营销者的注意和重视。

二、经济环境

经济环境一般是指影响企业市场营销方式与规模的经济因素，这些经济因素直接影响着社会的购买力，影响着企业的营销活动。经济环境因素主要包括经济发展阶段、地区发展状况、产业结构、货币流通状况、收入因素及消费结构。其中，收入因素和消费结构对营销活动的影响较为直接。

1. 经济发展阶段

就消费品市场而言，处于经济发展水平较高阶段的国家和地区，在其市场营销方面，强调产品款式、性能及特色，侧重大量广告及促销活动，其品质竞争重于价格竞争；而处于经济发展水平较低阶段的国家和地区，则侧重于产品的功能及实用性，其价格因素重于产品品质。就生产资料市场而言，处于经济发展水平较高阶段的国家和地区，着重资本密集型产业的发展，需要高新技术、性能良好、机械化和自动化程度高的生产设备；而处于经济发展水平较低阶段的国家和地区，以发展劳动密集型产业为主，侧重于多用劳动力而节省资金的生产设备，以符合劳动力低廉和资金缺乏的现状。

2. 地区发展状况

我国各地区经济发展不平衡，在东部、中部和西部三大地带之间，经济发展水平客观上存在着东高西低的不平衡的总体区域趋势。同时，在各地带的不同省市，还呈现着多极化发展趋势。这种各地区经济的不平衡发展，对企业的投资方向、目标市场及营销战略制定等都会带来巨大影响。随着我国西部大开发战略的实施，在今后一段时间内，国家将加大对西部地区基础设施的投资力度，建材、钢铁、水利等相关行业和部门的发展，会给市场营销带来各种影响。

3. 产业结构

产业结构是指各产业部门在国民经济中所处的地位和所占的比重及相互之间的关系。一个国家的产业结构可以反映该国的经济发展水平。产业结构的演变表现在两个方面：一方面，随着经济的发展和人均国民收入水平的提高，劳动力不断地从第一产业中分化出来，向第二产业、第三产业转移；另一方面，随着科学技术的发展，工业企业先由粗加工工业向精加工工业转化，再向技术集约化方向发展。从我国的实际情况看，第一产业国民生产总值和就业人口比重将逐渐下降；第二产业国民生产总值略有上升，但就业人口可能不变；而第三产业无论是就业人口还是国民生产总值都将逐步上升。这种变化趋势给发展第三产业提供了机会。所以，企业只有针对产业结构的变化趋势制定相应的策略，才能处于主动地位。

4. 货币流通状况

货币流通状况是指纸币发行流通量与商品流通所需要的金属货币量的适应协调状况。如果纸币发行过多，会导致通货膨胀，影响物价稳定，从而既增加了企业生产要素成本，又扰乱了市场正常秩序，造成了虚假市场机会，增加了营销的风险性和威胁性。同时，利率的高低对企业营销也有一定影响，当银行利率低、市场价格波动又大时，消费者就会减少储蓄，而把收入的大部分用于消费。因此，企业在营销活动中，必须分析和研究货币的流通状况，主要关注货币的供应量和银行利息率。

◆ 阅读案例 5-3

金融危机对美国消费者的影响

受累于2008年开始的金融危机，美国消费者正在紧缩开支。美国政府公布的2008年第三季度消费者支出数据表明，消费支出下降超过了3%。该数据创下二十多年来的最大降幅。

消费者支出占美国整体经济的2/3。由于房产价格下跌、汽油价格高企，2008年以来，美国消费者越来越节俭，而金融危机的持续蔓延更让他们大幅削减开支。金融危机打击了消费者的信心，加之银行也在限制消费者信贷额度，美国人不得不捂紧钱包。

金融危机已经让美国很多地方受到了影响。从拉斯维加斯赌场附近那些高档消费场所，到汽车销售这样与普通美国人息息相关的行业，都感受到了金融危机的气息。

美国经济咨商会的调查显示，在未来半年内购车的美国人比例已经下降到了5%，这是自1967年开始进行此项调查至今的最低值。此外，美国人也在减少乘飞机出行的次数，不管是因为公务还是休闲。外出就餐的人数也在减少，饭店不得不努力提高上座率。由于外出就餐次数减少，杂货店里的食品销售迅速，越来越多的美国人从杂货店买食物回家吃。

"消费者开始对经济衰退表示担忧，他们认为衰退已经开始，持续时间将比他们以前预计的要长，程度也更深。"汤森路透与密歇根大学合作的消费者调查项目负责人查理德·科汀在介绍最近进行的调查时说："他们看到自己最担忧的事情正在成为现实。"

在过去数年中，美国人在次级抵押贷款的发展中受益。穷人和收入不稳定的人由于次级抵押贷款的存在而购买了自己的住房，房市和次级抵押贷款的繁荣让很多美国人提前享受了生活。而现在，美国消费者开始为此付出代价。

（资料来源：本案例改编自http://finance.qq.com, 2008-10-07.）

5. 收入因素

收入因素同人口因素一样，是构成市场的重要因素，甚至是更为重要的因素。因为市场容量的大小，归根结底取决于消费者购买力的大小。一个消费者的需要能否得到满足，以及怎样得到满足，主要取决于其收入的多少。

从市场营销的角度衡量消费者收入水平，通常从以下两个方面进行分析：

（1）国民收入。国民收入是指一个国家物质生产部门的劳动者在一定时期（通常为一年）内所创造的价值的总和。一个国家以一年的国民收入总额除以总人口，即为该国的人均国民收入。人均国民收入大体上反映了一个国家的经济发展水平和人民生活状况。例如，某些西方国家称为发达国家，就是因为人均国民收入水平比较高；我国属于发展中国家，就是因为人均国民收入水平还不够高。

（2）居民收入水平。居民收入水平是影响购买力大小、市场规模及消费支出结构的一个重要因素。对居民收入水平的分析，着重于区别"个人收入""个人可支配的收入""个人可任意支配的收入"。一个人从各种来源所得到的经济收入称为"个人收入"。从个人收入中减去应由个人直接负担的税收及其他费用，称为"个人可支配的收入"。个人可支配的收入主要用来购买必需品，它是影响居民购买力和消费支出的决定性因素。从个人可支配的收入中减去用于购买生活必需品和固定支出（如房租、保险费、分期付款、抵押借款等），所剩下的那部分个人收入称为"个人可任意支配的收入"，这部分收入可存入银行，也可用来旅游或购买耐用消费品等。它是影响消费结构的重要因素。使用这部分收入所购买的产品与劳务的需求弹性大，因此，提供这类产品的企业之间竞争较为激烈，尤其在产品与品牌方面的竞争更是如此。

6. 消费结构

消费结构是指消费者在各种消费支出中的比例及相互关系。居民个人收入与消费之间存在着一个函数关系，而且在不同的国家和地区，个人收入与消费之间的函数关系是不同的。经济学家凯恩斯提出过边际消费倾向理论，德国统计学家恩格尔提出过著名的"恩格尔定律"。恩格尔认为，当家庭收入增加时，只有一小部分用于购买食物，用于衣服、房租和燃料方面的支出变动不大，但用于教育、医药卫生与闲暇娱乐活动方面的支出则增加较多。人们根据恩格尔论述的消费支出与总支出的比例关系，把它称为"恩格尔系数"。恩格尔系数越小，即食物支出所占比重越小，表明生活质量越高；反之，则生活质量较低。企业从恩格尔系数可以了解目前的市场消费水平、变化趋势及对营销活动的影响。

随着我国经济的发展，消费结构的变化出现了以下特点：①我国人均生活水平与发达国家相比差距较大，决定了我国当前的支出模式依然以吃、穿等生活必需品为主；②随着住房制度的改革，购买商品房和现有公房的家庭较多，用于住房的购买和装潢布置上的开支大幅度增加；③医疗制度的改革，增加了卫生保健方面的开支；④用于子女上学、就业培训方面的开支上升较快；⑤非物质性消费，如用于旅游、交通、娱乐性活动的开支增加；⑥家庭电器化、灶具电气化、家庭计算机的使用等导致相应开支的大幅度上升；⑦用于储蓄、证券投资方面的比重增大，其目的是为今后子女上学、购买住房、大件用品添置做准备。这既影响到企业现有市场的规模，也为资金市场注入了大量资金，为企业融资提供了方便。

三、政治法律环境

在国家和国际政治法律体系中，相当一部分内容直接或间接地影响经济和市场，某些方面的政治制度和法律条款禁止、限制或鼓励某些经济和市场行为。在国际经贸关系中，国与国之间的政治制度、法律体系的异同，对有关国家厂商的进出口、投资等国际营销活动有相当大的制约和影响。

1. 政治环境

政治环境主要要分析国内政治环境和国际政治环境。

国内政治环境包括政治制度、政党和政党制度、政治性团体、党和国家的方针政策和政治气氛五个方面。

国际政治环境主要包括国际政治局势、国际关系和目标国的国内政治环境。

2. 法律环境

法律环境主要要分析的因素有：

（1）法律规范。特别是要分析、研究和企业经营密切相关的经济法律法规，如《公司法》《中外合资经营企业法》《合同法》《专利法》《商标法》《税法》《企业破产法》等。

（2）国家司法执法机关。我国主要的司法执法机关有法院、检察院、公安机关以及各种行政执法机关。与企业关系较为密切的行政执法机关有工商行政管理机关、税务机关、物价机关、计量管理机关、技术质量管理机关、专利机关、环境保护管理机关、政府审计机关。此外，还有一些临时性的行政执法机关，如各级政府的财政、税收、物价检查组织等。

（3）企业的法律意识。企业的法律意识是法律观、法律感和法律思想的总称，是企业对法律制度的认识和评价。企业的法律意识最终都会物化为一定性质的法律行为，并造成一定的行为后果，从而构成每个企业不得不面对的法律环境。

（4）国际法所规定的国际法律环境和目标国的国内法律环境。

◆ 阅读案例 5-4

睡衣风波

1997年，美国和加拿大之间围绕"古巴睡衣"问题发生了一场政治纷争，而夹在两者之间的是一家百货业的跨国公司——沃尔玛公司。当时，争执的激烈程度可以从下面的报纸新闻标题中可见一斑：《将古巴睡衣从加拿大货架撤下：沃尔玛公司引起纷争》《古巴问题：沃尔玛公司因撤下睡衣而陷入困境》《睡衣赌局：加拿大与美国赌外交》《沃尔玛公司将古巴睡衣放回货架》。

这一争端是由美国对古巴的禁运引起的。美国禁止其公司与古巴进行贸易往来，但在加拿大的美国公司是否也应执行禁运呢？当时，沃尔玛加拿大分公司采购了一批古巴生产的睡衣，美国总部的官员意识到此批睡衣的原产地是古巴后，便发出指令要求撤下所有古巴生产的睡衣，因为那样做违反了美国的《赫尔姆斯-伯顿法》。这一法律禁止美国公司及其在国外的子公司与古巴通商。而加拿大则是因美国法律对其主权的侵犯而恼怒。他们认为，加拿大人有权决定是否购买古巴生产的睡衣。这样，沃尔玛公司便成了加拿大和美国对外政策冲突的牺牲品。沃尔玛在加拿大的公司如果继续销售那些睡衣，则会因违反美国法律而被处以100万美元的罚款，且还可能会因此而被判刑；但是，如果按其母公司的指示将加拿大商店中的睡衣撤回，按照加拿大法律，会被处以120万美元的罚款。

（资料来源：李强. 市场营销学教程 [M]. 大连：东北财经大学出版社，2004.）

四、自然环境

企业营销的自然环境主要是指营销者所需要或受营销活动所影响的自然资源，如企业生产需要的物质资料、生产过程中对自然环境的影响等。自然环境的发展变化会给企业造成一些"环境威胁"和"市场机会",所以,企业营销活动不可忽视自然环境的影响作用。分析研究自然环境的内容主要有两个方面:一是自然资源的拥有状况及其开发利用;二是环境污染与生态平衡。

1. 自然资源的拥有状况及其开发利用

自然状况最重要的内容是自然禀赋,国家和地区自然资源的多寡和优劣。地球上的自然资源有三大类:第一类是"取之不尽,用之不竭"的资源,如阳光、空气等;第二类是"有限但可更新的资源",如森林、粮食等;第三类是"有限又不能更新的资源",如石油、煤、铀、锡、锌等矿产资源。目前,第一类资源面临被污染的问题;第二类资源由于生产的有限性和生产周期长,再加上因森林乱砍滥伐,导致生态失衡、水土流失、灾害频繁,影响其正常供给,有的国家需大量进口。企业应尽可能通过建立原料基地或调节原料储存的方式来减轻不利影响;第三类资源都是初级产品,且政府对其价格、产量、使用状况控制较严。对市场营销来说,面临两种选择:一是科学开采,综合利用,减少浪费;二是开发新的替代资源,如太阳能、核能等。

2. 环境污染与生态平衡

工业污染日益成为全球性的严重问题,要求控制污染的呼声越来越高。一方面,这对那些污染控制不力的企业是一种压力,它们应采取有效措施治理污染;另一方面,又给某些企业或行业创造了新的机会,如研究开发不污染环境的包装、妥善处理污染物的技术等。由于生态平衡被破坏,国家立法部门、社会组织等提出了"保护大自然"的口号。一些绿色产品被开发出来,营销学界也提出了"绿色营销"观念。企业营销活动必须考虑生态平衡要求,以此来确定自己的营销方向及营销策略。

《中国环境状况公报》显示,我国城市空气质量污染状况十分严重,经过近几年的治理,城市的污染状况有所好转,但总体上依然严重。在我国,人均土地面积只有 0.771hm^2,为世界人均水平的 1/3;我国人均耕地面积只有 0.106hm^2,为世界人均水平的 43%。不仅如此,我国耕地的总体质量欠佳,全国大于陡坡的耕地有近 600 万 hm^2,有水源保证和灌溉设施的耕地只占 40%,中低产田占总耕地面积的 79%,更有许多耕地面临严重的水土流失、沙漠化、盐碱化、风蚀和海蚀。在我国,水体污染十分严重。中国工程院院士、环境工程专家刘鸿亮教授对全国 55000km 河段进行了调查研究。报告显示,23.3% 的河段因水质污染严重而不能用于灌溉,45% 的河段鱼虾绝迹,85% 的河段中水不符合人类饮用水标准,而且河流自洁等生态功能也严重衰退,形势异常严峻。

五、科技环境

科学技术是第一生产力,是社会生产力的新的和最活跃的因素。作为营销环境的一部分,科技环境不仅直接影响企业内部的生产和经营,同时与其他环境因素互相依赖、相互作用,特别是与经济环境、文化环境的关系更紧密,尤其是新技术革命,给企业市场营销既造就了机会,又带来了威胁。科技发展对企业营销活动的影响具体表现在以下几个方面:

1. 科技的发展为企业利用新技术来满足新的市场需求提供了机会

每一种新技术一旦与生产相结合,都会直接或间接地带来国民经济各部门的变化与发展，带来产业部门间的演变与交替。随之而来的是新产业的出现、传统产业的改造和落后产业的淘汰。例如，激光唱盘技术的出现，无疑会夺走磁带的市场，给磁带制造商以"毁灭性的打击"。如果企业富于想象力，及时采用新技术，从旧行业转入新行业，就能求得发展。

2. 科技的发展促使消费者改变购买行为

在许多国家，由于新技术革命迅速发展，出现了"网上购物"这种在家购物方式。消费者如果想买东西，可以在家里连接互联网，各种商品的信息就会在计算机或手机屏幕上显示出来，消费者还可以通过电话订购任何商品，订购的商品很快就能送到消费者手中。此外，人们还可以在家里通过电话或网络订购车票、飞机票和影剧票。

3. 科技的发展促进企业营销管理的变革

计算机、传真机、电子扫描装置、光纤通信等设备的广泛运用，对改善企业营销管理方式、提高企业经营效益起了很大作用；先进的通信技术、多媒体传播手段使广告更具影响力；商业中自动售货、邮购、电话订货、电子商务、电视购物等引起了分销方式的变化；科技应用使生产集约化和规模化、管理高效化。这些变化导致生产成本、费用大幅度降低，为企业制定理想价格策略创造了条件。同时，科技发展对企业营销管理人员也提出了更高要求，促使其更新观念，掌握现代化管理理论和方法，不断提高营销管理水平。

4. 科技的发展影响企业营销组合策略的创新

科技发展使新产品不断涌现，产品生命周期明显缩短，要求企业必须关注新产品的开发，加速产品的更新换代。科技发展降低了产品成本，使产品价格下降，并使企业能快速掌握价格信息，要求企业及时做好价格调整工作。科技发展促进流通方式的现代化，要求企业采用顾客自我服务和各种直销方式。科技发展促成了广告媒体的多样化、信息传播的快速化、市场范围的广阔性和促销方式的灵活性。为此，要求企业不断分析、研究科技的新发展，创新营销组合策略，以适应市场营销的新变化。

六、社会文化环境

社会文化是人类在创造物质财富过程中所积累的精神财富的总和，它体现着一个国家或地区的社会文明程度。社会文化环境因素主要通过影响消费者的思想和行为，间接地影响企业的营销活动。此类环境因素主要包括语言文字、教育状况、价值观念、宗教信仰和风俗习惯。

1. 语言文字

语言文字是人类最重要的交际工具，要想进入某个市场，就必须掌握市场所在地区的语言，使用当地的语言，向顾客介绍自己的产品和服务，了解顾客的需求，调查并开发市场。不懂当地的语言文字就不能做出正确的翻译，还可能丧失营销机会。这在国际市场营销中尤其重要。

例如，我国生产的"白象"电池在国内畅销，可出口到西方却无人问津。原来，"白象"（White Elephant）一词在英语中的意思是花了心力，耗费了金钱，但又没有多少价值，即"费力不讨好"。埃及一家航空公司叫"Misair"（密斯爱尔），就非常不受法国人青睐，原因在于这一名称在法语中听起来好像"悲惨的"意思。因这一名称使该公司陷入了困境。美国一家销售"Pet Milk"（皮特牛奶）的公司，在说法语的地区推销就遇到了麻烦，因为"Pet"在法语里有"放屁"的意思，所以"Pet Milk"自然也就难有好的销路。

语言文字的差异对企业的营销活动有很大影响，企业在开展市场营销尤其是国际市场营销时，应尽量了解市场国的文化背景，掌握其语言文字的差异，这样才能使营销活动顺利进行。

2. 教育状况

教育状况是影响企业市场营销活动的重要因素。处于不同教育水平的国家和地区的消费者对商品有着不同的需求，而且对商品的整体认识存在很大的差异，如商品包装、商品的附加价值等。企业的商品目录、产品说明书的设计要考虑目标市场的受教育状况，是采用文字说明，还是采用文字加图形来说明，这些都要根据消费者的受教育程度来做相应调整。教育水平对市场营销的促销方式也有很大的影响。教育水平比较低的地区，产品的宣传工作应尽量少用报纸、杂志做广告，而应采用电视机、收音机、展销会等形式推广。要考虑不同文化层次的消费者接近媒体的习惯。

3. 价值观念

特定社会的人群会有许多特定的信仰和价值观念，而且不会轻易改变。例如，许多人都有正确的家庭观和善良、诚实等传统观念，这些核心价值观一般都是由父母或他人传授，并在社会中进一步强化形成的。

4. 宗教信仰

宗教是影响人们消费行为的重要因素之一，不同的宗教在思想观念、生活方式、宗教活动、禁忌等方面各有其特殊的传统，这将直接影响其信徒的消费习惯和消费需求。

◆ **阅读案例 5－5**

欧洲冻鸡出口为何受阻

欧洲一冻鸡出口商曾向阿拉伯国家出口冻鸡。他把大批优质鸡用机器屠宰好，收拾得干净利落，只是包装时鸡的个别部位稍带点血，就装船运出。当他正盘算下一笔交易时，不料这批货竟被退了回来，他迷惑不解，便亲自去进口国查找原因，才知道退货原因不是质量有问题，只是他的加工方法犯了阿拉伯国家的"禁"，不符合进口国的风俗。阿拉伯国家人民信仰伊斯兰教，《古兰经》规定：动物应在活着的时候由穆斯林宰杀，并且穆斯林在下刀宰杀前要诵读经文。这样，欧洲商人的冻鸡质量虽好，也仍然难免遭到退货的厄运。巴西冻鸡出口商吸取了欧洲商人的经验教训，不仅货物质量好，而且特别注意满足国外市场的特殊要求，尤其是充分尊重对方的风俗习惯：巴西对阿拉伯国家出口的冻鸡，在屠宰场内严格按照阿拉伯国家的要求进行加工。他们还邀请阿拉伯国家出口商来参观，获得了信任，使巴西冻鸡迅速打进了阿拉伯国家的市场。

可见，了解和尊重消费者的宗教信仰，对企业营销活动具有多么重要的意义。

5. 风俗习惯

世界上不同国家和地区的人们在居住、服饰、礼仪、婚丧等工作生活方面各有特点，这就是风俗习惯的差别。

◆ 阅读案例 5-6

关于"芭比娃娃"的斥责

"芭比娃娃"在风靡世界的同时,也引来了不少的斥责之声。对她的批评多基于儿童会视"芭比娃娃"为模范,而且会尝试对她进行模仿。早在2003年9月,中东国家沙特阿拉伯便已禁止国内销售"芭比娃娃",认为其装扮不符合伊斯兰教的思想。

2008年也有美国民主党国会议员建议,应禁止销售"芭比娃娃"和与其类似的玩具。他认为,这类玩具会对女孩造成负面影响。该议员指出,像"芭比娃娃"这样的玩具会给小女孩们造成这样的印象:美丽的外表远比发展智力和学习知识更为重要。"芭比娃娃"这样的玩具会让孩子们认为,如果一个人拥有漂亮的外表,那么她就不需要什么智慧。

为此,该国会议员已正式向美国参议院法律委员会提出禁止销售"芭比娃娃"和与其类似玩具的相关法律草案。但到目前为止,从事"芭比娃娃"生产的美国美泰(Mattel)公司仍未就此做出回应。

面对关于"芭比娃娃"的斥责,如果你是美泰公司的老板,你会怎么做?

(资料来源:王海云. 市场营销学 [M]. 北京:经济管理出版社,2008.)

第四节 市场营销环境分析

一、市场营销环境分析的基本态度

市场营销环境分析的目的是寻求营销机会,避免环境威胁。按系统论和生态学的观点,企业与外部环境共同形成一个大系统。企业内部与外部环境是这个大系统中的两个系统,两者必须相互配合,才能产生系统效应。但从企业角度来看,外部环境这一子系统是企业不能控制的客观条件,时刻处于变动之中。因此,企业必须经常对自身系统进行调整,才能适应外部环境的变化。这正像生态学中生物体与外界环境的关系一样,也遵循"适者生存,优胜劣汰"的原则。一般来说,企业营销者对环境分析的基本态度有以下两种:

1. 消极适应

消极适应即认为环境是客观存在、变化莫测、无规律可循的,企业只能被动地适应,而不能主动地利用,因此,企业只能根据变化的环境来制定或调整营销策略。持这种态度的营销者忽视了人和组织在营销环境变化中的主观能动性,而始终跟在环境变化的后面走,维持或保守经营,缺乏开拓创新精神,故而难以创造显著的营销业绩,容易被竞争激烈的市场所淘汰。

2. 积极适应

积极适应即认为在企业与环境的对立统一中,企业既依赖于客观环境,同时又能够主动地认识、适应和改造环境。营销者积极能动地适应环境,主要表现在三个方面:一是认为不可控的营销环境的发展变化是有规律可循的,企业可以借助科学的方法和现代营销研究手段,揭示环境发展变化的规律,预测其趋势,及时调整营销计划与策略;二是把适应环境的重点放在研究环境发展的变化趋势上,根据环境的变化趋势制定营销战略,使得环境发生实际变化时，企业不至于措手不及，也不会跟在变化了的环境后面而被动挨打；三是通过各种宣传手段，如广告、公共关系等，来创造需求、引导需求，以影响环境、创造环境，促使某些环境因素向有利于企业实现其营销目标的方向发展变化。

◆ **阅读案例 5-7**

禁 烟 运 动

美国的法律规定，禁止向青少年出售香烟，同时以 1997 年 4 月为起点，到 12 年后即 2009 年 4 月，禁止在香烟中使用尼古丁。因为据世界卫生组织研究发现，吸烟是一种流行病，它与肺癌、喉癌、心脏病、乳腺癌、弱视症等 25 种疾病有关，吸烟行为每年可导致世界上 300 万人死亡。现在全世界 15 岁以上的人群中约有 1/3 的人在抽烟，因此，我们必须开展禁烟运动。

由于吸烟有害身体健康，禁烟运动在我国开展也将是一种必然趋势。

问题：用对市场营销环境分析的基本观点对案例进行分析。

分析提示：制定禁烟法律和开展禁烟运动，是香烟产品营销环境的变化。对市场营销环境消极适应者采取的对策是等禁烟法律实施后再研究营销对策；而积极适应者则及时预测禁烟法律制定与实施的时间，积极开发无尼古丁香烟、禁烟产品、香烟替代品等，并制定相应的营销策略，创造新的需求，开发新的市场。

（资料来源：李强. 市场营销学教程 [M]. 大连：东北财经大学出版社，2004.）

二、企业营销的 SWOT 分析

对企业内外部环境进行分析的方法有很多，最常用的方法之一就是 SWOT 分析法。

SWOT 分析是指企业系统地考虑其内部环境和外部环境，确定企业可行性方案的逻辑或理论框架。其中，S（Strengths）表示优势，W（Weaknesses）表示劣势，O（Opportunities）表示环境机会，T（Threats）表示环境威胁。这四个方面综合起来就可以全面地分析企业的内部环境和外部环境，能够为企业营销策划的制定提供参考依据。

外部环境变化对任何一个企业产生的影响都可以从三个方面进行分析：一是对企业市场营销有利的因素，它对企业市场营销来说是环境机会；二是对企业市场营销不利的因素，它是对企业市场营销的环境威胁；三是对企业市场营销无影响的因素，企业可以把它视为中性因素。针对机会和威胁，企业必须采取相应的措施，才能得以生存和发展。

1. 环境机会分析

环境机会是指营销环境中对企业市场营销有利的各项因素的总和。有效地捕捉和利用市场机会，是企业营销成功和发展的前提。企业只有密切注视营销环境变化带来的市场机会，适时做出适当评价，并结合企业自身的资源和能力，及时将市场机会转化为企业机会，就能开拓市场，扩大销售，提高企业产品的市场占有率。

分析评价环境机会主要考虑两个方面：一是考虑机会给企业带来的潜在利益的大小；二是考虑机会出现的概率大小，如图 5-4 所示。

在图中的四个象限中，第 1 象限是企业必须重视的，因为它的潜在利益和出现概率都很大。第 2 和第 3 象限也是企业不容忽视的，第 2 象限虽然出现概率低，但一旦出现就会给企业带来很大的潜在利益；第3象限虽然潜在利益不大，但出现的概率很大，因此，企业需要注意，制定相应对策。对第4象限，主要是观察其发展变化，并依据变化情况及时采取措施。

针对机会矩阵把握环境机会的同时，企业应掌握的应对策略主要有：

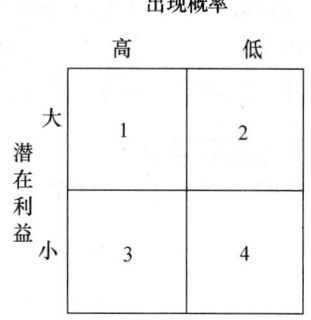

图5-4　机会分析矩阵

（1）抢先抓住经营决策时机，选择投资方向。市场机会的均等性和时效性决定了企业在利用机会的过程中必须抢先一步，争取主动。在市场营销活动中，抢先利用机会包含两个方面：一是先，二是快。企业在利用市场机会的过程中，谁能抢先，谁就赢得了时间和空间，就赢得了主动，赢得了胜利。其他落后的企业要利用同一市场机会，往往要付出几倍乃至几十倍的努力。

（2）抓住资源利用的时机，获取比较利益。市场机会的均等性决定了企业利用机会的均等，然而，自己觉察到的机会别人也能觉察到。这就要求企业在利用市场机会时一定要大胆创新。如果说抢先利用市场机会是力求做到人无我有，则创新就是人有我优，获取比较利益。

（3）抓住产品销售的时机，占领目标市场。企业不可能一劳永逸地利用同一市场机会，为了在竞争中取得主动，企业必须在利用市场机会之初，就主动考虑市场机会的均等性和可变性，有预见性地提出应变对策。

◆ **阅读案例 5-8**

美国罐头大王的发迹

1875年，美国罐头大王亚默尔在报纸上看到一条"豆腐块新闻"，说墨西哥畜群中发现了病疫。有些专家怀疑是一种传染性很强的瘟疫，亚默尔立即联想到，毗邻墨西哥的美国加利福尼亚州、得克萨斯州是全国肉类供应基地，如果瘟疫传染至此，政府必定会禁止那里的牲畜及肉类进入其他地区，造成全国供应紧张，价格上涨。于是，亚默尔马上派他的家庭医生进行调查，并证实此消息，然后果断决策：倾其所有，从加利福尼亚和得克萨斯两州采购活畜和牛肉，迅速运至东部地区，结果一下子赚了900万美元。

分析提示：环境具有变动性的特点。墨西哥畜群发生病疫，可能牵连到美国加利福尼亚和得克萨斯两州肉类向美国东部地区的供应。亚默尔很快看到这一营销环境变化给企业带来的市场机会，果断决策：倾其所有，从加利福尼亚和得克萨斯两州采购活畜和牛肉销往东部地区，变潜在市场机会为公司市场机会，结果赚了大钱。

（资料来源：李强．市场营销学教程［M］．大连：东北财经大学出版社，2004.）

2. 环境威胁分析

环境的发展变化给企业营销带来的影响大致可分为两大类，即环境威胁和市场机会。分析研究市场营销环境，目的在于抓住和利用市场机会，避免环境威胁。

所谓环境威胁，是指营销环境中对企业营销不利的各项因素的总和。企业面对环境威胁，如果不果断地采取营销措施，避免威胁，其不利的趋势势必损害企业的市场地位，甚至使企业陷于困境。因此，营销者要善于分析环境发展趋势，识别环境威胁或潜在的环境威胁，并正确认识和评估威胁的可能性和严重性，以采取相应的对策措施。

营销者对环境威胁的分析主要从两个方面考虑：一是分析环境威胁对企业的影响程度；二是分析环境威胁出现的概率大小，并将这两个方面结合在一起，如图5-5所示。

在图中的四个象限中，第1象限是企业必须高度重视的，因为它的危害程度高、出现概率大，企业必须严密监视和预测其发展变化趋势，及早制定应变策略。第2和第3象限也是企业所不能忽视的，第2象限虽然出现概率低，但一旦出现就会给企业带来极大的危害；第3象限虽然对企业的影响不大，但出现的概率很大，对此企业也应该予以注意，准备应对措施。对第4象限，主要是注意观察其发展变化，看其是否有向其他象限发展变化的可能。

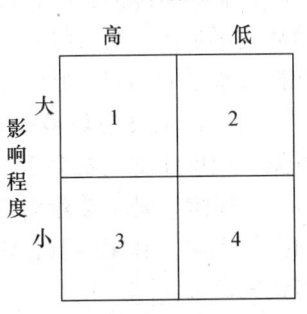

图5-5 威胁分析矩阵

营销者对环境威胁进行分析，目的在于采取对策，避免不利的环境因素带来的危害。企业对环境威胁一般采取以下几种不同的对策：

（1）促变策略。促变策略即试图努力设法限制或扭转不利因素的发展。例如，针对大众汽车公司的威胁，丰田公司的反抗是全面的。针对大众汽车比美国汽车价格低的特点，丰田汽车公司本着"皇冠就是经济实惠的原则"，毅然将价格定得更低，每辆"皇冠"只有2000美元，而随后推出的主要产品"花冠"系列每辆还不到1800美元；丰田汽车公司吸收了大众汽车公司售后服务系统很完善的优点，做得比大众更出色，力所能及地在自己的销售阵地设立各种服务站，并且保证各种零配件"有求必应"，消除了顾客的后顾之忧。

（2）减轻策略。威胁总是存在的，企业应当通过各种手段改变营销策略，以减轻环境威胁的程度。例如，丰田公司在美国的广告设计和促销过程中，极力掩饰汽车的日本来源和特性及风格，强调产品的美国特点和对美国的消费者的适应性，从而减轻了美国消费者对丰田企业的抵触心理。

（3）转移策略。转移策略即"避实击虚"，躲开环境威胁，钻对手的空子和薄弱环节，将产品或业务转移到其他盈利更高、市场环境更好的行业中去。

（4）改良策略。改良策略即对自身产品进行改良，增强对环境威胁的防御能力。例如，丰田公司为汽车增加新功能，使其全面适应美国市场，从品质、价格、型号、促销、分销等方面进行全面改进。

（5）利用策略。利用可以理解为利用机会。例如，丰田汽车公司在美国利用"美国汽车公司正忙于比豪华""大众汽车按日本人的习惯设计""美国消费者对汽车的消费观念正在转变，开始趋于实用化""核心家庭出现，家庭规模变小，因而总收入减少"形成了对小型、实用、便宜的汽车的需求这些机会，推出的"皇冠"汽车不仅外形美观、操纵灵活、省油、价低、方便，而且内部装备了美国人渴望的装饰，如柔软舒适的座椅、柔色的玻璃，连边扶手长度和脚部活动空间的大小都按美国人的身材要求来设计，因而取得了极好的效果。

但在市场营销的大环境中，"威胁"与"机会"是相对的，没有绝对的利，也没有绝对的害，关键是企业如何去努力设法驾驭它们，使"威胁"转化成"机会"。前四种对策都是针对外部环境威胁所采取的被动策略，都是"解忧"的措施，但"解忧"并不是说可以"无忧"。第五种策略"利用"则是一个新的思路。与"利用"有异曲同工之妙的是"防备"，这也可以认为是从另一个侧面来认识"利用"。前四种方式有"忧"而能解之,这是退而求其次的被动做法,更主动的策略则是"利用",或称"防备",防患于未然,根本不让它"生忧"。

3. 综合环境分析

在企业实际面临的客观环境中,单纯的环境威胁或市场机会是少有的。一般情况下的营销环境都是机会与威胁并存、利益与风险结合在一起的综合环境。根据综合环境中威胁水平和机会水平的不同,形成如图5-6所示的矩阵。

(1) 面临理想环境应采取的策略。由图5-6可见,理想环境的机会水平高、威胁水平低、利益大于风险,是企业难得遇上的好环境,企业必须抓住机遇,开拓经营,创造营销佳绩,万万不可错失良机。

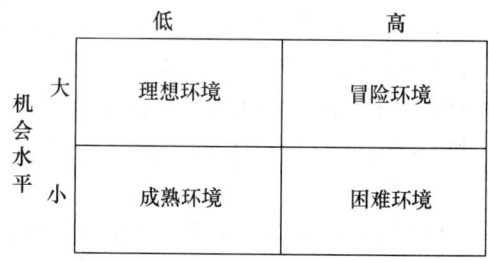

图5-6 综合环境分析矩阵

(2) 面临冒险环境应采取的策略。冒险环境的机会和威胁同在、利益与风险并存,在有很高利益的同时存在很大的风险。面临这样的环境,企业必须加强调查研究,进行全面分析,发挥专家优势,审慎决策,以降低风险,争取利益。

(3) 面临成熟环境应采取的策略。成熟环境是机会和威胁水平都比较低,是一种比较平稳的环境。面对这样的环境,企业一方面按常规经营,规范管理,以维持正常运转,取得平均利润;另一方面积蓄力量,为进入理想环境或冒险环境做准备。

(4) 面临困难环境应采取的策略。困难环境是风险大于机会,企业处境已十分困难。企业面临困难环境,必须想方设法扭转局面;如果大势已去,无法扭转,则必须采取果断决策,撤出该环境,另谋发展。

◆ **阅读案例 5-9**

某烟草公司的机会与威胁对策

①许多发达国家的吸烟人数下降。
②发展中国家的吸烟人数迅速增加。
③有些国家的某些地方政府禁止在公共场所吸烟。
④有些国家的政府颁布了法令,规定所有的香烟广告包装上都必须印刷关于"吸烟危害健康"的警告。
⑤某烟草公司的研究实验室正在研制发明用莴苣叶制造无害烟叶的方法。

综合分析图如图5-7所示。

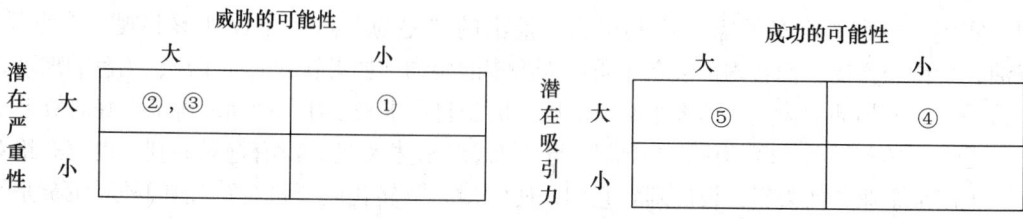

图5-7 烟草公司综合分析图

4. 企业内外环境对照法（SWOT 分析法）

企业内外环境是相互联系的，将外部环境提供的有利条件（机会）和不利条件（威胁）与企业内部条件形成的优势与劣势结合起来分析，有利于制定出正确的经营战略。运用 SWOT 分析法可以帮助管理者寻找市场依据，规划出最佳的战略方案，如表 5-2 所示。

表 5-2 SWOT 分析法

外因 \ 内因	优势(S) 列出优势	劣势(W) 列出劣势
环境机会(O) 列出机会	SO 战略 增长战略	WO 战略 转型战略
环境威胁(T) 列出威胁	ST 战略 多样化战略	WT 战略 防御战略

"SWOT" 分析法形成了以下四种可以选择的战略：

SO 战略——利用企业内部的优势去抓住外部的机会。

WO 战略——利用外部的机会来改进企业内部的弱点。

ST 战略——利用企业的优势去避免或减轻外来的威胁。

WT 战略——直接克服内部弱点和避免外来的威胁。

◆ 阅读案例 5-10

食品加工企业的 SWOT 分析与战略

某食品加工企业生产食用油脂，一直以生产散装油为主。随着市场竞争的激烈和消费者需求的变化，其经营越来越困难，于是，就利用 SWOT 分析法进行分析（见表 5-3）。

表 5-3 某食品加工企业的 SWOT 分析

企业外部因素 \ 企业内部因素	优势(S) 1. 本地市场有地理优势 2. 政府支持 3. 设备、经验有优势	劣势(W) 1. 富余人员多 2. 激励机制不完善 3. 缺乏市场竞争意识
机会(O) 小包装油将快速发展	SO 战略	WO 战略
威胁(T) 食用油已从计划走向市场	ST 战略	WT 战略

SO 战略：利用企业优势开发小包装油，并在价格策略上采取渗透价格，抢占市场。

WO 战略：为强化销售，把 2/3 的职工推向市场，其工资与销售业绩挂钩，大大激发了销售热情，也在一定程度上改变了"干多干少一个样"的陋习。

ST 战略：利用自己设备和经验的优势，向周边市场扩展。

WT 战略：深化企业体制改革，组建销售公司。

主要名词

市场营销环境　微观环境　宏观环境　市场威胁　市场机会

 **案例分析**

宁夏旅游市场营销环境与 SWOT 分析

一、宁夏旅游市场经营现状

由于历史的原因和区位条件的制约，宁夏旅游目前尚处于全国落后状态。从旅游外汇收入和接待入境旅游人数全国排名看，宁夏均排名靠后。抱着金娃娃，旅游收入却甚微，别说与广东、上海等旅游业发达省市比，就是与西部的青海、新疆相比也相差较远。

宁夏旅游资源风格独特，在国内很多方面具有稀缺性，浓郁的回族风情、秀丽的塞上风光和"大漠孤烟直，长河落日圆"的雄浑景观交相辉映，构成了宁夏奇特的美景。

拥有如此美妙的资源，却长期处于落后状态，宁夏旅游市场的症结何在？

除了"地方知名度低，经济基础差，地方财政困难，旅游投入少，管理体制落后，旅游可进入性差，缺乏有强吸引力的景点"等客观原因外，在营销方面也存在很多不足：

(1) 宁夏旅游市场的市场化运作程度较低。
(2) 旅游促销缺乏力度。
(3) 宁夏缺乏清晰鲜明、富有个性的旅游形象。
(4) 旅游形象口号缺乏市场冲击力。

二、宁夏旅游市场营销环境分析

（一）经济背景分析

我国经济发展的特点之一就是东西部发展不平衡，西部经济发展落后，而作为西部省份之一的宁夏回族自治区也是经济发展落后的地区，GDP 和财政收入在全国处于落后状态。

经济发展滞后的现状，使宁夏的各项基础设施的建设大大落后于东部地区，财政状况的紧张使旅游投入变得捉襟见肘，各旅游景点的硬件建设显得过于简陋，各种配套服务设施长期得不到健全和改善，加之品牌推广费用拿不出来，宁夏旅游的形象一直树立不起来，旅游经济的拉动作用一直没有显现。

（二）文化背景分析

宁夏的文化独具特色，充分反映了西北文化粗犷的特征。第一个特点是西夏文化的遗存。西夏文化虽有神秘的党项民族特点，但实际上又承袭和借鉴了汉族的典章制度和文化，在北方少数民族和中原汉族文化的交流中起过重要作用。第二个特点是回族伊斯兰风情。伊斯兰文化与中国传统文化经过一系列的深层接触、对话和交融，最终产生了有中国特色的回族伊斯兰文化。第三个特点是移民文化特色。宁夏由于地处西北边陲，在历史上一直是一个移民地区，不同地域的文化在此相互交融，积淀了一种新的文化特色——移民文化。第四个特点就是宁夏的人文特色中含有很强烈的边塞风格，蕴藏在其后的历史文化带有高亢硬朗的风格，独具特色。上述种种人文特色相互交织、相互映衬，使宁夏的人文景观显示出奇特壮丽的特征，宁夏的文化反映出宁夏历史的变化和与不同民族的融合过程。宁夏文化的多重性，为宁夏政治、经济、文化、社会的发展留下了深刻的烙印。

提炼宁夏文化的现代价值，整合宁夏的旅游资源，为当地经济发展服务，是时代赋予宁夏人的历史使命。

(三) 国内旅游市场竞争分析

国内旅游市场正处于高速发展期，随着各地政府对旅游认识的不断深化，旅游市场的竞争也日趋激烈。全国有30个省、市、自治区将旅游作为先导产业、优势产业、支柱产业或重点产业和新的经济增长点来培育，西部12个省、市、自治区都将旅游列为主导产业或支柱产业。近几年，旅游逐渐从贵族消费向平民消费过渡，大众旅游需求快速增长，国内旅游市场日益火爆。目前，国内旅游发展出现了以下趋势：

(1) 传统的观光旅游由历史文化圣地观光向自然风景区观光转变，由传统风景区向新开发旅游区转变。

(2) 生态游、民俗风情游、休闲度假游、教育游成为旅游新时尚。

(3) 国内旅游流向逐渐由南向北、由东向西、由"热线"向"温冷线"转移。

(四) 宁夏旅游资源分析

1. 自然资源

宁夏处于东部季风区域与西北干旱区域的过渡地带，地理地貌具有山地迭起，平原错落，丘陵连绵，沙丘、沙地、湖泊散布，地表形态复杂多样等特征。自然条件的过渡性、多样性造就了塞上自然旅游资源的多样性，孕育出宁夏气象万千、名贯古今的自然景观。归纳而言，宁夏自然景观大致可以分为以下几类：

(1) 大川名湖：滔滔黄河，险奇的黑山峡，浩渺的青铜峡水库，芦苇丛丛、沙山掩映的沙湖，奇峭幽深的泾河老龙潭。

(2) 奇峰险山：贺兰山、六盘山、罗山的峰峦叠嶂和万树苍松。

(3) 独特地貌：须弥山—火石寨—扫竹岭的丹霞地貌。

(4) 珍禽异兽、奇花异草：国家一、二级珍贵动物50多种，大量的野生植物。

(5) 大漠风光：茫茫的腾格里沙漠和沙海明珠沙坡头。

2. 人文资源

宁夏地处中原文化与草原文化的过渡地带，也是河套文化与丝路文化的交融区。从古至今，中原文化与北方游牧文化的碰撞与融合，形成的古老深远的黄河文化、特色鲜明的伊斯兰文化、独一无二的西夏文化、独具特色的移民文化和浓郁粗犷的边塞文化，共聚在宁夏这块神奇的土地上。宁夏地域文化浓缩性地向人们展现了宁夏从古至今的历史全景。西夏不但留下了西夏王陵、承天寺塔、拜寺口双塔、贺兰县的宏佛塔、青铜峡一百零八塔等遗迹，还留下了轰动世界的西夏学；回族的风俗习惯，如婚丧嫁娶、饮食起居都有着深深的伊斯兰教印记，还有回族伊斯兰文化最突出、最集中、最直观的体现——清真寺，已形成了宁夏的一个独特的人文景观；宁夏文化中过去的边塞风格仍然非常明显，长城、鼓楼都是边塞文化的印记。总之，宁夏这片土地上汇聚了丰富多彩的人文旅游资源，大致包括以下几类：

(1) 古文化遗址：旧石器时代的水洞沟文化遗址、战国秦长城、明长城。

(2) 王朝古都：历史文化名城——西夏古都银川。

(3) 陵寝墓葬：西夏王陵、北周李贤墓。

(4) 石窟：须弥山石窟、石门关遗址、扫竹岭、禅佛寺石窟。

(5) 宗教建筑：同心清真大寺、银川南关清真大寺、永宁纳家户清真寺、银川海宝塔、青铜峡一百零八塔。

(6) 革命遗址：单家集、将台堡、六盘山等红军长征纪念地。

(7) 回族风情：回族的宗教活动、独特的婚丧礼仪、绚丽多姿的民间艺术、风味独特的清真食品、伊斯兰建筑等。

类型多样的自然景观，独特历史环境造就的人文景观和民族风情，绚丽多彩、兼收并蓄的多元文化特色，构成了宁夏丰富多彩而又富有鲜明特色的旅游资源，全国十大类、95 种基本类型的旅游资源中，宁夏有八大类、46 种。具体分类，宁夏旅游资源总体上表现为 15 大旅游景观系列：黄河多样性景观系列，贺兰六盘山岳景观系列，不同类型共聚的湖泊水体景观系列，沙漠景观系列，草原景观系列，森林公园与自然保护区系列，古长城及丝路系列，西夏文化与遗存胜迹的秘境系列，回族风情系列，塞上江南田园农业生态系列，古人类遗址景观系列，古建筑遗存系列，古今灌溉系统系列，当代宁夏风貌系列，宁夏特产风味佳肴系列。

三、宁夏旅游 SWOT 分析

1. 优势

集中表现为拥有丰富的旅游资源：

(1) 文物古迹丰富多彩：境内散布 16 类、70 余处文物古迹，包括西夏文化、古丝路文化、长城文化等丰富的历史遗存。

(2) 回族风情浓郁。

(3) 自然风光奇特：大漠、黄河、湖泊、森林并存。

2. 劣势

(1) 宁夏旅游知名度低。

(2) 旅游项目单一，缺乏强吸引力的旅游精品。

(3) 旅游形象一般，营销力度不大。

(4) 旅游资源深度开发不够。

(5) 区位条件差：距东南沿海主要客源产出地较远，受自然条件的影响，旅游旺季短、淡季长。

(6) 旅游设施欠完善。

(7) 旅游服务质量欠佳。

(8) 旅游交通条件较差。

3. 机会

(1) 国内旅游流向由"热线"向"温冷线"转移。

(2) 传统的观光旅游由历史文化圣地观光向自然风景区观光转变，由传统风景区向新开发旅游区转变。

(3) 生态游、民俗风情游、教育成为旅游新时尚。

4. 威胁

随着西北地区旅游观念的觉醒，其旅游竞争加剧，旅游营销的难度增加。

讨论并回答问题：

1. 你认为对宁夏旅游市场营销环境的分析是否全面？还可以从哪些方面进行分析？
2. 请根据宁夏旅游市场营销环境分析的结果，尝试提出宁夏旅游市场营销问题的解决策略。

第五章 市场营销环境

本章小结

本章共分四节，分别探讨了市场营销环境概述、市场营销微观环境、市场营销宏观环境和市场营销环境分析。

市场营销环境是企业营销职能外部的不可控制的因素和力量，可分为微观市场营销环境和宏观市场营销环境两大类。市场营销环境具有客观性、动态性、差异性和关联性特征。

市场营销微观环境是指与企业紧密相连，直接影响企业营销能力的各种参与者，包括企业自身、供应商、营销中介、竞争者、顾客和公众。

市场营销宏观环境是指那些作用于微观环境，并因而造成市场机会或环境威胁的主要社会力量，包括人口、经济、政治法律、自然、科技及社会文化六大方面。

企业营销者对环境分析的基本态度有两种：消极适应和积极适应。市场营销环境分析通常采用SWOT分析法。SWOT分析法就是将与研究对象密切相关的各种内部优势（Strengths）和劣势（Weaknesses）、外部机会（Opportunities）和威胁（Threats）通过调查罗列出来，并依照一定的次序按矩阵形式排列起来，然后运用系统分析的思想，把各种因素相互匹配起来加以分析，从中得出一系列相应的结论或对策。

思考与实训

1. 什么是市场营销环境？有何特征？
2. 市场营销微观环境和市场营销宏观环境各包括哪些要素？
3. 如何分析评价环境威胁与市场机会？举例说明企业对其面临的主要威胁和理想机会应做出什么反应。
4. 在激烈的市场竞争中，世界许多汽车制造公司削减生产，缩短工时，裁减人员，而德国奔驰公司不仅保持生产，而且产量略有增加。奔驰汽车公司之所以成为世界汽车工业的佼佼者，根本原因在于优质、创新、服务。除以上分析外，你还能指出奔驰公司成功的关键吗？

第六章

目标市场的选择

> **学习目标**
> 1. 理解市场细分的含义，掌握市场细分的方法，并且能对市场进行细分
> 2. 掌握目标市场选择的模式、目标市场战略及影响战略选择的因素
> 3. 理解市场定位的含义，掌握市场定位的步骤、策略，熟悉市场定位的依据

导入案例

美国钟表公司的市场细分

美国钟表公司在第二次世界大战前通过市场营销研究和市场细分，把美国手表市场细分为三类不同的消费者群：第一类消费者群，以尽可能低的价格购买能计时的手表，占美国手表市场的23%；第二类消费者群，以较高的价格购买计时更准、更耐用或式样更好的手表，占美国手表市场的46%；第三类消费者群，想购买名贵手表作为礼物，追求象征性或感情性的价值，占美国手表市场的31%。当时，著名的钟表公司几乎都是以第三类消费者群为目标市场的，广告宣传和推销活动主要集中在礼品购买季节进行，而且主要通过大百货商店、珠宝商店推销；占美国手表市场的69%的第一、二类消费者群的需求没有得到充分满足，而这里又存在着最好的市场机会。

美国钟表公司通过营销调研和市场细分发现了上述情况和良机之后，选择第一、二类消费者群为其目标市场，并且迅速进入这两个目标市场。这家公司当时根据第一、二类消费者群的需求，制造了一种名为"天美时"的物美价廉的手表，而且利用新的分销渠道，广泛通过百货商店、超级市场、廉价商店、药店等各种类型的零售商店，大力推销"天美时"手表。结果，这家公司很快就大大提高了市场占有率，成为当时世界上的几大钟表公司之一。这个事例表明，市场细分是企业发现良机、发展市场营销战略、提高市场占有率的有力手段。

（资料来源：中国营销传播网. http://www.emkt.com.cn/case/analysis/.）

满足消费者需求是企业营销成功的关键所在。但是，企业面对的是一个十分复杂的市场，在这个市场中存在着各种不同的需求和偏好。另外，现代企业规模再大，也不可能向市场提供所有产品，满足市场中所有消费者的需求。同时，任何一个企业由于资源的有限性和其他因素的制约，都不可能在市场营销的全过程中占有绝对优势。因此，在激烈的市场竞争中，为了求生存、谋发展，企业必须进行市场需求分析，开始实行目标市场营销，即企业识别各个不同的消费群，选择其中的一个或几个作为目标市场，运用恰当的市场营销组合，集

中力量为目标市场服务，满足目标市场的需求。目标市场营销战略由三个环节完成：一是市场细分（Segmentation）；二是选择目标（Target）市场；三是市场定位（Positioning），即STP战略。这三个环节是相互联系、不可分割的，市场细分是目标市场选择和市场定位的基础与前提，目标市场选择和市场定位是市场细分的深化与继续。企业的一切市场营销战略，都必须从市场细分出发。没有市场细分，就无法确定企业的目标市场，企业也就无法在市场竞争中找到准确的市场定位。

第一节　市　场　细　分

市场细分是由美国市场营销学家温德尔·史密斯（Wendell R. Smith）在20世纪50年代提出来的市场营销概念，是市场营销理论的新发展，是企业贯彻市场营销观念的必然产物。

所谓市场细分，是指营销者通过市场调研，依据消费者的需要与欲望、购买行为和购买习惯等方面的明显差异性，把某一产品的整体市场划分为若干个消费者群的市场分类过程。在这里，每一个消费者群就是一个细分市场，也称为"子市场"或"亚市场"。每一个细分市场都是由具有类似需求倾向的消费者构成的群体。因此，分属不同细分市场的消费者对同一产品的需要与欲望存在着明显差别，而属于同一细分市场的消费者，他们的需要与欲望则极为相似。

值得注意的是，市场细分不是产品分类，而是消费者分类。首先，市场细分是一种聚合，是把具有某种共同需求特征的消费者鉴别出来，并使之显性化；其次，消费者对产品的需求并非一成不变，它随着市场营销环境的改变而处于不断变化之中；此外，它也不仅仅是一个自然过程，企业可以通过营销努力改变它。所以，市场细分是一个经常的、反复的过程。

一、市场细分战略的产生与发展

市场细分战略的产生与发展经历了以下几个主要阶段：

1. 大量营销阶段

19世纪末20世纪初，企业发展的重心是速度和规模，企业市场营销的基本方式是大量营销。大量营销是指企业生产品种规格单一的产品，通过大众化渠道推销。在当时的市场环境下，大量营销方式降低了成本和价格，使企业获得了较丰厚的利润。在这种情况下，企业没必要也不可能重视市场需求的研究，所以市场细分战略不可能产生。

2. 产品差异化营销阶段

在20世纪30年代，发生了震撼世界的资本主义经济危机，企业面临产品严重过剩的问题，市场迫使企业转变经营观念，营销方式从大量营销向产品差异化营销转变，即向市场推出许多与竞争者产品不同的，具有不同质量、外观、性能、品种的产品。产品差异化营销相较大量营销是一种进步，但是，由于企业仅仅考虑自己现有的设计、技术能力而未研究消费者需求，因而缺乏明确的目标市场，产品试销的成功率仍然很低。

3. 目标营销阶段

20世纪50年代以后，在科学技术革命的推动下，生产力水平大幅度提高，产品日新月异,生产与消费的矛盾日益尖锐,以产品为中心的推销体制远远不能解决西方企业所面临的市场问题。于是,市场迫使企业再次转变经营观念和经营方式,由产品差异化营销转向以市场需求为导向的目标营销,即企业在研究市场和细分市场的基础上,结合自身的资源与优势,选择最有吸收力和最能有效地推销产品和服务的细分市场作为目标市场,设计与目标市场需求特点相互匹配的营销组合等。于是,市场细分战略应运而生。

市场细分理论的产生,使传统营销观念发生了根本的变革,在理论和实践中都产生了极大的影响,被西方理论家称为"市场营销革命"。

二、市场细分的理论与客观依据

1. 消费者需求的差异性

产品属性是影响消费者购买行为的重要因素。根据消费者对不同属性的重视程度,可以分为三种偏好模式,这种需求偏好差异是市场细分的内在依据。以某食品厂生产的奶油蛋糕为例,如图 6-1 所示。

(1) 同质偏好。市场上所有的消费者有大致相同的偏好,且相对集中于中央位置,即消费者对蛋糕的甜度和奶油含量的需求类同(见图 6-1a)。在这样的条件下,各品牌的产品特性必然比较集中,即以消费者需求和偏好为中心。

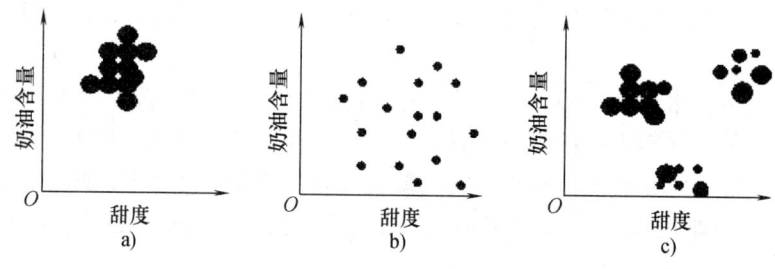

图 6-1 市场偏好模式图
a) 同质偏好 b) 分散偏好 c) 集群偏好

(2) 分散偏好。分散偏好表示市场上的消费者对两种属性的偏好散布在整个空间,极其分散(见图 6-1b)。进入该市场的第一品牌可能定位于中央位置,以最大限度地迎合数量最多的消费者。这是因为,定位于中央的品牌可将消费者的不满足感降到最低水平。进入该市场的第二个品牌可以定位于第一品牌的附近,与其争夺份额;当然,也可以远离第一品牌,形成有鲜明特征的定位,吸引对第一品牌不满的消费者群。如果该市场潜力很大,会同时出现几个竞争品牌,可以定位于不同的空间,以体现与其他竞争品牌的差异性。

(3) 集群偏好。市场上出现几个群组的偏好,客观上形成了不同的细分市场(见图 6-1c)。这时,进入市场的企业有三种选择:①定位于中央,以尽可能赢得所有消费者群(无差异营销);②定位于最大的或某一"子市场"(集中营销);③可以发展数种品牌各自定位于不同的市场部位(差异营销)。

2. 消费者需求的相似性

从整体看,消费者需求具有差异性是绝对的,因为世界上不存在两个完全相同的消费者;但在同一细分市场内部,消费者需求具有差异性又是相对的,同一细分市场内部消费者需求又具有相似性,形成具有相似性的消费者群。从这个意义上来说,市场细分并不仅仅意味着把同一产品的整体市场加以分解。

3. 企业要做到对市场进行有效的细分

在现代市场经济条件下，企业受到资源有限性的限制，不可能向整体市场提供满足所有消费者所有需求的一切产品和服务，而只能满足一个或几个细分市场的消费者需求。为了进行有效的市场竞争，企业必须选择与之相适应的有利可图的细分市场，放弃那些与之不相适应的细分市场，集中企业资源，实现企业的市场营销战略目标。

总之，由于消费者需求的差异性以及由此决定的消费者购买动机和行为的差异性，消费者需求的相似性，企业资源的有限性，以及为了进行有效的市场竞争，企业进行市场细分已成为合乎逻辑的必然结果。

三、市场细分的作用

市场细分是企业市场营销战略的重要组成部分，是现代企业市场营销活动的重要进步和策略。市场细分对企业来说是一种非常有力的竞争手段。正因为如此，市场细分的概念一经提出，就被企业广泛运用，已经成为现代市场营销理论的一块重要基石。现代市场营销实践已经证明并将继续证明，科学合理的市场细分，对企业市场营销活动的成败有着至关重要的作用。

1. 分析机会，选择市场，求得生存和发展

在买方市场条件下，企业营销决策的起点在于发现有吸引力的市场环境机会。这种环境机会能否发展成为市场机会，取决于两点：一是与企业战略目标是否一致；二是利用这种环境机会能否比竞争者具有优势并获取显著收益。市场细分对中小企业尤为重要。与实力雄厚的大企业相比，中小企业的能力有限，技术水平相对较低，缺乏竞争能力。

通过市场细分，企业可以根据自身的优势，选择一些大企业不愿顾及、市场需求量相对较小的细分市场，集中力量满足该特定市场的需求，在整体竞争激烈的市场条件下，在某一局部市场取得较好的经济效益，求得生存和发展。

2. 集中使用资源，增强企业市场竞争能力

特别是对于资源有限的小企业来说，必须通过市场细分，选择有利可图的细分市场，集中使用资源，投入一个或少数几个细分市场，扬长避短、有的放矢地开展市场营销活动，增强市场调查、研究、分析的针对性。

3. 充分利用市场营销组合，实现企业市场营销战略目标

企业在未细分的整体市场上，一般只会采取一种市场营销组合策略。由于整体市场上的消费者需求差异性较大，企业的市场营销活动往往不能获得令人满意的效果，而且由于整体市场需求变化较快、较复杂，企业难以及时掌握，致使企业的市场营销活动缺乏时效性。而进行市场细分后，某个细分市场的消费者需求基本相似，企业能密切注意细分市场消费者需求的变化，并迅速地制定和调整市场营销组合策略，顺利实现企业的市场营销战略目标。

四、市场细分的原则

企业在实施市场细分时，必须关注市场细分的实用性和有效性，应当遵循市场细分的一般原则。

1. 可区分性原则

可区分性原则是指市场细分后，各个细分市场的消费者需求应具有差异性，而且细分市场对企业市场营销组合策略中任何要素的变化都能做出迅速、灵敏的差异性反应。如果各个细分市场的消费者需求不具有差异性，就没有市场细分的必要；如果各个细分市场对企业市场营销组合策略中任何要素的变化都做出相同或相似的反应，那么细分市场就是同质市场，也没有市场细分的必要。差异性原则在于确保企业产品开发和价格策略的针对性，向消费者提供具有差异化、个性化的产品。例如，不同民族的消费者在食品的需求上存在着很大的差异，但也有些食品对于任何民族和年龄的人来说都具有一样的需求，如食盐和白糖等，因而民族这一特征就不能作为细分的依据。

2. 可衡量性原则

可衡量性原则是指细分市场必须是可以识别和可以衡量的，也即细分市场不仅范围明确，并且对其容量大小、潜力等也能做出大致判断。如细分市场中消费者的年龄、性别、文化程度、职业、收入水平等都是可以衡量的；而要测量细分市场中有多少具有"依赖心理"的消费者则相当困难，以此为依据细分市场，将会因无法识别、衡量而难以描述，市场细分也就失去了实际意义。可衡量性原则在于确保可清晰地描述细分市场的消费者群。

3. 可进入性原则

可进入性原则是指细分市场应该是企业的市场营销活动能够到达的市场，即企业通过市场营销活动能够使产品进入并对消费者施加影响的市场。这主要表现在三个方面：首先，企业具有进入某个细分市场的资源条件和竞争实力；其次，企业有关产品的信息能够通过一定传播途径顺利传递给细分市场的大多数消费者；最后，企业在一定时期内能将产品通过一定的分销渠道送达细分市场。例如，细分市场以后虽然发现了尚未被满足的需求，有营销获利的机会，但受企业本身的实力和能力所限，不能有效提供商品和服务；或者在该市场上竞争对手的实力强大，本企业难以与之相抗衡，这样的细分就毫无意义可言。

4. 可盈利性原则

可盈利性原则是指细分市场消费者需求的容量和规模必须大到足以使企业实现其利润目标。进行市场细分时，企业必须考虑细分市场上消费者的数量、消费者购买产品的频率和消费者购买力，并且细分市场能使企业获得预期利润。如果细分市场的规模过小，市场容量太小、获利少，就不值得进行市场细分。

5. 相对稳定性原则

相对稳定性原则是指细分市场必须具有相对的固定性。企业目标市场环境的变化必然带来市场营销策略的改变和营销成本的增加。如果目标市场变化过快、变动幅度过大，可能会给企业带来经营风险和损失。细分市场的相对稳定性并不是说细分市场一定是一成不变的，随着企业市场营销环境的变化，企业也可以放弃现有的细分市场，选择新的富有吸引力的细分市场。只有这样，企业的市场营销活动才能适应变化的市场营销环境。

五、市场细分的标准

（一）消费者市场细分的标准

由于消费者受年龄、性别、收入、家庭人口构成、居住地区、生活习惯等诸多因素的影响，不同的消费者群具有各自不同的欲望和需求。影响消费者市场需求的因素，即可作为细分消费者市场的细分变数和标准，可大致概括为地理、人口、消费心理和消费行为四个方面。

1. 地理细分变量

地理细分就是按照消费者所处地理位置、自然环境来细分市场。

地理细分变量包括国家、地区、城市、农村、城市规模、人口密度、气候、地形、地貌、生产力布局、交通运输和通信条件等。地理细分之所以可行，主要是由于处于不同地理环境下的消费者，对同一类产品往往会有不同的需求和偏好，由于各地区自然气候、经济发展水平等因素的影响，形成不同的消费习惯和偏好，对营销刺激有不同的反应。因此，有些产品只行销少数地区，有些则行销全国各地，但各地区侧重不同。例如我国茶叶市场，各地区就有不同的偏好，绿茶主要畅销于江南各省，花茶畅销于华北、东北地区，砖茶则主要为某些少数民族消费者所喜好。

地理因素易于辨别和分析，是细分市场时应予首先考虑的重要依据。但是，地理因素是一种静态因素，处于同一地理位置的消费者仍然会存在很大的需求差异。因此，企业要选择目标市场，还必须同时依据其他因素进一步细分市场。

2. 人口细分变量

人口细分就是按照人口统计变量来细分市场。

人口统计因素包括的具体变量很多，主要有年龄、性别、职业、收入、教育、家庭人口、家庭生命周期、国籍、民族、宗教等。很明显，这些人口变量与需求差异性之间存在因果关系。不同年龄、不同文化水平的消费者，会有不同的生活情趣、消费方式、审美观和产品价值观，因而对同一产品必定会产生不同的消费需求；而经济收入的高低不同，则会影响人们对某一产品在质量、档次等方面的要求差异，如此等等。因此，依据人口变量来细分市场，历来为企业所普遍重视。

（1）年龄。通常，不同年龄的消费者，如婴儿、少年、青年、中年、老年等，对商品需求的特征不同。在我国，老年市场值得营销者重视，企业应该开发与老年市场相适应的产品，从而提高企业知名度。

（2）性别。性别不同，其需求、购买行为和购买动机上的差异会很大。例如，购买商品时，女性一般喜欢反复比较挑选，男性则较干脆利落。

（3）家庭人口及生命周期。家庭户数多少和规模大小，以及在家庭生命周期中所处的阶段，对消费品的需求量及需求结构都有影响。

（4）收入。收入是市场细分的主要依据。不同的收入水平，决定着不同的消费层次。

（5）职业。消费者的职业不同也会引起消费差异，如工人、农民、军人、知识分子、文艺工作者、干部等不同职业，其消费结构也不同。

（6）文化程度。文化程度一般可分为（接受过）初等教育、中等教育、高等教育等。受教育程度不同的消费者，在志趣与生活方式、审美观与价值观等方面会有所不同，从而影响其购买产品的种类、购买行为、购买习惯等。

（7）民族。我国是一个多民族国家，除了汉族以外，还有55个少数民族。各民族的生活习惯、喜庆节日、宗教信仰等方面都有各自的特点和要求。

总之，人口统计因素是市场细分的一个重要依据。人口状况细分变量更容易测量和获取，但消费者需求和购买行为并不仅仅取决于人口状况变量，所以，市场细分还要依据消费者心理和消费者行为、消费者受益等细分标准。

◆ 阅读案例 6-1

"酷儿"——儿童果汁饮料细分市场的超级霸主

"Qoo酷儿"是可口可乐对亚洲市场研发的一种特色果汁饮料，在亚洲市场所向披靡，所到之处"Qoo"声一片！"酷儿"定位为儿童果汁饮料，它在中国市场细分的目标群体是5~12岁的儿童，此举跳出大部分果汁品牌针对女性市场的人群定位，也为"酷儿"角色的引入创造了条件。"酷儿"博得了小孩子们的喜爱，成为专为他们定制购买的果汁品牌。针对直接购买者家长，可口可乐公司还通过理性诉求强调功能利益点，在果汁里添加维生素C及钙，这无疑给注重孩子健康的父母们吃了定心丸。

"酷儿"独特的形象令人过目难忘：一个头大身小的蓝色娃娃，顶着大大的脑袋，右手叉腰，左手端着盛满饮料的茶杯，陶醉地说着"Qoo……"这个可爱的娃娃迅速出现在铺天盖地的招贴、电视广告上。在有"酷儿"的地方，你都会发现"可口可乐公司荣誉出品"的字样。凭借"可口可乐"这块金字招牌，"酷儿"在短时间内成功上市，很快成为小朋友们的新宠。

3. 心理细分变量

心理细分就是按照消费者的心理特征细分市场。

按照前述依据细分出来的同一群体的消费者，对同类产品的喜好态度也往往不相同，这就是不同心理特征作用的结果。心理因素十分复杂，包括生活方式、购买动机、个性、价值取向以及对商品供求局势和销售方式的感应程度等。

（1）生活方式。在当今世界，许多企业，尤其是服装、化妆品、家具、餐饮、游乐等行业的企业，越来越重视按照人们的生活格调来细分市场。生活方式是指人们在生活中表现出来的活动、兴趣和看法的模式，不同的生活方式会产生不同的需求偏好。消费者总是通过特定的商品消费表现自己的生活方式。不少企业把追求某种生活方式的消费者群作为自己的目标市场。例如，国外一家公司在研究生活方式分类之后，设计出不同服装供"朴素型妇女""时髦型妇女""男子气质型妇女"三类妇女群体选购。

（2）购买动机。购买动机也是心理细分常用的变量。如前所述，购买动机是一种引起购买行为的内在推动力，喜、厌、好、恶等心理因素必然会增强或削弱购买动机，从而产生不同的需求偏好和购买行为。在购买动机中，较为普遍存在的心理现象有求实心理、求美心理、求新心理、求名心理、求廉心理、安全心理、好胜心理、好奇心理等，所有这些心理因素都可以作为细分市场的参数。企业针对具有不同购买动机的消费者，在产品中突出能够满足他们某种心理需要的特征或特性，并相应设计出不同的营销组合方案，往往能取得良好的营销效果。

（3）个性。个性是指人们在一定的生理基础上，在一定的社会条件下，形成和发展起来的带有倾向性的、本质的、比较稳定的心理特征的总和。个性反映一个人的特点、态度和习惯。企业可以按照个性变量来细分市场，使自己的产品具有与消费者相一致的个性，即树立所谓的"品牌个性"，从而使这些消费者对本企业的产品产生兴趣，保持和扩大本企业的市场占有率。

4. 行为细分变量

行为细分就是按照消费者不同的消费行为来细分市场。

消费行为的变量很多，主要包括购买时机、追求的利益、使用状况、使用频率、忠诚程度、待购阶段和态度等。

（1）购买时机。按照消费者购买或使用产品的时机细分市场已成为越来越多的企业扩大销售的常用手段之一。例如，在春节、中秋节、国庆节等节日的前后，许多企业会为自己发现购买力旺盛的新的市场机会。营销者可以把特定时机的市场需求作为短期营销目标来扩大销售量。

（2）追求的利益。消费者购买商品所追求的利益往往各有侧重，可据此作为细分市场。例如，牙膏市场的消费者，有的重视牙膏的防龋齿功能，有的重视保持牙齿洁白，有的讲究牙膏的香型味道，还有的注重价格低廉。这些不同的追求形成具有特定的心理行为的购买群体。牙膏生产企业根据这一标准细分市场，就可以使自己的产品突出某种特性，或生产不同品牌的牙膏，突出每一种特性，以较强的针对性满足不同消费者的利益要求，这样可以取得更大的市场份额。

（3）使用状况。许多产品可按使用状况将消费者划分为"从未使用过"、"曾经使用过"、"准备使用"（潜在用户）、"初次使用"和"经常使用"五种类型，即五个细分市场。一般来说，具有较高市场占有率的企业往往更重视将潜在用户细分出来，使之成为现实的用户。而小企业则比较重视现有消费者群的开发，力图使自己的产品比竞争者更有吸引力。

（4）使用频率。根据消费者对特定商品的使用次数和数量，可划分出大量使用、中量使用和少量使用等几个消费者群。大量使用的用户人数不一定多，但他们的消费量在被购买的产品中占很大的比重。因此，许多企业自然想以大量使用的用户作为自己的目标市场。当然，反其道而行之以取得经营上的成功，也是极有可能的。关键在于对大量使用、中量使用、少量使用的用户的消费特点和购买行为有透彻的了解，不仅要推出适宜的产品，在价格、包装、销售渠道、广告宣传等方面也要区别对待，精心安排。

（5）忠诚程度。消费者的忠诚程度包括对企业的忠诚和对产品品牌的忠诚，也可作为细分依据。这里只探讨品牌忠诚度。根据对品牌忠诚度的不同，可将一种产品的消费行为划分为四个群体：①绝对品牌忠诚者：消费者一贯忠诚于某种品牌，任何时候、任何场合都只购买该种品牌的产品；②几种品牌忠诚者：这类消费者的购买总是限于很少几种品牌；③转移的忠诚者：这类消费群体从忠诚于某一种品牌转移到忠诚于另一种品牌；④非忠诚者：这类消费者对何种品牌无所谓，购买具有很大的随意性。每一个市场都包含有不同程度的上述四种类型的消费者。在有些市场，绝对品牌忠诚者为数众多、比重大，这种市场称为品牌忠诚市场。显然，某些企业要想进入这种市场是有困难的。即使已经进入，要想提高市场占有率也不容易。如果情况相反，则有利于其他企业创立新的品牌，扩大市场占有率，而对非忠诚者，企业宜在促销上多下功夫，尽力吸引他们以扩大销售。

（6）待购阶段。消费者对各种产品，特别是新产品，总是处于不同的待购阶段。在某种产品的潜在市场上，有些消费者根本不知道有这种产品，有些消费者知道有这种产品，有些消费者已得到信息，有些消费者已发生兴趣，有些消费者想购买，有些消费者已决定购买。企业对处在不同待购阶段的消费者，应酌情运用适当的市场营销组合，采取适当的市场营销措施，才能促进销售，提高经济效益。

(7) 态度。态度是指消费者对某一产品的热心程度。按消费者对产品的态度，可将消费分为五种类型：热爱、肯定、冷淡、拒绝和敌意。针对不同的态度，应当酌情分别采取不同的市场营销组合策略。例如，对抱有拒绝和敌意态度者，不必浪费时间来扭转他们的态度；对态度冷淡者则应尽力争取，通过适当的广告媒体，大力宣传介绍企业的产品，设法提高他们的兴趣。

◆ **阅读案例 6-2**

米勒的市场细分

在 20 世纪 60 年代末，米勒啤酒公司在美国啤酒业排名第八，市场份额仅为 8%，与百威、蓝带等知名品牌相距甚远。为了改变这种现状，米勒公司决定采取积极进攻的市场战略。他们首先进行了市场调查，通过调查发现，若按使用率对啤酒市场进行细分，啤酒饮用者可细分为轻度饮用者和重度饮用者，而前者人数虽多，但饮用量却只有后者的 1/8。他们还发现，重度饮用者有着以下特征：多是蓝领阶层，每天看电视 3 个小时以上，爱好体育运动。米勒公司决定把目标市场定在重度使用者身上，并果断决定对米勒的"海雷夫"牌啤酒进行重新定位。重新定位从广告开始。他们首先在电视台特约了一个名为《米勒天地》的栏目，广告主题变成"你有多少时间，我们就有多少啤酒"，以吸引那些"啤酒坛子"。广告画面中出现的尽是一些激动人心的场面：船员们神情专注地在迷雾中驾驶轮船，年轻人骑着摩托冲下陡坡，钻井工人奋力止住井喷等。结果，"海雷夫"的重新定位战略取得了很大的成功。到 1978 年，这个牌子的啤酒年销售量达 2000 万箱，仅次于 AB 公司的百威啤酒，在美国名列第二。

（二）产业市场细分的标准

产业市场细分的标准相比较消费者市场细分的标准而言，产业市场的消费者数量较大而独特，因而产业市场的细分除根据一般的消费者市场细分标准外，还要根据最终用户行业、客户规模、用户地理位置、其他变量等对产业市场进行细分。

1. 最终用户行业

最终用户行业就是最终使用生产资料的使用者所属的行业。最终用户行业是产业市场细分最通用的标准。最终用户行业可分为工业机械、汽车制造、交通运输、电力、采掘、冶金、建筑、电信、家电、食品、医药等。

在产业市场上，不同最终用户行业对同一类产品的使用往往不尽相同，对同类产品的需求也就不同。一种最终用户行业的要求便可成为企业的一个细分市场。企业应该应用最终用户行业的细分标准，不断寻找市场机会。同是橡胶轮胎，飞机制造商与汽车制造商相比，飞机制造商对其安全性能的要求要高得多；同是汽车制造商，制造赛车与一般汽车所用轮胎在耐磨性方面也有明显不同的需求，从而可以形成不同的细分市场。企业对不同的最终用户行业要采取不同的市场营销组合策略，从而满足不同最终用户行业的需要。

2. 客户规模

产业市场中客户购买行为的差异很大，购买数量、付款方式、用户条件等与消费者市场差别显著，这与工业用户的规模差异关系密切。通常，大客户数量少，但购买力强；小客户数量多，但购买力差。在产业市场上，一般购买力高度集中于少数大客户那里，10% 的大客户占年购买量的80%左右。很多企业都建立了适当的标准来分别和大客户与小客户打交道。例如，美国一家办公室用具制造商按照客户规模将用户市场细分为两大类：一类是大客户，如国际商业机器（IBM）公司、标准石油公司等；另一类是小客户。对大客户，由制造商的客户经理负责联系；对小客户，则由一般推销人员负责联系。

3. 用户地理位置

由于产业市场用户的地理位置受一个国家的资源分布、地形气候分布、产业布局、社会经济环境、历史传承等因素的影响，所以，产业市场一般会形成若干个产业区。企业可以根据用户地理位置细分市场，选择用户较为集中的地区作为目标市场，这样企业才能集中销售力量，便于产品运输，节省运输费用，降低生产成本。

4. 其他变量

最终用户行业、用户规模和用户地理位置是产业市场细分的三个最主要的标准。此外，在产业市场上，企业还可以根据用户能力（需要很多服务、需要一些服务、需要很少服务）、用户采购标准类型（追求价格型、追求服务型、追求质量型）等变量细分市场。

六、市场细分的方法

市场细分的一般方法有完全细分法、一元细分法、多元细分法和系列变量细分法。

1. 完全细分法

完全细分法就是对某种产品整体市场所包括的消费者的数目进行最大限度的市场细分的方法。每一个消费者都是一个细分市场。

2. 一元细分法

一元细分法就是对某种替代性较大、挑选性较强的产品的整体市场，根据一个标准进行细分的方法。

3. 多元细分法

多元细分法就是对某种产品的整体市场，根据两个或两个以上的标准进行市场细分的方法。企业选择哪些因素作为细分市场的依据，应具体问题具体分析，而且细分市场的依据也要随市场营销环境的变化而变化，以便寻找新的、更有利可图的细分市场。

4. 系列变量细分法

系列变量细分法就是根据企业经营的特点并按照影响消费者的诸因素，由粗到细地进行市场细分的方法。这种方法可使目标市场更加明确而具体，有利于企业更好地制定相应的市场营销策略。

第二节　目标市场选择

市场细分的最终目的是选择和确定目标市场。目标市场选择是目标市场营销的第二个步骤。企业的一切市场营销活动，都是围绕目标市场进行的。确定目标市场、实施目标市场营销策略是目标市场选择的重要内容。

目标市场是指在市场细分的基础上，企业要进入的最佳细分市场。在企业的市场营销活动中，企业必须选择和确定目标市场。这是因为：首先，选择和确定目标市场，明确企业的具体服务对象，关系到企业市场营销战略目标的落实，是企业制定市场营销战略的首要内容和基本出发点；其次，对于企业来说，并非所有的细分市场都具有同等吸引力、都有利可图，只有那些与企业资源条件相适应的细分市场才对企业具有较强的吸引力，是企业的最佳细分市场。

目标市场选择首先要求企业确定目标市场，然后选择目标市场战略。

一、确定目标市场

（一）对细分市场的分析与评估

确定目标市场，就是对企业有吸引力的、有可能成为企业目标市场的细分市场进行分析和评估，然后根据企业的市场营销战略目标和资源条件，选择企业的最佳细分市场。

确定目标市场，应从下列几个方面来分析和评估细分市场：

1. 细分市场的规模及成长潜力

企业必须考虑的第一个问题是潜在的细分市场是否具有适度规模和成长潜力。"适度规模"是一个相对的概念，大企业往往重视销售量大的细分市场，而小企业往往也避免进入大的细分市场，转而重视销售量小的细分市场。

细分市场规模的衡量指标是细分市场上某一时期内现实消费者购买某种产品的总体数量。细分市场成长潜力的衡量指标是细分市场上在某一时期内全部潜在消费者对某种产品的需求总量。这就要求企业首先调查细分市场的现实消费者的数量及其购买力水平，其次调查细分市场潜在消费者的数量及其购买力水平。

2. 细分市场的吸引力

细分市场可能具有适度规模和成长潜力，然而从长期盈利的观点，细分市场未必具有长期吸引力。细分市场吸引力的衡量指标是成本和利润。美国市场营销学家迈克尔·波特认为，有五种群体力量影响整个市场或其中任何细分市场。企业应对这五种群体力量对长期盈利能力的影响做出评价。这五种群体力量是同行业竞争者、潜在的新加入竞争者、替代产品、购买者和供应商议价能力，如图6-2所示。细分市场内竞争激烈、潜在的竞争者的加入、替代产品的出现、购买者议价能力的提高、供应商议价能力的加强都有可能对细分市场造成威胁，使原来在这个细分市场中占据优势的企业对消费者失去吸引力。

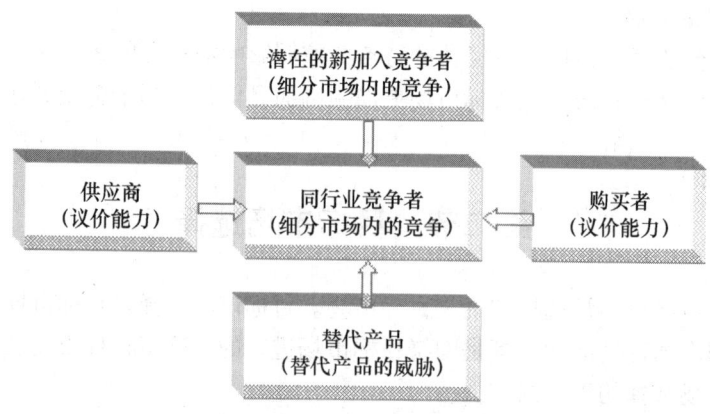

图6-2　影响行业竞争程度的因素

3. 企业的市场营销战略目标和资源

细分市场可能具有适度规模和成长潜力，而且细分市场也具有长期的吸引力，然而，企业必须结合其市场营销战略目标和资源来综合评估。某些细分市场虽然有较大的吸引力，但不符合企业长远的市场营销战略目标，不能使企业实现市场营销战略目标，甚至会分散企业的精力，阻碍企业实现市场营销战略目标，因此，企业不得不放弃。另外，细分市场可能符合企业长远的市场营销战略目标，即使这样，企业也必须对自身的资源条件进行评估，必须考虑自己是否具备在细分市场所必需的资源条件。如果企业在细分市场缺乏必要的资源，并且没有获得必要资源的能力，企业就要放弃这个细分市场。即使企业确实能在该细分市场取得成功，它也需要发挥其经营优势，以压倒竞争者。如果企业无法在细分市场创造某种优势地位，就不应贸然进入。

(二) 确定目标市场的原则

企业在确定目标市场时，应遵循以下四个原则：

(1) 产品、市场和技术三者密切关联。企业所选择的目标市场，应能充分发挥企业的技术特长，生产符合目标市场需求的产品。

(2) 遵循企业既定的发展方向。目标市场的选择应根据企业市场营销战略目标的发展方向来确定。

(3) 发挥企业的竞争优势。应选择能够突出和发挥企业特长的细分市场作为目标市场，这样才能利用企业相对的竞争优势，使企业在竞争中处于有利的地位。

(4) 取得相乘效果。新确定的目标市场不应对企业原有的产品带来消极的影响。新、老产品要能互相促进，实现同时扩大销售量和提高市场占有率的目的，从而使企业所拥有的人才、技术、资金等资源都能有效地加以利用，使企业获得更好的经济效益。企业通过对不同细分市场的评估，可以确定一个或几个细分市场为其目标市场，即确定企业目标市场策略。

◆ 阅读案例 6-3

抓住新一代——目标市场的选取

宝洁（P&G）产品的广告画面多选用年轻男女的形象，展示年轻人追求浪漫的幻想、崇尚无拘无束和富有个性色彩的生活画面，并针对年轻人的心理配上如"滋润青春肌肤，蕴含青春美"等广告语。宝洁公司选择青年消费群作为其目标市场，是看中了年轻人的先导消费作用。

在中国消费者中，消费心理和方式显而易见地发生了较大变化的首先是青年消费者。青年人带动了消费主义运动的兴起，改变了人们传统的生活态度和节俭观念，刺激着人们的消费欲望和财富欲望。青年人求新、好奇、透支消费、追求名牌、喜欢广告、注重自我等心理，正先导性地改变着中国人的消费习惯和行为。

宝洁公司选取青年人崇拜的青春偶像以及具有青春活力的年轻女孩作为广告模特，举办"飘柔之星全国竞选活动"展示年轻女性的真我风采，以及围绕青年人所做的一系列促销活动，如"海飞丝美发亲善大行动"等，充分表明了它抓住新一代的定位意图，而它卓著的市场业绩也充分证明了其目标市场定位的正确性。

二、目标市场选择模式

市场细分是探讨企业可能把握的各种市场机会,而目标市场的选择则是在评估的基础上寻找企业的发展机会。基于对产品和市场两大因素的考虑,企业有下列五种目标市场选择模式(见图6-3):

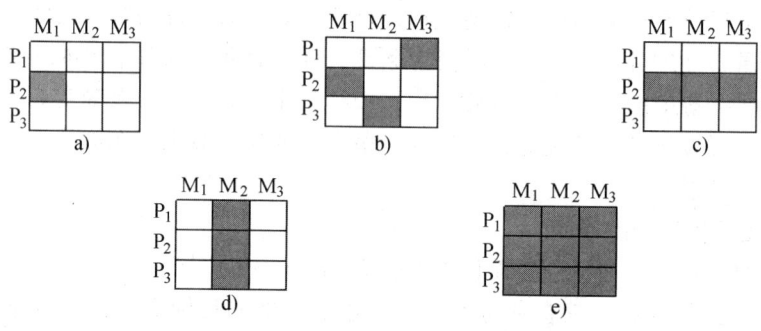

图6-3　目标市场选择模式
a) 市场集中化　b) 选择专业化　c) 产品专业化　d) 市场专业化　e) 全面进入型

1. 市场集中化

市场集中化是指企业为单一市场提供单一产品,进行集中营销。例如,某服装厂只生产老年女性服装。企业采取这一模式,可更加充分地了解本目标市场的市场需求,从而有助于企业特色经营,树立特别的声誉,进而在该目标市场上建立巩固的市场地位。另外,企业通过生产、销售和促销的专业化分工,也能获得更大的经济效益。当然,市场集中化需要比其他模式承担由于消费者偏好发生改变所导致的市场风险,所以,企业需要在适当的时机采取其他模式或进军其他市场。

2. 选择专业化

选择专业化是指企业选择若干个符合市场细分原则的市场为目标市场,并为各个市场分别提供其所需的产品。采用这种模式的最大优点是可以分散市场风险,但所选的各个市场之间可能缺乏内在的逻辑关系,因而属于多元化经营,比较难以获得规模效益,而且对单个市场的规模要求比较高,所以,要求企业有较强的市场驾驭能力。

3. 产品专业化

产品专业化是指企业专门生产一种产品供应不同的细分市场。例如,饮水机生产商只生产一种饮水机,同时向机关、学校、银行、酒店、家庭等销售。采用这种模式,企业的市场面扩大,有利于摆脱对个别市场的依赖,降低风险;同时,生产相对集中,有利于发挥生产技能,在某种产品方面树立声誉。但如果企业生产的这种产品被一种全新的产品所替代,企业就会面临危机。

4. 市场专业化

市场专业化是指企业选择某一个细分市场为目标市场,并为这一市场开发生产其所需的各种产品。例如,专门针对青年女性市场,为她们提供其所需的服装、鞋、帽、包、饰品等。采用这种模式,可以帮助企业树立良好的声誉。另外,多种产品在一定程度上分散了市场风险。但相对于市场集中化模式,它对企业的生产能力、营销能力、资金实力等提出了更高的要求。

5. 全面进入型

全面进入型是指企业选择所有的细分市场为目标市场，分别为这些市场提供各种不同的产品。例如，可口可乐公司的饮料市场、宝洁公司的家庭洗涤用品市场等。采用这一模式，要求企业具备雄厚的实力。

三、目标市场选择策略

企业选择目标市场的范围不同，营销策略也不一样。一般可供企业选择的目标市场策略有三种，即无差异营销策略、差异性营销策略和集中性营销策略。

1. 无差异营销策略

无差异营销策略是指企业将整个市场看成是同质市场，或只考虑市场上消费者需求的共同点或相似处，向整个市场提供单一的产品，运用一种市场营销组合策略，尽可能地吸引更多消费者。

无差异营销策略主要适用于广泛需求，能够大量生产、大量销售的产品或同质产品。例如，美国可口可乐公司凭借拥有世界性专利的优势，在20世纪60年代以前曾经以单一口味的品种、单一标准的包装和统一的广告宣传，长期占领世界软饮料市场。

这种策略的最大优点是成本的经济性。大批量地生产和储运会降低单位产品的成本，统一的广告宣传可以节省促销费用，不进行市场细分也相应减少了市场调查、产品研制以及制订多种市场营销组合方案所化费的企业资源。

但是，这种策略对大多数产品并不适用，而且对一个企业来说一般也不宜长期采用。因为市场需求是有差异的，而且是不断变化的。一种多年不变的老产品很难为消费者所长期接受。同时，众多生产同一产品的企业都采用这种策略时，必然会导致市场的激烈竞争，而有些消费者的差异性需求却得不到满足，这对企业和消费者来说都是不利的。例如，可口可乐公司由于软饮料市场竞争激烈，特别是百事可乐异军突起，打破了可口可乐独霸市场的局面，终于被迫放弃传统的无差异营销策略。

2. 差异性营销策略

差异性营销策略是指企业把整个市场划分为若干细分市场，针对每一个细分市场制订一套独立的营销方案，全方位地分别开展有针对性的营销活动。近些年，越来越多的企业采用差异性营销策略。它们通过推出更多的品种、利用多种广告媒体宣传产品、通过更多的渠道销售产品。

采取这种策略的企业进行小批量、多品种生产，拥有很大的优越性。一方面，它能够较好地满足不同消费者的需求，有利于扩大企业的销售额；另一方面，一个企业如果同时在几个细分市场都占有优势，就会大大提高消费者对企业的信任感。不过，采用这种策略会由于产品品种、销售渠道、广告宣传的扩大而增加企业的成本；同时，要受到企业资源的限制，要求企业必须具有一定的财力、技术力量和素质较高的管理人员。否则，该策略很难取得成功。因此，采取差异性营销策略的前提是：扩大销售所增加的利润必须大于所增加的经营成本。为了减少实行差异性营销策略所带来的不利影响，企业不应当把市场划分得过细，同时，企业在一定时期内不宜进入过多的细分市场。

3. 集中性营销策略

集中性营销策略是指企业在进行整体市场细分后，选取一个或少数几个细分市场作为企业的目标市场，制定相应的市场营销组合。采取这种策略的企业，通常是为了在一个较小的市场上占有较大的市场份额。

集中性目标市场营销策略主要适用于资源有限的中小企业或初次进入新市场的大企业。中小企业由于资源有限，无力在整体市场或多个细分市场上与大企业展开竞争，而在大企业未予注意或不愿顾及而自己又力所能及的某个细分市场上全力以赴，则往往容易取得成功。实行集中性营销策略是中小企业变劣势为优势的最佳选择。

这种策略的不足之处是企业要承担较大的风险。因为这种策略使得企业的目标市场比较单一和狭小，而企业对它的依赖性又较强，一旦目标市场情况发生突然变化，企业就会因为没有回旋余地而立即陷于困境。因此，采取这种策略必须密切注意目标市场的动向，并制定适当的应急对策。

四、选择目标市场策略应考虑的因素

三种选择目标市场的策略各有优缺点，企业在确定了目标市场后，究竟采取哪种策略，取决于下列影响目标市场策略选择的各种因素：

1. 企业实力

如果企业生产能力、技术能力和营销能力较强，可根据产品的不同特性选择采用差异性营销策略或无差异营销策略；如果企业实力较弱，无力顾及整体市场或多个细分市场，则可选择采用集中性营销策略。

2. 产品性质

这里所说的产品性质是指产品是否同质，即产品在性能、特点等方面差异性的大小。如果企业生产同质产品，可选择采用无差异营销策略；如果企业生产异质产品，则可选择采用差异性营销策略或集中性营销策略。

3. 市场性质

这里所说的市场性质是指市场是否同质，即市场上消费者需求差异性的大小。如果市场是同质的，即消费者需求差异性不大，消费者购买行为基本相同，企业则可选择采用无差异营销策略；反之，企业则可选择采用差异性营销策略或集中性营销策略。

4. 产品市场生命周期

处在导入期和成长期初期的新产品，由于竞争者少，品种比较单一，市场营销的重点主要是探求市场需求和潜在消费者，企业可选择采用无差异营销策略；当产品进入成长期后期和成熟期时，由于市场竞争激烈，消费者需求差异性日益增大，为了开拓新的市场，扩大销售，确立竞争优势，企业可选择采用差异性营销策略；产品进入衰退期，为了保持市场地位，延长产品生命周期，企业可考虑采用集中性营销策略。

5. 竞争者的策略和产品

企业的目标市场策略应当与竞争者的目标市场策略有所区别。如果竞争对手强大并采取无差异营销策略，企业则应采用差异性营销策略或集中性营销策略，以提高产品的市场竞争能力；如果竞争者与自身实力相当或实力较弱，企业则可选择采用与之相同的目标市场策略；如果竞争者都采用差异性营销策略，企业则应进一步细分市场，实行更有效、更深入的差异性营销策略或集中性营销策略。

企业在选择目标市场营销策略时，应综合考虑以上影响目标市场策略选择的因素，权衡

利弊，综合决策。目标市场策略应保持相对稳定，但当市场营销环境发生重大改变时，企业应当及时改变目标市场策略。竞争对手之间没有完全相同的目标市场策略，企业也没有一成不变的目标市场策略。

第三节 市场定位

当企业选择和确定了目标市场，相应地也选择了竞争者。在这个竞争的市场中，企业如何让目标消费者了解、认知和接受本企业的产品？只有企业的产品与别人的不同，有鲜明的个性，给目标消费者留下深刻的印象。怎样做到这一点呢？这就需要STP战略的第三个步骤——市场定位。因为准确的市场定位赋予了产品生命，使其富有更深的内涵，能够让目标顾客形成偏爱；同时市场定位也是企业制定4P组合策略的基础。一个企业市场定位的正确与否，关系到企业营销活动的成败。

一、市场定位的含义

1. 市场定位的概念

现代市场营销理论认为，市场定位是指根据竞争者现有产品在细分市场上所处的地位和消费者对产品某些属性的重视程度，塑造出本企业或产品与众不同的鲜明个性或形象并传递给目标消费者，使该企业或产品在细分市场上占有强有力的竞争位置。市场定位也称为产品定位或竞争定位。所以，市场定位的依据，一是消费者的需求特征，二是主要竞争者的产品定位。也就是说，营销者要思考的是"消费者关心什么，竞争对手的产品是什么"，而不是"我要怎么样"。

2. 市场定位的实质

"定位"这个词是由美国两位广告经理阿尔·里斯（Al Ries）和杰克·特劳特（Jack Trout）在20世纪70年代提出的。他们把定位看成是对现有产品的创造性实践。

市场定位的实质是使企业与其他企业严格区分开来，突出企业及其产品的特色，使消费者明显感觉和认识到这种差别，在消费者心目中占有特殊的位置，给消费者留下良好的印象，从而取得目标市场的竞争优势。"可以这样说，市场定位，关键的不是对产品本身做些什么，而是在消费者心目中做些什么。定位是指要针对潜在顾客的心理采取行动，即将产品在潜在顾客的心中定一个适当的位置。"

◆ **阅读案例6-4**

哈根达斯"情侣专用"

哈根达斯是1989年从欧洲起步的高档冰激凌制造商，它的价格比普通冰激凌贵5~10倍，比同类高档次产品贵30%~40%。在美国本土，哈根达斯却是与和路雪是同档次的品牌，但在我国，迄今为止，没有任何品牌可以和它相比。

在我国市场上，要论价格，哈根达斯毫无优势可言：一般的冰淇淋球都是30元左右，"冰火情缘"火锅一般在120~160元，一种饮料60~70元不等。但它通过独特的营销策略，在我国做成了定制冰淇淋品牌，做得深入人心甚至成为某种生活标志，哪一个小资不知道它的大名呢？高端的消费阶层固然是它的忠实顾客；中低端的消费者也被它所吸引，一旦有了闲钱，也会奢侈一把。在国外，哈根达斯其实只是一个中档品牌，然而在我国，它却成了非常高端的品牌，为什么会这样呢？这主要是因为哈根达斯进入我国以后，奉行了高价策略。为了实施高价策略，哈根达斯最经典的行动之一，就是给自己贴上了"爱情"标签，由此吸引恋人们频繁光顾。在某年的情人节，哈根达斯把店里店外布置得浓情蜜意，不但特别推出由情人分享的冰淇淋产品，而且还给来此的情侣们免费拍照合影，让他们对哈根达斯从此"情有独钟"。

二、市场定位的步骤

定位的主要任务就是通过集中企业的若干竞争优势，与其他竞争者区别开来。定位是一个企业明确其潜在的竞争优势、选择相对的竞争优势、显示独特的竞争优势的过程。市场定位的步骤如下：

1. 分析目标消费者的需求特征

企业应主要分析目标市场上的足够数量的消费者需要什么？他们的欲望满足得如何？必须认定目标消费者认为能够满足其需求的最重要的特征。因为市场定位成功的关键，就在于企业能比其竞争者更好地了解消费者，对市场需求与其服务（包括产品、价格、渠道与促销等各个方面）之间的关系有更深刻的认识。

2. 明确竞争者的市场定位

企业应主要明确目标市场上的竞争者做了什么，做得如何，包括对竞争者的成本、经营状况，竞争对手的潜力及其在目标消费者心目中的位置，做出确切的估计。

3. 寻求创造企业相对竞争优势

相对竞争优势是一个企业能够胜过竞争者的能力，有的是现有的，有的是具备发展潜力的，还有的是可以通过努力创造的。简言之，相对竞争优势是一家企业能够比竞争者做得更好的地方。通过分析、比较企业与竞争者在下列七个方面的优势与劣势，能帮助企业准确地选择相对竞争优势。

（1）经营管理方面，主要考察领导能力、决策水平、计划能力、组织能力以及个人应变的经验等指标。

（2）技术开发方面，主要分析技术资源（如专利、技术诀窍等）、技术手段、技术人员的能力和资金来源是否充足等指标。

（3）采购方面，主要分析采购方法、物流配送系统、供应商合作以及采购人员的能力等指标。

（4）生产方面，主要分析生产能力、技术装备、生产过程控制以及职工素质等指标。

（5）市场营销方面，主要分析销售能力、分销网络、市场研究、服务与销售战略、广告及营销人员的能力等指标。

（6）财务方面，主要考察长期资金和短期资金的来源及资金成本、支付能力、现金流量以及财务制度与人员素质等指标。

（7）产品方面，主要考察可利用的特色、价格、质量、支付条件、包装、服务、市场占有率、信誉等指标。

4. 确定企业市场定位

确定企业市场定位，包括选择定位方式、制定定位战略、确定定位依据及差异化变量。

5. 传播企业的定位

企业在制定了明确的定位之后，还必须有效地向社会沟通，使其独有的市场定位进入目标消费者的脑海和心中。

三、市场定位的方式

市场定位实质上是一种竞争策略，它反映了市场竞争各方的关系，是企业在已经确定的目标市场上如何处理与其他企业竞争关系的基本思路。从这个角度来看，市场定位有以下方式：

1. 迎头定位

这是一种"对着干"的定位方式。显然，这种定位有时会产生危险，但不少企业认为能够激励自己奋发上进，一旦成功就会取得巨大的市场优势。例如，碳酸饮料市场的百事可乐与可口可乐；美国的安飞士公司将自己定位为汽车租赁行业的第二位，他们强调说："我们是第二，但我们要迎头赶上。"

2. 避强定位

避强定位是指避开强有力的竞争对手进行定位。这种定位方式风险较小，成功率较高，但要综合考虑消费者数量、技术上的可行性、经济上的合理性。例如，美国联合泽西银行设法与大银行进行竞争时，发现大银行发放贷款往往行动迟缓，它便将自身定位为"行动迅速的银行"。可以看出，所谓避强，并不是完全避开，而是面对强大的竞争者，在其强势当中寻找弱点，进行竞争。

3. 反定位（重新定位）

重新定位是指企业为了摆脱困境，重新获得增长与活力或由于市场范围、偏好等发生改变时而进行的一种定位。例如，美国宝洁婴儿尿布进行了市场再定位，将过去定位"给予做母亲的一种方便"更新为"对婴儿更好"，并起了一个动听的名字——"帮宝适"，很快就打开了销路。

另外，在营销实践中，还有一种高级俱乐部定位方式。例如，一个公司宣传说自己是"三大公司之一"。这是由第三大汽车公司——克莱斯勒汽车公司提出的，一般最大的公司不会提出这种概念。其含义是，俱乐部的成员都是"最佳"的。

四、市场定位的依据

从根本上说，定位就是寻找差别，包括实际的差别、感觉的差别和态度等方面的差别。定位的依据很多，并且需要不断寻找和开发。这里介绍几种常见的定位依据。

1. 根据特色定位

根据产品特色定位是指突出具体的产品特色，包括规模、历史（如杜康酒）、生产技术（如德国的机械产品）、生产过程（如乐百氏的27层过滤）、产品功能（如新康泰克的12小时服一粒）、产地等。

2. 根据产品带来的利益定位

根据利益定位是指突出产品能给予消费者某一方面更多的利益，把产品定位于某一特定利益上的领先者。例如，荣成拖拉机的"一年本就回来了"，沃尔沃汽车的"安全第一"。

3. 根据质量或价格定位

对于那些关心质量和价格的目标消费者来说，选择这一定位依据是突出本企业形象的好方法。按照这种方法，企业可以选择"优质高价"或"优质低价"的产品。例如，巧手洗洁精的物美价廉定位。

4. 根据使用场合或用途定位

为产品找到一种新的用途，是为该产品创造定位的好方法。例如，有的企业把小苏打作为冰箱的除臭剂，有的企业则把它作为调味汁和卤肉的配料。

5. 根据使用者定位

根据使用者定位是指把产品引导给某一特定消费者群体。例如，美国"神奇山"主题公园宣传自己是"寻求刺激者的乐园"。

6. 根据产品类别定位

根据产品类别定位是指将产品定位在某些产品类别的领先者，以区别于其他产品。例如，华素片将自己定位于"口腔类"药品。

7. 根据竞争定位

根据竞争定位是指将产品定位于与竞争直接有关的不同属性或利益，这种定位的关键是千方百计地在竞争者中突出自己的形象。例如，七喜的"七喜非可乐"定位。

◆ 阅读案例 6-5

定位模糊可能会导致失去江山——多元化应注意的陷阱

市场定位是许多考虑使用多元化战略的企业特别要谨慎对待的问题，因为多元化可能会导致品牌定位的模糊。众所周知，多元化对企业来说是一把"双刃剑"，对于采用多元化战略的企业来讲，市场定位的意义不仅在于为新产品找到消费者心目中合适的位置，还要避免对原有品牌定位模糊化的风险。

"雪佛兰"汽车原是美国家庭轿车的代名词，但是在"雪佛兰"将生产线扩大至货车、赛车后，消费者心中原有的"雪佛兰就是美国家庭轿车"的印象焦点就模糊了，而"福特"汽车则乘虚而入，坐上了第一品牌的宝座。

导致这种营销危机的主要原因是企业依然沿用由内向外看的定位方式，只从企业角度考虑，而没有从消费者角度考虑。从企业角度来看，利用原有品牌的优势，可以较多地降低新产品进入市场的广告宣传费用，新产品也能借老品牌的市场影响力和信誉度迅速进入市场，是一个较为省事的办法。但从消费者角度看，第一次接触的品牌商品给他留下的印象最为深刻，消费者趋于把某种品牌看成某种特定的商品，希望品牌印象越清晰越好。

五、市场定位战略

差异化是市场定位的根本战略，所有产品都可以进行某种程度的差异化，然而，并非所有的差异化都有意义或有价值。有效的差异应满足下列原则：

第一，重要性原则，是指该差异能给相当数量的消费者带来较高的让渡价值。

第二，独特性原则，是指这一差异是其他企业所没有的，或该企业是以一种突出、明晰的方式提供的。

第三，优越性原则，是指该差异明显优于通过其他途径而获得的相同利益。

第四，专利性原则，是指这一差异是其他企业难以模仿的，或受专利法保护的。

第五，可承受性原则，是指具有这一差异的产品或服务是消费者有能力购买的。

第六，盈利性原则，是指企业通过该差异能获得利润。

许多企业所采用的差异没有满足上述原则中的一个或几个。例如，新加坡的威斯汀·史丹福酒店宣称它是世界上最高的酒店，事实上这一点对消费者来说并不重要；宝丽来的即时成像相机尽管十分独特，甚至不易模仿，但是，它与摄像机相比显然缺乏优越性。

在符合上述原则的基础上，企业可从以下四个方面寻求差异，制定战略。

1. 产品差异化战略

产品差异化战略是指从产品质量、产品款式等方面实现差异。寻求产品特征是产品差异化战略经常使用的手段。在全球通信产品市场上，苹果、三星、华为等颇具实力的公司，通过实行强有力的技术领先战略，在手机等领域不断地为自己的产品注入新的特性，从而走在市场的前列，同时吸引消费者，赢得竞争优势。实践证明，某些产业，特别是高新技术产业，如果企业掌握了尖端技术，并率先推出具有较高价值和创新特征的产品，它就能够拥有一种十分有利的优势竞争地位。

产品质量是指产品的有效性、耐用性和可靠程度等。例如，A品牌的止痛片比B品牌的止痛片疗效更高、副作用更小，消费者通常会选择A品牌的止痛片。但是，这里又带来新的问题：A品牌产品的质量、价格、利润三者是否完全呈正比例关系呢？一项研究表明，产品质量与投资报酬之间存在着高度相关的关系，即高质量产品的盈利率高于低质量和一般质量的产品，但当质量超过一定的限度后，消费者需求量开始递减。显然，消费者认为过高的质量需要支付超出其质量需求的额外价值（即使在没有让消费者付出相应价格的情况下可能也是如此）。

产品款式是产品差异化的一个有效工具，对汽车、服装、房屋等产品尤为重要。日本汽车行业中流传着这样一句话："丰田的安装，本田的外形，日产的价格，三菱的发动机。"这体现了日本四家主要汽车公司的核心专长，而"本田"的（款式）设计优美入时，受到消费者青睐，成为其一大优势。

2. 服务差异化战略

服务差异化战略是指向目标市场提供与竞争者不同的优质服务。企业的竞争力越能体现在消费者服务水平上，市场差异化就越容易实现。如果企业把服务要素融入产品的支撑体系，就可以在许多领域建立其他企业的"进入障碍"。服务差异化战略能够提高消费者的购买总价值，保持与消费者之间牢固的关系，从而击败竞争者。

服务战略在各种市场状况下都有用武之地，尤其是在饱和的市场上。对于技术精密的产品，如汽车、计算机、复印机等，服务战略的运用更为有效。

强调服务战略并没有贬低技术质量战略的重要作用。如果产品或服务中的技术占据了价值的主要部分，则技术质量战略是行之有效的。但是，竞争者之间差异越小，这种战略作用的空间也就越小。一旦众多的厂商掌握了相似的技术，技术领先就难以在市场上有所作为。

3. 人员差异化战略

人员差异化战略是指通过聘用和培训比竞争者更为优秀的员工以获取差异优势。市场竞争归根结底是人才的竞争。

一个受过良好训练的员工应具有以下基本素质和能力：

（1）能力。具有产品知识和技能。

（2）礼貌。友好对待消费者，尊重和善于体谅他人。

（3）诚实。使人感到坦诚和可以信赖。

（4）可靠。具有强烈的责任心，保证准确无误地完成工作。

（5）反应敏锐。对顾客的要求和困难能迅速做出反应。

（6）善于交流。尽力了解消费者，并将有关信息准确传达给消费者。

4. 形象差异化战略

形象差异化战略是指在产品的核心部分与竞争者类同的情况下塑造不同的产品形象，以获取差异化优势。企业或产品想要成功地塑造形象，需要具有创造性的思维和设计，需要持续不断地利用企业所能利用的所有传播工具。将具有创意的标志融入某一文化，也是实现形象差异化的重要途径。

主要名词

市场细分　目标市场　市场专业化　无差异营销策略　市场定位

 案例分析

蒙牛乘"超级女声"东风，红遍大江南北

国内著名乳品品牌蒙牛、光明、伊利、三元、娃哈哈等竞相争夺国内市场，在全国各地划分势力范围，其中蒙牛与伊利的全国乳业第一品牌争夺战尤其激烈，两大品牌明争暗斗、硝烟四起。

2004年，由湖南卫视主办的"超级女声"歌唱大赛在北京、上海、南京、成都和广州等地火爆开市。2004年"超级女声"节目获得了极大成功：在各个城市"超级女声"歌唱大赛的报名现场，数以万计的参赛者排起"长龙"，盛况空前。2005年伊始，这个节目又有猛料爆出：中国乳业巨人——蒙牛，将全面展开与湖南卫视合作，将"2005蒙牛酸酸乳超级女声"比赛打造成新一代青春女声的代言节目。

蒙牛不想只做简单冠名，而是希望深度参与到这个节目中，赋予蒙牛品牌新的性格。于是，蒙牛与湖南卫视达成协议：蒙牛参与这次活动是全程的、全方位的。成为赞助商以后，蒙牛获得了湖南卫视提供的打包服务，包括给节目冠名，拍摄预告片广告、角标广告，制作比赛现场广告牌，DM（广告直投）等。

1. 巧选品牌形象代言人——"乖乖女"张含韵

说起代言人的选取，首先应该从"蒙牛酸酸乳"这个产品说起。"酸酸乳"相比蒙牛其他乳品来说，口感清新爽滑，酸甜中不失牛奶特有的浓香，产品附加值较高，属中高档奶产品系列（其竞争对手直指伊利优酸乳）。所以，该产品的主力消费群体定位为15～25岁的女孩子。这个消费群体的特点是追求个性、前卫，喜欢表现个人的魅力与自信。蒙牛酸酸乳也是一样，其品牌精神同样是鼓励少男少女们勇敢地秀出独特的一面，用真实、自信、勇气、激情，用自己的魅力给这个世界增添更多味道。

张含韵作为2004年"超级女声"的季军，其形象甜美、天真又不乏自信与激情。而正是这

种自信与激情，使她在2004年的比赛中取得了不俗的成绩。同时，张含韵作为2004年和2005年的参赛选手，其本身也是对"超级女声"宣传的一种效应最大化和二次扩大。所以，应该说在代言人的选取方面蒙牛是花了很多心思的，而结果也是很成功的。

张含韵的个人首张专辑《我很张含韵》与"超级女声"大赛同期推出，专辑中《想唱就唱》是"超级女声"的主题歌，而《酸酸甜甜就是我》是蒙牛酸酸乳的广告歌，这让蒙牛、湖南卫视和张含韵同时获益。

2. 商业电视（TVC）广告片评测

广告内容：张含韵一开始戴着耳机在唱歌，但是歌声严重走调，引起了不少人的嘲笑，但是，在她喝了一口蒙牛酸酸乳之后，歌声有了质的改变，人们的目光从嘲讽变成了跟随，继而大家和张含韵一起唱起了《酸酸甜甜就是我》，并拿起了蒙牛酸酸乳一起合力喊出"蒙牛酸酸乳，酸酸甜甜就是我"，最终以标版结束。

从喧哗的场面到走调的歌声，从喝了一口蒙牛酸酸乳到大家一起合唱《酸酸甜甜就是我》，再到产品标版，其全过程均围绕"青春、自信"展开。是什么使歌声有了质的改变呢？是"蒙牛酸酸乳"，是这种青春滋味的饮料给了这个少女自信，也使众人成了朋友，成了追随者。最后标版加上粉红色的界面与产品组合，巧妙地再现了青春粉色梦想的追求，与产品内涵进行了完美的搭配，使整个广告片充满了梦想与自信的色彩。

3. 卫星电视的搭配推广

曾为央视标王的蒙牛这次更是不惜血本，在央视各频道全面开花，同时辅以各地卫星电视进行宣传，将宣传的效应进行积累，以求效应最大化。央视作为打造品牌的基地，其效果已经不言而喻，当年众多品牌的崛起都是承蒙央视的强大号召力，蒙牛作为央视的老客户更是清楚。本次宣传蒙牛主打15s的TVC，在夜晚黄金时段进行滚动播出，同时辅以强势栏目进行插播，使广告尽可能地贴近受众。

同时，各地卫星电视的崛起也不容厂家忽视。拿湖南卫视来说，据统计，从《还珠格格》的播放开始，其收视率已经在国内占第二的位置。蒙牛自然不能错过这样的机会。于是，湖南卫视、安徽卫视等强档媒体也变成了蒙牛宣传的主战场，其宣传攻势相较央视丝毫不弱。通过各高空媒体的使用，不仅迅速强化了品牌形象，同时也为新品牌上市做好了铺垫。

4. 平面媒体的宣传及应用

在平面媒体宣传方面，蒙牛更是做到了"无孔不入"。在拿下冠名权后，蒙牛马上着手宣传，仅海报就印刷了1亿张。"超级女声"活动分为几大赛区：广州赛区、郑州赛区、成都赛区、杭州赛区、长沙赛区。所以，在以上几大赛区的宣传必不可少。为此，蒙牛通过《南方都市报》《潇湘晨报》《成都商报》《都市快报》等平面媒体，对活动及其产品进行了大范围的宣传。从赛事的举办及内涵、报名及比赛资格介绍、比赛全程到蒙牛酸酸乳的"酸甜"新口味、代言人张含韵的介绍及产品核心定位都做了系列报道，有效地聚集了广大青春少女的目光，普及了"蒙牛酸酸乳"在消费群体心中的认识。

同时，蒙牛乳业集团与湖南卫视还在《国际广告》等各大广告、财经类杂志上进行了一定力度的宣传，使广告界的传媒都兴奋起来，主动关注本次赛事活动，扩大了宣传的效应。就连主攻时事经济政治人物评论的《时代人物》，也在此期间主动大篇幅刊登了"超级女声"的纪念海报。

5. 网络媒体的宣传及应用

在8月和9月初，打开新浪网看新闻时，会看到巨大的弹出式广告。打开百度进行搜索，会发现在"新浪网影音娱乐世界""中国湖南卫视""超级女声"等各大网络媒体上均出现了"超级女声"及蒙牛的整版专题宣传报道。

应该说,蒙牛与湖南卫视在网络媒体的选择方面更具眼光:其一,网络媒体成本低廉,可以进行系统全面的宣传;其二,网络作为年轻人了解世界的新途径,其作用已经超过了电视媒体,也就是说,采用网络进行宣传能有效聚集大众目光,争取更大的宣传效应;其三,利用网络的互动性与场外观众进行适时的沟通,及时将信息进行反馈,可以不断改进营销策略。

在宣传手法方面,蒙牛更是翻出了新花样:除了既有的报名及参赛规则、全程报道、赛事图片及流媒体广告宣传外,蒙牛还在百度贴吧专门创立了"张含韵吧",使众多网友都能将自己品尝蒙牛酸酸乳后的感想、对张含韵的关注以及对超级女声比赛的看法集中地发表在这里,将"势"巧妙地造到了最大。同时,由张含韵演唱的《酸酸甜甜就是我》受到了广大网友的好评,在百度mp3歌曲TOP 500强中排名第十位,而《想唱就唱》更是名列第二,下载次数则是以十几万次名列榜首。

在宣传创新方面,蒙牛此次推广活动中的互动游戏"蒙牛连连看"与"超级FANS"极具亮点。这两款小游戏在蒙牛乳业网站及相关活动网站都可以下载。值得一提的是,这两款小游戏还提供分数上传,玩家打出超高分数后可以将游戏结果进行上传,最终由蒙牛评选出数位优秀玩家并派发礼品。这一活动不仅使玩家在娱乐中感受到了休闲的滋味,同时还加深了对蒙牛酸酸乳的好感,化解了宣传的生硬性,使品牌效应能更深刻地植根于消费者心中。

6. 终端的促销及公关造势活动

蒙牛集团利用自身的渠道优势,在20亿袋蒙牛酸酸乳的外包装上都印上了"超级女声"的比赛信息。同时加大了产品铺市率。在具体促销方面,蒙牛统一了堆头的外观,所有堆头全部采用四方及环形的包装,张含韵的形象鲜明而立。而大量的POP贴于超市入口及生鲜卖场奶品角落,使消费者能够很容易看到,加大了随机购买率。除此之外,蒙牛联合超市推出了"买六送一"的促销活动。毕竟消费者最关心的还是价格因素,这是一个非常好的促销时段。消费者可以抓住这个机会大批量购买,甚至有人一下子买了两三箱。据调查,在举办"超级女声"的时间段内,蒙牛酸酸乳的销量明显优于其竞争对手,并且蒙牛其他产品的销量也有一定上浮,很好地起到了以点带面的效果。

借助"超级女声"之势,蒙牛还设立了"超级女声"夏令营:凡购买酸酸乳夏令营六连包即有机会参加抽奖活动,中奖者可以免费去长沙观看"超级女声"总决赛,还有机会享受长沙游。此活动进一步与终端促销结合,将活动影响力转化为产品销售力。

蒙牛无疑成为这场"超女"狂欢中当之无愧的大赢家。仅在成都,各大超市的常温液态奶的销售数字也显示,2005年5~7月份,蒙牛原味酸酸乳在单店的销售位居第一,月销售额高出第二名数千元。蒙牛酸酸乳在整个合作中,其产品推广费用只占销售额的6%,而销售额由2004年6月的7亿元上升到2005年8月的25亿元,在全国的销售额同期增长了2.7倍。酸奶是乳制品种类中相对利润最高的品种,据专家分析,蒙牛酸酸乳的平均毛利能达到25%~30%。2005年8月23日,蒙牛乳业在我国香港发布了其2005年上半年财务报告:公司上半年营业额由2004年同期的34.73亿元上升至47.54亿元,纯利润高达2.47亿元,较2004年同期的1.84亿元增长33.9%。

(资料来源:俞雷. 什么成就了蒙牛. 中国中小企业,2005.11;郅永忠. 蒙牛奇迹:高速成长的模式:专访蒙牛集团副总裁孙先红. 经济导刊,2006.03;倪德玲. 蒙牛的营销策略与品牌攻略. 深圳:海天出版社，2007.9；21 世纪经济报道编著. 中国最佳品牌建设案例Ⅱ. 广州：南方日报出版社，2008.11.）

讨论并回答问题：
1. "超级女声"和蒙牛酸酸乳的目标顾客在哪儿？
2. 蒙牛酸酸乳的市场定位是什么？
3. 本案例对你的启示是什么？

本 章 小 结

本章共分三节，分别探讨了市场细分、目标市场选择和市场定位的相关问题。

所谓市场细分，是指营销者通过市场调研，依据消费者的需要与欲望、购买行为和购买习惯等方面的明显差异性，把某一产品的市场整体划分为若干个消费者群的市场分类过程。在这里，每一个消费者群就是一个细分市场，也称为"子市场"或"亚市场"。每一个细分市场都是由具有类似需求倾向的消费者构成的群体。有效市场细分的原则包括：可区分性原则、可衡量性原则、可进入性原则、可盈利性原则、相对稳定性原则。消费者市场细分和产业市场细分的标准存在着很大的差异。消费者市场细分的标准有地理细分变量、人口细分变量、心理细分变量和行为细分变量。产业市场细分的标准有最终用户行业、用户规模、用户地理位置和其他变量。

目标市场是指在市场细分的基础上，企业要进入的最佳细分市场。目标市场策略有三种，分别是无差异营销策略、差异性营销策略和集中性营销策略。

市场定位也称为产品定位或竞争定位，是指根据竞争者现有产品在细分市场上所处的地位和消费者对产品某些属性的重视程度，塑造出本企业或产品与众不同的鲜明个性或形象并传递给目标消费者，使该企业或产品在细分市场上占有强有力的竞争位置。市场定位的方式有迎头定位、避强定位和反定位。市场定位的步骤是分析目标消费者的需求特征、明确竞争者的市场定位、寻求创造企业的相对竞争优势、确定企业市场定位、传播企业的定位。

思考与实训

1. 什么是市场细分？市场细分的作用、原则有哪些？
2. 企业应从哪些方面对细分市场进行评估？
3. 目标市场策略有哪些？各有什么优缺点？
4. 如何理解市场定位？常用的定位依据有哪些？各举一实例。
5. 市场定位战略有哪些？
6. 针对目前我国汽车市场需求及发展的状况，试提出对汽车市场的细分方案，并描述各细分市场的购买特点。
7. 试用市场定位理论分析你大学毕业后的职业定位及定位时要考虑的因素。

第七章

产品组合与产品开发

> **学习目标**
> 1. 掌握产品及产品的整体概念
> 2. 了解产品组合的相关概念
> 3. 掌握产品组合策略的基本内容
> 4. 熟悉产品生命周期的划分理论及营销对策
> 5. 了解新产品的基本理论及开发程序

导入案例

RC 公司的新产品

RC 公司新近成功开发了一种家庭自动化兼防卫系统,可以通过手机来控制家里的所有电器,还具有防盗报警的功能。产品分为主机和外部设备两部分,主机由公司生产,外部设备需要购头合专业防盗传感器厂家生产的可匹配产品。经过市场调查后,公司确定了一个能被普通消费者接受的价位,准备将产品推向市场,公司的销售人员带着产品参加了几次电子产品博览会,消费者反映也都很好。现有的产品包装中只有主机部分,由于公司并不生产外部设备,所以在包装中无外部设备,只是在说明书中写明了可以采用哪一类外部设备,并由技术人员写了几页如何安装的介绍。

产品正式推向市场后,销量并没有公司预测的那样好,反映出来的问题主要有:许多用户买不到外部设备,即使买回来后也不会连接或是连接得不对;连接好后,还有不少人不会正确使用。这些问题影响了产品的销售。请分析 RC 公司在什么地方工作有失误。

(资料来源:盛安之.营销的58个创新策划[M].北京:企业管理出版社,2008.)

企业的市场营销活动必须以满足市场需要为中心,而市场需要的满足只能通过提供某种产品或服务来实现。因此,产品是市场营销组合中的一个重要因素。产品策略直接影响和决定着其他市场营销组合因素的管理,对企业市场营销的成败影响重大。在现代市场经济条件下,每一个企业都应致力于产品质量的提高和组合结构的优化。随着产品经济生命周期的发展变化,灵活调整市场营销方案,及时用新产品代替衰落的老产品,以更好地满足市场需要,取得更大的经济效益。

第一节　产品与产品分类

一、产品整体概念

人们对产品的理解，传统上仅指实物产品或物质产品，如服装、汽车、电器，其实这只是对产品狭义的理解。市场营销学中关于产品的概念，无论是内涵还是外延都要丰富、宽广得多。产品整体概念是指企业向市场提供的所有能满足消费者需要和欲望的有形产品和无形服务的总和。有形产品主要包括产品的实体及其质量、外观、包装等；无形服务包括可以给买主带来附加价值和心理上的满足感及信任感的一系列售后服务，如免费送货、安装、融资信贷等。其实，消费者购买某种产品，并不只是为了得到该产品的物质实体，而是要通过购买该产品来获得某方面利益的满足，甚至只是一种纯粹的欲望满足。

具体说来，产品整体概念由五个基本层次组成：核心产品、形式产品、期望产品、延伸产品和潜在产品，如图7-1所示。

（一）核心产品

每一种产品实质上是为解决问题而提供的服务。核心产品是产品整体概念最基本的层次，是满足消费者需求的核心内容。核心产品为消费者提供最基本的效用和利益。例如，电视机的核心是满足人们文化、娱乐的需求，在产品中最完整、全面地体现消费者所需要的核心利益和服务。

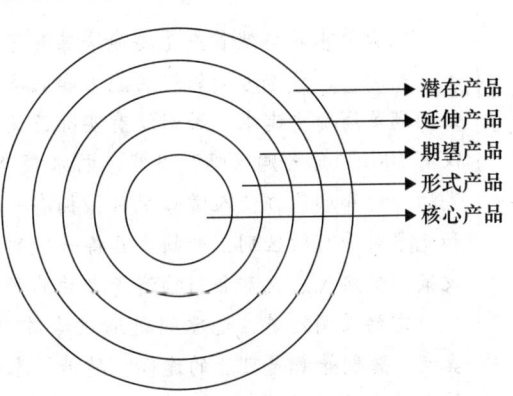

图7-1　产品整体概念层次图

（二）形式产品

核心产品只是一个抽象的概念，产品设计者必须把它转化为具体的形式，即目标市场对某一需求的特定满足形式，在这个层次上的产品就是形式产品。形式产品应具有以下五个方面的特征：质量、功能、款式、品牌、包装。消费者购买某种产品，除了要求该产品具备某些基本功能，能提供某种核心利益外，还要考虑产品的品质、造型、款式、颜色以及品牌声誉等多种因素。可见，形式产品向人们展示的是核心产品的外部特征，它能够满足同类消费者的不同要求。

（三）期望产品

期望产品是指消费者在购买产品的时候，期望得到的与本产品密切相关的一整套属性和条件。例如，宾馆的消费者期待得到清洁的床单、舒适的枕头、衣柜、电话和安静的环境等。

（四）延伸产品

延伸产品即产品的各种附加价值的总和。它通常是指各种售后服务，如提供产品使用说明书、保修单、安装、维修、送货、技术培训等。国内外许多企业的成功，在一定程度上应归功于它们更好地认识到服务在产品整体概念中所占的重要地位。它们除了提供特定的产品实体之外，还根据需要提供了多种服务。在现代市场营销环境下，企业销售的绝不只是特定的使用价值，而必须是反映产品的整体概念的一个系统。在日益激烈的竞争环境中，延伸产品给消费者带来的附加价值，已成为竞争的重要手段。许多情况表明，新的竞争并非各企业在其工厂中所生产的部分，而在于附加在包装、服务、广告、顾客咨询、资金融通、运输、仓储及具有其他价值的形式。因此，能够正确发展延伸产品的企业必将在竞争中获胜。

（五）潜在产品

潜在产品是指包括现有产品的所有延伸和演进部分，最终可能发展为未来产品的潜在状态的产品。潜在产品指出了现有产品的可能演变趋势和前景，如宾馆酒店在未来可能为商务人士提供私人助理服务等。

◆ 阅读案例 7-1

电冰箱的产品层次

一台电冰箱当然首先是要能冷冻和保鲜食品，否则它就成了一个没有多少实际用途的柜子。然后，这种冷冻和保鲜的能力和效率必须达到一定的水准，即电冰箱的制冷能力和效率必须满足消费者需求，否则没有实际意义。设想一下，若电冰箱每天耗电 10kW·h，而容量仅有 100L，你会购买吗？当然，电冰箱还不能经常出故障。除此之外，电冰箱还应该有漂亮的外观和颜色，使人赏心悦目，拥有一个响亮、气派的品牌。更重要的是，要使该电冰箱和竞争对手有所区别，必须要具备一定的特色。最后，电冰箱的售后服务、质量保证、维修政策、价格优惠也都会影响消费者的购买决策。

需要强调的是，电冰箱是通过冷冻（冷藏）来保存食物的，但这并非是唯一的办法。真空、腌制等都是可能的途径。随着技术的发展，还会有更多的新手段，这才是对电冰箱业最大的威胁。

（资料来源：钱旭潮. 市场营销管理：需求的创造、传播和实现［M］. 2版. 北京：机械工业出版社，2009.）

整体产品概念体现了"以消费者为中心"的现代市场营销观念，反映了产品在适应需求和满足需求上的内容和层次又有了更新的拓展。因此，理解并掌握产品的整体概念对企业开展营销活动意义重大。

纵观当前的市场态势，竞争日益加剧，企业要想求生存、求发展，必须从整体产品概念出发，根据消费者的实际需要来规划产品的生产设计，并适时创造和唤起消费者潜在的需求，以适应消费者不断扩展和深化的消费需求。

二、产品分类

产品是丰富多彩、多种多样的，它可以按不同的标准进行分类。

1. 以产品的存在形式分类

以产品的存在形式分类，产品可分为有形产品和无形产品。

（1）有形产品。有形产品包括耐用品和非耐用品。耐用品是指正常情况下能多次使用的有形物品，如空调、汽车、住房等。针对耐用品，企业应采取的营销策略包括：①重视人员推销和服务；②追求高利润率；③提供销售保证。非耐用品是指正常情况下一次或几次使用就被消费掉的有形物品，如文具、饮料、食品等。这些物品很快就被消费掉，所以消费者购买频繁。针对非耐用品,企业应采取如下营销策略:①通过多种网点销售这种物品,以便消费者随时随地购买;②薄利多销;③积极促销。

(2) 无形产品。无形产品主要包括服务和数字化产品。服务是指供出售的活动或满足感等,如修理、旅行、教育等,服务具有无形性、不可分离性、可变性和不可储存性,因此,它需要更多的质量控制、供应商信用以及适用性。数字化产品是指信息、计算机软件、视听娱乐产品等可数字化表示并可用计算机网络传输的产品或劳务。在数字经济时代,这些产品(劳务)可不必再通过实物载体形式提供,可通过在线计算机网络传送给消费者,如多媒体产品等。由于数字化产品的价值和质量很难进行直观的界定,因此,企业应更重视提升自身信誉,并给消费者提供完善的服务保障。

2. 以消费者的购买习惯分类

根据消费者的购物习惯,产品可分为便利品、选购品、特殊品和非需品。

(1) 便利品。便利品是指消费者通常购买频繁,希望在需要时即可买到并且只花最少的精力和时间去比较品牌、价格的消费品,如牙膏、报纸等。考察便利品时应注意两个问题:①便利品都是非耐用品,且多为消费者日常生活必需品。因而,经营便利品的零售商店一般都分散设置在居民住宅区、街头巷尾、车站、码头、工作地点和公路两旁,以便消费者随时随地购买。②消费者在购买前,对便利品的品牌、价格、质量和出售地点等都很熟悉,所以对大多数便利品只需花较少的时间与精力去购买。

(2) 选购品。选购品是指消费者为了物色适当的物品,在购买前往往要去许多家零售商店了解和比较商品的花色、式样、质量、价格等的产品。例如,儿童衣料、女装、家具等,都是选购品。选购品挑选性强,消费者不知道哪家的最合适,因其日用程度较高且不需经常购买,所以消费者有必要和有可能花较多的时间和精力去多家商店物色合适的产品。

(3) 特殊品。特殊品是指消费者能识别哪些品牌的商品物美价廉,哪些品牌的商品质次价高,而且许多消费者愿意多花时间和精力去购买的产品。例如,特殊品牌和造型的奢侈品、高档的家用电器、供收藏的特殊邮票和钱币等。消费者在购买前对物色的特殊品的特点、品牌等均有充分认识,这一点同便利品相似。但是,消费者只愿购买特定品牌的某种商品,而不愿购买其他品牌的某种特殊品,这又与便利品不同。

(4) 非需品。非需品是指消费者不知道的产品,或者虽然知道却没有兴趣购买的产品。例如,刚上市的新产品、百科全书等。非需品的性质决定了企业必须加强广告、推销工作,使消费者对这些产品有所了解,产生兴趣,千方百计地吸引潜在消费者,扩大销售。

3. 产业用品的分类

按照产品参加生产过程的方式和产品价值进入新产品的情况,产品可分为完全进入产品的产业用品、部分进入产品的产业用品和不进入产品的产业用品三类。

(1) 完全进入产品的产业用品。完全进入产品的产业用品是指经过加工制造,其价值完全进入新产品的产业用品,包括:原料,如农产品、自然产品等;材料和零部件等。

(2) 部分进入产品的产业用品。部分进入产品的产业用品是指在生产过程中逐渐磨损,其价值分期分批进入新产品的资本设备,包括:设施,如建筑物、土地、固定设备等;附属设备,如可移动厂房、轻型设备、办公设备等。

(3) 不进入产品的产业用品。不进入产品的产业用品是指不会在生产经营过程中变为实际产品(但其价值要计入新产品成本),维持企业经营管理所必需的产业用品,包括:供应品，如业务供应品、维护物品等；企业服务，如维修服务、企业咨询服务等。

第二节 产品组合

现代企业为了满足目标市场的需要，为了扩大销售、分散风险和增加利润，往往需要经营多种产品。但是，一个企业究竟应当生产经营多少种产品，这些产品应当如何搭配，都需要根据市场需要和自身能力等条件来决定。为了合理规划产品结构，调整新老产品的组成，有必要对产品组合问题进行探讨。

一、产品组合的相关概念

所谓产品组合，是指企业提供给市场的全部产品线和产品项目的组合或结构，即企业的业务经营范围。其中，产品线（又称产品大类）是指产品类别中具有密切关系（或经由同种商业网点销售，或同属于一个价格幅度）的一组产品；产品项目是指某一品牌或产品大类中的不同尺码、规格、外观及其他属性的具体产品。产品组合包括以下四个要素：宽度、长度、深度和关联性。

1. 产品组合的宽度

产品组合的宽度是指一个企业的产品大类，即产品线总数。例如，某企业营销的产品有摩托车、电视机、录像机、收音机、收录机五大类，那么，该企业的产品组合的宽度为5。经营的产品线越多，产品组合也越宽，反之就越窄。从企业战略来看，宽的产品组合可使企业满足消费者的不同需求，能够满足一次性购齐的消费。例如，海尔能够提供洗衣机、电冰箱、电视机、空调机、抽油烟机、吸尘器、电熨斗等，能够提高其分销渠道的利用率。

2. 产品组合的长度

产品组合的长度是指一个企业的产品项目总数。通常，每一产品线中包括多个产品项目，企业各产品线的产品项目总数就是企业产品组合长度。例如，某企业的产品项目总数是30个，也就是说，其产品组合的长度是30。

3. 产品组合的深度

产品组合的深度是指产品线中的每一产品所包含的产品项目数目。例如，海尔生产的彩电，按尺寸大小划分有46in[⊖]、42in、37in等。多条产品线的深度相加的平均数，就是产品组合的平均深度。

4. 产品组合的关联性

产品组合的关联性是指一个企业的各产品线在最终用途、生产条件、分销渠道等方面的相关程度。例如，某日用品生产企业拥有香皂、洗衣粉、肥皂等多条生产线，但每条生产线都与日用品有关，这一产品组合就具有较强的关联性。

产品组合的宽度、长度、深度和关联性不同，就构成不同的产品组合。分析产品组合的这四个要素，有利于企业更好地利用产品组合策略。增加产品组合宽度、扩大经营范围，可充分发挥企业各项资源的潜力，提高效益，降低风险；增加产品线的长度和深度，可适应不同消费者的需求，吸引更多消费者；产品组合关联性的强弱，可决定企业能在多大领域内加

⊖ 1in = 0.0254m。

强竞争地位和获得声誉。

例如，表 7-1 列出的是宝洁公司的产品组合。

表 7-1　宝洁公司的产品组合

宽度	清洁剂	牙膏	条状肥皂	纸尿裤	纸巾
深度	象牙雪 德来夫特 汰渍 快乐 奥克雪多 德希 波尔德 圭尼 伊拉	格利 佳洁士	象牙 柯克斯 洗污 佳美 爵士 保洁净 海岸 玉兰油	帮宝适 露肤	媚人 粉扑 旗帜 绝顶

二、产品组合的优化和调整

企业要调整和优化产品组合，其实就是对产品组合的宽度、深度、长度以及关联性等方面做出决定，选出最佳方案。依据情况的不同，可选择以下几种策略：

1. 扩大产品组合策略

扩大产品组合包括拓展产品组合的宽度和增加产品组合的深度。前者是在原产品组合中增加一条或几条产品线，扩大经营产品的范围；后者是在原有产品大类内增加新的产品项目。当企业预测现有产品大类的销售额和利润额在未来一段时间内有可能下降时，就应考虑在现行产品组合中增加新的产品大类，或加强其中有发展潜力的产品大类。当企业打算增加产品特色，或为更多的子市场提供产品时，则可选择在原有产品大类内增加新的产品项目。

扩大产品组合策略的优点是：充分利用企业的人力、物力和财力资源，避免企业资源的浪费，提高企业的经营效果；减少企业受市场需求变动的影响，分散市场风险，降低损失；更好地满足不同偏好的消费者的各种需求，提高产品的市场占有率，并提高企业的声誉。

扩大产品组合策略也有局限性：要求企业拥有多条生产线，具有多种销售渠道；同时，促销方式要多样化，这会增加企业的生产成本和销售费用。

2. 缩减产品组合策略

通常情况下，企业的产品大类有不断延长的趋势，其原因主要有：①生产能力过剩迫使产品大类经理开发新的产品项目；②经销商和销售人员要求增加产品项目，以满足消费者的需要；③产品大类经理为了追求更高的销售额和利润而增加产品项目。

但是，随着产品大类的延长，设计、工程、仓储、运输、促销等市场营销费用也随之增加，最终将会减少企业的利润。在这种情况下，需要对产品大类的发展进行相应的限制，删除那些得不偿失的产品项目，使产品大类减少，提高经济效益。

缩减产品组合策略的优点是：集中技术资源改进保留的产品线，便于降低成本，提高竞争力；有利于生产经营的专业化，提高生产效率，降低成本，使企业向纵深方向发展，寻求合适的目标市场；减少资金占用率，加速资金周转。

缩减产品组合策略的局限性是：风险较大，一旦目标消费者的消费需求发生转移或市场上出现强有力的竞争者，企业很可能受到严重的损失，甚至破产。

3. 产品延伸策略

（1）产品延伸的具体方式。产品延伸策略是指全部或部分地改变企业原有产品的市场定位。具体方式有三种：向下延伸、向上延伸和双向延伸。

1）向下延伸。向下延伸是指企业原来定位于高档市场的产品线向下延伸，在高档产品线中增加中低档产品项目。采取这种策略，可以使企业利用高档名牌产品的声誉，吸引不同层次的消费者，从而增加产品销售，扩大市场份额，充分利用原有的物质技术力量。但这种策略也会给企业带来一定的风险，如果处理不当，低档产品会对企业原有产品的市场形象和声誉造成不利的影响。

2）向上延伸。向上延伸是指企业原来定位于低档市场的产品线向上延伸，在原有产品线内增加高档产品项目。采取这一策略的原因是高档产品市场具有较大的市场潜力和较高的利润率，企业在技术设备和营销能力方面已经具备进入高档市场的条件，需要对产品线进行重新定位等。这一策略的最大风险在于，企业的低档产品在消费者心目中地位的改变比较困难，因而需要通过大量的营销努力，经过一段时间才能奏效。

3）双向延伸。双向延伸是指企业原来定位于中档市场的产品线，占据了一定的市场优势后，决定产品策略向产品线的上下两个方向延伸，一方面增加高档产品，另一方面增加低档产品，力求全方位占领某一市场。采取这一策略的主要问题是，随着产品项目的增加，企业的营销费用和管理费用会相应增加，因此，要求企业对高、低档产品的市场需要有准确的预测，以使企业产品的销售在抵补费用的增加后有利可图。

（2）产品延伸的利益。首先，产品延伸能够满足更多的消费者需求。伴随着市场经济的发展，市场调研技术也在日益完善，使营销人员能够细分出更小的子市场，进而把复杂的市场细分体系变成立竿见影的促销计划。在这种情况下，往往是产品大类越长，机会越多，利润也越大。其次，迎合消费者求异求变的心理。随着市场竞争的加剧，要求消费者对某一品牌绝对忠诚越来越难，越来越多的消费者在转换品牌购买，尝试他们未曾使用过的产品。产品延伸就是通过提供同一个品牌下的一系列不同商品来尽量满足这种求异心理。企业希望这种延伸成为一条既满足消费者愿望，又保持他们对本企业的品牌忠诚的两全之计。

（3）减少开发新产品的风险。产品延伸所需要的时间和成本比创造新产品更加容易控制。由于大部分消费品的生产技术已经成熟与普及，产品延伸可以以最小的风险最快地获得利润。

（4）适应不同价格层次的需求。无论产品大类中原有产品的质量如何，企业往往宣传延伸产品质量如何好，并据此为延伸产品制定高于原有产品的价格。在销售量增长缓慢的市场上，营销人员就可以通过提高价格来增加单位产品的利润。当然，也有一些延伸产品的价格低于原有产品。产品延伸给营销人员提供了一个机会，使他们能够制定不同档次的价格以吸引更多的消费者。

4. 产品大类现代化

在某些情况下，虽然产品组合的宽度、长度都很恰当，但产品大类的生产形式却可能已经过时，这就必须对产品大类实施现代化改造。例如，某企业主要还停留在二三十年前的水平，技术性能及操作方式都较落后，这必然使产品缺乏竞争力。如果企业决定对现有产品大类进行改造，首先面临这样的问题：是逐步实现技术改造，还是以最快的速度用全新设备更换原有产品大类？逐步现代化改造可以节省资金耗费，但缺点是竞争对手很快就会察觉，并有充足的时间重新设计它们的产品大类；而快速现代化改造策略虽然在短时期内耗费资金较多，却可以出其不意，击败竞争对手。

第三节 产品生命周期

一、产品生命周期的概念

产品生命周期是指产品投入市场到退出市场所经历的整个阶段。这种变化的规律就像人和其他生物的生命一样，从诞生、成长到成熟，最终走向衰亡。产品生命周期特指产品的市场寿命，而不是产品的自然寿命或使用寿命。产品经过研究开发、试销，然后进入市场，其市场生命周期就开始了；产品被消费者拒绝或淘汰，退出市场，则标志着产品生命周期的结束。

产品生命周期可分为导入期、成长期、成熟期和衰退期四个阶段（见图7-2）。

产品生命周期的四个阶段，实际上取决于消费者或用户对一种商品推上市场后的接受过程。这一过程包括认识了解、产生兴趣、做出评价、试用、常用。在这一过程中，不同的消费者和用户在态度和时间上存在着很大差异，可分为创新者、敏感者、谨慎者、保守者、保守传统者，其比例结构呈正态分布。

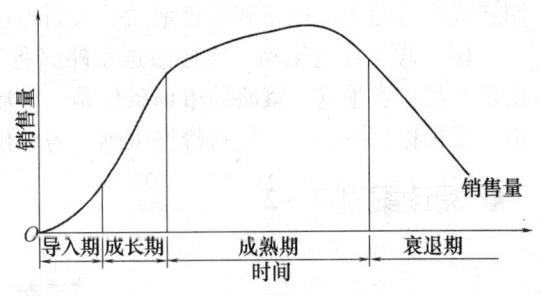

图7-2 产品生命周期

产品生命周期表明了产品在各阶段的发展趋势，是推测产品发展前途的出发点。对产品生命周期的阶段划分，便于营销者根据产品不同阶段的特征，分析产品的营销状况，并在不同发展阶段制定不同的营销组合，掌握营销活动的主动权。企业研究产品生命周期理论，将有利于把握新产品开发和上市的时机，及时替代老产品。

现代市场营销学认为，企业的营销战略必须适应产品生命周期的发展变化。随着某种产品生命周期的变化，企业必须相应地改变产品的市场营销战略，这是企业能否在激烈的市场竞争中生存和发展的关键。

二、产品生命周期各阶段的特点及营销策略

（一）导入期

1. 导入期的市场特点

导入期一般是指新产品研制成功投放到市场试销的阶段。其主要特点是：消费者对产品不了解，产品销售量小，单位产品成本高；尚未建立最理想的营销渠道以及高效率的分配模式；价格决策难以确立，广告费用和其他营销费用开支较大；产品技术、性能还不够完善；利润较小，甚至为负利润。

2. 导入期的营销策略

企业在导入期营销策略的重点是突出一个"快"字，让消费者尽快了解产品，让产品

尽快进入市场。一般有以下四种可供选择的营销策略：

（1）快速掠取策略。快速掠取策略又称双高策略，即企业以高价格和高促销费用相结合推出新产品。采用这种策略必须具备的条件是：市场需求潜力大，目标消费者求新心理强，急于购买新产品并愿意为此支付高价；产品在质量和性能上要优于同类产品或者在某些方面有新奇之处。

（2）缓慢掠取策略。缓慢掠取策略又称选择性渗透策略，即企业以高价格和低促销费用相结合的方式推出新产品。高价格和低促销费用的结合可以使企业获得更多利润。采用这种策略的市场条件是：目标市场的潜力和规模有限，竞争威胁不大，大多数用户了解这种产品，适当的高价能为消费者接受。

（3）快速渗透策略。快速渗透策略又称密集式渗透策略，即以高促销费用和低价格的组合向市场推出新产品。其目的在于先发制人，以最快的速度将产品打入市场，该策略可以给企业带来最快的市场渗透率和最高的市场占有率。实施该策略的市场条件是：产品市场容量相当大，潜在消费者对产品不了解，且对价格十分敏感；潜在竞争比较激烈；产品的单位制造成本可随生产规模和销售量的扩大而迅速下降。

（4）缓慢渗透策略。缓慢渗透策略又称双低策略，即以低价格和低促销费用相结合推出新产品。实施这一策略的市场条件是：市场容量大，产品适用面广；消费者对该产品很了解，促销作用不明显，但对价格敏感，需求价格弹性高；潜在竞争激烈。

◆ **阅读案例 7-2**

万燕 VCD 机

VCD 机的诞生，源于一家小企业的市场敏感。1993 年，姜万勐与孙燕生共同创立了万燕公司，专门开发 VCD 机。10 月份，万燕在新建的厂房里开始组装第一批 2000 台 VCD 机，一上市便被抢购一空。从 1993 年底，万燕公司开始在重庆地区《人民日报》《北京青年报》上大做广告；1994 年，万燕公司开始在中央人民广播电台大谈什么是 VCD，在电视广告的黄金时段，出现了如下的画面：关凌抱着一堆碟片，朗朗说道："小影碟特便宜。"中国老百姓也正是由这则广告正式听闻"VCD"这个颇有些洋味的概念。此时，VCD 才正式在中国兴起，让广大百姓知道，也就只是万燕一家公司打入 VCD 市场，可谓是在 VCD 行业的一个市场导入期，所以价格当时定位在 5300 元，采用的可以说是先声夺人的策略，但当时的销量还不足 2 万台。

对位于产品导入期的产品，应该尽可能快地进入和占领市场，尽可能在短时间内实现由导入期向成长期的转轨，企业营销策划的重点应该是在促销与价格方面。于是，万燕公司 1994 年便开始了各种广告宣传，广告投入费高达 2000 万元人民币。1995 年，"爱多"公司投下重金在央视打出广告，随后又以 420 万元的价格请影视巨星成龙做品牌宣传，当年 VCD 机的销量就冲破了 20 万台，增长速度惊人。

（资料来源：冯丽云．现代市场营销学[M]．北京：企业管理出版社，2008.）

（二）成长期

1. 成长期的市场特点

成长期是指新产品试销成功后，转入大批量生产和销售的阶段。其主要特点是：消费者对产品已较为熟悉，大量的消费者已经购买该产品，分销渠道顺畅，产品销售量迅速增长；产品设计已经基本定型，生产工艺已基本确定，工装设备已经齐备，具备大批量生产的条件，因此，产品成本大幅度下降，利润大幅度增加；其他企业见有利可图，纷纷生产同类产品，竞争开始加剧。

2. 成长期的营销策略

由于成长期是企业产品销售的黄金时期，企业营销策略的重点应该突出一个"好"字，站稳并扩大市场，同时避免因产品质量问题而损害企业的形象和信誉。企业应采取的主要营销策略有以下几种：

（1）产品策略。企业通过技术上的改进，进一步提高产品质量，并赋予产品新的特性，同时改进产品的包装、款式和服务；增加新样式和侧翼产品，避免单一品种孤军作战，以多种产品形式捕捉机会和抵制竞争产品。

（2）价格策略。在扩大生产的基础上，企业可以选择适当的时机，采取灵活降价策略，这样既可以吸引那些对价格敏感的消费者做出购买决策，又可以阻止竞争对手的进入，提高竞争力。如果企业产品有垄断性，也可以采用高价策略。

（3）渠道策略。结合导入期的市场销售情况，通过市场细分找到尚未满足的细分市场，一旦时机成熟，进入新的细分市场，以扩大市场面，谋求更大发展；增设新的分销网络；多渠道进入市场，争取最大销售量。

（4）促销策略。改变广告内容，要从提高产品知名度转变为说服人们购买其产品。市场由产品拓展转变为品牌竞争，宣传自己的品牌，树立企业的形象，强化消费者的购买信心。

在成长期，企业往往会面临"高市场占有率"和"高利润率"之间的选择。如欲获得领导地位，企业就必须在产品改进、促销宣传和分销开拓方面加大开支。企业要想在下个阶段获得更高利润和竞争优势，就要放弃最高当期利润，这从长期利润获取来看，有利于企业的发展。

◆ 阅读案例 7-3

中国的 VCD 市场

从 1996 年开始，中国的 VCD 市场每年以数倍的速度增长，VCD 机的销量从 1995 年的 60 万台猛增到 600 多万台。从 1996 年开始，美国斯高柏公司在我国推出 VCD 品牌计划，实行"C-CUBE"品牌使用权认证政策，通过严格、全面的质量测试来对国产 VCD 进行质量认证、标志的授权。1997 年"爱多"以 2.1 亿元夺得中央电视台广告标王，一时声名鹊起，销量达到 1000 万台。同时，国内外品牌竞争激烈，大打价格战，整个 VCD 市场一片火热，价格已经跌破了 1000 元。

此时的 VCD 市场处在成长期，各企业不断地树立品牌形象，催生出爱多、步步高、新科等国内知名品牌。全国的销售网点不断扩大，并且价格不断下降，产品的质量也在不断提高，品种不断增多。同时，各商家不断地细分市场，以求更多的市场份额。这些现象也就是成长期的一种策略，即改进产品，开辟新市场，密集分销，建立品牌形象。

（资料来源：冯丽云. 现代市场营销学[M]. 北京：企业管理出版社，2008.）

（三）成熟期

1. 成熟期的市场特点

经过成长期以后，市场需求趋向饱和，潜在消费者已经很少，销售额增长缓慢直至转而下降，标志着产品进入了成熟期。这一阶段的主要特点是：销售量达到顶峰，销售增长率甚至呈现下降趋势；同时，生产量大，生产成本低，利润总额高，但增长率降低；由于产品普及率高，市场需求减少，行业内生产能力出现过剩，市场竞争激烈。

2. 成熟期的营销策略

企业在成熟期的营销策略的重点是突出一个"改"字。企业在这一时期可以采取的营销策略有以下几种：

（1）市场改良策略，即开发新市场，寻求新用户。这种策略的实现方式有以下几种：①开发产品的新用途。②刺激现有消费者，增加使用频率。③重新为产品定位，寻求新的买主。

（2）产品改良策略，即产品通过在性能、质量、功能等方面的适当改进，重新推向市场，吸引更多的消费者。具体方法有四种：①品质改进策略，主要侧重于增加产品的功能，目的是提高产品的竞争地位；②特性改进策略，主要侧重于增加产品的新特性；③式样改进策略，主要基于人们的美学欣赏观念而对产品的款式、外观进行改变；④服务改进策略，有的企业销售耐用消费品采取设立修理站、提供保修等方法，以促进销售。

（3）营销组合改良策略，即通过对产品、定价、渠道、促销四个市场营销组合因素加以综合调整，刺激销售量的回升。例如，在提高产品质量、改变产品性能、增加产品花色品种的同时，通过特价、早期购买折扣、补贴运费、延期付款等方法来降价让利；扩展分销渠道，广设分销网点，调整广告媒体组合，变换广告时间和频率，增加人员推销，大搞公共关系等"多管"齐下，进行市场渗透，扩大企业及产品的影响，争取更多的消费者。

（四）衰退期

1. 衰退期的市场特点

随着科学技术的发展，新产品或新的代用品出现，将使消费者的消费习惯发生改变，转向其他产品，从而使原来产品的销售量和利润迅速下降，于是，企业产品进入了衰退期。衰退期的市场特点是：产品老化，处于被市场淘汰的境地；产品销售量和利润急剧下降；企业生产能力过剩问题日益突出；市场上以价格竞争作为主要手段，努力降低售价，回收资金；一些企业纷纷退出市场，转入研制、开发新产品，而一些企业的新产品已上市。

2. 衰退期的营销策略

在衰退期，企业营销策略的重点应抓好一个"转"字。此时的营销策略主要有：

（1）继续策略，即继续沿用过去的策略，仍按照原来的子市场，使用相同的分销渠道、定价及促销方式，直到这种产品完全退出市场为止。

（2）集中策略，即把企业的能力和资源集中在最有利的子市场和分销渠道上，从中获取利润。这样有利于延长产品退出市场的时间，同时又能为企业创造更多的利润。

（3）收缩策略，即大幅度降低促销水平，尽量降低促销费用，以增加目前的利润。这样可能导致产品在市场上的衰退加速，但仍能从忠实于这种产品的消费者中得到利润。

（4）放弃策略，即对于衰落比较迅速的产品，应该当机立断，放弃经营。具体可以采取完全放弃的形式，如把产品完全转移出去或立即停止生产；也可采取逐步放弃的方式，使产品所占用的资源逐步转向其他产品。

第七章　产品组合与产品开发

◆ **阅读案例 7-4**

养生堂公司在产品不同时期的营销策略

1997年，养生堂公司开始以农夫山泉进入水市。在农夫山泉的市场导入期，便实施了市场差异化策略，用"农夫山泉有点甜"来说明其水的甘甜清冽，采取口感定位。"有点甜"占据了消费者巨大的心理空间。1998年，农夫山泉市场综合占有率居于第三，仅次于娃哈哈和乐百氏，一举进入饮用水市场的三甲行列。当农夫山泉产品逐渐进入成熟阶段以后，养生堂公司又开始寻求新的产品定位，采取了农夫山泉开始贯彻其与体育事业相结合的策略。从1998年赞助世界杯足球赛中央五套的电视演播室开始，到最后成为2001—2004年中国奥委会的长期合作伙伴和荣誉赞助商，标志着养生堂公司对农夫山泉产品营销战略的成功。纵观养生堂公司针对其产品在不同时期采取的营销策略，可以归纳出一些成功的经验，那就是必须根据产品在市场上所经历的不同生命周期，通过一系列的营销组合，不时地出现新鲜的信息来增强产品和品牌的竞争力。

（资料来源：张科平. 营销策划[M]. 北京：清华大学出版社，2006.）

第四节　新产品开发策略

随着消费需求的日趋多样、科学技术的日新月异和市场竞争的不断加剧，产品的生命周期变得越来越短，企业为求得生存和发展，就必须不断推出新产品。新产品开发策略是现代市场营销战略管理过程中的重要环节。

一、新产品的含义

一般说来，新产品是与原有产品相对的概念。在现代市场营销学中，新产品的概念需要从产品整体概念的角度来理解。产品整体概念中任何层次的更新和变革，所引起产品材料、质量、性能、品种、特色、结构、服务等某一方面或若干方面的变化，而与原有产品有一定的差异，并为消费者带来新的利益的产品都称为新产品。

新产品并不一定是新发明的产品，只要具备以下条件之一的都可以称为新产品：①新的原理、构思与设计；②新的原材料；③新的功能；④更高的质量与服务；⑤新的用途；⑥新的市场或带给顾客新的利益。

二、新产品的类型

市场营销学中使用的新产品概念不是从纯技术角度理解的，只要在功能或形态上得到改进或与原有产品产生差异，并为消费者带来新的利益，即可视为新产品。新产品可分为以下四种类型：

1. 全新产品

全新产品是指采用新原理、新技术和新材料研制出市场上从未有过的产品，如首次推出的汽车、照相机、计算机等。全新产品具有其他类型新产品所不具备的优越性。它可以取得发明专利权，受国家法律的保护，发明者享有独占权利；它具有明显的新特征和新用途，能促使传统的生产、生活方式发生改变。另外，全新产品的研制是一件相当困难的事情，不但要花费巨大的人力、物力和财力，失败率高，风险大，而且从理论到实践、从试验到生产所花的时间也比较长。因此，企业为了实现战略目标，应不失时机地重视研制全新产品的更新换代、改进和革新。

2. 换代产品

换代产品是指采用新材料、新原理、新技术，使原有产品的性能有飞跃性提高的产品，如计算机的更新换代。现代科学技术的进步，技术市场的建立和发展，消费者日益多变的需求，是企业对产品更新换代的良好条件。

3. 改进产品

改进产品是指对原有产品从不同侧面进行改进创新所生产的产品。下列情况属于这种类型：

（1）原有产品的用途不变，通过采用新设计、新材料改变其品质，或通过采用新式样、新包装、新品牌改变其外观。

（2）在原有产品所具有的功能用途的基础上，把原有产品与其他产品或原材料加以组合，使其增加新功能，或通过采用新设计、新结构、新零件，使其增加新用途。

（3）在原有单一种类产品的基础上，研制设计出多种品种、多种型号、多种规格、多种款式的产品，加深产品线的深度，使其适应不同消费者的不同需求。所有这些都属于改进产品。企业根据市场的变化和产品的不同生命周期阶段，不断推出各种不同的改进产品，是增强产品竞争能力、延长产品生命周期、减少研制风险、提高经济效益的好办法。

4. 仿制产品

仿制产品是指企业完全模仿市场上已有的产品，而对企业来说是第一次生产的或在本地区第一次上市的一种新产品。开发此类新产品，企业无须技术上的大变化或改动，但在掌握需求潜量、市场竞争潜力等方面却有较高的要求，否则，难免遇到风险。

三、新产品的开发过程

新产品开发是从寻求新产品创意开始，一直到把某个构思转变为商业上取得成功的新产品为止的全过程。开发新产品存在成功与失败的矛盾，成功意味着获利，失败则带来风险。据国外有关资料表明，新产品失败率高达80%以上。有些新产品虽构思颇佳，但却无法拓展；有些虽已上市，却无人问津；有些虽被接受，但寿命太短，不久便销声匿迹。特别是对于中小企业来说，若成功固然可以从中谋求发展，失败则可能使企业一蹶不振直至破产。正因为开发新产品会有这样大的风险，因此，发展新产品必须严格遵循一定的科学程序，以尽量规避或降低风险，使开发新产品工作能顺利达到预期目标。

新产品开发过程由八个阶段构成，即寻求创意、筛选创意、形成产品概念、制定市场营销战略、营业分析、产品开发、市场试销和批量上市。

1. 寻求创意

新产品开发流程是从寻求创意开始的。所谓产品创意，是指企业从自身的角度考虑能够向市场提供的可能产品的构想。通过寻求尽可能多的创意，为开发新产品提供较多的机会。新产品创意的主要来源有消费者、科学家、竞争对手、企业推销人员、经销商、企业高层管理人员、市场调研公司、广告代理商等。此外，企业还可以从大学、咨询公司、同行业的团体协会、有关报刊媒体那里寻求有用的新产品创意。

2. 筛选创意

筛选创意是指企业获取足够多的创意之后，对这些创意加以评估，研究其可行性，并挑选出可行性较高的创意。通过创意的筛选，淘汰那些不可行或可行性较低的创意，使企业有限的资源集中于成功机会较大的创意上。

3. 形成产品概念

形成产品概念即将经过筛选保留下来的产品创意进一步发展成为产品概念。产品创意是企业拟推出的只具有产品初步轮廓的可能产品，而产品概念则是指企业从消费者的角度对产品创意所做的详尽描述。例如，一只手表，从消费者的角度看，消费者只考虑手表的外形、价格、准确性、是否保修、适合什么样的人使用等；而从企业角度来看，则要将它们具体为这样一些因素：齿轮、轴心、表壳、制造过程、管理方法及成本等。

4. 制定市场营销战略

制定市场营销战略即形成产品概念之后，企业的有关人员要拟定一份将新产品投放市场的初步市场营销战略报告书。报告书由下述三个部分组成：

（1）描述目标市场的规模、结构、行为；新产品在目标市场上的定位；头几年的销售额、市场占有率、利润目标等。

（2）简述新产品和计划价格、分销渠道以及第一年的市场营销预算。

（3）阐述计划长期销售额、目标利润以及不同时间的市场营销组合。

5. 营业分析

营业分析又称效益分析，即企业营销管理者从财务的角度来预测新产品将来的销售额和对成本与利润的估计，看它们是否符合企业的目标以及是否具有较强的商业吸引力。

6. 产品开发

产品开发即由研究开发部门和工程技术部门把产品概念转变成为产品，进入试制阶段。在这一阶段，由文字、图表及模型等描述的产品设计转变为实体产品。该步骤的关键是产品概念能否变为技术和商业上可行的产品。在此阶段，资金大量注入，所用数额甚为可观。仅以春兰集团为例，该企业每年的技术开发费用占总成本的3%~5%，技术投入超过3亿元人民币。倘若新产品在技术或商业上不能成立，企业由此而花费的一切投资都将会付诸东流。

产品研制工作是重任在肩，必须进行细致入微的准备。通常产品研制应包含以下内容：

（1）制作产品的实体模型或样品，应具备消费者认可的产品概念所规定的所有关键特征。

（2）产品在正常使用情况下，能安全地发挥其应有的功能。

（3）该产品能以预计的生产成本制造出来，实现批量生产。

产品研制出来后，还必须进行严格的功能试验和消费者试验。功能试验可分别在实验室或在实地条件下进行，以确定该产品是否安全有效。例如，新型无氟冰箱能够做到性能稳定、省电低噪。消费者试验既可把消费者请到实验室，也可以让他们把样品带回家里，试用后再向企业提供各种参考性建议，以备进一步改进。

7. 市场试销

市场试销即企业营销管理者对某种新产品开发的试验结果感到满意后，着手用品牌名称、包装和初步市场营销方案把这种新产品推上市场进行试验。其目的在于了解消费者和经销商使用、经营和再购买这种新产品的实际情况以及市场大小,然后再酌情采取适当对策。

市场试验的规模决定于如下两个方面:一是投资费用和风险大小;二是市场试验费用和时间。投资费用和风险超高的新产品,试验的规模应大一些;反之,投资费用和风险较低的新产品,试验规模可以小一些。从市场试验费用和时间来讲,所需市场试验费用越多、时间越长的新产品,市场试验规模应大一些;反之,则可小一些。总的来说,市场试验费用不宜在新产品开发投资总额中占太大比例。新产品经过功能试验和消费者试验并确保获得满意效果后,企业可制造少量正式产品,进入几个具有代表性的市场,以检测在正式销售条件下的消费者反应。

市场试销应注意以下几个方面的问题:

(1) 试销的地区市场应具有代表性,但对于区域差异大、试销计划机会大的新产品,还应适当增加试销的范围。例如,方便面的麻辣口味在四川市场、湖南市场、江苏市场、北京市场的差异还是不尽相同的,在四川市场试销成功,并不意味着同时适销于江苏市场。

(2) 试销的费用应充分考虑投资成本、风险大小、时间压力和研究成本。通常投资额大、风险偏高的产品应尽量加大试销数量的比例,以免铸成大错。

(3) 试销的方法应具有适用性和合理性。消费品的试销方式有销售额波动研究、模拟商店技术、控制试销、试验市场等。工业品的试销方法有产品使用测试、商业展览、经销商展示、控制销售、试验销售等。

(4) 试销后应采取相应的行动。如果市场试销的试用率和重复购买率出现升高趋势,则说明该产品的成功概率很大,可以继续发展下去;反之,则应重新设计或干脆舍弃。

8. 批量上市

批量上市,即新产品的市场试销获得成功之后,大批量地投放市场。在这一阶段,企业营销管理者必须做好下述四项决策:

(1) 何时推出新产品。新产品投放市场一定要把握好上市的时机,这与新产品和市场的特性相关。要根据新产品是否属于替代品,新产品的市场需求是否有很强的季节性,新产品是否还需要进一步改进等,予以区别对待。

(2) 何地推出新产品。企业营销管理者要决定在什么区域范围内推出新产品最适宜。一般来说,企业应选择最具吸引力的市场先行推出,以便占有市场,取得立足点,然后再扩大到其他地区。

(3) 向谁推出新产品。企业营销管理者要把促销目标面向最佳顾客群,即可能率先购买或早期购买的顾客群。其目的是要利用这部分顾客群来带动一般顾客,以最快的速度、最少的费用扩大新产品的市场占有率。

(4) 如何推出新产品。企业管理部门要制定开始投放市场的市场营销战略。首先要对各项市场营销活动分配预算,然后规定各项活动的先后顺序,从而有计划地开展市场营销管理活动。

四、新产品市场扩散

所谓新产品市场扩散,是指新产品上市后,随着时间的推移,不断地被越来越多的消费者所采用的过程。新产品的市场扩散强调的是产品生命周期中的导入期和成长期。企业的策略要点是根据不同产品及不同目标市场消费者在这两个阶段的市场特性，以及消费者接受新产品的规律，有效地运用市场营销组合，采取有力的对策，加快新产品的市场扩散。

1. 新产品采用者的类型

在新产品的市场扩散过程中，由于个人性格、文化背景、受教育程度、年龄和社会地位等因素的影响，不同的消费者对新产品接受的快慢程度不同。根据这种接受的快慢差异，可把采用者划分成五种类型，即创新采用者（可简称为"创用者"）、早期采用者、早期大众、晚期大众和落后采用者。同时，从新产品上市算起，采用者的采用时间大体服从统计学中的正态分布，约有68%的采用者（早期大众和晚期大众）落入平均采用时间加减一个标准差的区域内，其他采用者的情况类推。尽管这种划分并不完全正确，但它对于研究扩散过程仍然有着重要意义。

（1）创新采用者。创新采用者占全部潜在采用者的2.5%。任何新产品都是由少数创新采用者率先使用的，他们一般具备如下特征：极富冒险精神；收入水平、社会地位和受教育程度较高；一般是年轻人，交际广泛且信息灵通。企业市场营销人员在向市场推出新产品时，应把促销手段和传播工具集中于创新采用者身上，如果他们采用效果较好，就会大肆宣传，影响到后面的使用者。不过，找出创新采用者并非易事，因为很多创新采用者在某些方面倾向于创新，而在其他方面可能是落后采用者。

（2）早期采用者。早期采用者是第二类采用创新的群体，占全部潜在采用者的13.5%。他们大多是某个群体中具有很高威信的人，受到周围朋友的拥护和爱戴。正因如此，他们常常去收集有关新产品的各种信息资料，成为某些领域里的舆论领袖。这类采用者多在产品的导入期和成长期采用新产品，并对后面的采用者影响较大，所以，他们对创新扩散有着决定性的影响。

（3）早期大众。早期大众的采用时间较平均采用时间要早，占全部潜在采用者的34%。其特征是：①深思熟虑，态度谨慎；②决策时间较长；③受过一定教育；④有较好的工作环境和固定收入；⑤对舆论领袖的消费行为有较强的模仿心理。他们虽然也希望在一般人之前接受新产品，但一般在经过早期采用者认可后才购买，从而成为赶时髦者。由于该类采用者和晚期大众占全部潜在采用者的68%，因而，研究其消费心理和消费习惯对于加速创新产品扩散有着重要意义。

（4）晚期大众。晚期大众的采用时间较平均采用时间稍晚，这类采用者占全部潜在采用者的34%。其基本特征是多疑。他们的信息多来自周围的同事或朋友，很少借助宣传媒体收集所需要的信息，其受教育程度和收入状况相对较差，所以，他们从不主动采用或接受新产品，直到多数人采用且反映良好时才行动。显然，对这类采用者进行市场扩散是极为困难的。

（5）落后采用者。落后采用者是采用创新的落伍者，占全部潜在采用者的16%。他们思想保守，拘泥于传统的消费行为模式。他们与其他的落后采用者关系密切，极少借助宣传媒体，其社会地位和收入水平最低。因此，他们在产品进入成熟期后乃至进入衰退期时才会采用。

从社会经济地位、个人因素和沟通行为三个方面的差异进行的这种比较，为新产品扩散提供了重要依据，对企业市场营销沟通具有指导意义。

2. 新产品扩散的营销策略

新产品扩散是一个新产品被大众广泛接受的过程，在此过程中如果辅以适当的营销策略，必能对新产品的成功扩散起到推波助澜的作用。一项成功的新产品扩散营销策略一般包括以下几个阶段：

（1）积蓄消费者势能阶段。目前，企业界十分重视新产品的推出速度，其实这对新产品的成功上市未必有利。企业应该在新产品上市前进行必要的消费势能积蓄，以便快速推动新产品的市场成长。企业的势能积蓄主要包括以下几个方面：①对消费环境与消费形态具有充分的认识。②具备强大的新产品研发能力。③对消费者心理的充分研究与良好的心理预期。

（2）引爆消费者需求阶段。消费者的需求永远存在，关键是如何在最短的时间里使消费者需求无限放大。新产品刚上市，消费者对其一概不知或知之甚少。对此，必须抓住时机开展广告、公关攻势，大力宣传新产品与旧产品相比有哪些特色和优点，结构是否合理，造型是否新颖，功能是否齐全，操作是否简单，价格是否便宜，使用新产品能给消费者带来哪些利益和效用等。在此阶段要特别重视促销策略和渠道策略的结合，同时配合适当的事件营销，常常能取得意想不到的良好效果。

（3）引导消费者阶段。当新产品进入一个相对比较稳定的消费阶段时，引导消费者便成为新产品扩散的主要任务。消费潮流的引导主要突出两点：一是强大的市场执行力；二是细节的力量。同时，企业要重视以竞争为特征的系统制胜，因为在这个阶段决定企业竞争优势的主要是沉着冷静的系统策略。

（4）推动消费者升级阶段。消费者总是处在一个非常动荡的市场经济环境中，市场特征不断变化，竞争者总是在不断地吸引消费者购买自己的产品。因此，企业必须更多地考虑竞争者的要素，推出消费者升级工程，以维护新产品在消费者心目中的地位。主要的升级活动包括持续不断的热点营销、推陈出新的营销组合、直指心灵的产品策略等。当企业发现原来的新产品已经难以调动消费者的热情时，就要考虑引入另一个新产品，开始新一轮的循环。

主要名词

产品整体　产品组合　产品组合要素　产品生命周期　全新产品

 案例分析

华龙产品组合策略分析

2003年，在中国市场上，位于河北省邢台市隆尧县的华龙集团以超过60亿包的方便面产销量排在方便面行业的第二位，仅次于康师傅，同时与"康师傅""统一"形成了三足鼎立的市场格局。"华龙"真正地由一个地方方便面品牌转变为全国性品牌。从市场角度而言，华龙的成功与它的市场定位、渠道策略、产品策略、品牌战略、广告策略等都不无关系，而其中产品策略中的产品市场定位和产品组合的作用更是居功至伟。下面就来分析华龙是如何运用产品组合策略的。

1. 发展初期的产品市场定位：针对农村市场的高中低产品组合

1994年，华龙在创业之初便把产品准确定位在8亿名农民和3亿名工薪阶层的消费群上。

第七章 产品组合与产品开发

同时，华龙依托当地的优质小麦和廉价劳动力资源，将一袋方便面的零售价定在 0.60 元以下，比一般名牌低 0.80 元左右，售价低廉。2000 年以前，华龙主推的大众面如"108""甲一麦""华龙小仔"；中档面有"小康家庭""大众三代"；高档面有"红红红""煮着吃"。凭借此正确的目标市场定位策略，华龙一下子在北方广大的农村打开市场。2002 年，从销量上看，华龙地市级以上经销商（含地市级）销售量只占总销售量的 27%，县城乡镇占 73%，农村市场支撑了华龙的发展。

2. 发展中期的区域产品策略：针对不同区域市场的高中低产品组合

作为一个后起挑战者，华龙推行区域营销策略。它创建了一条研究区域市场、了解区域文化、推行区域营销、运作区域品牌、创作区域广告的思路，在当地市场不断获得消费者的青睐。华龙从 2001 年开始推行区域品牌战略，针对不同地域的消费者推出不同口味和不同品牌的系列新品。华龙推出下述众多的系列产品：定位在小康家庭的最高档产品"小康130"系列，面饼为圆形的"以圆面"系列，适合少年儿童的"A小孩"干脆面系列，为感谢消费者推出的"甲一麦"系列，为尊重少数民族推出的"清真"系列，回报农民兄弟的"农家兄弟"系列，适合中老年人的"煮着吃"系列等。以上系列产品都有 3 种以上的口味和 6 种以上的规格。

3. 华龙方便面组合策略分析

华龙目前拥有方便面、调味品、饼业、面粉、彩页、纸品六大产品线，也就是说，其产品组合的长度为 6，方便面是华龙的主要产品线。

（1）华龙的方便面产品组合非常丰富，其产品线的长度、深度和密度都达到了比较合理的水平。它共有 17 种产品系列，十几种产品口味，上百种产品规格。企业充分利用了现有资源，发掘现有生产潜力，更广泛地满足了市场的各种需求，占有了更宽的市场面。华龙丰富的产品组合有力地推动了其产品的销售，有力地促进了华龙成为方便面行业第二的地位的形成。

（2）华龙方便面在产品组合上具有如下的成功经验：根据企业不同的发展阶段，适时地推出适合市场的产品；推行区域品牌战略，针对不同地域的消费者推出不同口味和不同品牌的系列新品；华龙十分注重市场细分，尝试利用各种不同的细分变量或变量组合，找到了同对手竞争、扩大消费群体、促进销售的新渠道；华龙方便面的产品组合是一个高中低相结合的产品组合形式，而低档面仍占据着其市场销量的大部分份额；华龙十分注意开发新的产品和发展新的产品系列，从而满足市场不断变化发展的需求；产品延伸策略是华龙重要的产品策略；每一个系列产品都有其跟进的"后代"产品。

（资料来源：王煊.市场营销学新编[M].武汉：华中科技大学出版社，2009.）

讨论并回答问题：

1. 什么是产品组合？本案例中，华龙集团的产品组合有哪些？
2. 华龙集团的产品组合策略有哪些？你如何看待这些策略？你认为哪些方面还可以改进？

本 章 小 结

本章主要介绍了产品与产品分类、产品组合、产品生命周期、新产品开发策略等内容。

产品整体概念是指企业向市场提供的所有能满足消费者需要和欲望的有形产品和无形服务的总和。有形产品主要包括产品的实体及其质量、外观、包装等；无形服务包括可以给消费者带来附加利益和心理上的满足感及信任感的一系列售后服务，如免费送货、安装、融资信贷等。其实，消费者购买某种产品，并不只是为了得到该产品的物质实体，而是要通过购买该产品来获得某方面利益的满足，甚至只是一种纯粹的欲望满足。

具体说来，产品整体概念由五个基本层次组成：核心产品、形式产品、期望产品、延伸产品和潜在产品。

产品组合是指企业提供给市场的全部产品线和产品项目的组合或结构，即企业的业务经营范围。其中，产品线（又称产品大类）是指产品类别中具有密切关系（或经由同种商业网点销售，或同属于一个价格幅度）的一组产品；产品项目是指某一品牌或产品大类中的不同尺码、规格、外观及其他属性的具体产品。产品组合包括以下四个要素：宽度、长度、深度和关联性。

企业要调整和优化产品组合，其实就是对产品组合的宽度、深度、长度以及关联性等方面做出决定，选出最佳方案。依据情况的不同，可选择如下几种策略：扩大产品组合策略缩减产品组合策略、产品延伸策略。

产品生命周期是指产品投入市场到退出市场所经历的整个阶段。产品生命周期可分为导入期、成长期、成熟期和衰退期四个阶段。

导入期的营销策略有快速掠取策略、缓慢掠取策略、快速渗透策略、缓慢渗透策略。

成长期的营销策略有产品策略、价格策略、渠道策略、促销策略。

由于成熟期是企业产品销售的黄金时期，市场营销策略的重点应该突出一个"好"字，来扩大并站稳市场，同时避免因产品质量问题而损害企业的形象和产品的信誉。企业应采取的主要营销策略有市场改良策略、产品改良策略、营销组合改良策略。

衰退期营销策略有继续策略、集中策略、收缩策略、放弃策略。

思考与实训

1. 如何理解产品整体概念？
2. 什么是产品组合、产品线、产品项目？产品组合的策略有哪些？
3. 产品的市场生命与使用寿命是否一样？为什么？
4. 产品生命周期各阶段的营销策略有哪些？
5. 可口可乐公司在1985年宣布改变品牌配方时引起轩然大波，消费者怨声载道，纷纷抗议，迫使公司不得不恢复原有的配方。

问题：可口可乐改变品牌未被消费者接受说明了什么？为什么？

第八章 品牌、商标与包装策略

学习目标

1. 掌握品牌和商标的基本概念
2. 明确品牌和商标之间的关系
3. 掌握品牌策略的内容
4. 掌握包装策略的基本内容

导入案例

　　创立于1984年、崛起于改革大潮之中的海尔集团,是在引进德国利勃海尔电冰箱生产技术成立的青岛电冰箱总厂的基础上发展起来的。在首席执行官张瑞敏的引领下,海尔集团注重产品的质量和创新,使得"海尔"这个品牌的无形资产从无到有,2002年海尔品牌价值评估为489亿元,跃居中国第一品牌。海尔产品依靠高质量和个性化设计赢得了越来越多的消费者。2003年,在国内市场,海尔冰箱、冷柜、空调、洗衣机四大主导产品均拥有30%左右的市场份额。在海外市场,全球权威消费市场调查与分析机构欧睿信息咨询公司(Euromonitor)的最新调查结果显示,海尔集团目前在全球白色电器制造商中名列前茅,海尔冰箱在全球冰箱品牌市场占有率排序中跃居第一。其小型冰箱占据了美国40%的市场份额。海尔产品已进入欧洲15家大连锁店中的12家、美国10家大连锁店中的9家。在美国、欧洲初步实现了设计、制造、营销三位一体的本土化布局。

　　(资料来源:戴秀英.市场营销学[M].北京:北京大学出版社,2009.)

第一节 品　　牌

　　现代社会是品牌、形象竞争的时代,人们越来越重视品牌。消费者购买商品追求的不仅仅是商品的使用价值,而是更多地考虑商品被人们所认同的、能充分体现购买者个性特征的"标志性价值"。可口可乐的总裁说:"即使把可口可乐在全球的工厂全部毁掉,它仍然可以在一夜之间东山再起。"其原因在于,品牌已经成为企业最重要的无形资产。如今的竞争已经由产品与产品的竞争逐步过渡到品牌与品牌的竞争。好的品牌意味着市场,意味着消费者,也意味着未来的市场发展空间。

一、品牌的概念

品牌俗称牌子，是用以识别卖主产品的某一名词、术词、标记、符号、设计或它们的组合。其基本功能是把不同企业之间的同类产品区别开来，使不同企业的产品不致发生混淆。品牌是一个集合概念，它包括品牌名称，品牌标志和商标。

1. 品牌名称

品牌名称是指品牌中可以用语言称谓表达的部分。例如，"可口可乐""海尔"都属于可以用语言称谓的品牌名称。

2. 品牌标志

品牌标志是品牌中可以识别，但不能读出声的部分，如符号、图案或明显的色彩或字母。例如，"奔驰"的标牌、华为的图案等都是标志。

3. 商标

商标是一个法律术语。一个品牌或品牌的一部分，经过必要的法律注册程序后，就称为"商标"。商标具有专用权，并受法律保护，商标保护其所有者使用品牌名称或品牌标志的专用权。

二、品牌的层次

品牌的作用是使企业与其他企业的不同产品和服务区别开来。在营销活动中，品牌并非符号、标志的简单组合，而是产品的一个复杂的系统。它包含以下几个层次：

1. 属性

品牌代表着特定的商品属性，这是品牌最基本的含义。例如，奔驰轿车意味着工艺精湛、制造优良、昂贵、耐用、信誉好、声誉高、再转卖价值高、行驶速度快等。这些属性是奔驰生产经营者广为宣传的重要内容。多年来，奔驰的广告一直强调"全世界无可比拟的工艺精良的汽车"。海尔则在中国家电市场上成功地奠定了"一流的产品，完善的服务"的属性。

2. 利益

品牌不仅代表着一系列属性，而且还体现着某种特定的利益。消费者购买商品的实质是购买某种利益，这就需要将属性转化为功能性或情感性利益。或者说，品牌利益在相当程度上受制于品牌属性。就奔驰而言，"工艺精湛、制造优良"属性可转化为"安全"这种功能性和情感性利益；"昂贵"属性可转化为情感性利益："这车令人羡慕，让我感觉到自己很重要并受人尊重"；"耐用"属性可转化为功能性利益："多年内我不需要买新车"。

3. 价值

品牌体现了生产者的某些价值感。例如，奔驰代表着高绩效、安全、声望等。品牌的价值感，客观上要求企业营销者必须分辨出对这些价值感兴趣的购买者群体。例如，"高标准、精细化、零缺陷"体现了"海尔"的服务价值。

4. 文化

品牌还附着了特定的文化。从奔驰汽车给人们带来的利益等方面来看，奔驰品牌蕴涵着"有组织、高效率和高品质"的德国文化。

5. 个性

品牌也反映一定的个性。如果品牌指向一个人、一种动物或一个物体，那么不同的品牌会使人产生不同的品牌个性联想。例如，奔驰会让人想到一位严谨的老板、一头勇猛的雄狮。海尔著名的广告词"真诚到永远"会让人想到"海尔"真诚、积极向上的个性。

6. 用户

品牌暗示了购买或使用产品的消费者类型。如果人们看到一个20多岁的年轻女孩驾驶奔驰轿车可能会感到很吃惊。人们更愿意看到驾驶奔驰轿车的是有成就的企业家或高级经理。在这些层次中，利益、价值等尤为重要。人们常犯的错误是只注重品牌属性而忽视其他。实际上，消费者更重视品牌利益而不是品牌属性，而且竞争者很容易模仿或复制这些属性。另外，现有的属性还会随着时间的推移、技术的进步而变得毫无价值。因此，在一定程度上，品牌与特定属性联系得太紧密反而会伤害品牌。但是，若只强调品牌的一项或几项利益，也是有风险的。例如，如果奔驰汽车只强调其"性能优良"，那么竞争者可能推出性能更优良的汽车，或者消费者认为"性能优良"的重要性比其他利益要差一些，此时奔驰就需要定位一种新的利益组合。

品牌最持久的含义是其价值、文化和个性。它们构成了品牌的基础，揭示了品牌之间差异的实质。奔驰的"高技术、绩效、成功"等是其独特价值和个性的反映。如果奔驰公司在其品牌战略中未能反映出这些价值和个性，并且以奔驰的名称推出一种新的廉价小汽车，那将是一个莫大的错误，因为这将会严重削弱奔驰公司多年来苦心经营所建立起来的品牌价值和个性。

三、品牌的作用

1. 品牌对企业的作用

（1）品牌有助于促进产品销售，树立企业形象。品牌以其简洁、明快、易读易记等特征而成为消费者记忆产品质量、产品特征的标志，也正因如此，品牌成为企业促销的重要基础。借助品牌，消费者了解了品牌标定下的商品；借助品牌，消费者记住了品牌及商品，也记住了企业（有的企业名称与品牌名称相同，更易于消费者记忆）；借助品牌，即使产品不断更新换代，消费者也会在其对品牌信任的驱使下产生新的购买欲望，在品牌得到公众、消费者信任的同时，企业的社会形象、市场信誉得以确立，并随品牌忠诚度的提高而提高。

（2）品牌有利于保护品牌所有者的合法权益。品牌经注册后获得商标专用权，其他任何未经许可的企业和个人都不得仿冒侵权，从而为保护品牌所有者的合法权益奠定了客观基础。

（3）品牌有利于约束企业的不良行为。品牌是一把双刃剑：一方面，因其容易为消费者所认知、记忆而有利于促进产品销售，注册后的品牌有利于保护企业的利益；另一方面，品牌也对品牌使用者的市场行为起到约束作用，督促企业着眼于企业长远利益，着眼于消费者利益，着眼于社会利益，规范自己的营销行为。

（4）品牌有助于扩大产品组合。为适应市场竞争的需要，企业常常需要同时生产多种产品。因此，对企业而言，产品组合是一个动态的概念。依据市场变化，不断地开发新产品、淘汰市场不再接受的老产品，是企业产品策略的重要组成部分。有了品牌，消费者对某一品牌产生了偏爱，则该品牌标定下的产品组合的改变或扩大就容易为消费者所接受。

（5）有利于企业保持竞争的优势。新产品上市后，很容易被竞争者模仿，但品牌是企业独有的一种资产，它可以通过注册受到法律的保护，竞争者无法通过模仿获得。所以，从某种意义上说，品牌是企业保持竞争优势的强有力的工具。

2. 品牌对消费者的作用

（1）品牌便于消费者辨认、识别所需商品，有助于消费者选购商品。随着科学技术的发展，商品的科技含量日益增加，信息及科技的传播速度加快，提高了制造商的模仿能力。对消费者来说，同种类商品间的差别越来越难以辨别。由于不同的品牌代表着不同的商品品质和不同的利益，所以有了品牌，消费者即可借助品牌辨别、选择所需商品或服务。

（2）品牌有利于维护消费者的利益。有了品牌，企业以品牌作为促销基础，消费者认牌购物。企业为了维护自己的品牌形象和信誉，都十分注意恪守给予消费者的利益，并注重同一品牌的产品质量水平同一化。如此一来，消费者可以在厂商维护自身品牌形象的同时获得稳定的购买利益。

（3）品牌有利于促进产品改良，有益于消费者。由于品牌实质上代表着销售者（卖方）对交付给买方的产品特征和利益等的承诺，所以营销企业为了适应消费者的需求变化，适应市场竞争的客观要求，必然会不断更新或创制新产品，以兑现或增加承诺。这是厂商的选择，也是消费者的期望。可见，迫于市场的外部压力和企业积极主动迎接挑战的动力，品牌最终会带给消费者更多的利益。

（4）品牌的有益作用还表现在有利于市场监控、有利于维系市场运行秩序、有利于发展市场经济等社会经济发展方面。另外，还有助于塑造和宣传企业文化，提高员工的凝聚力。好的品牌是企业宝贵的无形资产，具有极高的价值。

四、品牌设计的原则

品牌在营销中的作用日益明显，为产品设计一个好的品牌无疑至关重要。为此，品牌设计应遵循以下原则：

1. 简洁醒目、易读易记

品牌设计者首先应遵循简单醒目、清晰可辨、易于识别和记忆的原则。来自心理学家的一项调查分析结果表明，在人们接收到的外界信息中，83%的印象通过眼睛，11%的印象借助听觉，3.5%的印象依赖触摸，其余的印象源于味觉和嗅觉。基于此，为了便于消费者认知和记忆，品牌设计的首要原则就是简洁醒目、清晰可辨，能使品牌在一瞬间吸引消费者的注意。为满足这个要求，不宜把过长的和难以识别的字符串作为品牌名称（冗长、复杂、令消费者难以理解的品牌名称不容易记忆），也不宜将呆板、缺乏特色感的符号、颜色、图案作为品牌标志。

"M"是一个极普通的字母，但通过对其施以不同的艺术加工，就可以形成表示不同商品的标志或标记。鲜艳的金黄色拱门"M"是麦当劳（McDonalds）的标记，由于它棱角圆润、色泽柔和，给人以自然亲切之感。现如今，麦当劳这个标志已经出现在近百个国家和地区的数百个城市的闹市区，成为社会公众尤其是孩子们喜爱的快餐标志。

与麦当劳的设计完全不同，摩托罗拉（Motorola）的"M"虽然也是只取一个字头"M"，但是，摩托罗拉充分考虑到自己的产品特点，把一个"M"设计得棱角分明、双峰突起，就像一双有力的翅膀，配以"摩托罗拉，飞跃无限"的广告词，突出了它在无线电领域的特殊地位和高科技的形象，展示出勃勃冲劲、生机无限。

2. 力求构思新颖、巧妙

品牌设计应造型美观，既有鲜明的特点，又具有艺术性，力避庸俗繁复，可以暗示企业或产品的属性，便于消费者识别。例如，"强生"二字表示儿童使用"强生"护肤品后可以茁壮成长；饮品"菓珍"则直截了当地表示了"水果中的宝贵精华"的含义，从而在消费者心目中或概念里确定了"有益于健康"的主题。

3. 富有内涵

心理学研究表明，人们的注意力很容易为情意较为浓重、内涵较为深刻的字句所吸引，因此，品牌设计要力求富有内涵，情意浓重，如"万家乐""家乐福"。

4. 避免雷同

品牌要反映独特的文化背景，要与竞争品牌有明显的差别，切忌模仿、依样画葫芦。如各种"神形"俱似的功能饮料和众多的"鲜橙多""葡萄多"等。这些品牌无论读音或是品牌标志都比较相似，给人的感觉雷同，除非仔细辨认，否则从直观上很难加以区分。这种雷同品牌极易造成混淆，既不利于加强消费者对企业的认同，也不利于企业品牌的提升，从长远看来，对企业发展非常有害。

5. 注意风俗

在产品命名中，要注重研究各地区的文化，切忌与当地文化发生冲突。这方面失败的例子非常多，例如，我国的"芳芳"牌化妆品在国外就是因品牌设计失误而受到冷落，"芳芳"的汉语拼音是 Fang Fang，而 Fang 的英文意思是"蛇的毒牙"，而"毒牙"之类的东西怎能用于健康肌肤、美化容颜呢？这无形中引起了消费者的反感，作为品牌的产品在英语国家的销售未能如愿。

五、品牌策略

1. 品牌有无策略

一般说来，使用品牌对大部分商品可以起到很好的促销和保护作用，但并非所有的商品都必须使用品牌。一般在下列情况下可以考虑不使用品牌：①大多数未经加工的原料产品，如棉花、大豆、矿砂等；②不会因生产商不同而形成不同特色的商品，如钢材、大米等；③某些生产比较简单、选择性不大的小商品或一次性生产的商品。无品牌营销的目的是节省广告和包装费用，以降低成本和售价，加强竞争力，扩大销售。尽管品牌化是市场发展的大趋势，但对个别企业而言，是否使用品牌还必须考虑产品的实际情况。

2. 品牌归属策略

企业决定使用品牌以后，就要涉及采用何种品牌，一般有如下三种选择：第一种选择是采用本企业的品牌，这种品牌叫企业品牌、生产者品牌或全国性品牌；第二种选择是中间商品牌，也叫私人品牌，也就是说，企业可以决定将其产品大批量地卖给中间商，中间商再用自己的品牌将货物转卖出去；第三种选择是一部分产品使用生产者品牌，另一部分使用中间商品牌。

企业究竟应该使用自己的品牌还是中间商的品牌，必须全面地权衡利弊。如果在制造商拥有良好的市场信誉、较大的市场份额，产品技术复杂、要求有完善的售后服务等条件下，大多使用制造商品牌。相反，在制造商资金实力薄弱、市场开拓能力较弱，或者在市场上的信誉远不及中间商的情况下，则宜采用中间商品牌。尤其是新进入某市场的中小企业，无力用自己的品牌将产品推向市场，而中间商在这一市场领域中拥有良好的品牌信誉和完善的销售体系，则在这种情况下使用中间商品牌往往是有利的。

3. 品牌统分策略

（1）个别品牌名称，即企业的每一种产品分别使用不同的品牌名称。这种品牌策略的优点是：企业不会因某一品牌信誉下降而承担较大的风险；个别品牌为新产品寻求最佳市场提供了条件，有利于新产品和优质产品的推广；新产品在市场上销路不畅时，不至于影响原有品牌信誉；可以发展多种产品线和产品项目，开拓更广泛的市场。个别品牌策略的最大缺点是增加了产品的促销费用，使企业在竞争中处于不利地位。同时，品牌过于繁多，也不利于企业创立名牌。

（2）统一的家族品牌名称，即企业将所生产的全部产品都使用统一的品牌名称。例如，海尔系列产品，单一的家族品牌一般运用在价格和目标市场大致相同的产品上。运用家族品牌策略有以下优点：建立一个品牌信誉，可以带动许多产品，并可以显示企业的实力，提高企业的威望，在消费者心中更好地树立企业形象；有助于新产品进入目标市场，因为已有的品牌信誉有利于消除消费者对新产品的不信任感。例如，飞利浦公司的所有产品（包括音响、电视、灯管、显示器等）都以"PHILIPS"为品牌；佳能公司生产的照相机、传真机、复印机等所有产品都统一使用"Canon"品牌；家族品牌有许多产品，因而可以运用各种广告媒体，集中宣传一个品牌形象，节约广告费用，收到更好的推销效果。在一个家族品牌下的各种产品可以互相声援，扩大销售。但企业采用家族品牌策略是有条件的，这种品牌必须在市场上已获得了一定的信誉；采用统一家族品牌的各种产品应具有相同的质量水平。如果各类产品的质量水平不同，使用统一家族品牌就会影响品牌信誉，特别是有损较高质量产品的信誉。

（3）分类家族品牌名称。美国著名的西尔斯大型百货公司所经营的家用电器、妇女服装、家用设备等不同种类的产品分别使用不同的品牌。分类家庭品牌名称可以使需求具有显著差异的产品区别开来（如化妆品与农药），以免相互混淆，造成误解。

（4）企业名称与个别品牌并用，即在每一种个别品牌前面冠以公司名称。其好处是可以使新产品享受企业的声誉，节省广告促销费用，又可以使品牌保持自己的特色和相对独立性。

4. 品牌延伸策略

品牌延伸是指将一个现有的品牌名称使用到一个新类别的产品上，即品牌延伸策略是将现有成功的品牌用于新产品或修正过的产品上的一种策略。例如，海尔品牌在冰箱上获得成功之后，又利用这个品牌成功地推出了海尔牌的洗衣机、电视机、热水器、计算机等新产品。

品牌延伸的优势是：可以加快新产品的定位，保证新产品投资决策的快捷准确；有助于减少新产品的市场风险；有助于强化品牌效应，增加品牌这一无形资产的经济价值；能够增强核心品牌的形象，能够提高整体品牌组合的投资效益。

品牌延伸策略的缺点是：如果某一产品出现问题就会损害原有品牌形象，一损俱损；有悖于消费心理，实行延伸会影响原有强势品牌在消费者心目中的特定心理定位；容易形成此消彼长的"跷跷板"现象。

5. 品牌重新定位策略

某一个品牌在市场上的最初定位即使很好，随着时间的推移，也需要重新定位。这主要是因为以下情况发生了变化：竞争者推出一个品牌，把它定位于本企业的品牌旁边，侵占了本企业的品牌的一部分市场定位，使本企业品牌的市场占有率下降，这种情况要求企业进行品牌重新定位；有些消费者的偏好发生了变化，他们原来喜欢本企业的品牌，现在喜欢其他企业的品牌，因而市场对本企业的品牌的需求减少，这种市场变化也要求企业进行品牌重新定位。企业在制订品牌重新定位策略时，要全面考虑两方面的因素：一方面，要全面考虑把自己的品牌从一个市场转移到另一个市场的成本费用，一般来讲，重新定位距离越远，其成本费用就越高；另一方面，要考虑把自己的品牌定在新的位置上收入会增加多少。

6. 多品牌策略

多品牌策略是指企业为同一种产品设计两种或两种以上相互竞争的品牌。例如，宝洁公司为洗发水设计了多个品牌，如飘柔、潘婷、海飞丝、沙宣等。这种策略有助于壮大企业声势，适应消费者不同的需求，挤压竞争者的产品；有利于提高市场占有率，分散企业风险。企业实施多品牌策略要考虑企业的盈利水平，因为品牌建立需要一定的资源投入，若不能获得相应的市场份额，就会影响企业的经济效益。同时，还要注意协调好多品牌之间的关系，以免产生矛盾。

第二节 商　　标

一、商标的含义

商标是产品的文字名称、图案记号或它们的组合。商标是一个法律术语。一个品牌或品牌的一部分，经过必要的法律注册程序后，就称为"商标"。商标通常由一定的文字、图形、字母、数字、三维标志和颜色等要素或其组合而成。商标具有专用权，并受法律保护，商标所有人享有使用品牌名称或品牌标记的专用权。

我国国家工商行政管理总局的商标局主管全国商标注册和管理工作。商标一经注册享有商标专用权，会受到法律保护；假冒商标、仿冒商标都构成商品侵权。

商标有"注册商标"与"非注册商标"之分。我国习惯上对一切品牌不论其注册与否，统称商标，而另有"注册商标"与"非注册商标"之分。《商标法》规定，注册商标是指受法律保护、所有者享有专用权的商标；非注册商标是指未办理注册手续、不受法律保护的商标。国家规定必须使用注册商标，必须申请注册商标，未经核准注册的，产品不得在市场上销售。商标使用人应对其使用商标的商品质量负责。各级工商行政管理部门应通过商标管理，监督商品质量，制止欺骗消费者的行为。

在《商标法》的保护下，卖方对使用品牌名称享有永久性独占的权利。这与专利、版权等其他有终期的权利不同。

具体来讲，商标的含义应该还要有以下几个方面的解释：

1. 商标是局限用于商品或服务上的特殊标记

在社会政治、经济、军事、文化、科学等各个领域，人们为不同的目的而创造和使用了不同的标志，如国徽、军徽、检验标志、厂标、路标及各种符号等。这些符号和标记的共同特点都在于能够具有区别、代表和象征某种事物的作用。在各种标志中，商标是使用在商品或服务上的标记，是人们生活中最为常见的标记。使用商标的商品，变成了能够通过市场进行交换和流通的动产，即主要包括生活消费品和生产消费品，而诸如房屋及其他地上附着物等不动产则是不使用商标的资产。传统的商标仅限用于商品，随着第三产业的快速发展，用以表明某个企业的个性化服务的标记也成为商标的一种，称为服务商标或服务标记。

2. 商标是区别商品或服务生产和来源的标记

商标的基本功能是将企业生产或经销的相同商品或类似商品区别开来。所谓相同商品，又称同一种商品。例如，自行车为商品的普通名称，虽另有"单车""脚踏车"等不同称谓，但"单车""脚踏车"所述对象和"自行车"为相同商品。所谓类似商品，是指尽管商品名称不同，但在原料、用途或者功能等方面具有共同之处的商品。确认两种或几种商品是否是类似商品，一般做法是首先检索适用我国的《商标注册用商品和服务的国际分类》，看这几种商品是否属于同一类商品，然后从商品的性质、用途、原料、交易状态、消费途径等多方面进行综合分析，做出判断，得出结论。通过这种方法，有了商标这种标志，就容易判明商品的不同来源以及其质量、性能或特点。

3. 商标是由文字、图形或其组合构成的

具有显著个性特征的人为标记商标的构成要素包括文字、图形或者其组合。由此构成的商标具有显著的个性特征，使一般的消费者能够通过商标来识别和选择购买商品。在现实生活中，某些商品的形状是不能称为商标的。商标是经过人的设计，有意识地附置于商品或商品包装上的标记。商标必须使用在特定的对象——商品之上，才具有显示区别其来源的意义。在商品上附置商标的方式主要有如下几种：使用商标标签，如粘贴标记、缝制标记、拴挂标记等；将商标印在商品上，如色印、刻印、烙印等；有的商品本身不能或不宜制作标记的，则将商标附置于其包装或容器上。

二、商标的命名

一个响亮的名字对企业参与市场竞争，尤其是打开国际市场大有好处。然而，要起好名字却大有学问，在这一点上，一些知名企业的做法很值得借鉴。

一般来说，产品命名有着一些基本要求，一个好的名称，从形式上应具有以下特性：

（1）独特性。商标应容易辨识并能够与其他企业或商品的名称相区别。

（2）简洁性。简洁明快的名称可降低商品标记的成本，也便于写成醒目的文字进行广告宣传。

（3）便利性。商标的名称应该易拼、易读、易记。

从内容上说，产品命名不但要符合销售地点的法律法规要求，还要符合当地的风俗习惯，以赢得目标市场中消费群体的喜爱。

三、商标专用权

商标专用权是指企业依法向商标主管机关申请注册后而取得的对某一商标的独占使用权。它包含以下两层意义：

第一，取得商标专用权的企业有权独自使用自己注册的商标，对于假冒、仿造商标等侵权行为，有权向商标管理机关申诉或向法院起诉，有权要求侵权者停止侵权行为和赔偿由此所造成的损失。

第二，取得商标专用权的企业有义务按已经注册的商标的名称、规格、质量进行生产，接受国家对商标的统一管理，有义务保护注册商标的信誉。商标专用权具有排他性的特征，凡商标注册人以外的任何人都不能使用该商标，不得侵犯商标所有人所享有的专用权。商标专用权作为一种知识产权，可以转让与继承。转让可以是全部转让，也可以是部分转让。一般来说，由于商标是与经营一定商品的企业相联系而存在的，所以商标应连同企业的信誉一同转让。有的国家规定商标专用权只能同企业本身一道转让，而不能单独转让。

商标专用权也称商标独占使用权，是指品牌经政府有关主管部门核准后独立享有其商标使用权。这种经核准的品牌名称和品牌标志，受到法律保护，其他任何未经许可的企业不得使用。因此，企业欲使自己的产品品牌长久延续，必须通过国家许可的方式获得商标专用权，以求得法律的保护。

国际上对商标的认定，有两个并行的原则，即"注册优先"和"使用优先"。

（1）注册优先。注册优先是指品牌或商标的专用权归属于依法首先申请并获准注册的企业。在这种商标权认定原则下，某一品牌不管谁先使用，法律只保护依法首先申请注册该品牌的企业。中国、日本、法国、德国、俄罗斯等国的商标权的认定即坚持这种注册优先的原则。

（2）使用优先。使用优先是指品牌或商标的专用权归属于该品牌的首先使用者。在品牌使用（必须是实际使用，而非象征性使用）所达到的地区，法律对其品牌或商标予以保护。美国、加拿大、英国和澳大利亚等国采用这种原则对商标专用权进行认定。

当然，在具体的商标权认定实践中，还有对以上两种原则主次搭配、混合使用的"使用优先辅以注册优先"和"注册优先辅以使用优先"两种原则。"使用优先辅以注册优先"是指采用"使用优先"原则的国家也办理商标注册，但这种注册在一定期限内只起一种声明作用，如有首先使用人在此期限内提出首先使用的证明，则这种注册即被撤销。过了这一期限，任何人都不能再以首先使用人名义要求撤销这种注册。可见，在采用使用优先原则的国家里，商标注册同样具有不可忽视的重要意义。因为这些国家大都有"仅限于使用所达到的范围内有效"的规定，他人可以在其未使用的地区抢先注册。"注册优先辅以使用优先"是指采用"注册优先"原则的国家一般也都规定，在一定的期限内，其商标连续不使用又无正当理由者将被撤销，这就客观要求经注册获得的商标专用权的企业要坚持不间断地使用已注册的商标，否则，也会失掉商标专用权。在品牌运营的实践中，还应注意商标续展和品牌的自我保护。

四、商标的侵权

凡未经商标注册人的许可，在同类商品上使用与注册商标相同或近似的商标，销售侵权商标商品，伪造、擅自制造他人注册商标标识或者销售此类标识，以及给他人注册商标专用权造成其他损害的行为，均构成侵权。对侵权行为，工商管理部门有权依法查处，涉嫌犯罪的应及时移送司法机关依法处理。

五、品牌与商标的区别

品牌与商标是极易混淆的一对概念，两者既有联系，又有区别。有时，两个概念可等同替代；但更多的情况下，必须准确认识和使用这两个概念。品牌与商标都是用以识别不同生产经营者的不同种类、不同品质产品的商业名称及标志。但品牌和商标的外延并不相同。品牌并不完全等同于商标，或者说，品牌有别于商标。品牌是市场概念，是产品和服务在市场上通行的牌子，它强调与产品及其相关的质量、服务等之间的关系，品牌实质上是品牌运营者对消费者在产品特征、服务和利益等方面的承诺。而商标属于法律范畴，是法律概念，它是经过注册获得商标专用权从而受到法律保护的商业名称及其标志。企业品牌注册成商标，即获得了商标专用权，并受到法律保护。显然，商标是品牌的法律形式。

从这个意义上说，商标是品牌的一部分。商标无论其是否被标在商品上使用，也不管商标所标定的商品是否有市场，只要采用成本法对其评估，它就必然有商标价值；而品牌则不同，品牌的价值是在其使用中通过品牌标定的产品或服务在市场上的表现来进行评估的。还需说明的是，国家规定必须使用注册商标，必须申请商标注册，未经核准注册的，不得在市场销售。可见，我国习惯上对一切品牌不论其注册与否，都称为商标。

六、商标注册的原则

根据商标法的规定，商标注册的原则有申请在先原则、自愿注册原则。

1. 申请在先原则

申请在先原则又称注册在先原则，是指两个或者两个以上的商标注册申请人，在同一种商品或者类似商品上，以相同或者近似的商标申请注册的。申请在先的商标，其申请人可获得商标专用权，申请在后的商标注册申请予以驳回。如果是同一天申请，初步审定并公告使用在先的商标，驳回其他人的申请，不予公告；同日使用或均未使用的，申请人之间可以协商解决，协商不成的，由各申请人抽签决定。

我国《商标法》在坚持申请在先原则的同时，还强调使用在先的正当性，防止不正当的抢注行为。《商标法》第32条规定，申请商标注册不得损害他人现有的在先权利，也不得以不正当手段抢先注册他人已经使用并有一定影响的商标。

2. 自愿注册原则

自愿注册原则是指商标使用人是否申请商标注册取决于自己的意愿。在自愿注册原则下，商标注册人对其注册商标享有专用权，受法律保护。未经注册的商标，可以在生产服务中使用，但其使用人不享有专用权，无权禁止他人在同种或类似商品上使用与其商标相同或者近似的商标。

第三节　包装及包装策略

一、包装的含义

包装是指对某一产品设计并制作容器或包扎物，将产品盛装或包扎起来的一系列活动。包装有两方面内容：其一，包装是指为产品设计、制作包扎物的活动过程；其二，包装即指包扎物。一般来说，商品包装应该包括商标或品牌、形状、颜色、图案和材料等要素。商标或品牌是包装中最主要的构成要素，应在包装整体上居于突出的位置。适宜的包装形状有利于储运和陈列，也有利于产品销售。

形状是包装中不可缺少的组合要素。颜色是包装中最具刺激销售作用的构成要素。突出商品特性的色调组合，不仅能够加强品牌特征，而且对消费者有强烈的感召力。图案在包装中如同广告中的画面，其重要性、不可或缺性不言而喻。包装材料的选择不仅影响包装成本，而且也影响着商品的市场竞争力。开发和选用新型材料是包装设计中的一项重要工作。此外，在产品包装上还有标签。在标签上，一般都印有包装内容和产品所包含的主要成分、品牌标志、产品质量等级、生产厂家、生产日期和有效期、使用方法等。有些标签上还印有彩色图案或实物照片，以促进销售。

二、包装的种类

包装是产品生产过程在流通领域的延续。产品包装按其在流通过程中作用的不同，可以分为运输包装和销售包装两种。

1. 运输包装

运输包装又称外包装或大包装，主要用于保护产品品质安全和数量完整。运输包装可细分为单件运输包装和集合运输包装。

单件运输包装是指商品在运输过程中以箱、桶、袋、包、坛、罐、篓、笼、筐等单件容器对商品进行的包装。按其使用的包装材料，又可分为纸、木、金属、塑料、化学纤维、棉麻织物等制成的容器和绳索；按其包装造型，又可细分为箱、桶、袋、包、捆、瓶、罐、篓等。

集合运输包装是指将一定数量的单件包装组合在一件大包装容器内而合成的大包装。这种包装方法适应运输、装卸现代化的要求，可以实现货物整批包装，有利于降低成本，提高工作效率。目前常用的集合运输包装有集装包（或集装袋）、托盘和集装箱等。

2. 销售包装

销售包装又称内包装或小包装，它随同产品进入零售环节，与消费者直接接触。销售包装实际上是零售包装，因此销售包装不仅要保护商品，而且更重要的是要美化和宣传商品，便于陈列展销，吸引消费者，方便消费者认识、选购、携带和使用。在市场竞争日益激烈的今天，厂商竞相以日新月异的包装装潢作为吸引消费者的手段，借以达到开创市场、拓宽销路的目的。近些年来，随着超级市场的发展，销售包装的发展趋势日益呈现出小包装大量增加，透明包装日益发展，金属和玻璃容器趋向安全轻便，贴体包装、真空包装的应用范围越来越广泛，包装容器器材的造型结构美观、多样、科学，包装画面更加讲究宣传效果等发展趋势。这些都是营销企业应予研究的内容。

三、包装的作用

包装作为商品的重要组成部分，其营销作用主要表现在以下几方面：

1. 保护商品

包装保护商品的作用主要表现在两个方面：一是保护商品本身。有些商品怕震、怕压，需要包装来保护；有些商品怕风吹、日晒、雨淋、虫蛀等，也需要借助包装物来保护。二是安全（环境）保护。有些商品属于易燃、易爆、有放射性、污染或有毒物品，对它们必须进行包装，以防泄漏造成危害。

2. 便于储运

有的商品外形不固定，或者是液态、气态，或者是粉状，若不对其进行包装，则无法运输和储藏。所以，良好的包装有助于储藏和运输，从而使商品保值，同时加快交货时间。

3. 促进销售

商品给消费者的第一印象，不是来自产品的内在质量，而是它的外观包装。产品包装美观大方、漂亮得体，不仅能够吸引消费者，而且还能激发消费者的购买欲望。据美国杜邦公司研究发现，63%的消费者根据商品包装做出购买决定。我国苏州产的檀香扇原来是简简单单地装在普通的盒子里，在中国香港市场上只售60港元，虽物美价廉，但购买者很少。后来改用锦盒包装，华丽的锦盒衬托出檀香扇的高雅档次，可以用来送礼，结果每把扇子卖160港元，而且销量大增。可以说，包装是无声的推销员。

4. 增加盈利

由于装潢精美、使用方便的包装能够满足消费者的某种心理要求，因而消费者乐于按较高的价格购买。另外，包装材料本身也包含着一部分利润，因此可以说，包装能够增加企业的利润。包装标签是指附着或系挂在商品销售包装上的文字、图形、雕刻及印制的说明。标签中载有许多信息，可以用来识别、检验内装商品，同时也可以起到促销作用。通常说来，商品标签的内容主要包括制造者或销售者的名称和地址、商品名称、商标、成分、品质特点、包装内商品数量、使用方法及用量、编号、储藏应注意的事项、质检号、生产日期和有效期等内容。值得一提的是，印有彩色图案或实物照片的标签有明显的促销功效。包装标志是在运输包装的外部印制的图形、文字和数字以及它们的组合，包装标志主要有运输标志、指示性标志和警告性标志三种。运输标志又称为唛头（Mark），是指在商品外包装上刷制的反映收货人和发货人、目的地或中转地、件号、批号、产地等内容的几何图形、特定字母、数字和简短的文字等。指示性标志是根据商品的特性，对一些容易破碎、残损、变质的商品，用醒目的图形和简单的文字做出的标志。指示性标志指示有关人员在装卸、搬运、储存作业中引起注意，常见的有"此端向上""易碎""小心轻放""由此吊起"等。警告性标志是指在易燃品、易爆品、腐蚀性物品和放射性物品等危险品的运输包装上刷制特殊的文字，以示警告，常见的有"爆炸品""易燃品""有毒品"等。

四、包装的设计原则

"人要衣装，佛要金装"，商品则要包装。重视包装设计是企业市场营销活动适应竞争需要的理性选择。一般来说，包装设计还应遵循以下几个基本原则：

1. 安全

安全是产品包装（包括运输包装和销售包装）最核心的作用之一，也是最基本的设计原则之一。在包装活动过程中，包装材料的选择及包装物的制作必须适合产品的物理、化学、生物性能，以保证产品不损坏、不变质、不变形、不渗漏等。一方面，保证商品质量完好、数量完整；另一方面，保护环境安全。

2. 适于运输，便于保管与陈列，便于携带和使用

在保证产品安全的前提下，应尽可能缩小包装体积，以利于节省包装材料和运输、储存费用。销售包装的造型结构，一方面，应与运输包装的要求相吻合，以适应运输和储存的要求；另一方面，要注意货架陈列的要求。此外，为方便顾客和满足消费者的不同需要，包装的体积、容量和形式应多种多样；包装的大小、轻重要适当，以便于携带和使用（如在保

证包装封口严密的条件下容易打开）；为适应不同需要，还可采用单件、多件和配套包装等多种不同的包装形式。

3. 美观大方、突出特色

销售包装设计得当，可以产生积极的促销作用。美观大方的包装给人以美的感受，有艺术感染力，进而使其成为激发消费者购买欲望的主要诱因，这就在客观上要求包装设计必须注重艺术性。与此同时，包装还应突出产品个性。这是因为包装是产品的组成部分，追求不同产品之间的差异化是市场竞争的客观要求，而包装是实现产品差异化的重要手段。富有个性、新颖别致的包装更易满足消费者的某种心理要求。

◆ 阅读案例

包装上的学问

罗林罗克——美国啤酒业的小不点儿，无论从产量和资金规模上，都不能与百威啤酒、迷勒啤酒相提并论。最初罗林罗克上市时，仅有1500万美元的营业预算。预算的不足促使营销人员在包装上大做文章。

罗林罗克设计了一种独特的绿色长颈瓶，并涂上鲜明的艺术装饰，使其包装在众多的啤酒中独树一帜。消费者通常会认为瓶子上的图案是手绘的，样子独特有趣，并且愿意把它摆在桌子上。

为了突出罗林罗克长颈瓶，以及啤酒是用山泉酿造这一事实，公司重新设计了包装箱。在包装箱上印有置于山泉中的绿色长颈瓶，图案色彩鲜艳、清晰，让消费者在10m以外就能认出罗林罗克啤酒。

（资料来源：罗锐韧.市场营销管理[M].北京：红旗出版社，1997.）

4. 包装与商品价值和质量水平相匹配

包装作为商品的包扎物，尽管有促销作用，但也不可能成为商品价值的主要部分。因此，包装应有一个定位。一般来说，包装应与所包装商品的价值和质量水平相匹配。若包装在商品价值中所占的比重过高，就会因容易产生名不符实之感而使消费者难以接受；相反，价高质优的商品自然也需要高档包装来烘托商品的高雅贵重。

5. 尊重消费者的宗教信仰和风俗习惯

由于社会文化环境直接影响着消费者对包装的认可程度，所以为使包装收到促销效果，在包装设计中，必须尊重不同国家和地区消费者的宗教信仰和风俗习惯等，切忌出现有损消费者宗教情感、引起消费者忌讳的颜色、图案和文字。应该深入了解分析消费者特性，区别不同的宗教信仰和风俗习惯，设计不同的包装，以适应不同的目标市场的要求。

6. 符合法律规定，兼顾社会利益

法律是市场营销活动的边界。包装设计作为企业市场营销活动的重要环节，在实践中必须严格依法行事。

五、包装策略

1. 类似包装策略

类似包装策略是指企业生产经营的所有产品，在包装外形上都采取相同或相近的图案、色彩等共同的特征,使消费者通过类似的包装联想起这些商品是同一企业的产品,具有同样的质量水平。类似包装策略不仅可以节省包装设计成本,树立企业整体形象,扩大企业影响,而且还可以充分利用企业已拥有的良好声誉,有助于消除消费者对新产品的不信任感,进而有利于带动新产品的销售。它适用于质量水平相近的产品。但是,由于类似包装策略容易对优质产品产生不良影响,所以对于大多数不同种类、不同档次的产品,一般不宜采用这种包装策略。

2. 等级包装策略

等级包装策略是指企业对自己生产经营的不同质量等级的产品分别设计和使用不同的包装。显然,这种依产品等级来配备设计包装的策略可使包装质量与产品品质等级相匹配,对高档产品采用精致包装,对低档产品采用简略包装。其做法可适应不同需求层次消费者的购买心理,便于消费者识别、选购商品,从而有利于全面扩大销售。当然,该策略的实施成本高于类似包装策略的实施成本也是显而易见的。

3. 分类包装策略

分类包装策略是指根据消费者购买目的的不同,对同一种产品采用不同的包装。例如,购买商品用做礼品赠送亲友,则精致包装;若消费者自己使用,则简单包装。此种包装策略的优缺点与等级包装策略相同。

4. 配套包装策略

配套包装是指企业将几种有关联性的产品组合在同一包装物内的做法。这种包装策略能够节约交易时间,便于消费者购买、携带与使用,有利于扩大产品销售,还能够在将新旧产品组合在一起时,使新产品顺利进入市场。但在实践中,还需注意市场需求的具体特点、消费者的购买能力和产品本身的关联程度大小,切忌任意配套搭配。

5. 再使用包装策略

再使用包装策略也称双重用途包装策略,是指包装物在被包装的产品消费完毕后还能移做他用的做法。人们常见的果汁、咖啡等的包装即属此种。由于这种包装策略增加了包装的用途,可以刺激消费者的购买欲望,有利于扩大产品销售,同时也可使带有商品商标的包装物在再使用过程中起到延伸宣传的作用。

6. 附赠品包装策略

附赠品包装策略是指在包装物内附有赠品以诱发消费者重复购买的做法。在包装物中的附赠品可以是玩具、图片,也可以是奖券。该包装策略对儿童和青少年以及低收入者比较有效。这也是一种有效的营业推广(促进销售)方式。

7. 更新包装策略

更新包装就是改变原来的包装。更新包装策略是指企业的包装策略随着市场需求的变化而改变的做法。若一种包装策略无效,依消费者的要求更换包装,实施新的包装策略,可以改变商品在消费者心目中的地位,进而收到恢复企业声誉的佳效。但是,使用这一策略应注意,更新包装对促进产品销售固然重要,但是,根本的问题是要提高产品质量,至少要达到使用的要求。

主要名词

品牌 商标 包装 品牌策略 包装策略

**案例分析**

上海"冠生园"的品牌之争

新中国成立以前，上海有一家著名的糖果厂——ABC糖果厂，该厂的老板冯伯镛是一位通晓经商之道的生意人。他看到当时"米老鼠"卡通片在上海滩，特别是在儿童中风靡一时，备受喜爱，就灵机一动设计了一种米老鼠包装。从此，"ABC米老鼠奶糖"在上海一下子走俏，并成为国内最畅销的奶糖。而此时"米老鼠"的"亲生父亲"沃特·迪士尼还未开始利用他创造的卡通形象来做生意呢。

新中国成立以后，ABC糖果厂进行了公私合营的改造，更名为"爱民糖果厂"，后又并入上海冠生园。到了20世纪50年代，批判崇洋媚外思想，"米老鼠"毕竟产生在国外，难免有所嫌疑；再加之当时的爱国卫生运动中兴起"除四害"，老鼠作为四害之首，人人喊打，冠生园不得不担心"米老鼠"的形象。他们决定再选择另一种卡通形象作为产品的品牌。这时他们想到了兔子，形象活泼、天真善良的兔子无疑是一种"正面形象"。于是，他们请上海美术设计公司设计了一种以大白兔为核心的包装。1956年，"大白兔奶糖"作为上海冠生园的一个新品牌问世了，立刻就受到了消费者的青睐。1959年，"大白兔奶糖"作为自力更生的成果向国庆十周年献礼，接着开始组织产品出口，受到国外消费者的一致好评。当时在国外有一种说法："把两块大白兔奶糖放到水杯中就可以泡成一杯牛奶。"可见大白兔奶糖质量之高、信誉之佳。此后几十年里，"大白兔奶糖"不断改进质量和包装，形成了独特的配方和稳定的保质工艺流程，产品一直畅销不衰，成为中国的一大特色产品。1979年，"大白兔奶糖"荣获国家银奖，1992年又被评为中国十四大驰名商标中唯一的食品类品牌。由于上海冠生园没有产品整体观念，没有品牌意识，因此一直没有把"大白兔"和"米老鼠"进行商标注册。曾有一段时间，国内外有不少厂家假冒"大白兔"和"米老鼠"，争夺冠生园市场，这也未能引起该厂的警醒。1983年，一家来自广州的只会生产硬糖的糖果厂到上海冠生园取经，善良的老师傅们手把手地把生产奶糖的技术教给他们。而"徒弟"回去后就开始生产奶糖，并且还从师傅那里顺手牵走了一个品牌标志：一只牵着三只气球的米老鼠。两年后，当冠生园想到去注册"米老鼠奶糖"时，却意外地收到一张驳回通知，原来南方的"徒弟"已经抢先一步，在几个月前把他们的商标注册了。没过多久，又传来一个消息，美国的沃特·迪士尼公司为了夺得"米老鼠"形象在中国的垄断权，以4万美元从广州那家小厂买下了"米老鼠"商标。冠生园这时才痛惜万分，区区4万美元，按当时的汇率只有几十万人民币，而从ABC糖果厂到冠生园，半个世纪为这个品牌付出的心血却一下子付之东流。沃特·迪士尼本是"米老鼠"的"生父"，并且又通过法律手段正大光明地夺回了在中国的控制权，这时的冠生园只得忍痛割爱，舍弃了"米老鼠"这个著名的中国糖果品牌。美国迪士尼在买到"米老鼠"商标控制权后，又主动找到上海冠生园，表示允许冠生园继续使用该商标，但是每年坐享利润的8%作为商标特许使用费。实实在在、冷冷冰冰的数字好似一记重锤，使冠生园震惊、痛心，痛定思痛，他们终于从梦中清醒了。值得庆幸的是，当年的"除四害"使冠生园诞生了一只"大白兔"，而不至于倾家荡产。更幸运的是，当时的国家工商行政管理局出于深远考虑，为获得质量国优奖的产品保留了注册商标的权利，才使"大白兔"商标幸运地得到注册。大梦初醒的冠生园在"米老鼠"的风波中学到了不少东西，他们在考虑如何保卫自己仅存的"大白兔"品牌。当时，对"大白兔奶糖"的假冒侵权行为十分严重，假冒产品遍及全国17个省市，并且跨国假冒，在泰国和菲律宾也出现了假冒的"大白兔奶糖"。另外，还出现"影射侵权"，即把同"大白兔"注册商标相同或相似的文字、图形作为侵权者产品的名称和包装装潢，以图混淆视听，愚弄消费者。针对以上情况，冠生园开始苦苦研究商标战术，决定把"大白兔奶糖"整个包装分别作为8种商标注册，使一张糖纸和包装袋的任何部位都得到法律保护。同时围绕主商标，他们又设计出十几个近似商标，包括大白兔、大灰兔、大黑兔、大花兔、小白兔、金兔、银兔等，都进行了商标注册，组成"主体防卫体系"，使"大白兔"商标成为一个"民族商标群"。鉴于包装装潢不受商标保护，但可以申请外观设计专利，于是，冠生园又决定建立商标注册与申请专利相结合的互补系统。

这样就形成了一个开阔的防御体系，防止任何假冒品牌向主商标靠拢。冠生园认识到，"大白兔"是一个公认的含金量极高的商标，仅把它局限在糖果行业的奶糖是不行的。从长远利益出发，冠生园开始把自己的"大白兔"商标与企业发展有关的所有领域进行超前注册。现在，不仅食品、服装、家具、钟表、自行车等行业，就连餐饮、通信、银行、保险等服务性行业，"大白兔"商标都拥有一席之地。冠生园的全面出击并不只是到此为止。从1985年痛失"米老鼠"商标起，冠生园就拿出大量外汇在境外注册，谋求法律对"大白兔"的保护。今天，冠生园已在工业知识产权"马德里协约"的20个成员方和另外的70多个国家和地区拿到"大白兔"的注册证。超前性的商标注册，只是为"大白兔"的未来发展打下基础，而真正关键的是如何让"大白兔"在国内、国际市场上活跃起来。冠生园根据时代的变化，开始重新塑造这只兔子。过去那只"大白兔"只是作为一种简单的商品符号，从未想过让它变化姿态。而今天，经过一番精心设计，一只以跳跃的兔子为主体、以大蘑菇为背景的崭新的"大白兔"商标诞生了。这个漂白的兔子形象，不仅加深了中国人对老品牌的印象，也受到世界各国消费者的欢迎。美国把中国听装"大白兔"奶糖上那只活泼可爱的兔子当作复活节的象征。接着，冠生园又创造了20多个卡通大白兔形象，有唱歌的、跳舞的、划船的、钓鱼的、开摩托车的、打球的、射箭的等，多姿多彩、美不胜收，"大白兔"终于活起来了。"大白兔"的决策者所思考的还远远不止这些，他们还要让"大白兔"品牌逐步向"大白兔文化"过渡，给"大白兔"注入新鲜的精神活力，"大白兔"还要走进青少年的生活，成为他们形影不离的朋友。

（资料来源：吕一林. MBA市场营销教学案例精选[M]. 上海：复旦大学出版社，1998.）

讨论并回答问题：

1. 结合案例，扼要叙述市场营销学中的产品整体概念。
2. 生产企业应如何保护自己的品牌？
3. 如果冠生园将其业务扩展到其注册的众多领域，你认为有何利弊？
4. 冠生园不愿花钱购买"米老鼠"的使用权，而宁愿花钱把"大白兔"注册到全世界，你认为此举是否明智？有何利弊？

本 章 小 结

本章主要介绍了品牌、商标和包装策略。

品牌是指用以识别某个不同生产经营者的产品或服务，并使之与竞争对手的产品或服务区别开来的商业名称及其标志，通常由文字、标记、符号、图案和颜色等要素或这些要素的组合构成。

品牌的层次包括属性、利益、价值、文化、个性、用户。

品牌策略有品牌有无策略、品牌归属策略、品牌统分策略、品牌延伸策略、品牌重新定位策略和多品牌策略。

商标是产品的文字名称、图案记号或它们的组合。商标是一个法律术语。一个品牌或品牌的一部分，经过必要的法律注册程序后，就称为"商标"。

品牌与商标是极易混淆的一对概念，两者既有联系，又有区别。有时，两个概念可等同替代；但更多的情况下，必须准确认识和使用这两个概念。品牌与商标都是用以识别不同生产经营者的不同种类、不同品质产品的商业名称及标志。但品牌和商标的外延并不相同。品牌并不完全等同于商标，或者说，品牌有别于商标。品牌是市场概念，是产品和服务在市场上通行的牌子，它强调与产品及其相关的质量、服务等之间的关系，品牌实质上是品牌运营者对消费者在产品特征、服务和利益等方面的承诺。而商标属于法律范畴，是法律概念，它是经过注册获得商标专用权从而受到法律保护的商业名称及其标志。企业品牌注册成商标，即获得了商标专用权，并受到法律保护。

包装是指对某一产品设计并制作容器或包扎物，并将产品盛装或包扎起来的一系列活动。包装有两方面内容：其一，包装是指为产品设计、制作包扎物的活动过程；其二，包装即指包扎物。包装策略有类似包装策略、等级包装策略、分类包装策略、配套包装策略、再使用包装策略、附赠品包装策略、更新包装策略。

思考与实训

1. 如何认知品牌？品牌与商标有何区别？
2. 品牌设计的原则有哪些？
3. 品牌的策略有哪些？
4. 包装有哪些策略及种类？
5. 试在超级市场选取某类商品，对不同品牌的包装进行比较分析。
6. 分析一个知名品牌的层次划分，讨论该品牌产品的质量、服务和包装怎样配合品牌的市场推广。

第九章

定 价 策 略

学习目标

1. 熟悉影响企业定价的因素
2. 掌握企业定价的几种方法
3. 掌握并灵活运用企业的定价策略
4. 学会结合实际进行价格调整

导入案例

美国休布雷公司在伏特加酒的市场中，属于营销出色的企业，它生产的史密诺夫酒在伏特加酒市场中的市场占有率达23%。后来，另一家公司推出了一种叫沃夫斯密特的酒。该公司声称，沃夫斯密特与史密诺夫酒质量相仿，但是却比史密诺夫酒便宜1美元。面对竞争者的低价攻势，休布雷公司有三种选择：一是降价1美元，以保住其市场占有率；二是价格不变，但增加其产品的广告促销费用与竞争对手竞争；三是价格和促销费用都不变，一切任其自然。

无论采取以上哪种策略，休布雷公司的利润都会下降。因此，该公司似乎将面临一场打不赢的战争。但就在这时，一个奇特的主意在该公司营销者的头脑中产生了——休布雷公司把史密诺夫的价格提高了1美元！同时，公司推出了一种"新产品"莱斯卡酒，与竞争者的沃夫斯密特酒抗衡（两者价格相同）；另外，公司还推出了另一种名叫波波夫的酒，以低于沃夫斯密特牌酒的价格出售。这样，沃夫斯密特酒受到史密诺夫酒、莱斯卡酒、波波夫酒的上下夹击，元气大伤。

而对于休布雷公司而言，虽然史密诺夫酒的利润比以前下降了，但三种酒的总利润却高于以前史密诺夫酒的利润。并且，该公司的这三种酒制造工艺类似，制造成本不相上下。休布雷公司只不过是聪明地利用了消费者的不同需求层次和不同消费心理，成功地使用了产品夹击战术罢了。

（资料来源：赵西萍. 旅游市场营销学［M］. 2版. 北京：高等教育出版社，2011.）

第一节　研究定价策略的意义

价格是商品价值的货币表现，这一相对静止的价格定义，揭示了价格作为商品交换尺度的本质原因。而在传统的观念中，从历史上的大多数情况看，价格是在体现价值的基础上，通过买方与卖方互相协商共同确定的，它会随着买卖双方力量的对比而出现波动。因此，西方经济学家提出了所谓的"均衡价格"概念。在均衡价格水平上,企业与消费者均实现了自己的利益,市场处于相对平衡状态。此时如果需求或供给发生变动,则价格也将相应调整,达到新的均衡价格;反之,若均衡价格发生变化,做出调整的将是供给或者需求。西方经济学中一般均衡理论直接阐述了价格在商品交易中的重要性。

然而,经济学中众多关于价格的理论对企业具体定价策略的指导作用却十分有限。价格会直接影响市场需求,影响企业在市场上的竞争地位和市场占有率,进而影响企业的销售收入和利润。但是,这种影响的程度却随着市场环境和产品的不同而发生改变。例如,大部分低收入的消费者主要依据价格做出是否购买的决定,但随着收入的提高,他们也会越来越看中非价格因素;在市场生命周期的不同阶段,消费者对价格的敏感程度也会发生变化;另外,市场竞争对手的价格策略同样会促使企业进行价格调整,等等。这些都将使企业的定价变得更加复杂。

虽然随着市场的日益成熟,企业间竞争的重点已经逐步由单一的价格竞争转向了研发、服务、品牌等非价格竞争,但价格仍然是决定企业市场份额和盈利率的最重要因素之一。因为价格是市场营销组合中唯一能创造收益的因素,其他因素都代表着费用。价格也是市场营销组合中敏感而又难以控制的因素,与产品和渠道相比,价格会很快发生变化。所以,定价和价格竞争历来是企业高级营销人员所面临的重大问题。

一、价格是影响企业盈利目标实现的重要因素

在市场经济条件下,企业作为独立的商品生产者和经营者,具有独立的经济利益。企业经营的直接目标是追求利润最大化,而利润又受到价格变动的直接影响,价格在企业经营中作为一个可控变量,决定着企业的盈亏。

二、价格是市场竞争的重要手段

价格是同行业内最常用、最易仿效的竞争手段。在现代市场经济条件下,任何一个企业都不可能长期保持对某一产品的市场独占。新产品进入市场之初,企业的决策者必须做出正确的决策,是实行厚利精销的高价策略,迅速收回投资成本,还是实行薄利多销的低价策略,以获取规模经济效益。高价厚利的策略将招来同行业众多的竞争者,导致激烈的市场竞争;而薄利的低价策略则可能使新的竞争者放弃市场角逐,而获得较高的市场占有率。

三、定价是应对市场营销环境变化的营销策略之一

首先,科学技术发展的步伐日益加快,产品生命周期迅速缩短,企业必须不断地调整定价策略以应对变化的产品。

其次,经济全球化迅速发展,国际竞争者的压力增大,使企业在定价过程中注入更多的国际同类产品的相关因素。

再次,在经济发展和通货膨胀过程中,消费者的需求迅速变化,要求企业快速调整定价策略,以适应变化了的消费者需求。

最后,能源短缺,低碳、环保的新型原材料不断问世以及劳动者收入水平的提高,产品成本增加,使企业制定适宜价格的难度加大。

第二节 企业定价的程序和方法

一、企业定价的程序

企业定价是一项细致而复杂的工作，应考虑方方面面的因素，并按照科学程序有条不紊地进行。一般来说，企业定价的程序包括以下六个步骤：

（1）明确定价目标。企业在制定价格之前，必须明确定价目标，即明确定价的指导思想。企业应根据不同的市场状况、不同的产品选择不同的定价目标，从而决定采用不同的定价方法和技巧。

（2）测定需求。需求的测定主要是调查了解市场容量，即调查该产品有多少现实和潜在的消费者；还要分析产品价格变动对市场需求的影响，掌握不同价格水平上的需求量，即测定需求价格弹性。

（3）估算成本。成本是制定产品价格的最低限度，是定价的基础。一般情况下，价格不能低于成本，否则企业将出现亏损。这里主要是估算平均总成本和平均变动成本。

（4）掌握竞争者的产品和价格。企业定价必然要受到竞争者同类产品价格的制约。要想在市场竞争中取胜，企业就必须"知己知彼"，掌握并认真分析竞争产品的价格和特色，经过比值比价，为自己的产品制定出具有竞争力的价格。

（5）选择定价方法。企业定价方法主要有三种，即成本导向定价法、需求导向定价法和竞争导向竞争法，在每一种方法中又有许多种具体的方法。企业应根据自己的定价目标选择不同的定价方法。

（6）确定最终价格。企业运用一定的方法制定出基本价格后，还要定性地考虑一些因素的变化，采用定价技巧对基本价格进行适当的调整，确定出最终价格。例如，制定的价格是否符合国家有关政策法规？是否适应消费者的心理？是否维护了企业形象？竞争者对这一价格将做出何种反应？等等。

二、企业定价的方法

企业的定价方法是指企业在定价目标指导下，运用定价技巧，对产品价格进行具体确定的方法。定价目标、定价技巧和定价方法是一个有机整体，定价方法的选择正确与否，是关系到企业定价目标能否实现的一个重要因素。由于价格的高低主要受成本、需求和竞争三方面因素的影响，所以企业定价方法可归纳为三类：成本导向定价法、需求导向定价法和竞争导向定价法。

（一）成本导向定价法

成本导向定价法是一种主要以成本为依据的定价方法，包括成本加成定价法、目标利润定价法、盈亏平衡定价法和边际贡献定价法。

1. 成本加成定价法

所谓成本加成定价，是指按照单位成本加上一定百分比的加成来制定产品的销售价格。加成的含义就是一定比率的利润。其计算公式为

$$产品单价 = \frac{总成本}{产品数量} \times (1 + 成本加成率)$$

【例 9-1】 某产品的单位总成本为 10 元，成本加成率为 20%，则

$$产品单位 = 10 \text{ 元/个} \times (1 + 20\%) = 12 \text{ 元/个}$$

成本加成的主要优点是：把成本与价格直接挂钩，简便易行；如果同行各企业都用此定价法，则销价相差不大，可避免价格竞争；以成本为基础定价对买卖双方公平合理，卖方可以获取一定的利润，买方也不致因需求强烈而付出高价。事实上，使用标准加成定价法来制定价格是不尽合理的，它忽略了需求和竞争对手的定价方法，缺乏灵活性，难以适应市场竞争的变化。虽然有一些企业成功地运用了成本加成定价法，但大多数企业还是要综合地考虑其他因素来制定本企业的产品价格。

2. 目标利润定价法

目标利润定价法是根据估计的销售量和企业欲获得的目标利润制定价格的方法。其计算公式为

$$产品单价 = \frac{固定成本 + 目标利润}{预期销售量} + 单位变动成本$$

【例 9-2】 某产品的固定成本为 600 万元，变动成本为 400 万元，产量为 100 万个，预期销售量为 80 万个。假如企业的目标利润为 200 万元，则

$$产品单位 = \left(\frac{600 + 200}{80} + \frac{400}{80}\right) \text{元/个} = 15 \text{ 元/个}$$

目标利润定价法的优点是：在环境变化不大的市场条件下，能基本保证目标利润的实现。但是，它也有明显的不足：首先，这种方法只考虑生产企业的利益，没有分析竞争和需求的实际情况，是以生产为导向的定价法；其次，这种方法的价格是按预测销量确定的，这从理论上来说是站不住脚的，因为任何产品的销售量都是其价格的函数，只有价格决定销售量，而不是销售量决定价格，所以用这种方法计算出来的价格，不能保证销售量的全部实现，特别是对需求弹性大的产品，这个问题更为突出。因此，为了保证所定价格能实现预期销量，企业应将价格、销售量与需求因素结合起来，考虑每一可能的价格上实现销售量的可能性。

3. 盈亏平衡定价法

盈亏平衡定价以总成本和总销售收入保持平衡为定价原则。总销售收入等于总成本，此时利润为零，企业不盈不亏，收支平衡。盈亏平衡定价法的优点是计算简便，可使企业明确在不盈不亏时产品的价格和产品的最低销售量。其计算公式为

$$产品单价 = \frac{固定成本}{预期销售量} + 单位变动成本$$

【例 9-3】 某产品的固定成本为 50 万元，单位变动成本为 20 元，预期销售量为 10 万件，则该产品在收支平衡时

$$产品单价 = \left(\frac{50}{10} + 20\right) \text{元/件} = 25 \text{ 元/件}$$

4. 边际贡献定价法

边际贡献定价法又称变动成本定价法。采用这种方法定价时，不考虑价格对总成本的补偿，只考虑价格对可变成本的补偿，并争取更多的边际贡献来补偿固定成本。所谓边际贡献，是指预计的销售收入减去变动成本后的收益。其计算公式为

$$边际贡献 = 销售收入 - 变动成本$$

边际贡献首先用来补偿固定成本，如果这个边际贡献不能完全补偿固定成本，就会出现

亏损。但在某些特别的市场情况下，企业停产、减产，仍得如数支出固定成本，倒不如维持生产，只要产品销售价格大于单位变动成本，就有边际贡献，若边际贡献超过固定成本，企业还能取得盈利。也就是说，不论其是否真正成为企业的盈利，都是对企业的贡献。

企业采用边际贡献确定价格，其计算公式为

$$产品单价 = \frac{总变动成本 + 边际贡献}{销售总量}$$

【例9-4】 某产品的年固定成本为18万元，每件产品的单位变动成本为50元，计划边际贡献为15万元。当销售量预计6000件时，则

$$产品单价 = \frac{50 \times 6000 + 150000}{6000} 元/件 = 75 元/件$$

这种定价方法一般是在市场竞争激烈或产品销路不好时采用。因为这时如采用成本加成定价法，必然使价格太高，影响销售，导致产品卖不出去；而采用这种方法，价格要低于成本加成定价，有利于迅速扩大市场。只要产品能卖出去，就可获得一部分边际贡献来弥补企业的固定成本，而且随着销量的增加，其补偿就越大，亏损就越小。这样，在市场不景气时，能维持企业的生存，更重要的是为企业重整旗鼓赢得了时间。

总之，成本导向定价法存在一个普遍的问题，就是以成本为依据的定价过于强调企业的主观愿望，而忽略了市场需求的影响，导致产品价格较为刚性，无法随着市场需求或竞争的变化而灵活调整，往往使产品定价与市场脱节，给企业造成销量或利润的损失。

（二）需求导向定价法

需求导向定价法是一种伴随着以消费者为中心的现代市场营销观念而产生的定价方法。它按消费者对商品价值的理解和需求强度来定价。现代市场上供求趋势的变化使越来越多的企业认识到，判断价格是否合理，并不仅仅取决于生产者和经销商，而更多地取决于消费者或用户。只有当企业制定的价格符合消费者的价格心理、价格意识及价格承受能力时，才能被消费者所接受，企业的产品才能有销路。需求导向定价法主要有认知价值定价法、需求差异定价法和反向定价法三种。

1. 认知价值定价法

认知价值定价法以消费者对商品价值的认知和理解程度作为定价的依据，即消费者认为该商品有多大"价值"，企业就定多高价格。但这种认知带有很大的主观性，不同的消费者对商品价值的认知和理解程度不同，会形成不同的定价上限，如果价格刚好在这一限度内，消费者就能顺利购买，企业也就有利可图。这种认知和理解大部分来自企业的引导，因此，企业应善于利用市场营销组合中的非价格因素，如提高产品差异化和服务水平、加强宣传及公关活动等，来影响消费者对商品的认知。同时，企业必须正确地估计和判断消费者所理解的相对价值，以防估计过高，定价脱离实际。

【例9-5】 某品牌冰箱，其成本与竞争产品的成本差不多，竞争产品每台定价3380元，而该品牌却定价3680元，结果是其销量反而比竞争产品高，其中主要的原因就是消费者对这一品牌的认知程度较高，愿意为它支付较高的价格。下面就是该品牌冰箱对消费者的引导：

	3380 元	竞争产品的定价
+	400 元	因为该产品更省电
+	200 元	因为该企业能为产品提供终身服务
+	200 元	因为该产品结构更合理
+	200 元	因为该产品外形美观、颜色多样
合计	4380 元	
−	500 元	使用 10 年节省的电费
−	200 元	给消费者的优惠

定价　3680 元

这张清单实际上是在帮助消费者理解和认知该产品的价值，花 3680 元买到了 4380 元的商品，消费者当然是满意的，虽然比其他品牌的冰箱多花了 300 元。

运用认知价值定价法要完成以下五个步骤：

第一，判断消费者的认知价值。把握消费者对产品价值的理解或认知是这一定价方法的关键。过高或过低地估计消费者的认知价值，都会使定价发生偏差。因此，为了准确判断消费者对产品价值的理解或认知，比较有效的方法是借助市场调研来获得相对准确的参考依据。

第二，定位消费者价值。根据对消费者认知价值的了解，企业营销人员应对产品或服务的属性和特性进行定位并概念化，转化为消费者能够感知到的利益。

第三，量化消费者的认知价值。通过对消费者的需求属性进行价值细分、分析和测算，估算出不同细分市场所提供的经济价值的大小。

第四，进行有效的促销，将消费者的认知价值传达给目标市场。

第五，把已经量化的认知价值与其他市场因素相结合，制定出产品的市场价格。

2. 需求差异定价法

所谓需求差异定价，也称价格歧视，是指企业按照两种或两种以上不反映成本费用的比例差异的价格销售某种产品或服务。这种定价方法是根据销售时间、销售地点、销售对象不同而产生的需求差异为定价的基本依据。具体做法有以下几种方式：

（1）因时间而异。当需求随着时间的变化而发生变化时，对同一种产品在不同的时间应制定不同的价格。例如，一些娱乐场所周末的收费标准就高于平时，旅游旺季车船票价和旅馆费用不再打很高的折扣。

（2）因地点而异。同一产品在不同地点、不同场合出售，以及同一产品的不同位置，如果存在不同的需求强度，就可以分别制定不同的价格。例如，同一种饮料在食品店出售与在舞厅或高级宾馆出售的价格会有很大差别，后者明显高于前者；音乐会的票价，前排和后排在价格上是不同的。

（3）因消费者而异。根据消费者不同的需求特点，制定不同的价格。例如，同一商品售给批发商、零售商和消费者，应有不同的价格。还可按照消费者的年龄、职业、民族等方面的差异给予相应的价格优惠，如"六一"儿童节对儿童商品实行优惠、重阳节对老年人用品打折都属于这种情况。

要顺利实施差异定价，应具备以下条件：

(1) 市场必须是可以细分的,而且各个细分市场有着不同的需求程度。
(2) 低价购买某种产品的顾客没有可能以高价把这种产品倒卖给别人。
(3) 竞争者没有可能在企业以较高价格销售产品的市场上以低价竞销。
(4) 细分市场和控制市场的成本费用不得超过因实行价格歧视而得到的额外收入。
(5) 价格歧视不会引起顾客反感。
(6) 采取的价格歧视形式要符合相关法律规定。

◆ 阅读案例 9-1

北京世界公园的差别定价

北京世界公园于1993年11月1日正式对游客开放,当时其门票价格分为以下五种:
(1) 平时门票价:40元。
(2) 星期六、星期日门票价:48元。
(3) 团体门票价:优惠20%。
(4) 离退休干部,大中小学生门票价:30元。
(5) 75岁以上老人和残疾人、1.1m以下儿童:免费。

这是一种典型的差别定价法。它至少考虑了对门票销售有重大影响的三个因素:一是旅游淡旺季,平日价和周末价分开;二是团体和散客,为吸引团体旅游,公园给予20%的优惠;三是消费者因素,对离退休干部、大中小学生给予低价,对75岁以上老人和残疾人、1.1m以下儿童干脆免票,因为这些人会带来其他相关人员前来。虽然北京世界公园门票的整体价格较高,但由于它能使游客不出国门便领略到世界风光,饱览40个国家的109个景点,同时因定价时区别对待了不同的消费者,使大家都感到能够接受,从而获得了成功。

3. 反向定价法

反向定价法是指企业依据消费者能够接受的最终销售价格,计算自己从事经营的成本和利润后,逆向推算出产品的批发价和零售价。这种方法不以实际成本为主要依据,而是以市场需求为定价出发点,力求使价格为消费者所接受。分销渠道的批发商和零售商多采取这种定价方法。其计算公式为

出厂价 = 市场可销零售价 × (1 - 批零差率) × (1 - 进销差率)

【例9-6】 某皮革厂生产的某种女式皮包,经市场调研确定消费者可以接受的零售价为240元,以往这类商品批发企业与厂家的进销差率为10%,批零差率为12%。若以反向定价法定价,则

皮包的出厂价 = 240元 × (1 - 12%) × (1 - 10%) ≈ 190元

反向定价法的优点是能反映市场供求关系,有利于开拓销售渠道,企业可根据供求状况及时调整价格。它适用于需求弹性较大、花色品种翻新较快的商品。其缺点是对市场可销零售价难以进行准确的估计。

(三) 竞争导向定价法

竞争导向定价法是以市场上竞争者的同类产品价格为主要依据的定价方法。在市场竞争十分激烈的情况下,企业产品价格的制定不能依据成本和需求,只能以竞争者的价格水平为基础定价,但并不是与竞争者的产品价格相同。针对竞争者的营销策略,企业可制定出高于

或低于竞争产品的价格，以提高企业的竞争能力。实施这一定价方法的前提是确定本企业的竞争地位及竞争者的价格动态。竞争导向定价法主要有随行就市定价法、密封投标定价法和主动竞争定价法。

1. 随行就市定价法

随行就市定价法是指企业根据同行业平均现行价格水平或者同行业中实力最强竞争者的产品价格来制定本企业产品价格的定价方法。在以下几种情况下，通常采用这种定价方法：

（1）成本难以测算。

（2）企业打算与同行和平共处。

（3）竞争者不确定或很难了解消费者和竞争者对本企业进攻性产品价格的反应。

采用这种方法所制定的价格由于与同行业的平均现行价格一致，所以容易被消费者所接受，同时可缓和激烈的价格大战，并能为企业带来适量的利润。

随行就市定价法主要用于均质产品的定价，如粮食、钢材、工业原料等。这类产品质量差别不大，需求的价格弹性较小。另外，这种方法特别适用于实力不强的中小型企业。

2. 密封投标定价法

密封投标定价法是买方引导卖方通过竞争成交的一种方式。常用于建筑包工、大型设备制造或大宗采购业务等。具体做法是：由买方公开招标，参加投标的卖方企业事先根据招标公告的内容密封报价，买方按一定的原则到期公布中标者名单，然后，中标企业与买方签约成交。

竞标企业确定投标报价是以既能中标，又能获得尽可能多的利润为前提的。但这两方面是矛盾的：一方面，要考虑中标机会，报价必须低于竞争者，但如果报价太低，企业不但得不到利润，甚至出现亏损，这样就失去了中标的意义；另一方面，为了获得更多的利润，报价就应定得高一些，但价高中标的可能行较小，如果因为价高而败标，则利润为零。因此，竞标企业必须同时考虑目标利润和中标概率，以确定投标的最佳报价。

3. 主动竞争定价法

主动竞争定价法是指定价的企业不追随竞争者的价格，而是根据本企业产品的实际情况和竞争者的产品差异状况来制定价格的定价方法。在定价时，首先将市场上竞争产品的价格与本企业初步估算的价格进行比较；其次，将本企业产品的性能、质量、式样与竞争产品进行比较，分析造成价格差异的原因；再次，根据本企业产品的优势与特点，做好市场定位；最后，按照定价目标确定价格。企业有两种选择：一种选择是高于市场一般水准的价格，这要求本企业的产品必须有比竞争产品更好的品质和服务，能够更好地满足消费者的需求；另一种选择是选择较低的渗透价格，以排挤竞争者，吸引更多的消费者。这种方法通常为实力雄厚或产品独具特色的企业所采用。

第三节　影响定价的因素

在非限制性商品经济的条件下，企业作为独立的商品市场生产者和经营者，可以独立地自主定价，因此，定价是营销组合的可控变数之一。但是，这种自由定价并不是随心所欲、不受任何制约的。价格的制定要受一系列内部和外部因素的影响与制约，企业定价时必须考虑如图9-1所示的这些因素。

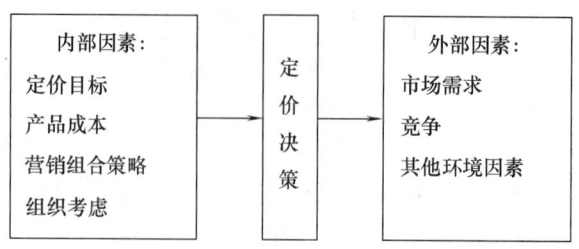

图 9-1 影响定价的因素

在图 9-1 的诸多因素中，产品成本、市场需求与竞争是三个最基本的因素。其中，产品成本决定了企业制定价格的最低界限，市场需求决定了企业制定价格的最高界限，而竞争则影响了产品价格在最高与最低界限之间的波动。

一、定价目标

任何企业都不是孤立地制定价格，而必须按照企业的目标市场战略及市场定位的要求制定价格。如果企业已经选择好目标市场和市场定位，那么确定营销组合战略，包括制定价格，便是一件容易的事了。例如，通用汽车公司决定生产一种新跑车，以便和欧洲跑车在高收入细分市场中竞争，这就意味着通用汽车公司应该制定一个较高的价格。因此，定价决策在很大程度上取决于市场战略及市场定位决策。

定价目标是指通过特定水平的价格的制定或调整，所要达到的预期目的。定价目标作为企业市场营销目标体系中的一个具体目标，必须服从于企业营销的总目标，并与其他营销目标相配合。目标越清楚，就越容易制定价格。一般来说，企业的定价目标有以下几种：

1. 维持企业生存

所谓维持企业生存，即以保持企业能够继续营业为定价目标。通常这只是企业处于不利环境中实行的一种缓兵之计。如果企业产量过剩，或面临激烈竞争，或试图改变消费者需求，这时企业往往把维持生存作为主要目标。按照这一目标，为了使企业运营，企业通常制定较低的价格，前提是市场是价格敏感型的。在这种情况下，生存比利润更重要。只要价格能够补偿可变成本和一般固定成本，企业就能继续留在行业中，靠收回的资金维持营业，并争取到开发新产品的时间，重新问鼎市场。这种定价目标只能作为特定时间内的过渡性目标，一旦出现转机，将很快被其他目标所代替。

2. 利润最大化

利润最大化即企业追求一定时间内可获得的最高利润。不断获取更多的利润是企业生存和发展的前提条件，因而很多企业以追求利润最大化为定价目标。但是，追求利润最大化并不意味着给产品制定最高价格。这是因为企业盈利来自全部收入扣除全部成本的余额，而不是单位产品价格中包含的利润水平。过高的价格往往会抑制需求、降低产品销量、影响企业利润。所以，利润最大化更多地取决于合理价格所推动产生的需求量和销售规模。

追求利润最大化的定价目标是以良好的市场环境为前提的。当企业及其产品在市场上享有较高知名度、处于竞争的有利地位时，这一定价目标是可行的。然而，市场营销环境复杂多变，任何企业都不可能永远保持优势，很多企业把追求利润最大化作为一个长期的定价目标，同时根据特定的环境选择一个短期目标来制定价格。尽管有时短期目标与长期目标存在某些偏差，但实现短期目标却是在一定时期内实现长期目标的必要手段。

3. 提高市场占有率

市场占有率是企业经营状况和竞争实力的综合反映。有些企业想通过定价来取得控制市场的地位，这就是提高市场占有率的定价目标。因为企业确信，赢得最高的市场占有率之后将享有最低的成本和最高的长期利润，所以企业制定尽可能低的价格来追求市场占有率的领先地位。提高市场占有率已成为企业普遍追求的定价目标。为了实现这一目标，企业往往采用低价策略，使其产品迅速"渗透"到竞争者的市场阵地上去，扩大本企业的市场份额。这是一种以牺牲短期利润为代价换取企业长远发展的方法。当具备下述条件之一时，企业就可考虑通过低价来实现市场占有率的提高：

（1）市场对价格高度敏感，低价能刺激需求的迅速增长。

（2）生产与分销的单位成本会随着生产数量和经验的积累而下降。

（3）低价能吓退现有的和潜在的竞争者，而不至于引起价格大战造成两败俱伤。

4. 实现预期投资回报率

投资回报率是企业运营的重要财务指标之一，它直接反映企业的投资收益水平。持这种目标的企业将投入某项产品的资金的预期收益作为企业的定价目标，定价时在总成本之外加上一定比例的投资收益。因此，在产品成本费用不变的情况下，价格的高低直接取决于企业确定的投资回报率的大小和投资回收期的长短。而通常预期的投资回报率一般应高于银行利率。这种定价目标适用于那些在行业中处于主导地位或产品具有独特性的实力雄厚的企业。

5. 产品质量领先

一些生产和经营优质名牌产品的企业往往采用这一定价目标。企业通过考虑产品质量领先这样的目标，在生产和市场营销过程中始终贯彻产品质量领先的指导思想。这样就要求企业用高价格来弥补高质量和研究开发的成本。在产品优质的同时，还应该辅之以相应的优质服务。

与此同时，企业还应考虑一些附属的目标，如适应价格竞争、稳定价格、维护企业形象等。表9-1以美国八家著名企业的实例来说明企业的定价目标。

表9-1 美国八家著名企业定价目标的差异

企业名称	定价主要目标	定价附属目标
通用汽车公司（General Motor）	20%的利润率（缴税后）	保持市场份额
固特异公司（Good Year）	对付竞争者	保持市场地位和价格稳定
美国罐头公司（American Can）	维持市场销售份额	应对市场竞争
通用电气公司（General Electric）	20%利润率（缴税后）增加7%销售额	推销新产品，保持价格稳定
西尔斯·罗巴克公司（Sears Rocbuck）	增加市场销售份额（8%～10%为满意的份额）	10%～15%传统的资本回收率
标准石油公司（Standard Oil）	保持市场销售份额	保持价格稳定，一般资本回收率

(续)

企业名称	定价主要目标	定价附属目标
国际收割机公司 （International Harrester）	10%的利润率	保持市场第二的位置
国家钢铁公司 （National Steel）	适应市场竞争的低价	增加市场销售份额

（资料来源：《美国经济展望》）

二、产品成本

产品成本是企业能够为其产品定价的最低限度，产品定价必须能够补偿产品生产、分销和促销的所有支出，并补偿企业为产品承担风险所付出的代价。任何企业都不能随心所欲地制定价格。某种产品的最高价格取决于生产需求，最低价格取决于这种产品的成本费用。从长远看，任何产品的销售价格必须高于成本费用，只有这样，才能以销售收入来抵偿生产成本和经营费用，否则就无法经营。因此，成本是影响定价决策的一个重要因素。降低成本，以降低价格、扩大销售和增加利润是许多企业努力的目标。企业必须审慎地监督好成本。如果企业生产和销售产品的成本大于竞争者，就不得不制定较高的价格或减少利润，从而使自己处于竞争劣势。研究成本因素，应明确以下各种成本概念：

（1）固定成本。固定成本是指在一定的生产经营范围内，不随产品种类及数量的变化而变动的成本费用，如厂房、建筑物、机器设备等固定资产的折旧，管理人员的工资，产品开发费用等。

（2）变动成本。变动成本是随产品种类和数量的变化而变动的成本费用，包括原材料、燃料、辅助材料、储运费用、生产工人的工资等。

（3）总成本。总成本是全部固定成本与变动成本之和。管理部门希望制定的价格至少能够补偿在既定生产水平下的生产总成本。

（4）平均固定成本。平均固定成本是指每一单位产品中所包含的固定成本，是全部固定成本与总产量之比。固定成本不随产量增减而变动，但是平均固定成本随产量的增加而减少。

（5）平均变动成本。平均变动成本即每一单位产品中所包含的变动成本，是全部变动成本与总产量之比。平均变动成本在生产初期水平较高，随着工人熟练程度的提高呈下降趋势，但达到某一限度之后，由于报酬递减率的作用转而上升。

（6）平均总成本。平均总成本是总成本与总产量之比，是单位产品所包含的平均成本。

企业定价决策的一项重要内容就是确定定价时应以何种成本为依据。就长期而言，产品价格不应低于平均总成本，否则，企业将难以生存；就短期而言，产品价格必须高于平均变动成本，否则，亏损额将随销售量的增长而增加。

三、企业营销组合策略

价格是市场营销组合因素之一，它与产品、分销、促销等因素互相依存、互相制约。企业在制定价格策略时，既要考虑其他因素对价格的影响，又要考虑价格对其他因素的影响，使之密切配合，形成整体最佳效果。

如果企业营销工作采用非价格定位，定价时应根据产品的性质、档次、质量、商标、包装等方面的不同分别采取不同的价格策略。在产品市场生命周期的不同阶段，也要对价格策略相应做出调整。

分销渠道的长短、宽窄以及所处的环节也是定价应考虑的因素。例如，当直接渠道与间接渠道并存时，生产者直销的价格应以不致抢走经销该产品中间商的生意为度。为鼓励中间商经营的积极性，商品差价应适度、合理。

促销费用是商品价格的组成部分，如果企业用于广告、人员推销、公共关系和营业推广的费用较多，势必会使价格上升，甚至影响到销售。所以，企业在开展活动、预算促销费用时，既要考虑开拓市场的需要，也要考虑对价格的影响以及消费者的反应。

如果企业把价格当作一个重要的定位因素，通常采用一种称为目标成本设定的方法，即先确定市场价格，然后根据盈利目标确定成本，根据成本去研制产品。康柏电脑公司在经受对手多年低价进攻之后，用这种方法研制出非常成功的低价普洛里尼个人计算机产品系列，使其销售和利润迅猛增长。

总之，营销人员在为产品定价时不能脱离其他营销因素而单独决定，即使产品有价格优势，营销人员也需牢记，消费者很少只依据价格就做出购买决定；相反，消费者寻找能够带给他们最大价值的产品，这些价值就是支付价格之后所能得到的利益。

四、市场和需求

与成本决定价格的下限相反，市场和需求决定价格的上限。所以，在此讨论一下价格怎样随不同的市场结构发生变化以及价格与需求的关系。

（一）不同市场结构下的企业定价

市场结构按竞争程度的不同，可分为四种模式，在不同的市场结构条件下，企业定价的自由程度也不相同。

1. 完全竞争

在完全竞争的市场条件下，市场由众多进行均质商品交易的买方和卖方组成，没有哪一个买方或卖方有能力来影响现行市场价格。卖方无法将价格定得高于现行市场价格，因为买方能以现行价格买到商品，而且要多少有多少。卖方的定价也不能低于市场价格，否则企业将没有收益。因此，在完全竞争的市场条件下，卖方和买方只能是价格的接受者，而不是价格的决定者。在完全竞争的市场中，市场营销调研、产品开发、定价、广告及促销活动几乎没有什么作用或者根本不发挥作用。当然，这种完全竞争的市场在现实中并不存在。

2. 完全垄断

完全垄断是指在一个行业中某种产品的生产和销售完全由一个卖方独家经营和控制。该卖方可以是政府垄断者（如美国邮政管理局），或私人管制垄断者（如能源公司），或私人非管制垄断者（如在开发尼龙时期的杜邦公司）。这三种情况下的定价各不相同，政府垄断可以有各种定价目标，产品价格可高可低，如与大众生活关系密切的产品，价格定得低于成本，这是因为该种产品对于无力支付的买方很重要；有些产品的价格定得较高，以限制消费。对于受管制的垄断者，政府对其定价要加以调节和控制，如美国政府允许企业设定"公平收益率"。非管制垄断者有完全的定价自由，但是他们并不总是设定最高限度的价格，这是因为怕触犯反托拉斯法，或怕引起竞争，或想凭借低价加速市场渗透。

3. 垄断竞争

垄断竞争即垄断与竞争并存的市场，是一种介于完全竞争和完全垄断之间的市场结构，是一种不完全竞争。这一市场由许多买方和卖方组成，但各个卖方所提供的产品有差异，有些是质量、花色、式样和服务的差异；有些不同品牌的产品，虽然实质上没有什么差异，但买方因受广告、宣传、包装等的影响，主观或心理上认为它们有差异，并愿意为这些差异支付不同的价格，因而企业能控制其产品价格。也就是说，在垄断竞争的条件下，卖方已不是消极的价格接受者，而是强有力的价格决定者。

4. 寡头竞争

寡头竞争是指某种产品的绝大部分由少数几家大企业生产或销售，是介于垄断竞争与完全垄断之间的一种市场结构，也是一种不完全竞争。在寡头竞争的条件下，各个寡头企业是相互依存、相互影响的。各个寡头企业对其他企业的市场营销战略和定价策略是非常敏感的，在寡头竞争的市场上，商品价格不是由市场供求关系决定的，而是由寡头们协商操纵的。如果某一企业单独提高价格，就可能失去市场；如果某一企业降价竞销，就会立刻遭到对手的反击，引起价格大战，其结果是几败俱伤。所以，任何一个寡头企业做决策时都要密切注意其他寡头企业的反应和决策。

（二）价格和需求的关系

企业设定的每一种价格都会导致不同的需求，价格对需求的影响主要表现为需求的价格弹性，即因价格变动而引起需求量的变动率，它反映了需求量对价格变动的敏感程度。不同产品的需求量对价格变动的反应不同，如果价格的变化几乎不影响需求，那么该产品的需求无弹性或需求价格弹性小；如果价格的细小变化引起需求的变化很大，就说该产品需求有弹性或需求价格弹性大。图9-2为需求价格弹性曲线。用 E_p 表示需求价格弹性，其计算公式为

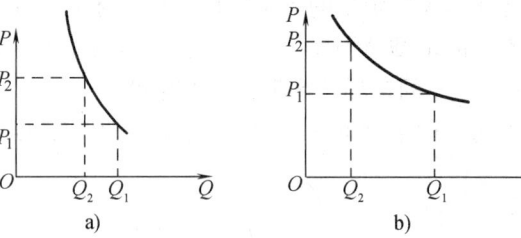

图9-2 需求价格弹性曲线
a) 需求弹性小　b) 需求弹性大

$$E_p = \frac{需求量变动百分比}{价格变动百分比}$$

在正常情况下，市场需求会按与价格相反的方向变动。价格提高，市场需求就会减少；价格降低，市场需求就会增加。所以，需求曲线是向下倾斜的。这是供求规律发生作用的表现，但也有例外的情况。菲利普·科特勒指出，显示消费者身份地位的商品的需求曲线有时是向上倾斜的。例如，一家香水公司发现，提高价格能够增加香水的销量，因为消费者认为较高的价格代表更好或更理想的香水。当然，如果香水的价格定得太高，其需求和销量将会减少。

正因为价格影响需求以及不同的产品有不同的需求价格弹性，所以，企业的市场营销人员在定价时必须了解本企业产品的需求价格弹性，以便进行正确的价格决策。需求价格弹性一般有下述三种情况：

（1）需求价格弹性大于1。这表明价格的变动会引起需求量较大幅度的波动。在这种情况下，产品价格提升会导致企业销售收入迅速下降。因此，对这样的产品，企业应采取薄利多销的定价策略。

(2) 需求价格弹性小于1。这表明价格的变动会引起需求量较小程度的波动。在这种情况下，产品价格升或降，需求量下降或增加得较少。因此，这种产品的定价应采取相对较高的价格水平，以达到增加利润的目的。

(3) 需求价格弹性等于1。这表明价格的变动会引起需求量等比例的波动。在这种情况下，价格的变动对企业利润的影响不大。因此，这种产品的定价应更多地考虑竞争对手及其他因素。

通常，需求价格弹性的大小受以下因素的影响：

第一，商品的可替代性。需求价格弹性与商品的可替代性成反比。替代产品多的商品，提高价格会引起需求量向其他替代品转移；如果替代产品很难求，或者质量高于替代产品，消费者就会较少在意价格的升高。

第二，商品的供求状况。需求价格弹性与商品供求状况有着直接的关系。商品供不应求，价格在一定范围内上升不会对需求量产生大的影响；商品供大于求，其需求价格弹性就大。价格降低可吸引较低层次的需求，大幅度增加销量。

第三，商品在消费支出中所占的比重。当商品花销远远低于消费者的收入，即支出比重较小时，消费者一般不太在意这种商品价格的高低，所以，需求价格弹性就小；反之，其需求价格弹性就大。

五、竞争者的产品和价格

影响企业定价的另一外部因素是竞争者的产品和价格。对于企业定价来说，价格太低，无法赚取利润；价格太高，不能产生需求。企业必须考虑到竞争者的产品和价格，以便在最高价和最低价之间找到最合适的价格。企业在定价时必须采取适当的方式，掌握竞争者所提供的产品质量和价格。如果企业产品与竞争产品的品质大体相同，那价格也应大体一致，否则就会失去市场；如果企业产品与竞争产品相比质量较高，那么，产品价格就可以定得较高；如果企业产品质量较差，则价格就应定得低一些。当然，竞争者会随机应变地针对本企业的产品价格而调整其价格或其他营销组合因素，所以，企业要及时掌握竞争者价格变动的有关信息，并做出明智的反应。

六、其他环境因素

企业定价除受到以上因素的影响以外，还受到环境的影响和制约。例如，社会经济形势会导致价格的变化。经济繁荣时期，社会需求增加，商品价格容易上涨；而经济衰退和调整时期，由于需求量的降低，价格会出现回落。通货膨胀的出现、银行利率的调整都会影响生产成本和消费者对产品价值理解程度的转变，从而影响企业的定价决策。另外，国家的有关政策法规对商品价格也会产生影响。有的时候，政府还对商品的价格进行直接干预。

第四节　企业定价的技巧

前面所讲的定价方法是依据成本、需求和竞争等因素决定产品基础价格的方法。基础价格是单位产品在生产地点或者经销地点的价格，尚未计入折扣、运费等对价格的影响。但在市场营销实践中，企业还需针对不同的消费心理、销售条件、销售数量和销售方式，运用灵活的定价技巧对基础价格进行修正或调整，这是保证企业价格策略取得成功的重要环节。灵活的定价是在具体场合将定价的科学性与艺术性相结合的体现。常用的定价技巧有以下几种：

一、折扣折让定价

所谓折扣折让定价，就是企业按照一定的定价方法制定出基本价格后，依据交易对象、数量、时间、方式和条件不同，给予买方一定的价格折扣或折让而形成的实际售价。灵活地运用折扣折让定价技巧，是企业提早结清货款、吸引消费者、扩大销售的有效方法。常用的折扣折让方式有以下几种：

1. 现金折扣

现金折扣就是根据购销合同，对按约定日期提前付款的消费者给予的一种价格折扣。例如，合同规定消费者必须在30天内付清款项，若10内就已付清，则给予2%的折扣。采用现金折扣可以减少企业的收账费用，鼓励消费者及时付款，加速资金周转，避免坏账、呆账。这种方式多用于零售商向批发商购货或批发商向生产商购货。

2. 数量折扣

数量折扣就是根据买方的购买数量或金额的大小分别给予不同的价格折扣，以鼓励消费者购买更多的商品，使企业减少资金积压，减少仓储、记账等环节的费用。这种折扣有如下两种基本形式：

（1）非累计数量折扣，又称一次性数量折扣，是根据消费者一次购买的数量或金额给予的一定价格优惠。其目的在于鼓励消费者大批量购买，使企业扩大销售，增加盈利。

（2）累计数量折扣，是根据消费者在一定时期内累计购买超过规定的数量或金额而给予的价格优惠。其目的在于鼓励消费者建立长期固定的业务关系，减少企业的经营风险。

数量折扣的关键在于合理确定折扣起点、折扣档次和折扣率。折扣太小，起不到刺激购买的作用；折扣过大，超过因大量销售而节约的费用，则会影响企业获利。

3. 功能折扣

功能折扣是指制造企业依据各类中间商在商品流通中所负担的不同职能，给予不同的价格折扣。例如，对批发商和零售商的折扣就有所不同。制造商报价"200元，折扣40%及10%"，表示给零售商折扣40%，卖给零售商的价格为120元，卖给批发商则在此基础上再折扣10%，价格为108元。采用功能折扣的目的是刺激各类中间商更充分地发挥组织市场营销活动的功能，如储存、宣传、推销产品。

4. 季节折扣

季节折扣又称季节差价，是指一些产品具有明显的季节性，为了促进销售，企业对在销售淡季购买商品的消费者给予价格优惠。例如，冬季购买空调的消费者可享受10%的价格折扣。实行季节折扣可以鼓励批发商和零售商淡季购买，有利于产品均衡生产、均衡上市，减少资金积压，加速企业的资金周转。

5. 折让

折让是另一种类型的对基本价格的折扣，包括以旧换新折让和促销折让。以旧换新折让是消费者购买新商品的同时交回旧产品的一种减价。例如，一个高压锅价格是150元，消费者以旧锅折价30元购买，只需付120元。促销折让是制造商向同意参加其促销活动的经销商提供的付款减价。

◆ **阅读案例 9-2**

自动降价，顾客盈门

在美国波士顿城市的中心区有一家自动降价商店，它以独特的定价方法和经营方式而闻名遐迩。

这个自动降价商店里的商品摆设与其他商店并无区别。架子上挂着一排排各种花色、式样的时装，货柜上分门别类地摆放着各类商品，五花八门，应有尽有。商店的商品并非低劣货、处理品，但也没有什么非常高档的商品。

这家商店的商品不仅全都标有价格，而且标着首次陈列的日期，价格随着陈列日期的延续而自动降价。在商品开始陈列的头 12 天，按标价出售，若这种商品未能卖出，则从第 13 天起自动降价 25%；再过 6 天仍未卖出，即从第 19 天开始自动降价 50%；若又过了 6 天还未卖出，即从第 25 天开始自动降价 75%，价格 100 美元的商品，只花 25 美元就可以买走；再经过 6 天，如果仍无人问津，这种商品就被送到慈善机构处理。

该店利用这种方法取得了极大的成功，受到美国人及外国旅游者的欢迎。从各地到波士顿的人都慕名而来，特别是妇女，格外喜欢这家商店，波士顿的市民更是这家商店的常客。商店每天接待的顾客比波士顿其他任何商店都多，熙熙攘攘，门庭若市。现在，自动降价商店在美国已有 20 多家分店。

二、心理定价

消费者的购买行为受消费心理支配，而消费心理是非常复杂的，它受社会地位、收入水平、兴趣爱好等诸多因素的影响和制约。如果企业在产品定价时对此予以充分的考虑，就会制定出较有吸引力的价格。常用的消费心理定价技巧一般有以下几种：

1. 整数定价

整数定价的技巧是把商品的价格定位整数，不带零头，一般适用于较贵重的商品。消费者购买这种商品时，常把价格看作是质量的标志，因为企业把基础价格定位为整数，不仅能在消费者心目中树立高价高质的形象，而且能使消费者产生高档消费的满足感。

2. 尾数定价

尾数定价是针对消费者求廉的心理制定的产品价格。具体做法有奇数定价、零头定价和低位定价等。心理学测试结果证明，消费者感觉单数比双数少，零头比整数准确，低位数与高位数更有明显的区别。例如，某商品定价 3.79 元，而不是 4.00 元，会使消费者感觉标价准确而产生一种信任感。又如，某商品定价 99 元，而不是 100 元，虽然只差 1 元，却能给消费者廉价的感觉，因为 99 是两位数，100 却是三位数。在我国，某些商品还流行尾数是 "8" 的定价技巧，因为 8 在我国民间的谐音是 "发"，是十分吉利的数字。对于需求价格弹性大的产品，采用这种定价会带来需求量较大幅度的增加。

3. 声望定价

所谓声望定价，是指企业利用消费者仰慕名牌商品或名店的声望所产生的某种心理来调整价格的一种技巧。它故意对知名度高的优质、名牌、有特色的产品制定较高整数的价格。一些

品质透明度低的名牌商品（服装、化妆品、工艺品等）的定价最适合用这种方法，这时消费者只有通过其价格来判断其品质。高价与名牌产品比较协调，可增强产品的吸引力。所以一些名牌产品，尽管价格很高，仍比低价的商品畅销。如金利来领带，一上市就以优质、高价定位，对有质量问题的金利来领带他们绝不上市销售，更不会降价处理。由此传递给消费者这样的信息：金利来领带绝不会有质量问题，低价销售的金利来领带绝非正品，从而极好地维护了金利来的形象和地位。当然，这种高价格必须以高质量的商品或周到的服务为基础。

4. 招徕定价

所谓招徕定价，是指零售商利用部分消费者求廉的心理，特意将几种商品的价格定得较低以吸引消费者，当把消费者吸引到企业购买廉价产品时，可利用连带推销，促使消费者购买其他产品，以增加企业的销售额。有的企业利用节假日和换季时机开展的"减价大酬宾""降价甩卖"等活动，都属于招徕定价。采用招徕定价应注意以下几点：

（1）削价商品应选择价格低、需求广泛的商品。

（2）商品必须是真正削价，不能采取欺骗手段，要取信于消费者。

（3）采用这种定价技巧的企业应该是规模比较大、经营品种繁多的企业，以便向消费者提供其他商品。

（4）削价幅度要适当，要经常变化，使之既有较强的吸引力，又能从总体上提高企业的经济效益。

◆ 阅读案例 9-3

醉 翁 之 意

珠海九洲城里有一个3000港元的打火机。许多观光客听到这个消息，无不为之咋舌。如此昂贵的打火机，该是什么样子呢？于是，九洲城又平添了许多慕名前来一睹打火机"风采"的游客。

这只名为"星球大战"的打火机看上去极为普通，它真值这个价钱吗？站在柜台前的观光者人人都表示怀疑，就连售货员对此也不置可否地一笑了之。它被搁置在柜台里很长时间无人问津，但它旁边的3港元一只的打火机却是购者踊跃。许多走出九洲城的游客细细相告："我原是来看那只'星球大战'的，不想却买了这么多东西。"

无独有偶，日本东京都滨松町的一家咖啡屋竟然推出了5000日元一杯的咖啡，就连一掷千金的豪客也大惊失色。然而消息传开，抱着好奇心理的顾客蜂拥而至，往常冷冷清清的店堂一下子热闹了，果汁、汽水、大众咖啡等饮料格外畅销。

三、地理区域定价

通常情况下，企业的产品不仅在本地销售，同时还要在其他地区销售。把产品从产地运到销售所在地，需要一定的运输费用。因此，企业还要考虑对位于不同地理区域的顾客制定不同的价格。地理区域定价有以下几种形式：

1. 产地定价

企业（卖方）负责将产品运到顾客（买方）指定的产地某种运输工具（如货车、火车、轮船、飞机）上交货，并承担此前的一切风险和费用。交货后的一切风险和费用则由买方承担。这一价格在国际贸易中称为离岸价格，简称 FOB。按照这一方法，每一顾客各自负担商品从产地到目的地的运费。这种做法看上去是非常合理的，但这样定价对企业也有不利之处，即远方的顾客由于要承担相对较高的运输费用，就可能不愿意购买企业的产品，转而购买较近企业的产品。

2. 统一交货价格

统一交货价格这种定价方法与产地定价方法正好相反，就是企业对不同地区的顾客实行统一价格，都按照相同的出厂价加上相同的运费即按平均运费计算。这实际上是让近距离的顾客承担了部分远距离顾客的运费，对近处的顾客不利，但很受远方顾客的欢迎，并且便于计算。

3. 区域定价

区域定价是一种介于上述两种定价方法之间的定价策略，就是企业把产品的销售市场划分为若干个区域，对不同区域的顾客分别制定不同的地区价格，一般对较远区域的定价会高些，同一价格区范围内实行一个价格。采用这种方法要注意各区域差价之间的协调配合。

4. 基点价格

基点价格即企业选定某些城市作为定价基点，然后按一定的厂价加上从基点城市到顾客所在地的运费来定价。有些企业为了提高灵活性，选定多个基点城市，这样顾客就可随意向距其最近的基点订货。它与区域定价的不同在于，同一基点内的不同顾客价格是不同的，而同一区域内对不同的顾客价格是相同的。

5. 免收运费价格

有些企业因为急于进入某些地区市场，愿负担部分或全部实际商品运费。虽然这种定价方法减少了销售净收入，但是，如果销售量大，平均成本就会降低，乃至足以抵偿运费开支。从长远看，采取免收运费定价，可以使企业加速市场渗透，并且能在竞争日益激烈的市场上站住脚。

四、产品组合定价

企业为一组相关的产品定价，是比较复杂的，因为各产品之间存在需求和成本上的相互联系，而且会带来不同程度的竞争。所以，企业定价时，要兼顾产品大类中各相关产品的价格，研究出一系列价格，使整个产品组合取得整体最高利润。产品组合定价技巧主要有以下几种：

1. 相关任选品定价

相关任选品是主产品的附带产品，它与主产品相关，但又不是必须连带购买的产品。例如，用户在购买汽车时，常会连带购买电动刮水器、电子开窗控制器、车用立体声收录机和空调器等产品；酒店也是如此，在提供饭菜的同时，还会提供酒和饮料。这些相关任选品的定价应兼顾主产品价格。企业可有两种选择：一种是主产品价格定得高一些，将附带产品的价格降低，吸引顾客购买；另一种是将相关任选品的价格包括在主产品价格中，促使顾客成套购买，这样可扩大销售。但是，如果价格过高，令人望而生畏，影响到主产品的销售，就得不偿失了。

2. 相关必购品定价

相关必购品（互补产品）是与主产品的消费密不可分的一种附属品，只要购买主产品，就必须购买连带产品,如剃须刀与刀片、计算机与计算机软件等。对于这类既生产主产品又生产互补品的企业,采用的定价技巧往往是将主产品的价格定得较低,而将相关必购品的价格定得较高。

3. 成套商品定价

有些成套商品既可整套销售,又能单件购买,如餐具、茶具、家具、套服以及产品所附带的服务等。对这类产品定价时,应使全套产品的售价与单件产品的售价保持一定的关系。一般情况下,企业为了鼓励顾客成套购买,将成套产品的售价定得低于单件产品的售价之和。有时,顾客要求将成套商品拆开,在这种情况下,如果企业节约的成本大于拆开商品的价格损失,则企业还会有一定数额的利润。如顾客不购买其中的两种商品,向顾客提供的价格减少为100元,而企业却可节约成本120元,则企业获得了20元的利润。

五、新产品定价

新产品定价是企业价格策略的一个关键环节,它关系到新产品能否顺利进入市场,并为以后占领市场打下基础。一般来讲,新产品定价有以下两种技巧:

1. 撇脂定价

所谓撇脂定价,是指在产品市场生命周期的导入期,把产品的价格定得很高,以攫取最大利润,尽快收回前期的产品开发费用,就像从鲜奶中撇取奶油。企业之所以这样做,是因为有些消费者主观认为某些商品具有很高的价值。这种定价技巧的好处是有利于企业抓紧时机迅速赚回投资,以实现预期盈利目标,并树立高档产品的形象,同时掌握生产竞争及新产品开发的主动权。撇脂定价的缺点是:高价会限制需求,不利于扩大市场;高价厚利会诱发竞争,使企业压力加大;企业新产品高价高利时期较短。从市场营销实践看,在以下条件下企业采取撇脂定价较为合适:

(1)市场中有足够的消费者,他们的需求缺乏弹性,即使把价格定得很高,市场需求也不会大量减少。

(2)高价使需求减少一些,因而产量减少一些,单位成本增加一些,但这不致抵消高价所带来的利益。

(3)在高价情况下,企业仍能独家经营,无其他竞争者,即有专利保护的产品。

(4)某种产品的价格定得很高,能使消费者产生高档产品的印象。

2. 渗透定价

所谓渗透定价,是指企业将其创新产品的价格定得相对较低,以吸引大量消费者,提高市场占有率。这种定价策略的好处是:能迅速打开新产品的销路,增加产量,使成本随着生产的发展而下降,有利于提高企业的市场占有率,树立良好的企业形象;同时,低价薄利不易诱发竞争,便于企业长期占领市场。这种定价策略的缺点是:成本回收期较长,且价格变动余地小,难以应对突然出现的竞争或需求的较大变化。从市场营销实践看,企业采取渗透定价需具备以下条件:

(1)市场需求显得对价格极为敏感,因此,低价会刺激市场需求迅速增长。

(2)企业的生产成本和经营费用会随着生产经营经验的增加而下降。

(3)低价不会引起实际的和潜在的竞争。

第九章 定价策略

◆ **阅读案例 9-4**

大受欢迎的昂贵礼物

1945年的圣诞节即将来临时,为了欢度第二次世界大战后的第一个圣诞节,美国居民急切地希望能买到新颖别致的商品作为圣诞礼物。美国的雷诺公司看准这一时机,不惜资金和人力,从阿根廷引进了当时美国人根本没见过的原子笔(即圆珠笔),并且在短时间内把它生产出来。在给新产品定价时,公司的专家们着实费了一番心思。当时公司研制和生产出来的原子笔的成本为每支 0.50 美元。但专家们认为,这种产品在美国市场是第一次出现,奇货可居,尚无竞争者,最好是采用新产品定价策略之一的撇脂定价,把产品价格定得大大高于产品的成本,利用战后市场物资缺乏的状况和消费者的求新求好的心理以及要求礼物商品新奇高贵的特点,用高价来刺激消费者购买,而且能尽可能多地获得推出这种新产品的市场销售利润。同时,由于原子笔的生产技术并不复杂,如果竞争者蜂拥而上,公司再降价也主动。于是,雷诺公司以每支原子笔 10 美元的价格卖给零售商,零售商又以每支 20 美元的价格卖给消费者。尽管价格如此昂贵,原子笔却由于其新颖、奇特和高贵而风靡全国,在市场上十分畅销。后来其他厂家见利眼红,蜂拥而上,产品成本下降到 0.10 美元一支,原子笔的市场零售价也降到仅 0.70 美元,但此时雷诺公司已大捞了一把。

第五节 企业价格调整及应对

产品价格制定以后,由于市场状况千变万化,企业需要随时对价格进行调整。企业调整产品的价格,主要有两种情况;一种情况是降低价格;另一种情况是提高价格。另外,还需密切关注调价所引起的消费者和竞争者的可能反应。

一、企业主动调整价格

1. 降低价格

降低价格往往会挑起同行之间的价格竞争,但在下列情况下,企业必须考虑降价:

(1) 企业的生产能力过剩,造成产品积压,一些其他的营销手段已经无法扩大销售,只好降价竞销。

(2) 企业面临强大的竞争压力,市场占有率逐渐下降,为了扭转被动局面、保住市场份额而降低价格。例如,美国的汽车、照相机等行业,由于日本竞争者的产品质量较高,价格较低,使其丧失了市场,面对这种情况,美国的一些企业不得不降价。国内市场也是如此,当年长虹彩电降价 30%,TCL 曾试图保持原价,通过提高产品质量和差异、加大广告宣传力度来应对,但未能见效,也不得不采取降价策略。

(3) 企业的成本低于同行业的平均水平,有条件降低价格以控制市场。

另外,当经济不景气、产品销售困难时,企业也可以考虑降价。但降价策略也有一定的风险:首先,降能能提高市场占有率,但不能获得消费者对产品的偏爱,当市场上出现了价格更低的竞争品时,消费者的兴趣就会转移;其次,降价会影响企业的收入和利润。所以,企业打算降价时应权衡利弊,认真考虑企业目前的市场占有率、销售增长率、生产能力、消

费者对价格的敏感程度、价格水平与销售量的关系、市场占有率与利润的关系等。降价后，还应对其他营销策略进行相应的调整，使营销组合的配置更加完善。

2. 提高价格

提高价格虽然会引起顾客和中间商的不满，但在下列两种情况下，企业应该提价：

（1）通货膨胀、物价上涨，企业成本提高。这是导致企业提价的一个重要原因。货币贬值造成物价普遍上涨，企业成本增加，生产效率却不能相应提高，这将导致利润下降，企业不得不提高价格。在通货膨胀条件下，企业常采用下列方法调整价格，以应对通货膨胀。

1）延缓报价，即企业暂时不确定最后价格，等到完工或交货时再确定价格。一些生产周期较长的行业，如建筑业和重型设备制造业通常采用这种方法。

2）在合同中注明随时调价的条款。企业在合同中规定，在一定时期内可按某种价格指数来调整价格。

3）对产品和服务分别定价，产品价格不变，将以前的某些免费服务项目改为收费服务，这样，原产品价格实际上是提高了。

4）取消低利润的产品。

5）缩小报价单位。例如，某乳品厂生产的袋装奶粉原价每袋19.20元，当原料调价后，该厂保持售价不变，而把原来500g一袋改为400g一袋。

6）减少产品功能，降低产品质量。这种做法容易引起消费者反感，影响企业形象。

（2）企业产品供不应求。由于产品需求过旺，企业无法满足其所有消费者的需求，提高价格能有效地抑制过旺的需求，并增加企业的利润，这是企业提价的另一原因。在这种情况下，提价的方法有取消价格折扣、在产品大类中增加价格较高的种类、直接把价格提高等。

企业提高价格时，为了减少消费者和中间商的不满，应通过各种传媒做好宣传解释工作，争取他们的理解，并帮助他们解决因产品提价而产生的困难。

二、消费者对企业调价的反应

企业无论提价或降价，这种行为必然影响到消费者、竞争者、经销商和供应商，而且也会引起政府的干预。这里，重点分析消费者对企业调价的反应。

1. 消费者对企业降价的反应

企业降价是为了吸引消费者，增加销售，但下面的种种反应却使结果适得其反，企业应密切关注，以便采取有效措施。

1）这种产品的样式过时，将会被新型产品所替代。

2）这种产品有某些缺陷，销售不畅。

3）企业资金紧张，难以继续经营下去。

4）价格还要进一步下跌，消费者等待购买。

5）这种产品的质量下降了。

2. 消费者对企业提价的反应

从理论上来讲，企业提价通常会抑制销售，但现实中由于客观环境及心理等因素的影响，致使消费者对企业提价有如下理解，反而使产品旺销。

1）这种产品很畅销，不赶快买就买不到了。

2）这种产品有特殊的价值。
3）如果现在不买，价格还会再涨。

通常情况下，消费者对价值高低不同的产品价格的反应有所不同。对那些价值高、经常购买的商品的价格变动较敏感；而对那些价值低、不经常购买的商品，即使提价，消费者也不大注意。此外，消费者虽然关心产品价格变动，但是通常更关心取得、使用和维修产品的总费用。因此，如果企业能使顾客相信某种产品取得、使用和维修的总费用较低，那么，它就可以把这种产品的价格定得比竞争者高，获得较高的利润。

◆ **阅读案例9-5**

低价不好销，高价反抢手

美国亚利桑那州的一家珠宝店采购到一批漂亮的绿宝石。由于数量较大，店主担心短时间内销售不出去，影响资金周转，便决心只求微利，以低价销售。他本以为会一抢而光，结果却事与愿违，几天过去，仅销出很少一部分。后来，店主急着要去外地谈生意，便在临走前匆匆留下一纸指令："我走后若仍销售不了出，可按1/2的价格卖掉。"几天后店主返回，见绿宝石销售一空，一问价格，却喜出望外：原来店员把店主的指令误看成"按1~2倍的价格出售"。他们开始还犹豫不决，最后决定提价一倍，结果使得绿宝石一售而空。

三、竞争者对企业调价的反应

企业在考虑调价时，不仅要考虑消费者的反应，而且必须考虑竞争者的反应。当某一行业中企业数目很少，并提供同质的产品，且消费者颇具辨别力与商品知识时，竞争者的反应就越发强烈。

企业所面临的竞争形式有两种情况：一种情况是面对一个强大的竞争者；另一种情况是面对几个竞争者。

假设企业只面对一个竞争者，那么竞争者对企业调价的反应可能从两个方面加以了解：第一，竞争者以常规方式对调价做出反应，这种情况，其反应是可以分析预测的；第二，竞争者把每一次价格变动都当作是新的挑战，并根据自身的利益做出相应的反应。在这种情况下，企业就必须了解当时竞争者的利益是什么，必须调查研究竞争者目前的财务状况、近来的销售形式和生产能力情况、顾客忠诚情况以及企业目标等。如果竞争者的企业目标是扩大市场占有率，它就有可能随着本企业的产品价格变动而调整价格；如果竞争者的企业目标是取得最大利润，它就会采取其他对策，如增加广告预算、加强促销或者改进产品质量、调整渠道等。总之，企业在实施价格调整时，必须善于利用企业内部和外部的信息来源，分析判断出竞争者的意图，以便采取适当的对策。

如果企业面对着若干个竞争者，在调价时就必须估计每一个竞争者的可能反应。如果所有竞争者的反应相似，企业就可以集中力量只分析典型的竞争者；如果各个竞争者在经营规模、市场占有率及营销目标等重要问题上有所不同，那么它们对本企业调价的反应也会不尽相同，在这种情况下，就必须分别对各个竞争者进行分析；如果某些竞争者随着本企业的价格调整而变价，那么企业就有理由预料其他竞争者也会这样做。

四、企业应对竞争者调价的决策

在激烈的市场竞争中,企业会经常面对竞争者调价的挑战。如何对竞争者的调价做出及时、正确的反应,制定相应的决策,是十分重要的。面对这一挑战,企业需认真考虑以下问题:

(1) 竞争者为什么要调价?是为了扩大市场份额、利用过剩的生产力、适应不断变化的成本条件,还是为了致使全行业调价?

(2) 竞争者调价是暂时的还是永久的?

(3) 如果本企业不做出任何反应,对企业的市场占有率和利润会有什么影响?

(4) 其他企业会有什么反应?

(5) 如果本企业做出了反应,竞争者和其他企业会产生怎样的连锁反应?

除了以上这些问题,企业还必须进行更广泛的分析,应该考虑产品处于市场生命周期的哪一个阶段,本产品在产品组合中的重要性以及竞争者的意图和资源等。但当竞争者调价时,企业并没有太多的时间去做广泛的调查与分析。面对竞争对手蓄谋已久的调价,企业不得不在几个小时或几天内做出反应。唯一可行的办法是,事先准备好多种对策方案,以进行反击。应对竞争对手调价的决策程序如图9-3 所示。

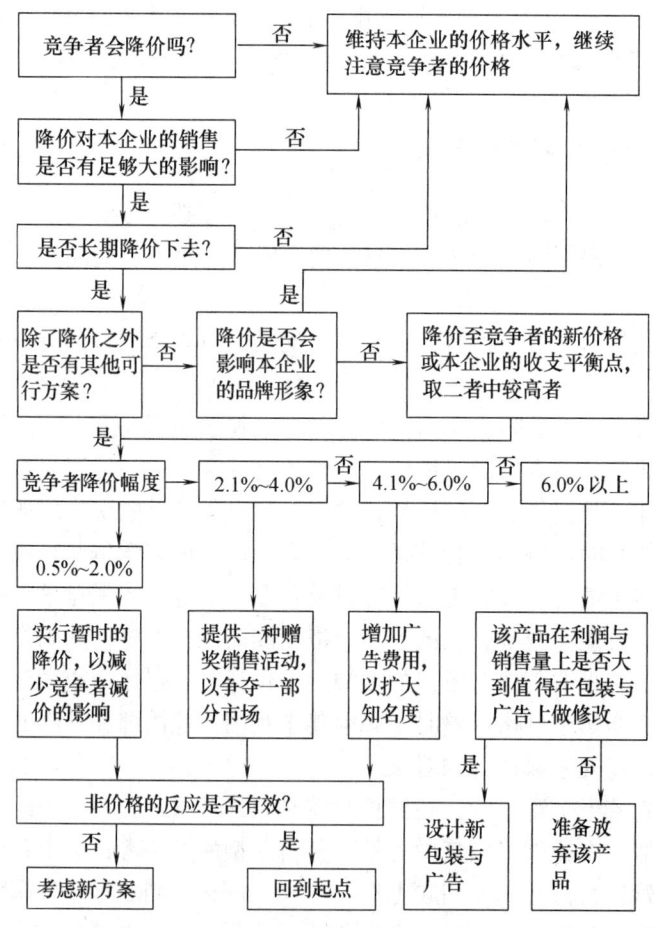

图9-3 应对竞争者调价的决策程序

（一）不同市场环境下的企业决策

1. 同质产品市场

在同质产品市场上，如果某一企业率先提价，一般情况下，其他企业不会随之提价，除非提价能为行业带来利益；如果某一企业坚持原价，那么最先发动提价的企业和其他追随者将不得不取消提价；如果某一企业带头降价，其他企业除了降价别无选择，否则就会失去市场。

2. 异质产品市场

在异质产品市场上，企业对竞争者变价的反应有更多的选择余地。因为在这种市场上，消费者在选购时不仅仅考虑价格因素，而且还考虑产品的质量、功能、外观和服务等多方面的因素。在这种情况下，消费者对较小的价格差异并不在意。

（二）市场竞争主导者的决策

在市场经济条件下，市场主导者经常遭到一些小企业的进攻。这些小企业的产品可与市场主导者的产品相媲美，它们往往通过进攻性的降价来争夺市场主导者的市场阵地。面对这种情况，市场主导者有以下几种决策可供选择：

1. 维持价格不变

市场主导者认为，如果降价就会减少利润；而维持价格不变，尽管对市场占有率有一定的影响，但如果影响不大的话，以后还能恢复市场阵地。当然，在维持价格不变的同时，必须改进产品质量、提高服务水平、加强促销沟通等，运用非价格手段来反击竞争者。许多企业的市场营销实践证明，采取这种战略比降价和低利经营更有利。

2. 降价

市场主导者之所以采取降价决策，主要是因为：①降价可以使销售量和产量增加，从而使成本费用下降；②市场对价格很敏感，不降价就会使市场占有率下降；③市场占有率下降之后，很难得以恢复。当然，企业降价以后，仍应尽力保持产品质量和服务水平。

3. 提价

提价是一种针锋相对的决策。提价的同时还要提高产品质量，并通过各种传播媒介树立优质名牌的产品形象，与竞争者争夺市场。

4. 推出廉价产品

推出廉价产品即在企业原有的产品线中增加低档产品，或另外推出一种廉价的品牌，这在价格敏感的细分市场中是非常有效的。

主要名词

认知价值定价　　需求差异定价　　需求价格弹性　　撇脂定价　　渗透定价　　招徕定价

案例分析

沃尔玛营销战略之价格策略

山姆说："我们重视每一分钱的价值，因为我们服务的宗旨之一就是帮每一名进店购物的顾客省钱。"沃尔玛通过降低商品价格推动销售，进而获得比高价销售更高的利润。沃尔玛从它的第一家店开办起就始终坚持这一价格哲学，从不动摇。

一、天天平价

沃尔玛经营几种零售业态，虽然它们的目标顾客不同，但经营战略却是一致的，即"天天平价""为顾客节省每一美元"，实行薄利多销。这样的口号在沃尔玛店面的灯箱上、店内POP宣传单上，甚至在其购物小票上，比比皆是。这句话对沃尔玛的重要性由此可见一斑。

所谓"天天平价"，就是指零售商总是把商品的价格定得低于其他零售商的价格。在这种价格策略的指导下，同样品质、品牌的商品都要比其他零售商低。在沃尔玛，任何一位商店员工如果发现其他任何地方卖的某样商品比沃尔玛更便宜，他都有权把沃尔玛的同类商品降价。

沃尔玛的"天天平价"绝不是空洞的口号，也不是低价处理库存积压商品或一朝一夕的短暂的低价促销活动，更不同于某些商场、专卖店为吸引客流而相互进行的恶意低价倾销，或一面提价，一面用打折来欺骗消费者，而是实实在在、"始终如一"的让利于顾客的行为。这种平价主要是依靠成本控制、优化商品结构、推进服务来实现的。也就是说，低价不等于廉价，低价不等于服务低劣；相反，低价也有高价值，低价也有高质量的服务。

沃尔玛的平价和一般的削价让利有着本质的区别。天天平价是折扣销售额的基础，是把减价作为一种长期的营销战略手段，减价不再是一种短期促销行为，而是作为整个企业市场定价策略的核心，是企业存在的根本，是企业发展的依托。沃尔玛是在所有折扣连锁店中将这一战略贯彻得最为彻底的一家公司，它想尽一切办法来降低成本，力求使沃尔玛的商品比其他商店的商品更便宜。为此，一方面，沃尔玛的业务人员"苛刻地挑选供应商，顽强地讨价还价"，以尽可能低的价格从厂家处采购商品；另一方面，他们实行高度节约化经营，并处处精打细算，降低成本和各项费用支出。这一指导思想使得沃尔玛成为本行业中的成本控制专家，它最终将成本降至最低，真正做到天天平价。

那么，沃尔玛是怎样实现其"天天平价，始终如一"的承诺的呢？其具体措施可归纳为：

(1) 采购。沃尔玛一般是直接从工厂以最低的进货价采购商品。

(2) 采取仓储式经营。沃尔玛商店装修简洁，商品多采用大包装，同时店址一般不选在租金昂贵的商业繁华地带。

(3) 与供应商采取合作态度。通过计算机联网，实现信息共享，使供应商可以第一时间了解沃尔玛的销售和存货情况，及时安排生产和运输。

(4) 强大的配送中心和通信设备作技术支撑。沃尔玛有美国最大的私人卫星通信系统和最大的私人运输车队，所有分店的计算机都与总部相连，一般分店发出的订单24~28h就可以收到配发中心送来的商品。

(5) 严格控制管理费用。沃尔玛对行政费用的控制十分严格，如采购费规定不超越采购金额的1%，公司的整个管理费为销售额的2%，而行业平均水平为5%。

(6) 减少广告费用。沃尔玛认为保持天天平价就是最好的广告，因此不做太多的促销广告，而将省下来的广告费用用来推出更低价的商品，回报顾客。

二、让利销售

让利销售包括折价销售、会员制销售。

对全部商品折价销售，主要适用于沃尔玛连锁店新开张、周年店庆以及一些重大的节庆日的促销；对某个部类的商品优惠售卖，主要适用于各种节日和季节性消费展开的促销活动。

沃尔玛能够迅速发展，也得益于其首创的"折价销售"策略。折价销售尽管表面上看起来无非就是减价让利，但实际上与普通的减价让利仍有很大差异。周期性或不定期的减价活动，往往是为了通过一次性的"甩卖",达到商家在特定的时期、特定的情况下的某一特定的促销目的,如清仓换季、宣传新产品等。而折价是一种长期、稳定的让利,即通过尽全力压低价格来保证销售量,从而保证利润总量,同时保证客源。所以,沃尔玛的折价销售是一种特定的销售方式,是一种长期、稳定的销售策略。

折价销售在定价时就需要坚持两点原则:一是尽可能低廉,仅仅高出成本一点儿,如30%;二是长期稳定地保持这种低价。即使是某些商品拥有某种垄断优势或是遇到意外情况也不轻易改变,这已成为沃尔玛的一种经营战略。

会员制销售是最能体现长期效果的一种促销方式。它是指沃尔玛向其经常性购买的顾客发放一种凭证,顾客以向沃尔玛缴纳会员会费或规定的其他方式获得凭证,依照企业的规定或会员章程的约定享受价格优惠、免费服务等优特权。

沃尔玛公司的会员制销售主要是在山姆俱乐部实行的,它对沃尔玛平价形象的塑造起着非常重要的作用。在山姆俱乐部,商品的价格比普通的零售店低30%~40%,这或许没有给沃尔玛带来多大的利润,但却把一批忠实的顾客紧紧地吸引在自己身边,缩小了竞争者的消费群体,这无疑是一种高明的战略。

三、特惠商品

为了巩固和维护沃尔玛连锁店的低价形象,增加客流量,提高市场占有率,沃尔玛从各大部类商品中分别抽出一些商品进行优惠售卖。

对商品实行特卖的目的并不在于追求所有的顾客都能购买特卖商品,而是力求吸引尽可能多的顾客来商场购物。这些商品的品种一般应选择目标市场顾客通用的商品,如食品、生活用品等。有时使用新商品作为特惠商品也能取得好的效果。一般来说,特惠价格要比市场价格低20%~40%,比原定价格低10%。要把有限的让利集中在特定的品种上,促销商品才有较大的价格优势。特惠商品品种多,以吸引顾客。为了使顾客对特惠品保持新鲜度,持续推动客流量,特惠商品的品种每隔一定时间要进行更换,实行滚动促销;而且,特惠商品应陈列在端头、堆头和促销区中。大部分特惠商品的数量要准备充足,以防止商品脱销,影响商场信誉。对小部分价格特别低的商品也可以实施限量供应,售完为止,但此策略的运用必须符合有关促销约束的法律条款。

总而言之,沃尔玛的低价策略不是降低商品质量,而是在质量保证的情况下,想尽一切办法从进货渠道、分销方式以及营销费用、行政开支等各方面节省资金,努力做到"天天平价、始终如一",实现价格比其他商家更便宜的承诺。

讨论并回答问题:

1. 结合案例,归纳沃尔玛是如何实现低价营销策略的?
2. 结合案例,分析沃尔玛低价营销策略的利与弊。
3. 除低价策略外,沃尔玛在中国市场的营销策略还可以从哪些方面改进?

本章小结

本章分别介绍了研究价格的意义、企业定价的程序和方法、影响定价的因素,企业定价的技巧以及企业价格调整及应对。

企业定价的程序包括:明确定价目标;测定需求;估算成本;掌握竞争者的产品和价格;选择定价方法;确定最终价格。

企业定价的方法包括:成本导向定价法,包括成本加价定价法、目标利润定价法、边际贡献定价法;

需求导向定价法,包括认知价值定价法、需求差异定价法、反向定价法;竞争导向定价法,包括随行就市定价法、密封投标定价法、主动竞争定价法。

企业定价的技巧包括:

一、折扣折让定价

所谓折扣折让定价,就是企业按照一定的定价方法制定出基本价格后,依据交易对象、数量、时间、方式和条件不同,给予买方一定的价格折扣或折让而形成的实际售价。折扣折让方式有以下几种:

1. 现金折扣

现金折扣就是根据购销合同,对按约定日期提前付款的顾客给予的一种价格折扣。

2. 数量折扣

数量折扣就是根据买方的购买数量或金额的大小分别给予不同的价格折扣,以鼓励顾客购买更多的商品,使企业减少资金积压、仓储、记账等环节的费用。这种折扣有如下两种基本形式:

(1) 非累计数量折扣,又称一次性数量折扣,是根据顾客一次购买的数量或金额给予的一定价格优惠。

(2) 累计数量折扣,是根据顾客在一定时期内累计购买超过规定的数量或金额而给予的价格优惠。

3. 功能折扣

功能折扣就是制造企业依据各类中间商在商品流通中所负担的不同职能,给予不同的价格折扣。

4. 季节折扣

季节折扣又称季节差价,是指一些产品具有明显的季节性,为了促进销售,企业对在销售淡季购买商品的顾客给予价格优惠。

5. 折让

折让是另一种类型的对基本价格的折扣,包括以旧换新折让和促销折让。

二、心理定价

消费者的购买行为受消费心理支配,而消费心理是非常复杂的,它受社会地位、收入水平、兴趣爱好等诸多因素的影响和制约。具体包括整数定价、尾数定价、声望定价、招徕定价。

三、地理区域

地理区域定价包括产地定价、统一交货价格、区域定价、基点价格和免收运费价格。

四、产品组合定价

产品组合定价包括相关任选品定价、相关必购品定价和成套商品定价。

五、新产品定价

新产品定价包括撇脂定价和渗透定价。

思考与实训

1. 企业定价时应主要考虑哪些因素?
2. 影响需求价格弹性大小的因素有哪些?
3. 企业在定价时,为什么首先必须明确定价目标?
4. 在什么情况下,企业会调整价格?方法有哪些?
5. 超级市场与百货商店在应用价格折扣和技巧时,做法上是否有差异?
6. 假设某个节日即将来临,请帮助一家旅行社分析一下影响定价决策的主要因素。该旅行社采用哪一种定价方法更合适?为什么?

第十章

分销渠道策略

> **学习目标**
> 1. 掌握分销渠道的基本概念、结构和基本策略
> 2. 熟悉分销渠道的类型、渠道中间环节的特点与功能
> 3. 明了中间商的类型和特点
> 4. 了解如何对渠道成员进行激励
> 5. 了解解决分销渠道冲突的方法和相关物流知识

导入案例

在日本，打火机原先一般都在百货商店或是在附带卖香烟的杂货店里出售。可是，日本九万公司在十几年前推出瓦斯打火机时，却把它交由钟表店销售。如今，日本的钟表店到处都是卖打火机的，这在以前是根本没有的现象。钟表店一向被认为是卖贵重物品的高级场所，在这里卖打火机，人们也会视它为高级品。而在暗淡的杂货店、香烟店里，上面蒙着一层灰尘的打火机和摆在闪闪发光的钟表店中的打火机，这两者给人的印象当然是天壤之别。九万公司采取在钟表店销售打火机的方式收到了惊人的效果，其打火机十分畅销。由于采取的是反传统的销售渠道，使其打火机出尽风头，令人们产生了九万公司的打火机非常高级的印象。九万公司的打火机目前已风行到世界的每一个角落。这说明仅有好产品是远远不够的，还必须建立、开发和设计一个有效、畅通的分销渠道。企业以不同渠道销售同一种产品，其成本和利润往往相差甚远。因此，在竞争日趋激烈的市场中，如何选择快捷的分销渠道，就成了企业面临的最复杂和最富有挑战性的问题。

第一节 分销渠道概述

分销渠道是企业市场营销组合策略的四个基本要素之一，它是企业完成其产品（服务）交换过程、实现价值、产生效益的重要载体。分销渠道的主要功能是将产品（服务）分销给消费者。企业生产出来的产品，只有通过一定的市场分销渠道，才能在适当的时间、地点，以适当的价格供应给适当的用户，从而克服生产者与消费者之间的差异和矛盾，满足市场需要，实现企业的市场营销目标。分销渠道决策也是企业管理层面临的重要决策之一。建立一个有效的分销渠道网络，是企业在激烈的市场竞争中脱颖而出，并持续、稳定发展的关键因素之一。企业应根据市场状况、消费者特征和整体营销战略，策略性地构建和管理企业

的销售网络，提升企业的渠道竞争力。

一、分销渠道的含义

肯迪夫（Candiif）和斯蒂尔（Still）给分销渠道所下的定义是：分销渠道是指"当产品从生产者向最后消费者或产业用户移动时，直接或间接转移所有权所经过的途径"。

菲利普·科特勒认为，一条分销渠道是指某种货物或劳务从生产者向消费者移动时取得这种货物或劳务的所有权或帮助转移其所有权的所有企业和个人。因此，一条分销渠道主要包括商人中间商（因为他们取得所有权）和代理中间商（因为他们帮助转移所有权）。此外，它还包括作为分销渠道的起点和终点的生产者和消费者，但是，不包括供应商、辅助商等。

二、分销渠道的作用

企业使用分销渠道，是因为在市场经济条件下，生产者和消费者或用户之间存在空间分离、时间分离、所有权分离、供需数量差异以及供需品种差异等方面的矛盾。由于生产者和消费者之间在数量、品种、时间、地点、所有权等方面存在供求矛盾，为了解决这些矛盾并节约社会劳动，大多数产品不是由生产者直接提供给消费者，而是要经过一层或多层的中间环节，才能到达消费者手中。在这一过程中，分销渠道是企业实现产品销售的重要因素，也是企业了解和掌握市场需求的重要信息来源。

具体地说，由中间商介入而建立起来的产品分销渠道在市场营销中所起的重要作用，表现为以下几个方面：

1. 实现产品从生产者到消费者的转移

产品分销渠道的起点同生产相接，终点同消费相接，产品通过这条渠道源源不断地从生产者流向消费者。对产品生产者来说，产品价值得到了实现，再生产得以继续进行；对消费者来说，获得了消费品，需求得到了满足。

2. 调剂余缺，平衡供需

首先，中间商在实现产品从生产者向消费者转移的过程中，通过产品由零集整和散整为零，即将小批量的产品汇集成大批量，再将大批量的产品分割成许多小批量产品提供给消费者，解决了供需双方在产品数量上的矛盾；其次，生产者在花色品种、供货的时间和地点上都存在差异，因此，中间商会根据不同地区市场的不同需要，把产品分成不同的等级，按产品的不同花色、品种进行分类，有针对性地满足消费者的需要。另外，对于季节性产品，中间商可以通过汇集、储存、加工以及集散等手段，按季节供应给消费者，达到购销两旺。

3. 简化交易，提高效益

在现实中，由于中间机构自身特有的功能，从而保证产品流通的顺利实现，缩短了产品的销售时间，简化了交易联系，减少了交易次数，提高了产品销售的效率和效益。

如图 10-1 所示，由于中间商的介入，交易次数减少，流通费用和售价相应降低，为整个社会节约了巨大的成本。

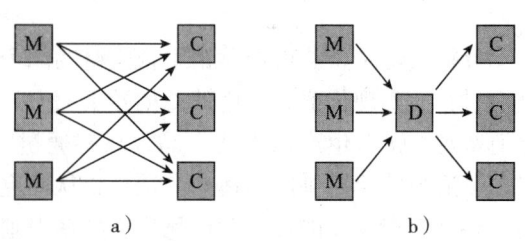

图 10-1 渠道中间商的存在有助于提高系统交易效率
a）不使用中间商　b）使用中间商

渠道中间商的存在能有效地降低交易联系次数，从而达到提高交易效率的目的。如图 10-1 所示：如果 3 个生产商都直接营销，每个生产商分别接触到 3 个用户，这个系统就要进行 9 次交易联系；如果 3 个生产商通过同一个渠道中间商和 3 个用户发生联系，则这个系统只进行 6 次交易联系。由此可见，通过渠道中间商能够大大降低系统的交易费用，从而提高系统的交易效率。

4. 分销渠道是重要的信息来源

中间商一方面能及时为生产者提供有关市场的信息资料；另一方面，能给予消费者消费指导，向消费者传递产品的信息。通过这种信息沟通和反馈，生产者能及时改进自己的产品和营销组合方案，提高自身的竞争能力。

5. 有利于企业开拓市场，增加销售

现代产品社会，生产规模日益集中，这决定了企业市场的辐射面在扩大，即潜在消费者将分布在更广阔的区域内。这样广阔范围内的营销活动，生产企业是很难顾及的。产品交换所体现的"天然属性"，使得专门通过媒介进行交换的商业分销渠道具有市场扩散的作用。

三、分销渠道体系中的流程

分销渠道作为一种通道，可使商品实体和所有权从生产领域转移到消费领域。分销渠道的各种机构是由几种类型的流程连接起来的，按菲利普·科特勒的归纳，可分为商流、物流、货币流、信息流和促销流。它们各自的流程如图 10-2 所示。

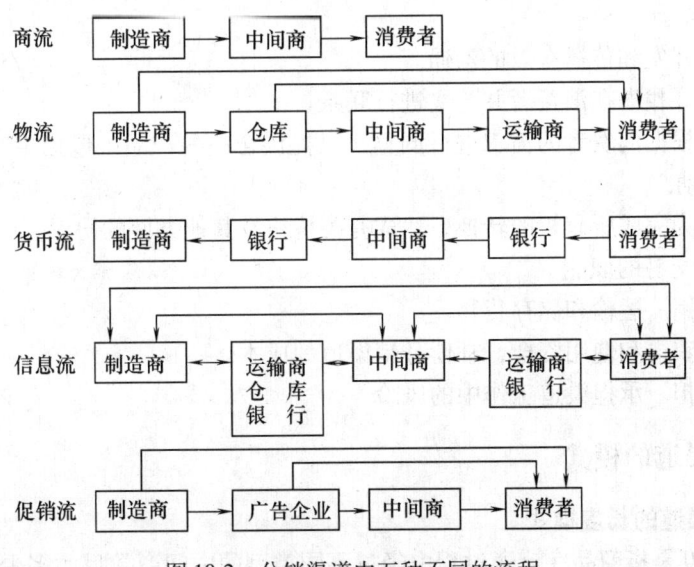

图 10-2 分销渠道中五种不同的流程

（1）商流是指产品从生产领域向消费领域转移过程中的一系列买卖交易活动。在这一活动中，实现商品的所有权由一个机构向另一个机构的转移。

（2）物流也称实体流，是指产品从生产领域向消费领域转移过程中的一系列产品实体的运动。它包括产品实体的储存以及由一个机构向另一个机构进行的运输过程，同时还包括与之相关的产品包装、装卸、流通、加工等活动。

（3）货币流是指产品从生产领域向消费领域转移的交易活动中所发生的货币运动。一般是消费者通过银行或其他金融机构将货款付给中间商，再由中间商扣除佣金或差价后支付给制造商。一般来说，货币流与商品所有权流正好反方向运动。

（4）信息流是指产品从生产领域向消费领域转移过程中所发生的一切信息收集、传递和加工处理等活动。它既包括制造商向中间商及其消费者传递产品、价格、销售方式等方面的信息，也包括中间商及其消费者向制造商传递购买力、购买偏好、对产品及其销售状况的意见等信息。信息流的运动是双向的。

（5）促销流是指企业为增加产品销售，通过广告、宣传报道、人员推销、营业推广、公关等促销活动对消费者施加影响的过程。

在以上"五流"中，商流和物流是最为重要的，是整个产品分销活动得以实现的关键，对分销渠道的研究也主要是针对这两个流程。

四、分销渠道的职能

分销渠道的职能在于它是连接生产者和消费者（或用户）的桥梁和纽带。分销渠道将产品或服务从制造商那里送达到消费者手中，它消除了产品或服务与消费者之间在时间、地点和所有权上的差距。营销渠道成员承担了许多关键职能，有些能够帮助促成交易，有些能够帮助完成交易。

1. 帮助促成交易的职能

（1）信息。收集和发布营销环境中相关者和相关因素的市场研究和情报信息，用于制订计划和帮助调整。

（2）促销。开发和传播有效的沟通。

（3）联系。寻找潜在消费者并与之进行联系。

（4）调整。根据消费者的需求进行调整，以提供合适的产品，包括生产、分类、分等、组装与包装等活动。

（5）谈判。为完成所有权的转换，达成有关价格及其他方面的协议。

2. 帮助达成交易的职能

（1）实体分销。运输和储存货物。

（2）融资。获得和使用资金，补偿分销渠道的成本。

（3）风险承担。承担渠道工作中的风险。

五、分销渠道的模式

（一）分销渠道的长度模式

分销渠道长度是指商品在流通过程中经过不同类型的中间商数目的多少。

1. 直接分销

直接分销是指使用零级渠道，即生产者将产品直接卖给消费者或用户，不经过任何中间环节。直接分销主要有六种方式，即上门推销、邮售、电话销售、合约销售、制造商自设商店以及消费者或用户直接向生产者订货。

2. 间接分销

间接分销是指使用一级以上的渠道，即商品从生产者流向消费者或用户的过程中至少经过一个中间环节。其基本特征是生产者和消费者之间加入了商业中介的转手买卖活动，由商业中介专门承担商品流通的职能。

间接渠道的形式有各类批发商、零售商、代理商和经纪商等。

流通渠道的长短是按经过的流通环节或层次的多少来划分的，长短只是相对而言的。按流通环节的多少可以把销售渠道分为零级渠道（生产者——消费者）；一级渠道（生产者——零售商——消费者）；二级渠道（生产者——批发商——零售商——消费者）；三级渠道（生产者——代理商——批发商——零售商——消费者）。其中，零级渠道最短，三级渠道最长，把二、三级渠道称为长渠道。这样划分有利于企业集中考虑对某些中间环节的取舍，形成或长或短甚至长短结合的多种渠道策略。

在产品从生产者向消费者转移的过程中，每一层营销中介都代表一种渠道层次。由于生产者和最终消费者都起到了一些作用，他们是每个分销渠道的一部分。分销渠道可以用渠道层级的数量来表示渠道的长短。图 10-3 表示了几种不同长度的分销渠道。

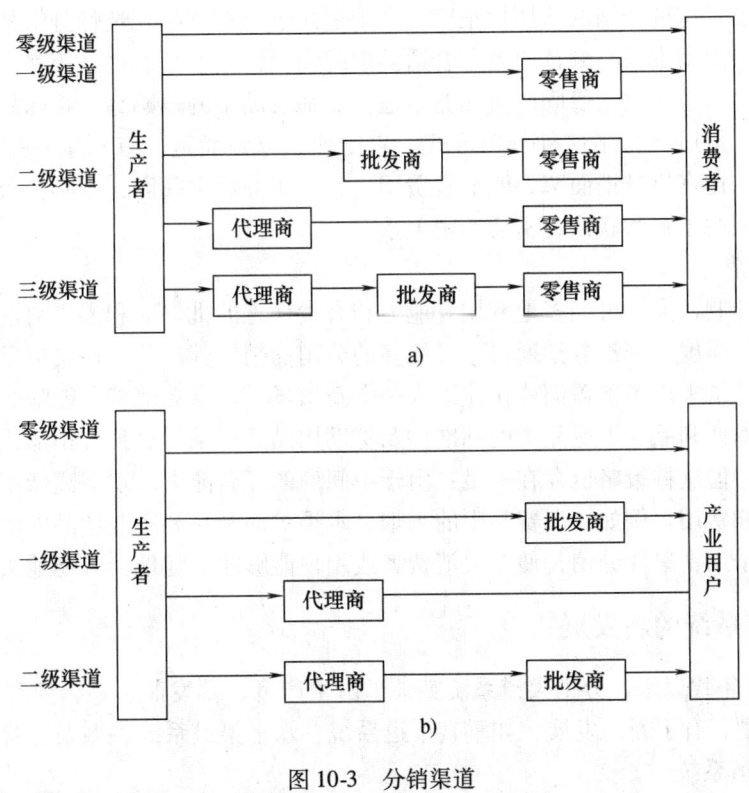

图 10-3　分销渠道

a）消费品分销渠道　b）工业品分销渠道

（二）分销渠道的宽度模式

分销渠道宽度是指商品流通渠道的每个环节上使用同种类型中间商数目的多少。这里的中间商包括：批发环节中的各种类型的代理商、批发商；零售环节中各种类型的零售商。某种产品（如香皂）的制造商是通过许多批发商、零售商将其产品推销到广大地区的消费者手中，这种产品销售渠道称为宽渠道；反之，如果某种产品（如汽车）的制造商只是通过很少的批发商、零售商推销其产品，这种销售渠道称为窄渠道。

分销渠道的宽度和制造商所采取的销售战略是相关联的，制造商的销售战略有三种分销渠道的宽度与分销策略密切相关。企业的分销策略通常分为三种，即独家分销、选择分销和密集分销。

1. 独家分销

独家分销即在某一地区只选择一家中间商专门销售本企业产品。独家分销是最极端的形式和最窄的分销渠道，这一策略的重心在于控制市场，控制货源，以便取得市场优势。通常产销双方要协商签订独家分销合同，规定销售方不得同时经营生产方竞争者的品牌，生产方则承诺在该地区市场范围内对该中间商独家供货。这种方式需要产销双方密切合作，适用于某些技术性强、具有品牌优势或者专门用户的产品。例如，青岛啤酒进入美国市场就运用了这种策略，作为独家经营的纽约布鲁克林公司做了大量的促销宣传工作，使青岛啤酒的知名度大增，价格比当地同类产品高出一倍，而且销路较好。

2. 选择分销

选择分销即制造商在某一市场（地区）仅通过少数几个经过精心挑选的、最合适的中间商推销其产品。这种分销的适用性很广，几乎适用于所有产品。选择分销从所有适合经营本企业产品的中间商中精心挑选出若干合适的中间商销售其产品。这一策略的重心是维护本企业产品的良好信誉，建立稳固的市场竞争地位。消费品中的选购品、特殊品以及工业品中的某些零配件，最适合采用这种分销形式。它比独家分销面宽，有利于开拓市场，扩大销路，展开竞争；比密集分销面窄，既节省费用，又易于控制中间商，不必分散太多精力，有助于加强彼此间的了解和联系，密切产销关系。

3. 密集分销

密集分销即制造商尽可能多地利用有能力和有责任感的批发商和零售商推销其产品，争取最大的市场暴露度。密集分销通过尽可能多的分销商销售其产品，使渠道尽可能加宽。这种策略的重心是扩大市场覆盖面或快速进入一个新市场，使众多消费者能随时随地买到该产品。消费品中的便利品、工业品中的标准件及辅助用品适于采取这种分销形式，以提供购买上的最大便利。但这种策略也存在不足：由于中间商的经营能力、水平高低不同，生产者要花费较多精力和费用。例如，消费品中的香烟、水果等便利品和产业用品中的办公文具等供应品，通常都采用密集性分销，使广大消费者或用户能够随时随地很方便地买到。

六、渠道系统的新发展

20世纪80年代以来，分销渠道系统突破了由生产者、批发商、零售商和消费者组成的传统模式和类型，有了新的发展，如垂直渠道系统、水平渠道系统、多渠道营销系统等。

1. 垂直渠道系统

垂直渠道系统是由生产企业、批发商和零售商组成的统一系统。其特点是专业化管理、集中计划，销售系统中的各成员为共同的利益目标，都采用不同程度的一体化经营或联合经营的销售方式。它主要有以下三种形式：

（1）公司式垂直系统。这种系统是指一家公司拥有和统一管理若干工厂、批发机构和零售机构，控制分销渠道的若干层次甚至整个分销渠道，综合经营生产、批发、零售业务。它又分为两类，分别是工商一体化经营和商工一体化经营。

（2）管理式垂直系统。这种系统是指制造商和零售商共同协商销售管理业务。其业务涉及销售促进、库存管理、定价、商品陈列、购销活动等。

（3）契约式垂直系统。这种系统是指不同层次的独立制造商和经销商为了获得单独经营达不到的经济利益而以契约为基础实行的联合体。它主要分为三种形式，即特许经营组织、批发商倡办的连锁店和零售商合作社。

2. 水平渠道系统

水平渠道系统是指由两家以上的企业联合起来的渠道系统，它们可实行暂时或永久的合作。这种系统可发挥群体作用，共担风险，获取最佳效益。

3. 多渠道营销系统

多渠道营销系统是指对同一或不同的分市场采用多条渠道进行营销的渠道系统。这种系统一般分为两种形式：一种是生产企业通过多种渠道销售同一产品，这种形式易引起不同渠道之间的激烈竞争；另一种是生产企业通过多种渠道销售不同产品。

第二节 渠 道 设 计

渠道设计是指企业为建立市场营销渠道或对已经存在的渠道进行变更的策略活动。企业在进行渠道设计决策时，应该确定理想的渠道、可行的渠道和适用的渠道。为此，企业需要分析客户需要的服务水平，建立渠道目标和限制因素，识别主要的渠道选择方案，并做出评价。

一、渠道设计的基本内容

1. 分析客户需要的服务水平

设计渠道的第一步是理解其所选择目标市场的潜在客户需要的服务水平。企业应该充分了解客户习惯购买的商品及其购买的地点、原因、时间和方式，从而明确渠道应对客户购买商品提供何种解决方案，即为目标客户设计的服务供应水平。影响渠道服务供应水平的因素主要有：

（1）批量大小，即市场营销渠道在购买过程中提供给典型客户的单位数量。一般而言，批量越小，由渠道所提供的服务供应水平越高。

（2）等候时间，即渠道客户等待收到货物的平均时间。客户总是喜欢快速交货渠道，但快速服务要求的是高水平的服务。

（3）便利程度，即客户能够在需要的时候方便地获得商品的程度。

（4）选择性大小。一般来说，渠道成员提供的产品花色品种越多，使客户满足需要的机会就越多。

（5）服务支持，即渠道提供的诸如信贷、交货、安装、修理等附加服务的程度。渠道成员提供的附加服务越多，要求的服务支持越强大。

值得注意的是，服务供应水平并非越高越好，因为高服务供应水平往往也意味着渠道成本的增加和价格的提高。有时候，客户在降低服务水平能降低价格时，宁愿接受较低的服务水平，折扣店的成功就是有力的例证。企业要根据目标客户的需求特点，设定恰当的服务供应水平。

2. 设定渠道目标

渠道目标包括企业预期要达到的客户服务水平和中间机构应该发挥的功能等。企业总是希望以最低的成本完成期望的渠道服务供应水平。它们可以根据客户对服务的不同需求来划分市场,安排渠道成员的功能任务。有效的渠道计划首先要决定需达到的目标和进入的市场。企业渠道目标因环境的变化而变化。同时,渠道策略作为企业市场营销整体策略的一部分,还必须注意与有机组合的其他方面相协调。

在渠道目标设置好之后,企业还必须将达到目标所需要执行的各项任务,如购买、销售、沟通、运输、储存等,明确地列示出来,以便依据不同类型的中间商的优势和劣势合理安排各项功能任务。

二、影响渠道设计的因素

企业决定所用分销渠道的长短、宽窄以及是否使用多重渠道,要受到一系列主客观因素的制约。影响渠道设计的限制因素很多,主要有市场、产品、企业、中间商和环境等方面。从分销渠道选择的角度来说,营销人员要考虑以下问题:面对的是何种市场,消费有何种特点,销售的是何种产品,以及企业的资源、中间商的特征、经济形势等。

1. 市场因素

(1) 目标市场范围。市场范围宽广,宜用较宽、较长的渠道;相反,可用较短、较窄的渠道。

(2) 客户的集中程度。客户较为集中,可用较短、较窄的渠道;客户分散,多用较宽、较长的渠道。

(3) 客户的购买量、购买频率、购买习惯。购买量小,购买频率高,宜采用较长、较宽的渠道,一般消费品多用此类渠道;反之,客户一般购买量较大,购买频率低,如生产者、社会集团购买,则采用较短、较窄的渠道。

(4) 消费的季节性。消费有明显的季节性的产品,一般应充分发挥中间商的调节作用,以便均衡生产。此时较多采用长渠道。

(5) 竞争状况。一般来说,制造商要尽量避免和竞争者使用一样的分销渠道。如果竞争者使用和控制着传统的渠道,制造商就应当使用其他不同的渠道或途径推销其产品。例如,连裤袜在美国很受妇女欢迎,过去所有生产连裤袜的制造商都通过百货商店、妇女服装商店推销它们生产的连裤袜;L'eggs牌连裤袜避开竞争者,而在超级市场推销,结果很成功。美国的雅芳公司也是如此,它不使用传统的分销渠道,而采取避开竞争者的方式,训练漂亮的年轻妇女,挨家挨户上门推销化妆品,结果盈利甚多,也很成功。另一方面,由于受客户购买模式的影响,有些产品的制造商不得不使用竞争者所使用的渠道。例如,客户购买食品往往要比较厂牌、价格等,因此,食品制造商就必须将其产品摆在那些经营其竞争者的产品的零售商店里出售。这就是说,其不得不使用竞争者所使用的渠道。

2. 产品因素

产品本身的特点对渠道设计影响重大。

(1) 产品的物理化学性质。体积小、较轻的产品,宜用较长、较宽的渠道;体积大、笨重的产品(如大型设备、矿产品)则应努力减少中间环节,尽量采用直接渠道;易损易腐的产品、危险品,应尽量避免多次转手、反复搬运,易采用较短渠道或专用渠道。

(2) 产品单价。一般来说,价格昂贵的工业品、耐用消费品、享受品应尽量减少流通环节,采用较短、较窄的渠道;单价较低的日用品、一般选购品,则可采用较长、较宽的渠道。

(3) 产品的时尚性。式样和花色多变、时尚程度较高的产品(如时装、家具、高档玩具），多采用较短的渠道；款式不易变化的产品，可采用较长的渠道。

（4）产品的标准化程度。标准化程度高、通用性较强的产品，多采用较长、较宽的渠道；非标准化产品，多采用较窄、较短的渠道。

（5）产品的技术复杂程度。产品技术越复杂，用户对有关销售服务，尤其是售后服务的要求越高，越宜采用直接渠道和较短渠道。

（6）产品的生命周期。处于产品生命周期不同阶段的产品渠道结构应有所不同。例如，衰退期的产品就要压缩分销渠道。

3. 企业自身因素

企业特性在渠道设计中扮演着十分重要的角色，主要体现在：

（1）企业的财力、信誉、产品组合。财力雄厚、信誉良好的企业，有能力选择较固定的中间商经销产品，甚至建立自己控制的分销系统，或采用短渠道；财力薄弱的企业，就更为依赖中间商。企业的产品组合的宽度和深度大（即产品的种类、型号规格多），企业可能直接销售给各零售商，则这种分销渠道是较短而宽的；反之，如果企业的产品组合的宽度和深度小（即产品的种类、型号规格少），企业只能通过批发商和众多零售商转卖给最后消费者，则这种分销渠道是较长而宽的。

（2）渠道的管理能力。企业过去的渠道经验也会影响渠道的设计。曾通过某种特定类型的中间商销售产品的企业，会逐渐形成渠道偏好。例如，许多直接销售给零售食品店的老式厨房用具制造商，就曾拒绝将控制权交给批发商。有较强的管理能力和经验的企业，可以自行销售产品，采用短渠道或垂直渠道营销系统；反之，管理能力较弱的企业多采用较长的渠道。

（3）企业控制渠道的愿望。有些企业为了有效地控制销售渠道而花费较高的渠道成本，建立短而窄的渠道；也有一些企业因为成本等因素不愿意控制渠道，而采用较长且宽的渠道。如果企业为了实现其战略目标，在策略上需要控制市场零售价格。需要控制分销渠道，就要加强销售力量，从事直接销售，使用较短的分销渠道。但是，企业能否这样做，又取决于其声誉、财力、经营管理能力等。如果企业的产品质量好、誉满全球、资金雄厚，又有经营管理销售业务的经验和能力，这种大制造商就有可能随心所欲地挑选最合用的分销渠道和中间商，甚至建立自己的销售力量，自己推销产品，而不通过任何中间商，这种分销渠道是最短而窄的；反之，如果企业财力薄弱，或者缺乏经营管理销售业务的经验和能力，一般只能通过若干中间商推销其产品，这种分销渠道是较长而宽的。

4. 中间商因素

（1）合作的可能性。中间商普遍愿意合作，企业可以根据需要选择；如果中间商不愿意合作，只能选择较短、较窄的渠道。

（2）费用。利用中间商分销，要支付一定的费用。如果费用较高，企业只能采用较短、较窄的渠道。

（3）服务。如果中间商能够提供较多的高质量服务，企业可采用较长、较宽的渠道；反之，若中间商无法提供所需服务，企业只有选择较短、较窄的渠道。

（4）经济形势及有关法规。经济景气，形势看好，企业选择销售渠道的余地较大；当出现经济萧条或经济衰退时，市场需求下降，企业就必须减少一些中间环节，采用较短渠道。有关法规、国家政策、法律，如专卖制度、进出口规定、反垄断法、税法等，都会影响销售渠道的选择。

(5) 竞争特性。生产者的渠道设计还受到竞争者所使用渠道的影响，因为某些行业的生产者希望在与竞争者相同或相近的经销处与竞争者的产品抗衡。例如，食品生产者就希望其品牌和竞争品牌摆在一起销售。有时，竞争者所使用的分销渠道反倒成为生产者所避免使用的渠道。

5. 环境因素

影响渠道结构和行为的环境因素既多又复杂，可概括为社会文化环境、经济环境、竞争环境等。

（1）社会文化环境。社会文化环境包括一个国家或地区的思想意识形态、道德规范、社会风气、社会习俗、生活方式、民族特性等许多因素，与之相联系的概念可以具体到消费者的时尚爱好和其他与市场营销有关的一切社会行为。

（2）经济环境。经济环境是指一个国家或地区的经济制度和经济活动水平，它包括经济制度的效率和生产率，与之相联系的概念可以具体到人口分布、资源分布、经济周期、通货膨胀、科学技术的发展水平等。经济环境对渠道的构成有重大影响，例如，生产太集中，人口分布面广，分销渠道就长。西方国家以自助服务、出售食物为主的超级市场的出现，是以科学技术发展到一定水平、消费者能看懂包装上的说明文字为前提的。如果没有电视、报纸等大众宣传媒介，没有现代化的包装技术和冷冻技术，没有收款机和其他自动化设备，超级市场就不可能出现。一些不发达国家尽管可以从国外引进上述技术装备，但由于文化水平较低，大多数消费者看不懂包装说明文字，超级市场就难以普及。

（3）竞争环境。竞争环境是指其他企业对某分销渠道及其成员施加的经济压力，也就是使该渠道的成员面临被夺去市场的压力。竞争会影响渠道行为，任何一个渠道成员在面临竞争时有两种基本选择：一是跟竞争对手进行一样的业务活动，但必须比竞争对手做得更好；二是可以做出与竞争对手不同的业务行为。例如，日本的手表开始打入美国市场时，一反欧美手表通过百货商店、珠宝商店销售的传统渠道，而是采用由众多杂货店、折扣商店这种面向广大低收入阶层的销售渠道，从而取得了成功。日本的小汽车、家用电器、照相机、复印机之所以能成功地打入欧美市场，与日本企业采取"让中间商先富"的渠道策略是分不开的。

三、渠道设计原则

为了确保企业能借助渠道资源在各区域市场上获利，在渠道设计时，营销人员需遵循以下原则：

1. 接近终端

接近终端有助于为顾客提供满意的服务。例如，麦当劳选址的原则是"顾客在哪里工作、生活、购物、娱乐，我们就到哪里去开餐馆"。

2. 市场覆盖

产品只有放在想看就能看到、想买就能买到的地方，才能被方便地购买。对快速消费品而言，"大面积撒网、广泛布点"更有必要。当经销商拥有密集的分销网络时，它就能比较容易地实现企业广泛布点的市场覆盖目标。

3. 精耕细作

为了在各区域市场上避免粗放式的经营，企业有必要对分销渠道的各个环节进行精耕细作，准确划分目标市场区域，对渠道中所有销售网点定人、定域、定点、定线、定时、定任务，实行细致化、个性化的服务，全面监控市场。

4. 利益共享

企业选择经销商，看中的是经销商所拥有的优势，而经销商看重的是企业拥有的品牌优势或其他优势。双方应本着"利益共享、风险共担"的原则来进行合作。

5. 协商机制

企业可能会埋怨经销商销货不力、随意打折、虚报业绩、跨区窜货，经销商也可能会埋怨产品缺乏卖点、没有广告支持、缺乏促销、利润低，甚至会坐等收钱（做"坐商"），从而使双方的合作奏出不和谐的音符。所以，企业与经销商应本着相互信任、相互支持、有事好商量的原则来合作共事。

6. 经济实用

经济实用的原则要求企业应充分估计投资于渠道所带来的经济效益：是自建网络，还是"借船出海"；是采用代理制，还是采用经销制，等等。厂家应根据实际情况，妥善选择。

7. 争取做渠道领袖

掌握渠道主动权，成为渠道的主宰者，对厂家和商家来说都是梦寐以求的事情。至于谁能成为渠道的主导者，最终还是要靠实力（如品牌、规模、商誉、资金、经验等）说话。例如，西尔斯公司（Sears）是美国很有实力的大型零售商，制造商在向其供货时必须做出一项重大决策：是保持自己的商标，还是使用西尔斯的商标。因为西尔斯公司要求所有的供货商必须采用西尔斯的商标，否则就免谈。

8. 变则通，通则久

《孙子·虚实》篇中说："兵无常势，水无常形，能因敌变化而取胜者，谓之神。"市场环境往往瞬息万变，成功只钟情于会变、善变的企业。过去的渠道设计再怎么完美，也可能会因为环境的变化而变得过时，一旦现有的渠道设计不再适应竞争的需要，企业应立即对渠道策略进行调整。

四、分销渠道成员的条件与责任

生产者在决定了渠道的长度和宽度之后，还必须规定各渠道成员参与交易的条件和应负的责任。在交易关系组合中，其主要包括以下内容：

1. 价格政策

价格政策是关系到生产者和中间商双方经济利益的一个重要因素。生产者必须制定出价格目录和折扣计划，该价格和折扣应是公平合理的，也应是得到中间商认可的。

2. 销售条件

销售条件是指付款条件和生产者保证。例如，对提前付款的分销商给予现金折扣。

3. 经销区域权

经销区域权是渠道关系的一个重要组成部分。一般来说，中间商都希望了解生产者将在何地利用其他何种中间商，还希望在其区域内所发生的销售实绩能获得生产者的完全信任，而无论这些销售实绩是不是他们努力的结果。生产者对此应一一加以明确。

4. 各方面承担的责任

通常应通过指定相互服务与责任的条款，来明确各方责任。服务项目不明、责任不清，必然会影响到双方的经济利益及合作关系，不利于双方的共同发展，尤其是在选择特许经营和独家代理中间商时，更要规定得尽量具体、明确。例如，麦当劳向其特许经销商提供店面、促销支持、文件保管系统、培训、通用管理和技术支持等；与此对应，特许经销商必须达到有关物资设备标准，适应新的促销方案，提供所需信息及购买指定的食品原料等。

五、评估销售渠道方案

在评估销售渠道方案这一阶段，需要对几种初拟方案进行评估，并选出能满足企业长期目标要求的最佳方案。评估标准主要有三个，即经济性、可控性和适应性。

1. 经济性标准

经济性标准主要是每一条渠道的销售额与销售成本之间的关系。在正常情况下，不同的分销渠道方案会有不同的销售额与渠道成本，生产者应对此做出评估，如生产者是利用自己的销售人员直接推销还是利用代理商销售。

2. 可控性标准

在对销售渠道的控制方面，生产者自己直接销售的销售量一般要高于销售代理商。这是因为销售商是独立的商业企业机构，有自身的经济利益，注重对商品购买有重大影响力、能为其带来最高收益的客户，而对一般生产者的产品不会特别感兴趣。此外，销售代理商对生产者产品的技术细节可能不甚了解，也很难有效地协助生产者开展促销活动。对此，需要进行多方面的利益比较和综合分析。

3. 适应性标准

分销渠道的适应性也是生产者在评估时必须考虑的一个问题。生产者利用销售代理商，可能要与其签订几年的合同，如果在此期间市场环境发生变化，这些承诺将降低生产者的灵活性和适应性。为此，生产者应考察在每一种渠道方案中应承担义务与经营灵活性之间的关系，包括承担义务的程度和期限。对一种涉及长期承担义务的渠道的选择，应在经济或控制方面有非常优越的条件时，才能予以考虑。

第三节 中 间 商

中间商是在商品从生产领域转移到消费领域的过程中，参与商品交易活动的专业化经营的个人和组织。中间商按其对商品的所有权一般分为经销商和代理商，按其在流通过程中的地位和作用可分为批发商和零售商。这里重点介绍批发商和零售商的职能与类型。

一、批发商

批发商是把商品出售给那些为转卖商品而购买的中间商。批发商的交易对象除了零售商和其他批发商外，还有进行大宗购买的企业、机构、团体等客户。一般来讲，批发商在销售渠道中居于起点阶段和中间阶段，它向生产企业购进商品，向零售商批销商品，交易业务活动结束以后，商品仍在销售渠道中。批发商从事的是大宗的商品买卖活动，每次的交易量比较大，特别是购进商品的批量比较大。

（一）批发商的职能

批发商的地位、性质及特点决定了它在销售渠道中的职能，并通过执行其职能为生产企业和零售商服务来实现其作用。批发商的职能主要有：

1. 集散商品

批发商通过收购业务，将各个地区、各个不同的生产企业分散生产的商品集中起来，进行必要的初步加工、整理、包装等处理，再通过商品交易活动，分散供应给零售企业和生产用户。

2. 调节供求

批发商一方面集中大批量地向生产者购进商品，使生产者及时实现商品的价值，提高资金周转率，加速再生产过程；另一方面，小批量地将商品批售给零售商，减少零售商储存商品的负担。批发商实际上承担了商品"蓄水池"的功能，把市场上一时多余的商品收购储存起来，当市场供应不足时再投放出去。

3. 沟通产销信息

批发商处于生产企业和零售商之间的中介地位，既可以了解商品的生产情况，又可以了解商品的市场销售动态。因此，它可利用这种便利条件，向生产企业提供市场需求信息和消费者反馈意见，向零售商做产品情况的介绍和宣传。

4. 承担市场风险

商品在实现价值的过程中具有一定的风险，如市场供求和价格变动带来的风险，商品储存、运输过程中可能发生的风险以及商品交易中因预购、赊销造成的呆账风险等。批发商在多数情况下是大批量地购进和储存商品，分批少量地销售商品的，在这个过程中，生产企业和零售商承担了一定的市场风险。

（二）批发商的类型

批发商有三种主要类型：买卖批发商、代理商和经纪人以及制造商的销售部。

1. 买卖批发商

买卖批发商又称经销批发商。买卖批发商在自负盈亏的情况下从事商品买卖，对其经营的商品具有所有权，是一种最主要的批发商类型。以美国为例，虽然大多数买卖批发商的规模较小，但其销售业务量占美国批发业务总量的一半以上。

买卖批发商根据其经营商品的范围可分为三种类型：

（1）综合批发商。这种批发商经营商品的范围广、种类繁多、商品大众化。其销售对象主要是综合性比较强的零售商店，如百货商店、食品杂货商店、服装商店、五金商店等。

（2）产品线批发商。这种批发商主要经营某条产品线中的各种产品，其中主要是食品杂货、药品和五金等。

（3）专业商品批发商。这种批发商主要经营一条产品线中有限的几种产品项目。由于专业化程度比较高，一般适合与大零售商做交易。其优势是对自己经销的有限几种产品项目具有全面的知识和经商学问。

买卖批发商还可以根据不同的经营方式划分为以下几种类型：

（1）工业品经销商。主要从事工业品的批发业务，所经销的产品具有一定的深度和广度。

（2）农产品收购批发商。农产品生产者的规模较小，比较分散。农产品收购批发商就是专门收购农民和农场主的产品，再销售给使用这些农产品的企业。其收购的产品主要有海产品、家禽和粮食等。对蔬菜和水果等产品，收购批发商通常收购后进行筛选和分类，然后

储存和发货。其销售对象是食品加工厂、面粉厂、工业用户以及其他批发商等购买量大的购买者。

（3）进出口批发商。进出口批发商从国内购买向国外销售，或从国外购买向国内销售。

（4）现购自运批发商。这种批发商从事商品的调集、储存和进行批货处理，但不提供信用条件和送货服务。零售商来购货，支付货款，自己承担运输。

（5）邮购批发商。邮购批发商的经营方式与提供全面服务的批发商的经营方式很相似，只是在接收订单和送货方面采用的是邮寄方式。

（6）货车经销商。这种经营商以一种造价很高的货车销售商品。其规模一般比较小，主要经销水果、蔬菜、啤酒等周转率高或易腐的食品类产品，经营成本较高，每次销售量相对较小。

（7）直达货运商。直达货运商在进货时让生产者将商品直接从生产厂家运到这种批发商的购买者手中，他们只管销售，不管储存和送货。其特点是了解货源，经营的商品通常是大综货物（如煤炭和木材）和不按品牌而按等级销售的商品。

2. 代理商和经纪人

代理商和经纪人是为自己的委托人代购代销商品，按销售额提取一定比例报酬的商人。他们对自己经办的商品没有所有权，主要替那些不具备销售力量或没有在某地区派遣销售人员的厂家销售产品，销售对象主要是工业用户、其他批发商和零售商。代理商和经纪人提供的服务项目较少，因此其成本往往比买卖批发商低。

（1）代理商。代理商有多种形式，如制造商代理、销售代理、拍卖公司、进口代理和出口代理等。

制造商代理是授权向某个地区销售制造商的部分产品的独立商人。他们不拥有产品所有权，制定销售价格和销售条件、提供信用条件、交货和开账单等工作都由制造商承担。一个制造商与许多代理人有合同关系，而一个代理人往往又替许多制造商代销商品，这些制造商的产品有一定关联，但不存在竞争关系。

销售代理销售一个制造商的全部产品，或者在制造商的全部市场上有一条或一条以上的产品线。与制造商代理不同的是，他们在委托人的经营管理问题上有发言权，并有权制定价格、销售条件、广告推销甚至产品设计。一个销售代理通常与两个以上的委托人建立承销关系，但一个制造商却只有一个销售代理来销售全部产品或某条产品线的全部产品。代销的产品一般有煤炭、纺织品、罐头食品和家具等。

拍卖公司提供商品买卖的场所。其经营的商品大多是烟草和家禽等农产品以及汽车、机器等旧设备，有时经营"亏本"商品或破产公司的库房和设备。它在整个批发贸易中占的比例很小。

（2）经纪人。经纪人是受委托安排买卖双方的合同和沟通他们之间的联系的中间商。他们也不拥有产品的实际所有权，不承担货主责任和价格变化的风险。与代理商不同的是，经纪人与委托人之间的关系通常不是持久性的，当经纪人促成一项交易之后，这种关系便告终止。经纪人的优势是了解卖方和买方的需求，其服务项目主要是提供市场购销信息。

3. 制造商的销售部

这类批发商是制造商自己的销售部，是专门经营其批发销售业务的独立机构，也是批发商的主要类型之一。制造商的销售部可分为两种类型：一种是销售业务部，没有仓储设施和产品库存，只销售产品，经营方式类似直达货运商；另一种是销售经营部，有仓储设施和产品库存，经营方式类似提供全面服务的买卖批发商。

二、零售商

零售商是将商品销售给为个人或家庭使用而购买的最终消费者的中间商。零售商的对象是众多的消费者。在分销渠道中，零售商居于终点阶段，从生产者或批发商那里小批量购进，再直接向消费者零星、多品种销售商品，每次的销售量小、交易频繁，在交易过程中或结束后要向消费者提供相应的销售服务。

（一）零售商职能

零售商是生产者与消费者或批发商与消费者之间的中间环节。其职能主要体现在以下两个方面：

1. 为生产者承担风险，促进销售，提供信息

零售商对于生产者来说，是承担所有权和占用权风险的买卖中间商，并为生产者或批发商减轻了流通过程中的负担，如储存、运输方面的费用和风险等。零售商利用人员推销、广告宣传以及促销活动等各种营销手段来促进产品销售，扩大产品市场占有率，还向生产者提供有关零售市场上消费者、竞争者和市场状况等有价值的信息。

2. 以多种方式为消费者服务

零售商的这种职能表现为：将不同生产者的产品汇集在一起供消费者挑选；通过广告和推销员等促销手段向消费者传播商品信息；向消费者提供赊购和分期付款等信用条件；在适当条件下送货上门。

（二）零售商的类型

1. 根据所有权的归属不同分类

根据所有权的归属不同，零售商可分为连锁商店和独立商店两种类型。

（1）连锁商店。连锁商店是在同一所有者控制下，拥有数个经销同类商品、统一名称、统一管理的商店的商业集团。连锁商店的经营采取核心化控制，集中大批量进货，可获得规模经济效益。其经营成本较低，售价也相应较低，在许多方面实行标准化，如商店的建筑风格、店内外布局一致等。连锁商店是20世纪零售业重要的发展之一，已在各类零售经营形式中出现，运用最多的是百货商店、食品商店、药店、鞋店和妇女服装商店。其优势在于：大量进货，可享受数量折扣，运输费用低；聘用优秀管理人员，在定价、商品宣传、推销、存货控制和销售预测等领域实现科学管理；统一宣传，可获得促销规模经济；给予连锁分店一定的自主权，以适应市场上消费者的不同偏好，有效地应对竞争。

（2）独立商店。独立商店是独自拥有所有权的小型零售商店。由于面对强大的零售业竞争压力，独立商店中已有不少通过不同的途径寻求联合，以增强竞争实力。有的通过契约与其他零售店建立了合作组织，有的与批发商建立了自愿联合组织，有的则与制造商建立了特许代理关系。

2. 根据是否购置店铺进行商品交易分类

根据是否购置店铺进行商品交易，零售商可分成有店铺零售商和无店铺零售商两种类型。

（1）有店铺零售商。这种类型即是在商店内出售商品的零售商。这是零售商的基本类

型，主要有以下形式：

1）百货商店。百货商店提供的商品有相当大的深度和广度。店内的每一个部都是自负盈亏、相对独立的单位，都是经营一条产品线的部门或一个专业化商店，由此促进了商店的核算、管理和促销等工作。百货商店大都向消费者提供送货、信用以及自由退货的优惠条件等服务项目。

2）专业商店。专业商店仅销售一类产品或有限的几类产品，经销的商品种类不多，但产品线的深度可以很大，出售那些既需要一定商品知识又需要提供销售服务的商品，能较好地满足消费者的需要。例如，家用电器商店、服装店、食品店、家具店等。有些专业商店专门包销某些名牌产品。

3）超级市场。超级市场规模庞大，经营范围广泛，成本相对较低。其经营方式的特点有：①现购自运；②消费者自选；③大量购买的优惠价。目前，超级市场正在向规模更大、经营品种更多、为消费者提供更多便利的方向发展。在超级市场之后，又出现了超级商店——规模较大，日用品种全，服务范围较广；综合商店——规模大，多样化经营，有综合食品商店和药品商店；巨型超级市场——规模更大，融合了超级市场、折扣商店和仓库零售的特点，产品超出了一般日用品范围，有家具、服装等。

4）折扣商店。折扣商店的价格低于一般商店，毛利较少；薄利多销，销售量较大；出售标准商品，提供的基本上都是最流行的全国性品牌。有一些特殊商品也采用了折扣零售的方式，如运动用品折扣商店、折扣书店等。

5）廉价零售商。廉价零售商在低价、数量大等方面更具特点，所经营的是高质量、变化不定的商品。廉价零售商有三种主要形式：①工厂门市部，由制造商拥有和经营，销售多余的或不规范的商品；采用多家工厂门市部在工厂门市部大厅联销的方式，价格大部分低于零售价50%。②独立的廉价零售商，由企业自己拥有和经营或从大零售公司中划分出来。③仓库俱乐部，销售有限的有品牌的杂货、器具、衣服等商品，以大量的、低管理费、类似仓储设施的方式经营。参加者每年交纳一定数目的会费，便可得到高折扣。

6）样品目录陈列室。样品目录陈列室运用商品目录和折扣原则，销售可供选择的毛利高、周转快的有品牌商品。例如，珠宝、电动工具、照相机、皮包和运动器材等。

（2）无店铺零售商。这种类型即不是在商店内销售商品，能为消费者提供方便的零售商。这种类型的零售商前景广阔，发展很快。其有以下几种主要形式：

1）直接推销。企业派推销员上门推销产品。有挨门挨户推销或上办公室推销；还有家庭推销会推销，即邀请几个朋友和邻居到某人家里聚会，在这个人家里展示推销产品。直接推销还有一种方式，称作多层传销，即生产企业的销售人员通过发展两个以上层次的传销员，由传销员将本企业的产品直接销售给消费者的一种方式。在这种方式中，一位传销员的报酬包括他自己直销产品获得的利润，以及他所发展的传销员的全部销售额的比例提成，被称为"金字塔推销"。这种方式的采用有一些限制条件，如产品的质量和范围、组织的管理等；而且，这种方式本身是一种有争议的销售方式。我国自20世纪90年代初引进这种方式以来，几起几伏，最后由于其发展走入误区，造成大量的社会问题，已被政府取缔禁止。

2）直复营销。直复营销起源于邮购推销。其特点是直接从目标顾客或潜在顾客那里获得订单。营销学界对直复营销的定义是：一种为了在任何地方产生可度量的反应或达到交易而使用的一种或多种广告媒体的交互作用的市场营销体系。随着电话、电视以及互联网等许多媒体的出现，直复营销形式变得越来越丰富。其主要形式有直接邮寄营销、电话营销、直接反应电视营销、直接反应印刷媒介、直接反应广播、网络营销等。

3）自动售货机。自动售货机往往被安置在商店外面或工厂和办公楼里，出售诸如软饮料、咖啡、糖果、香烟和洗衣剂等商品，使零售商在因时间和地点的限制而不可能安排售货员时也能出售少量商品，为消费者提供了方便。但其经营成本较高，因而价格也较高。

4）购物服务。购物服务是一种为特定委托人服务的无店铺零售方式。特定委托人主要指一些大型组织，如学校、医院、协会和政府机构的雇员，他们作为购物服务组织的成员，有权向一组选定的与购物服务组织有约定的零售商购买，并获得一定的折扣。这种形式因购物服务组织没有店铺而归在无店铺零售商之内。

第四节 产品实体分销

一、产品实体分销的概念与职能

（一）产品实体分销的概念与意义

产品实体分销是指渠道内发生的产品实体的转移及其经营管理，也可以称为分销渠道中的物流管理。

物流是指物质实体从供应者向需求者的物理移动。它由一系列创造时间价值和空间价值的经济活动组成，包括运输、保管、配送、包装、装卸、流通、加工及物流信息等多项基本活动，是这些活动的集成。广义的物流是指与企业相关的整个物流系统，包括采购物流，生产物流和销售物流。而分销渠道中的物流是狭义的物流，即销售物流，是指企业的产成品向消费者的流转。

物流管理是指在社会再生产过程中，根据物质资料实体流动的规律，应用管理的基本原理和科学方法，对物流活动进行计划、组织、指挥、协调、控制和监督，使各项物流活动实现最佳的协调与配合，以降低物流成本，提高物流效率和经济效益。

由于物流能够大幅度降低企业的总成本，加快企业资金周转，减少库存积压，促进利润率上升，从而给企业带来可观的经济效益，国际上普遍把物流称为"降低成本的最后边界"，是排在降低原材料消耗、提高劳动生产率之后的"第三利润源泉"，是企业整体利润的最大源泉。所以，各国的企业才越来越重视物流，逐渐把企业的物流管理当作一个战略新视角，成为现代企业管理战略中的一个新的着眼点，通过制定各种物流战略，从物流这一巨大的利润空间寻找出路，以增强企业的竞争力。

（二）产品实体分销的职能

（1）运输，就是制造商将产品发运给购买者的活动过程。发运产品，通常要解决选择运输方式、运输工具、发货批量、发运时间和最佳运输路线等问题。

（2）仓储，即制造商直接利用仓库储存产品。

（3）物资搬运。产品必须经过搬运才能进入仓库储存。在产品出库前，需要经过必要的整理、待运环节。在产品进库与出库的过程中，始终伴随着物资的搬运，以及为实现搬运准备和运用相应的搬运工具。

（4）订单处理。实体分销始于顾客订单。订单由企业的销售代表、经销商或顾客送达企业。企业的订单处理部门需编制提货单，一式多份分送各有关部门，仓库收单后进行检查，同时按货单要求迅速、准确地备货、发运商品。整个过程做到快速传递、快速处理、快速发货、快速收款。在这个作业循环中，应用计算机管理是必要的。

（5）保护性包装。为了保证企业产品的质量，维护消费者的权益，对于易损、易腐、易变质的商品，发运前进行必要的检查，妥善包装。

二、产品实体分销决策的主要内容

（一）仓储决策

仓储决策首先要解决仓库地点和数量的设置。仓库地点与数量的设置要以对顾客交货服务与分销成本的平衡为原则：一要有利于增加企业利润；二要有利于减少向顾客发货、运输的费用；三要有利于为顾客提供满意的服务。

企业既可以自行设置仓库（称为"自用仓库"），也可以租用"公共仓库"。使用自用仓库，能有效地实施控制，但缺点是占用资金较多，同时在需要更换仓库地点时缺乏弹性；反之，企业使用公共仓库，只要按使用空间大小支付费用，且公共仓库常为企业提供其他额外服务，如货品检查、包装、代运、提供办公地点及设备等。企业如决定租用公共仓库，需要对仓库地点和类型加以选择，特别要根据储存商品的需要选择专业性仓库，如冷藏仓库、散装仓库等。

企业使用的仓库类型很多，如储存仓库、分销仓库、采购供应仓库、商业批发仓库、商业零售仓库、商业中转仓库、战略储备仓库、商业加工仓库等。企业要根据营销和产品实体分销的需要，选择仓库的类型。

（二）存货决策

企业的存货水平是实现顾客满意的另一类重要决策。企业存货的多少，既关系到能否及时向顾客供货，又关系到企业利润水平的高低，因此，企业应了解销量及利润的增加是否足以抵消存货增加的成本。

存货决策包括决定应于何时进货以补充存量和进货数量。但如何确定最佳进货批量是存货决策的关键问题。

在任何情况下，进货企业的进货批量都会遇到两个互相矛盾的成本因素，即进货费用与存货费用。进货批量与进货费用有着密切的关系。

进货批量和进货费用呈反比例关系。因为每进一批商品就要花费一次费用，当一定时间内商品的进货总量不变，则每次进货批量大，进货次数就少，进货费用也就少；相反，在进货总量不变的前提下，进货批量小，进货次数就多，进货费用也就多。因此，为了节省进货费用，就要求进货批量大一些。

进货批量和存货费用呈正比例关系。因为当一定时期内商品的进货总量不变时，则每次进货批量大，平均库存量也大，存货费用就多；相反，进货批量小，平均库存量小，进货费用也少。图10-4 表明了两种费用随进货批量变化的情况。

从图 10-4 中可以看出：当进货批量较小时，

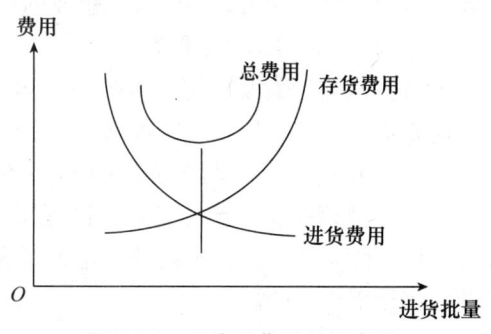

图 10-4　经济进货批量示意图

存货费用较低，但进货费用较高；反之，存货费用高，但进货费用低。而其中代表存货费用和进货费用之和的总费用曲线在存货费用曲线和进货费用曲线交叉时获得最小值。我们所确立的经济进货批量就对应这一最小总费用值的进货批量。

在此给出计算经济进货批量的公式，过程就不再推导了。

$$经济进货批量 = \sqrt{\frac{2 \times 进货总量 \times 每次进货费用}{单位存储费用 \times 存储时间}}$$

或

$$Q = \sqrt{\frac{2DS}{LT}}$$

式中，Q 为经济进货批量；D 为进货总量；S 为每次进货费用；L 为单位存货费用；T 为存储时间。

（三）运输决策

运输决策主要涉及运输方式决策和运输路线决策两个方面。一方面重要内容是运输方式决策。运输方式主要有铁路运输、公路运输、水路运输、航空运输和管道运输五种。每种运输方式都有各自的特点：①铁路运输货运量大，速度较快，一般不受气候和季节的影响，持续性强，成本较低；②公路运输比较灵活、迅速，能将产品直接运到指定地点，在短距离及某些货物的中距离运输中有明显优势，但运量小、运费高；③水路运输载运量大，耗能少，运费低，但速度较慢；④航空运输速度最快，运量小、成本最高；⑤管道运输连续性强，损耗小，成本低，可靠安全，但限制性强，只适用于液体、气体等产品的运输。由于运输方式对产品的交货时间、运输费用、产品损耗等产生影响，因此，企业应根据产品特点、交货时间、运输距离、成本费用、顾客要求等来具体选择、确定运输方式，特别要注意选择装箱运输、联运方式，以提高运输效率效益。

另一方面重要内容是运输路线决策。企业选择运输路线应做到：①保证所选定的运输路线把商品送给顾客的时间最短；②所选定的路线能减少总的运输里程；③所选定的运输路线能保证广大顾客得到较好的服务；④所选定的商品调运路线成环状时，按照图上作业的基本规则，采用最合理的商品调运方案，即商品调运路线的里圈长（指商品调运顺时针方向流向里程加总）、外圈长（指商品调运逆时针方向流向里程加总）均小于全圈的一半或者正好相等。

三、配送管理

连锁经营是一种以联购分销为主要特征的商品流通组织形式，是现代商业的一种业态。与连锁经营相适应的产品实体分销一般通过配送中心实行配送。

（一）配送的概念

商品配送是指以客户（门店）的要求为先导，围绕商品组配与送货而开展的接受订货、预先备货、分拣加工、配货装货、准时送货、退货换货等一系列服务工作的总称。这一定义说明：

（1）配送是按客户的要求来组配商品与送货的，所以，增强服务意识是做好配送工作的前提条件。

（2）配送是一种中转型送货，不是有什么送什么，而应该是需要什么送什么。所以，配送是以了解门店的需求为先导的。

(3) 根据需要而组配商品和送货。

（二）配送中心的概念和基本功能

配送中心简单地说就是专门从事物流作业活动的流通机构，即向供货者订货或根据连锁公司总部的订货信息接收供货者的批量送货，然后进行商品储存、加工、包装或按门店的订货要求进行商品分拣、组配等作业，并按门店的要求进行送货或配销的流通机构。其基本功能是：

（1）进货与集货。根据门店销售的需要，向众多的供应商订货或接收由总部订购的商品进货，集中货源，备齐所需商品。

（2）储存与保管。配送中心必须具有商品的临时保管、周转性储存、发货场保管等储存与保管功能。

（3）分拣与配货。进入配送中心需要储存的商品首先必须根据分区定位储存及先进先出的原则，分别拣开、集中在一起进行储存；当接到用户（门店或其他受货单位）订货单时，则要将所需品种从储存区拣选出来，并按客户要求进行分拣，配齐商品，以便送货。

（4）流通加工。商品进入流通领域后，为了维护商品质量，提高商品的附加价值，满足销售的特定需要，提高物流效率，配送中心要对商品进行必要的加工。

（5）送货。根据客户的订货要求，将组配好的货物及时送达收货人。

（6）信息管理。配送中心的信息管理包括：①收集和分析与物流活动直接相关的信息，主要是指商流信息；②反映物流活动状态的信息，如订货信息、库存信息、发货信息、物流成本信息等；③将配送中心的各类信息及时传输到决策机构和业务机构，以指导经营业务的发展。

（三）配送中心的现代化管理

（1）信息管理计算机化。物流信息包括接受订货的信息、库存信息、采购信息、发货信息、物流管理信息等。为了满足上述信息需求，配送中心应建立销售管理系统、采购管理系统、仓库管理系统、财务管理系统、辅助管理系统五个信息管理子系统。

（2）商品分拣自动化。大型配送中心的商品种类多达上万种，客户数量多，分布面广，而且要求拆零配送、限时送达。在这种情况下，商品分拣作业就成了配送中心内部工作量最大的一项工作。为了提高商品分拣的效率，国外的配送中心参照邮局分拣信件自动化的经验，配置了自动化分拣系统，包括输入系统、分拣信号设定装置、分拣传输装置、斜道等。

（3）商品储存立体化。商品储存立体化是指用高层货架储存货物，以巷道堆垛起重机（简称巷道机）存取货物，并通过周围的装卸运输设备，自动进行出入库作业。这类仓库称为"高层货架仓库"。高层货架仓库一般由高层货架、巷道机、周围出入搬运系统、管理控制系统等构成。

高层货架仓库实际上是一个机电一体化的自动化仓库，随着无线通信技术和自动化控制技术的发展，高层货架仓库的自动化程度及机动灵活性将进一步提高。

（4）商品配送共同化。商品配送共同化是指生产商、批发商或零售商、连锁企业共同参与，由一家连锁超市配送中心承担它们的配送作业。共同配送的实质是相同或不同类型企业的联合，其目的在于相互调剂使用各自的仓储运输设备，最大限度地提高配送设施的使用率，减少运货交通流量，提高送货车辆满载率，减少送货费用，降低连锁物流总成本，缩短补货时间，提供更高效、优质的补货保证，进一步满足销售需要，从而提高企业的竞争能力和经济效益。

从国际情况来看，商品配送共同化是配送中心的发展方向。其原因主要有四个方面：①各行各业各自设立自己的配送中心，其规模难以确定；②自设的配送中心都会面临配送设施严重浪费的问题；③大量的配送车辆集中在城市商业区，导致严重的交通问题；④自设配送中心对众多的中小企业来说，其经营成本难以消化。商品配送共同化的基本模式有三种，即物流企业的配送中心、厂商联合的配送中心和商业企业的配送中心。

第五节 分销渠道的管理

一、分销渠道成员管理

在选定分销渠道方案后，企业还需要完成一系列管理工作，包括对各类中间商的具体选择、激励、评估，以及根据情况变化调整渠道方案和协调渠道成员间的矛盾。

（一）选择渠道成员

为选定的渠道招募合适的中间商，这些中间商就成为企业产品分销渠道的成员。一般来说，那些知名度高、享有盛誉、产品利润大的生产者，可以毫不费力地选择到合适的中间商；而那些知名度较低或其产品利润不大的生产者，则必须费尽心机，才能找到合适的中间商。不管是容易还是困难，生产者挑选中间商时应注意以下基本条件：

（1）能否接近企业的目标市场。

（2）地理位置是否有利。零售商应位于顾客流量大的地段，批发商应有较好的交通及仓储条件。

（3）市场覆盖有多大。

（4）中间商对产品的销售对象或使用对象是否熟悉。

（5）在中间商经营的商品种类中，是否有相互促进的产品或竞争产品。

（6）资金大小、信誉高低、营业历史的长短及经验是否丰富。

（7）拥有的业务设施情况如何。

（8）从业人员的数量多少、素质高低。

（9）销售能力和售后服务能力的强弱。

（10）管理能力和信息反馈能力的强弱。

（二）激励渠道成员

渠道成员的结合是他们根据各自的利益和条件互相选择，并且以合同形式规定应有权利和义务的结果。一般说来，各渠道成员都会为了各自的利益努力工作，但是由于中间商是独立的经济实体，与生产者所处的地位不同，考虑问题的角度也不同，与生产者之间必然会产生矛盾。生产者要善于从对方的角度考虑问题，要明白中间商不是受雇于己，而是一个独立的经营者，有自己的目标、利益和策略。中间商首先是顾客的采购代理，其次才是生产者的销售代理，只有顾客愿意购买的产品，中间商才有兴趣经营。中间商一般不会对品牌分别做销售记录，有些原始资料也不一定注意保存，除非给予特殊的激励。因此，生产者要制定一些考核和奖励办法，对中间商的工作及时监督和激励，必要时也可进行惩罚。对经营效果较好的中间商，应争取建立长期产销合作关系，也可派专人驻商店协助推销并收集信息。激励中间商的基本点是了解中间商的需要，并据此采取有效的激励手段。

激励中间商的形式多种多样，但大体上可以分为两种，即直接激励和间接激励。

1. 直接激励

直接激励是指通过给予物质或金钱奖励来肯定中间商在销售量和市场开拓方面的成绩。直接激励主要有以下几种形式：

（1）返利政策。在制定返利政策时，一定要考虑到以下因素：

1）返利的标准。一定要分清品种、数量、返利额度。制定时，一要参考竞争对手的情况；二要考虑现实性；三要防止抛售、倒货等。

2）返利的形式。是现价返，还是以货物返，还是二者结合，一定要注明；货物能否作为下月任务数，也要注明。

3）返利的时间。是月返、季返还是年返，应根据产品特性、货物流转周期而定。应在返利兑现的时间内完成返利的结算；否则，时间一长，若搞成一笔糊涂账，对双方都不利。

4）返利的附属条件。为了能使返利这种形式促进销售，而不是相反（如倒货），一定要加上一些附属条件，如严禁跨区域销售、严禁擅自降价、严禁拖欠货款等，一经发现，取消返利。

（2）价格折扣。价格折扣包括以下几种形式：

1）数量折扣。销售数量越多、金额越大，折扣越丰厚。

2）等级折扣。中间商依据自己在渠道中的等级，享受相应的待遇。

3）现金折扣。回款时间越早，折扣力度越大。

4）季节折扣。在旺季转入淡季之际，可鼓励中间商多进货，以减少厂家仓储和保管压力；进入旺季之前，加快折扣的递增速度，促使渠道进货，达到一定的市场铺货率，以抢占热销先机。

5）返点。根据提货量，给予一定的返点。返点频率可根据产品特征、市场销货等情况而定。

（3）开展促销活动。一般而言，生产者的促销措施会很受分销商的欢迎。促销费用一般可由制造商负担，也可要求分销商合理分担。生产者还应经常派人前往一些主要的分销商那里，协助安排商品陈列，举办产品展览和操作表演，训练推销人员，或根据分销商的推销业绩给予相应的激励。

（4）提供市场基金。市场基金即市场启动基金，给经销商一个市场报销的额度，用于调动经销商在各个环节的能动性。

（5）设立奖项。可在渠道成员之间设立奖项，如合作奖、开拓奖、回款奖、专售奖、信息奖、销货奖等。

（6）补贴。制造商可给予中间商协助与库存补贴。

激励措施的最佳效果就是使对方心甘情愿地做你希望他做的事情，这个过程没有任何强制或胁迫的成分。虽然达到这一境界并非易事，但如果激励措施到位，制造商会发现收获颇多。

在市场机制日益成熟的今天，直接激励的作用在不断削弱，制造商越来越意识到间接激励的重要性。

2. 间接激励

所谓间接激励，就是通过帮助中间商进行销售管理，提高销售的效率和效果，来激发中间商的积极性。通常的做法有以下几种：

（1）帮助经销商建立进销存报表，做好安全库存和先进先出库存管理。进销存报表的建立，可以帮助经销商了解某一周期的实际销售数量和利润；安全库存的建立，可以帮助经销商合理安排进货；先进先出的库存管理，可以减少即期品（即将过期的商品）的出现。

（2）帮助零售商进行零售终端管理。终端管理的内容包括铺货和商品陈列等。通过定期拜访，帮助零售商整理货架，设计商品陈列形式，在举办促销活动时，做一个漂亮的堆头和割箱陈列。

（3）帮助经销商管理其客户往来，加强经销商的销售管理工作。帮助经销商建立客户档案，包括客户的店名、地址、电话，并根据客户的销售量对他们划分等级，据此告诉经销商对待不同等级的客户应采用不同的支持方式，从而更好地服务于不同性质的客户，提高客户的忠诚度。

（4）库存保护。帮助经销商保持一个适度的库存量，以免断货。

（5）开拓市场。帮助中间商获得广阔的发展空间，这是一种较为长远的激励措施，也是中间商最希望得到的。

（6）产品及技术支持。为中间商提供优质的产品和强有力的技术支持及服务，对中间商来说是最实在的，因为产品卖不出去，给的奖励再多也没有用。

总之，企业对中间商应当贯彻"利益均沾，风险共担"的原则，尽力缓和矛盾，密切协作，共同搞好营销工作。对渠道成员的激励是协调、管理分销渠道，使之有效运作的重要一环。激励方式很多，而且今后还会不断创新。

◆ 阅读案例

百事可乐通过返利政策激励经销商

百事可乐公司对返利政策的规定细分为五个部分，即年扣、季度奖励、年度奖励、专卖奖励和下年度支持奖励。其中除年扣为"明返"外（在合同上明确规定为1%），其余四项奖励为"暗返"，事前无约定的执行标准，事后才告之经销商。

1. 季度奖励

季度奖励既是对经销商前三个月销售情况的肯定，也是对经销商后三个月销售活动的支持，这样就促使厂家和经销商在每个季度合作之后，对前三个月合作的情况进行反省和总结，相互沟通，共同研究市场情况。并且，百事可乐公司在每季度末派销售主管对经销商业务代表进行培训指导，帮助落实下一季度销售量及实施办法，增强相互之间的信任，兑现相互之间的承诺。季度奖励在每一季度结束后的两个月内，按进货数的一定比例以产品形式给予。

2. 年扣和年度奖励

年扣和年度奖励是对经销商当年完成销售情况的肯定和奖励。年扣和年度奖励在次年的一季度内，按进货数的一定比例以产品形式给予。

3. 专卖奖励

专卖奖励是指经销商在合同期内，在碳酸饮料中专卖百事可乐系列产品，在合同结束后，厂家根据经销商销量、市场占有情况以及与厂家合作情况给予的奖励。在合同执行过程中，厂家将检查经销商是否执行专卖约定。专卖约定由经销商自愿确定，并以文字形式填写在合同文本上。

4. 下年度支持奖励

下年度支持奖励是指对当年完成销量目标，继续与百事可乐公司合作，并且已续签销售合同的经销商的次年销售活动的支持。此奖励在经销商完成次年第一季度销量的前提下，于第二季度的第一个月以产品形式给予。

正是因为以上激励政策使百事可乐的经销商积极推进其产品的销售，提升了百事可乐的市场占有率。

（资料来源：冯丽云. 现代市场营销学［M］. 北京：经济管理出版社，2008.）

（三）评估渠道成员

对中间商的工作绩效要定期评估。评估标准一般包括销售指标完成情况、平均存货水平、产品送达时间、服务水平、产品市场覆盖程度、对损耗品的处理情况、促销和培训计划的合作情况、货款返回情况、信息的反馈程度等。

一定时期内，各中间商实现的销售额是一项重要的评估指标。生产者可将同类中间商的销售业绩分别列表排名，目的是促进落后者进步、领先者努力保持绩效。但是，由于中间商面临的环境有很大差异，各自的规模、实力、商品经营结构和不同时期的重点不同，有时销售额列表排名评估往往不够客观。正确评估销售业绩，应在做上述横向比较的同时，辅之以另外两种比较；一是将中间商销售业绩与前期比较；二是根据每一中间商所处的市场环境及销售实力，分别定出其可能实现的销售定额，再将其销售实绩与定额进行比较。正确评估渠道成员的目的在于及时了解情况，发现问题，以保证营销活动顺利而有效地进行。

（四）调整销售渠道

企业的分销渠道在经过一段时间的运作后，往往需要加以修改和调整。原因主要有消费者购买方式的变化、市场扩大或缩小、新的分销渠道出现、产品生命周期的更替等。另外，现有渠道结构通常不可能总在既定的成本下带来最高效的产品，随着渠道成本的递增，也需要对渠道结构加以调整。渠道的调整主要有以下三种方式：

1. 增减渠道成员

增减渠道成员即对现在销售渠道里的中间商进行增减变动。做这种调整，企业要分析增加或减少某个中间商会对产品分销、企业利润带来什么影响，影响的程度如何。如企业决定在某一目标市场增加一家批发商，不仅要考虑这么做会给企业带来的直接收益，而且还要考虑对其他中间商的需求、成本和情绪的影响等问题。

2. 增减销售渠道

当在同一渠道增减个别成员不能解决问题时，企业可以考虑增减销售渠道。这时需要对可能带来的直接、间接反应及效益做广泛的分析。有时候，撤销一条原有的效率不高的渠道，比开辟一条新的渠道难度更大。

3. 变化分销系统

变化分销系统是对企业的现有分销体系、制度做通盘调整，如变间接销售为直接销售。这类调整难度很大，因为它不是在原有渠道基础上的修补、完善，而是改变企业的整个分销政策，会带来市场营销组合有关因素的一系列变动。

上述调整方法，第一种属于结构性调整，立足于增加或减少原有渠道的某些中间层次或具体的中间商；后两种属于功能性调整，立足于将工作在一条或多条渠道的成员间重新分配。企业的现有分销渠道是否需要调整，调整到什么程度，取决于销售渠道和分销任务是否平衡。如果矛盾突出，就要通过调整解决问题，恢复平衡。

二、分销渠道冲突管理

在目前激烈的市场竞争中，技术与产品差异正在变得越来越小，渠道正在成为新的"竞争焦点"。因而，如何对分销渠道的冲突进行有效的管理和控制具有十分重要的现实意义。

（一）分销渠道冲突的表现形式

1. 渠道冲突的类型

（1）水平渠道冲突，是指同一渠道模式中，同一层次中间商之间的冲突。例如，某地区经营A产品的中间商可能认为同一地区经营A产品的另一家中间商在定价、促销和售后服务等方面过于进取，抢了他的生意，造成了两家中间商之间的不满与冲突。

（2）垂直渠道冲突，是指在同一渠道中不同层次企业之间的冲突，这种冲突较之水平渠道冲突更常见。例如，批发商与零售商之间的冲突、批发商与制造商之间的冲突。

（3）不同渠道之间的冲突，是指不同渠道服务于同一目标市场时所产生的冲突。例如，康柏公司对其传统的分销渠道进行调整，建立了邮寄和超级市场两条新渠道，因而受到了传统经销商的抵制。

2. 渠道冲突的具体表现

（1）价格。渠道各层级之间的价差时常是渠道冲突的诱因。分销商则抱怨给其的折扣过低，而另外某些分销商恶意采用价格战，企图使对方退出这一市场，最后导致制造商常抱怨分销商的销售价格过高或过低，影响了其产品形象和市场定位。

（2）存货水平。制造商和分销商为了各自的利益目标，都希望把存货水平控制在最低。分销商的存货水平过低时，会导致无法及时向顾客供货而引起销售损失，甚至会失去顾客。同时，如果分销商的存货水平过低，他们就会要求厂家保持较高的存货水平，这又影响到制造商的利益。

（3）资金占有。制造商希望分销商先付款再发货，而分销商则希望先发货后付款。尤其是在市场需求不确定的情况下，分销商希望采用代销等方式，但这样会增加制造商的资金占用，增加了经营成本，无形中也加大了经营风险，从而形成冲突。

（4）大客户因素。冲突的另一个可能来源是制造商与最终用户（通常是大客户）建立直接购销关系。由于产业用品市场大客户的需求占总销售量的比重较大，其购买量大或有特殊的服务要求，所以制造商宁愿直接与大客户交易，而把余下的市场交给分销商，从而威胁到分销商的生存。

（5）促销策略。从促销策略看，制造商主要是面向整个市场大众媒体，而经销商主要是面向地方市场，两者的促销费用、方式与内容易产生分歧。同一地区、面向同一细分市场促销的经销商为了自身利益，在促销策略与内容方面往往有着各自的重点，双方也经常因为向消费者诉求的内容不同而导致冲突。

（6）技术咨询与服务障碍。从技术服务看，一些经销商为了减少成本，忽视售后服务，低工资聘用一些经验不足的技术人员作为公司骨干，最后导致客户的很多抱怨和投诉，这都会影响制造商的品牌形象，并产生矛盾。

（7）窜货问题。所谓窜货，就是指企业的产品越区销售的现象，有时又称为"倒货""冲货"。

（二）窜货管理

窜货是分销渠道管理实践中一个让企业和销售人员头痛不已的问题，它给企业的营销造成巨大的危害。窜货发生的原因是多方面的，但都与企业渠道管理过程中某些环节的管理失控有很大的关系。因此，为了防止窜货，使市场能够朝企业预期的方向健康地发展，企业应该立足于管理，建立一个科学合理、健康稳定的销售网络。窜货是渠道冲突的典型表现形式。

1. 窜货现象的种类

（1）自然性窜货。它是指经销商在获取正常利润的同时，无意中向自己辖区以外的市场倾销产品的行为。这种窜货在市场上是不可避免的，同种产品只要存在市场分割从而导致价格存在地区差异，或者在不同市场的畅销程度不同，就必然产生地区间流动，它主要表现为在相邻地区的边界附近互相窜货，或是在流通型市场上，产品随物流走向而倾销到其他地区。

（2）良性窜货。它是指企业在市场开发初期，有意或无意地选择了流通性较强的市场中的经销商，使其产品流向非重要经营区域或空白市场的现象。在市场开发初期，良性窜货是有好处的。一方面，在空白市场上企业无须投入，就提高了知名度；另一方面，企业不但可以增加销售量，还可以节省运输成本。

（3）恶性窜货。它是指为获取非正常利润，经销商蓄意向自己辖区以外的市场倾销产品的行为。经销商向辖区以外倾销产品通常是以价格为手段，主要是以低于厂家规定的价格向非辖区销售，以加大自己的出货量拿到厂家所规定的销售奖励或达到其他目的。恶性窜货给企业造成的危害是巨大的，它扰乱了企业整个营销网络的价格体系，会引发经销商之间的价格战，降低产品的渠道利润；使经销商对产品失去信心，丧失经营产品的积极性而最终放弃经销此种产品；混乱的价格将导致企业的产品、品牌、信誉失去消费者的信任和支持，从而导致企业的衰败和破产。

2. 产生窜货现象的原因

（1）经销（代理）商选择不当。

（2）销量任务设计不妥。

（3）管理制度有漏洞。

（4）管理监控不力。

（5）抛售滞销品和处理品。

（6）竞争对手恶意造成的窜货。

3. 治理窜货现象的对策

（1）加强自身销售队伍和外部中间商队伍的建设与管理。企业自身销售队伍的建设一方面要严格设计招聘、培训制度，另一方面也要设计合理的考核、激励制度。经销商或代理商队伍的建设也要在选择上下功夫，绝不让不合格的经销商或代理商滥竽充数。

（2）堵住制度上的漏洞。既要防止制度缺陷，更要防止制度不合理。例如，要严格审货的处罚规定，销售目标要在调查的基础上做到切实可行，建立合理的差价体系。

（3）签订不窜货控价协议。协议是一种合同，一旦签订就等于双方达成契约，如有违反就可以追究责任，为加大处罚力度提供法律依据。例如，奥普浴霸为防止窜货，与经销商签订了《防窜货市场保护协议》和《控价协议》，明确了双方的责权利，较好地维护了市场秩序。

（4）归口管理，权责分明。企业分销渠道管理应该由一个部门负责。多头管理，令出多门容易导致市场混乱。

（5）加强销售渠道监控与管理。第一，要时刻观察销售终端，及时发现问题；第二，信息渠道要畅通，充分利用受窜货危害的中间商的反馈信息；第三，出了问题及时严肃处理。

（6）包装区域差异化，即厂家对销往不同地区的相同产品采取不同的包装，可以在一定程度上控制窜货。主要措施有给予不同的编码、外包装印刷条形码、文字识别、采用不同颜色的商标或不同颜色的外包装等。

三、分销渠道物流管理

市场营销不仅要发掘、刺激消费者或用户的需求和欲望，而且还要适时、适地、适量地提供产品给消费者或用户，以满足他们的需求。为此，要进行仓储和运输，即物流管理。制定正确的物流策略，对于降低成本、增强竞争力、提供优质服务、促进和便利消费者购买、提高效益，均具有重要意义。

（一）物流的概念

物流译自英文"Physical Distribution"（实体分配）。它来源于美国，20世纪60年代中期为日本所引用，在我国曾一度被称作"商品储运"。在美国、日本和我国，对物流曾有过不同的定义。

物流是指通过有效地安排商品的仓储、管理和转移，使商品在需要的时间到达需要的地点的经营活动。物流的任务包括原料及最终产品从起点到最终使用点或消费点的实体移动的规划与执行，并在取得一定利润的前提下，满足消费者的需求。物流是一个相当宽泛的概念。根据不同的观察角度，物流可分为宏观物流、中观物流和微观物流；根据不同的空间范围，物流可分为国内物流和国际物流、区间物流和区内物流；根据不同的服务对象，物流可分为实体物流、产业物流、商业物流和消费者物流；根据其在产业部门的不同功能，物流可分为生产物流、营销物流、采购物流和回收物流。

（二）物流的职能

物流的职能是将产品由生产地转移到消费地，从而创造地点效用。物流作为市场营销的一部分，不仅包括产品运输、保管、装卸、包装，而且包括开展这些活动过程中所伴随的信息传播。它以企业销售预测为开端，并以此为基础规划生产水平和存货水平。

物流的主要职能一般包括订单处理、包装、运输、仓储、装卸搬运、库存控制六个要素。

1. 订单处理

订单处理包括接受、记录、整理、汇集订单和准备发运商品等工作。企业收到订单后，必须迅速、准确地处理。首先检查订单是否正确，然后按订货单要求的商品品种、数量、式样、规格、型号，把商品发运给顾客。

2. 包装

包装分为商品包装和工业包装。物流管理中的包装是指工业包装。物流管理中包装形式的确定、包装材料的采用和包装方法的选择都要与物流管理的其他要素相适应。不同的装卸方式对包装提出不同的要求，仓库堆码的高度、商品性能、运输工具的选择及运送距离的远近等也对包装提出了不同的要求。

3. 运输

运输是借助各种运力，实现商品空间位置上的转移。关于运输决策的内容，首先，根据运输时间与运输条件的具体要求选择适宜的运输方式，如铁路、水路、公路、航空、管道、联运等；其次，企业还要决定发运的批量、送货的时间以及行走的路线等。

4. 仓储

仓储是利用一定的仓库设施和设备收储、保管商品的活动。对于决定入库储存的商品，要选择是自建仓库，还是租赁仓库。如果决定自建仓库，还应决定仓库的规模、结构和形式，并选择适当的仓库位置。

5. 装卸搬运

运输和仓储都离不开装卸、搬运。装卸搬运的基本内容，包括商品的装上卸下、移动、分类、堆码等。在商品的实体运动中，装卸质量的好坏对物流管理成本有很大影响。所以，装卸搬运的合理化是物流管理系统合理化的一个重要方面。

6. 库存控制

库存是在流通过程中为保证不间断地销售而产生的一种功能形式。库存控制包括决定和记录的存放地点、实际储存数量、进货周期及进货的数量等。企业的库存无论是过多或过少都会造成不利的影响，因此，企业要在充分考虑对顾客的服务水平并兼顾其经济因素的基础上，制定出适当的库存量和库存量的补充。

主要名词

分销渠道　中间商　渠道设计　窜货　渠道管理

 案例分析

卡特彼勒公司渠道建设的启示

卡特彼勒公司总部在美国伊利诺伊州，主要从事挖掘机、推土机等工程机械生产。卡特彼勒是世界上最大的生产工程机械的公司。它之所以能够在竞争激烈的工程机械市场长期占有领导者地位，原因是多方面的，但在对新兴市场激烈的争夺中，卡特彼勒市场营销战略发挥了重要的作用。

卡特彼勒公司总部在美国本土有30家工厂，在全球设有29个分支公司。

研究卡特彼勒公司的发展，分析家都会注意到与其相伴成长、遍及世界的分销代理商。"让代理成为伙伴"，这是卡特彼勒公司前总裁当劳·费德斯先生关于分销代理制的口号。分销渠道被定义为"执行联系生产者和用户以完成营销任务的活动的组织机构网络"。分销是指商品通过渠道的实物流动，渠道则是为实现产品或服务附加效用的个人或企业组成的协调组织。渠道效用的主要形成有地点（在方便潜在顾客的位置上提供产品或服务）、时间（顾客一旦提出要求即可获取产品或服务）、形态（产品的分类、使用准备和保管）和信息（回答顾客询问、保证顾客能够了解产品的特征）。而这些效用正是卡特彼勒产品价值和竞争优势的基本来源。

美国卡特彼勒公司现有11个全球配送中心（Distribution Centers）和122个分销商，在美国本土有12个区域配送中心和65个分销商。卡特彼勒公司在全球范围的销售系统统一采用分销代理制。

一、中国市场分销渠道结构

在中国市场的四个分销渠道成员是卡特彼勒公司在亚太地区长期的分销商，也都具有长期卡特彼勒产品的销售经验，他们跟随卡特彼勒在中国市场投资建厂而进入中国。

卡特彼勒做出在中国投资建厂决策的同时，就开始筹备组织在中国市场的分销渠道。卡特彼勒认为，在中国这样一个新兴的巨大潜在市场上要建立一个优秀的分销机构，制造商和独立分销商都必须做出巨大的投资，这些投资有资金和固定资产的形式，也有培训以及在用户服务方面达成的共识。他们通过考察、评估，决定不在中国市场选择本土分销商，而沿用已有的分销商。卡特彼勒公司将其产品在中国市场的分销代理权向亚太地区，特别是中国周边市场已有分销商公开招标，并最终确定了三家在中国市场的区域分销商，它们分别是利星行机械有限公司、易初明通机械有限公司和信昌机器工程有限公司。其中，利星行主要在华东区域、易初明通在华西、信昌则从事华南的区域分销工作，而华北的销售暂时由卡特彼勒（中国）直接销售。2000年，卡特彼勒最后确定澳大利亚的威斯特机械公司作为华北区域销售的分销商，卡特彼勒（中国）退出直销渠道。

二、分销代理制的职能分工

在卡特彼勒公司每次面临困难的时候，其分销系统都发挥了非常重要的作用，与卡特彼勒渡难关。卡特彼勒的领导者认为，他们之所以长期保持世界范围内的行业领先地位，最大的原因就在于他们的"分销系统、售后服务和与顾客的亲密关系"。

这种协同合作的分销代理制，使卡特彼勒的分销商具有一般制造代理所没有的以下一些特点：

（1）卡特彼勒的分销商是独立的商业组织，独立拥有、独立经营。他们也执行制造商代理（MA）的功能，但是类似于销售代理商，他们从事卡特彼勒营销活动的职责范围比一般意义上的制造商宽很多，他们被卡特彼勒授予的权限也比一般制造商代理的权限大很多。

（2）卡特彼勒的分销商不同于一般的制造商代理。他们从卡特彼勒购买产品，从而对产品拥有所有权和控制权。

（3）严格要求分销商。卡特彼勒的分销商不但不得销售与卡特彼勒竞争的产品，甚至不能从事其他工程机械制造商的非竞争性产品销售。

（4）卡特彼勒的分销商不同于一般代理商，一般代理商只参与分销渠道的部分活动，而卡特彼勒的分销商参与几乎全部分销渠道的活动，并且在大部分活动中执行主要功能。

（5）自行确定客户。卡特彼勒的分销商自行确定最终用户，而无须卡特彼勒授权。

（6）执行仓储功能。卡特彼勒的分销商执行一般制造商代理不执行的部分仓储功能，他们与卡特彼勒全球或区域配送中心密切联系，并储备一定的产品，以便迅速向用户供货。

（7）卡特彼勒的分销商参与渠道资金流活动，提供产品销售分期付款或赊账销售，承担相应的财务风险。

（资料来源：甘碧群．国际市场营销学［M］．北京：高等教育出版社，2006.）

讨论并回答问题：

1. 案例中，卡特彼勒公司的分销渠道有何特点？
2. 卡特彼勒公司的渠道建设对你有什么启示？你将如何帮助卡特彼勒公司加强分销渠道建设？

本章小结

本章主要探讨了分销渠道概述、渠道设计、中间商和产品实体分销等问题。

分销渠道是指"当产品从生产者向最后消费者或产业用户移动时，直接或间接转移所有权所经过的途径"。

分销渠道体系中的流程有：①商流；②物流；③货币流；④信息流；⑤促销流。分销渠道的模式包括分销渠道的长度模式和分销渠道的宽度模式。

分销渠道的设计是渠道建设的重要内容。影响分销渠道设计的限制因素很多，制造商在决定选择分销渠道前，应对市场、产品、企业、中间商和环境等方面进行综合分析，以便做出正确的选择。

中间商是在商品从生产领域转移到消费领域的过程中，参与商品交易活动的专业化经营的个人和组织。中间商按其在流通过程中的地位和作用可分为批发商和零售商。批发商是把商品出售给那些为转卖商品而购买的中间商。批发商有三种主要类型：买卖批发商、代理商和经纪人以及制造商的销售部。零售商是将商品销售给为个人或家庭使用而购买的最终消费者的中间商。根据所有权的归属不同，零售商可分为连锁商店和独立商店两种类型；根据是否购置店铺进行商品交易，零售商可分成有店铺零售商和无店铺零售商两种类型。

产品实体分销是指渠道内发生的产品实体的转移及其经营管理，也可以称为分销渠道中的物流管理。产品实体分销的职能是运输、仓储、物资搬运、订单处理和保护性包装。产品实体分销首先要做好仓储决策，确定仓库地点和数量的设置；其次要做好存货决策，确定进货点和经济进货批量；最后要做好运输决策，确定运输方式和运输路线。同时，搞好产品实体分销还要做好配送管理工作。配送中心的现代化管理包括信息管理计算机化、商品分拣自动化、商品储存立体化和商品配送共同化。

思考与实训

1. 分销渠道的职能有哪些？
2. 影响分销渠道设计的因素有哪些？
3. 如何进行分销渠道的管理？
4. 治理窜货现象的对策有哪些？
5. 何谓产品实体分销？决策的主要内容是什么？
6. 何谓中间商、批发商、零售商？批发商和零售商的类型有哪几种？
7. 收集戴尔电脑、雅芳、安利等产品的相关材料，了解其直销运作模式，分析其为什么会取得成功。

第十一章 促销策略

> **学习目标**
> 1. 掌握促销及促销组合的相关概念，理解促销的本质
> 2. 理解人员推销的含义、特点，掌握人员推销的策略
> 3. 理解营业推广的含义、作用，掌握营业推广的方式
> 4. 理解公共关系的含义、特征，掌握公共关系的活动方式
> 5. 熟悉广告的含义、类型，以及广告媒体及其选择和广告决策

导入案例

联合品牌整合传播

苏泊尔和金龙鱼以"好锅好油，健康美食"为主题，展开各自的促销活动传播。本次联合品牌推广采取叠加式推广方式，以统一的视觉形象与消费者沟通，加强消费者对苏泊尔和金龙鱼品牌间密切关联的认知，强化消费者对健康饮食文化的认同。

传播的形式：报纸广告、报纸软文、网站广告、终端物料、产品包装、卖场邮报。2003年12月25日~2004年1月25日，第一阶段的活动在全国800家卖场及商场轰轰烈烈地展开。活动一开始即表现出强大的生命力，掀起了一场"红色风暴"。

承载着品牌信息的促销活动深深吸引了消费者，活动效果大大超出了预期。苏泊尔的数据显示，与往年相比，单位产出增加了近40%；金龙鱼方面的销售与同期相比获得了60%的增长。

活动期间的一个小插曲颇具代表性：在南方一个苏泊尔品牌弱势的区域，一个大型卖场中，某炊具厂家（当地强势品牌）花5万元做了一次促销活动，其效果竟然不及苏泊尔的1/3，而苏泊尔的花费仅仅是1.5万元。

在这次合作中，苏泊尔和金龙鱼在成本降低的同时，品牌美誉度和市场地位得到了提升：金龙鱼扩大了自己的市场份额，品牌美誉度得到进一步加强；苏泊尔则进一步强化了"中国厨具第一品牌"的市场地位。

（资料来源：胡滨. 苏泊尔、金龙鱼联袂破"局"[J]. 销售与市场，2004（6）.）

第一节 促销与促销组合

企业的营销活动是由多种因素构成的综合体，现代营销要求企业不仅要以合理的价格向

目标消费者提供优质的产品，还要求企业以最快的速度与消费者建立关联，通过各种渠道向消费者传递企业的理念、产品信息、品牌形象等。谁最先吸引了消费者的眼球，谁就取得了成功的一半，而这一切都依赖企业的促销。

一、促销的含义

促销是促进销售的简称，是指企业通过人员或非人员的方式将产品或服务的信息传递给消费者或用户，帮助、影响或说服其购买某项产品或服务，或至少引起潜在消费者的兴趣，激发其购买欲望的活动。促销与一般的销售活动有很大的区别，销售是通过商品货币关系将产品让渡给消费者，完成商品价值形态的转移；促销则是为促成销售的实现而不断告知和说服消费者的过程。

促销的概念包括以下几方面的含义：

（1）促销的目的是吸引消费者对企业的形象或产品产生注意和兴趣，激发其购买欲望，促使其采取购买行为。

在一般情况下，消费者的态度直接影响和决定着消费者的行为，所以，要促进消费者购买行为的产生，就必须充分利用各种方式，通过信息的传播和沟通，影响或转变消费者的态度，使其对本企业的产品产生兴趣和偏爱，进而做出购买决策。

（2）促销的本质是信息沟通。企业通过信息的沟通和传递，将产品或服务的存在、性能和特征等信息传递给消费者，激发消费者的购买欲望，促使其产生购买行为；同时，企业通过市场调研获得反馈信息。

（3）促销的方式分为人员促销和非人员促销。人员促销是指派出推销人员直接与消费者面对面地洽谈；非人员促销是指企业借助某种媒介传递企业、产品或服务的信息。在促销活动过程中，企业通常将人员促销和非人员促销结合起来运用，即促销组合。

二、促销的作用

促销在企业营销活动中是不可缺少的重要组成部分，是因为它具有如下作用：

1. 传递信息，强化认知

在现代市场经济社会里，企业需要及时地向经营者和消费者提供有关商品的信息，同时希望通过经营者和消费者的信息反馈来引导和促使生产者改进商品结构，以适应市场需求，扩大商品销路。另一方面，商品琳琅满目，消费者往往产生茫然、不知所措的感觉，他们非常希望获得有关商品的信息，以帮助自己进行购买决策，使自己在这方面的需求得到更好的满足。促销正是通过人员和非人员方式，进行信息的单向或双向的沟通，以增进消费者对企业及其商品的了解，扩大企业的社会影响。对中间商来说，也需要向零售商和消费者介绍商品，争取他们成为现实的买主。

2. 突出特点，诱导需求

在同类商品竞争比较激烈的情况下，许多产品在价格、质量等方面大体相当，此时消费者更乐意选择那些能带来特殊利益的商品。市场上不同生产者生产的同类商品，通常客观上存在种种差别，消费者往往不易觉察。企业通过促销活动，着眼于满足消费者特殊需求，宣传自己商品的特点，使消费者认识到本企业商品将给他带来特殊利益，从而使消费者在众多同类商品中乐于购买本企业的商品。

3. 指导消费，增加需求

消费者的需求不仅具有多样性和多变性，而且还具有可诱导性。有效的促销活动不仅可以诱导和激发需求，在一定条件下还可以创造需求。通过一定的促销形式，不仅可以使更多的消费者对本企业的商品产生信任，形成偏爱，达到增加需求的目的，而且当某种商品的销售量下降时，可以使需求得到某种程度的恢复。当某种新产品准备投放市场时，企业有效的促销措施可以激发消费者的购买欲望，刺激需求，尽快占领市场。

4. 滋生偏爱，稳定销售

由于市场竞争日趋激烈，产品的销售量可能起伏较大，企业通过促销活动，可以使更多的消费者形成对本企业和特定产品的偏爱，达到稳定销售的目的。一些专家认为，促销的重要使命就是稳定企业产品的市场地位。事实上，企业如果长期不进行促销活动，其产品就可能渐渐被人遗忘，甚至有可能退出市场。

三、促销组合及促销策略

（一）促销组合策略的影响因素

现代营销学认为，促销的具体方式包括人员推销、广告、公共关系和营业推广四种。企业把这四种促销形式有机地结合起来，综合运用，形成一种组合策略或技巧，即为促销组合。

企业在确定了促销总费用后，面临的重要问题就是如何将促销费用合理地分配于四种促销方式的促销活动中。四种促销方式各有优势和不足，既可以相互替代，又可以相互促进、相互补充。所以，许多企业都通过综合运用这四种方式达到既定目标，使企业的促销活动更具有生动性和艺术性，当然也增加了企业设计营销组合的难度。企业在四种方式的选择上各有侧重。例如，同是消费品企业，可口可乐主要依靠广告促销，而安利则主要通过人员推销。因此，在考虑选择何种促销手段，以达到既经济又有效的目的时，必须做到以下两点：

1. 了解各种促销方式的特点

各种促销方式在具体应用上都有其优势和不足，也都有其实用性。所以，了解各种促销方式的特点是选择促销方式的前提和基础。

（1）人员推销。人员推销能直接与目标对象沟通信息，建立感情，及时反馈，并可当面促成交易；但其占用人员多、费用高，而且接触面比较窄。

（2）广告。广告的传播面广、形象生动，比较节省资源；但广告只能对一般消费者进行促销，针对性不足，也难以立即促成交易。

（3）公共关系。公共关系的影响面广、信任度高，对提高企业的知名度和美誉度具有重要作用；但公共关系花费力量较大，且效果难以控制。

（4）营业推广。营业推广的吸引力大，容易激发消费者的购买欲望，并能促成立即购买；但营业推广的接触面窄、效果短暂，不利于树立品牌。

2. 充分考虑影响促销组合的因素

企业的促销组合受到下述多方面因素的影响：

（1）促销目标。企业在不同时期及不同的市场环境下有不同的促销目标，目标不同，促销组合就会有差异。如果在一定时期内，某企业的促销目标是在某一特定市场迅速增加销售量，扩大市场份额，则促销组合应注重广告和销售促进，强调短期效益。如果企业的目标是树立企业在消费者心目中的良好形象，为其产品今后占领市场、赢得有利的竞争地位奠定基础，则促销组合应注重公共宣传和辅之以必要的公益性广告，强调长期效益。

(2) 市场特点。目标市场的特点不同，也需要不同的促销策略。从市场范围大小看，如果目标市场地域范围大，应多采用广告进行促销，如果在规模较小的本地市场销售，则应以人员推销或商品陈列等为主。假如在中等规模的范围内销售，则可以一种促销方式为主，兼用其他方式。从市场类型看，消费者市场因消费者多而分散，多数靠广告等非人员推销形式；而对用户较少、批量购买、成交额较大的生产者市场，则主要采用人员推销形式。

(3) 产品类型。由于产品的类型不同，消费者的购买需求也是不同的，因此企业所采取的促销组合也会有所差异。一般来说，工业用品的技术性强、构造复杂，需要由专人示范操作及讲解，因此适宜采用人员推销的形式；而日用消费品销售面广、性能简单，所以采用广告和营业推广的方式进行促销更经济。

(4) 产品生命周期。产品所处的生命周期阶段不同，促销的重点不同，所采用的促销方式也就不同。一般来说，当产品处于投入期时，促销的主要目标是提高产品的知名度，因而广告和公共关系的效果最好，营业推广也可鼓励消费者试用；在产品的成长期，促销的任务是增进受众对产品的认识和好感，广告和公共关系需加强，营业推广可相对减少；等到了产品的成熟期，企业可适度削减广告，增加营业推广，以巩固消费者对产品的忠诚度；如果到了产品的衰退期，企业的促销任务是使一些老用户继续信任本企业的产品，因此，促销应以营业推广为主，辅之以公共关系和人员推销。

(5) 促销费用。企业的促销活动需要一定的促销资金作为支撑，促销的效果也与促销费用的多少密切相关。行业之间、企业之间的促销费用差别相当大。企业制定促销预算的方法有许多，常用的主要有量力支出法、销售额百分比法、竞争对等法及目标任务法等。

企业在选择促销方式时，要综合考虑促销目标、各种促销方式的适应性和企业的资金状况，据此进行合理的选择，以符合经济效益原则。

(二) 促销组合策略

1. 推式策略

推式策略，即生产企业主要运用人员推销和营业推广方式把产品积极地推销给批发商，批发商再积极地推销给零售商，零售商再向消费者推销。此策略的目的是使中间商产生"利益分享意识"，促使他们向那些打算购买但没有明确品牌偏好的消费者推荐本企业产品。其运作过程如图11-1所示。

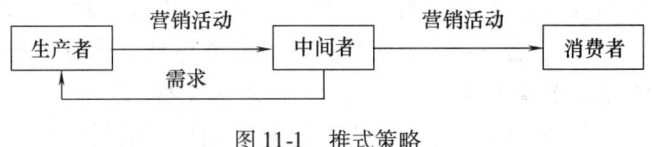

图 11-1 推式策略

2. 拉式策略

拉式策略，即生产企业首先要依靠广告、公共关系等促销方式，引起潜在顾客对该产品的注意，刺激他们产生购买的欲望和行动，当消费者纷纷向中间商指名询购这一商品时，中间商自然会找到生产厂家积极进货。其运作过程如图11-2所示。

在一般情况下，推式策略适合单位价值较高的产品，性能复杂、需要示范的产品，根据用户需求特点设计的产品，流通环节少、流通渠道较短的产品，市场

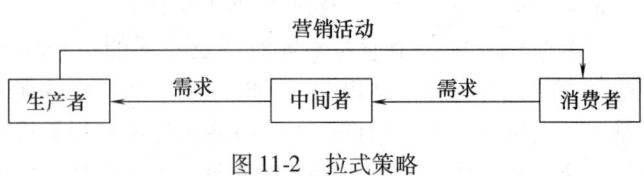

图 11-2 拉式策略

比较集中的产品等；而对单位价值较低的日常用品，流通环节多、流通渠道较长的产品，市场范围较广、市场需求较大的产品等常采用拉式策略。但这也不是绝对的。

第二节 人员推销

人员推销是一种最古老的促销方式。直至今天，虽然广告额增加了许多，但总量仍没有人员推销的开支大，人员推销在组织市场的销售中仍占主力。

一、人员推销的含义、特点及职能

1. 人员推销的含义和特点

人员推销是企业运用推销人员直接向顾客推销商品和劳务的一种促销活动。在人员推销活动中，推销人员、推销对象和推销品是三个基本要素，前两者是推销活动的主体，后者是推销活动的客体。推销人员和推销对象之间接触、洽谈，是为了让推销对象购买推销品，达成交易，实现既销售商品又满足顾客需求的目的。

人员推销是一种面对面的沟通方式。与其他促销方式相比，其特点如下：

(1) 双向沟通。一方面，推销人员将有关企业和产品的信息传递给潜在的目标顾客；另一方面，又听取顾客的意见和要求并及时反馈给企业，以指导企业的经营，使产品和服务更符合顾客需求。

(2) 灵活性好。推销人员可根据每位潜在顾客的购买动机、要求、态度和问题的不同，随时调整自己的策略和方法，有针对性地进行推销，充分有效地说服顾客，使顾客的需求得到最好的满足，提高推销效率。

(3) 选择性强。推销人员大多是一次访问一位潜在顾客，完全可以将目标顾客从消费者中分离出来，根据目标顾客的特点选择每位被访者，并在推销前对其做一番研究，拟订具体的推销方案。相比之下，广告对目标顾客的选择性就差得多，所以，尽管广告的覆盖面远大于人员推销，但成功的概率却比后者小得多，因为广告的受众中有相当一部分人根本不可能购买该产品。

(4) 任务完整。推销人员的任务不仅是拜访顾客，传递信息，说服顾客购买，还包括提供各种服务，现场指导消费，达成实际的交易。如签订购买合同，协助资金融通，正常交货，特别是对一些结构复杂的产品，按合同承担运输、安装、调试、技术指导、维修服务的任务，显示出更优的推销效果。

(5) 公关作用。人员推销通过面对面的人际交往，易于联络与顾客的感情。好的推销人员善于与顾客建立起超出单纯买卖关系的友谊和信任，为企业争取到一批长期买主，促使单纯买卖关系发展成为友好合作关系，实际上起到了公关作用。

(6) 费用高。人员推销的最大问题是访问顾客的数量受到时间和费用的限制，因此不适合用于买者众多、分布范围广的消费者市场，而主要用于买主数量有限的组织市场和购买批量大的经销商。

2. 人员推销的职能

(1) 寻找顾客。人员推销首先要做的工作是确定访问对象，培养新顾客。

(2) 传递信息。要向目标顾客传递有关企业和产品的信息，同时为企业进行市场调研和收集情报。

（3）推销产品。主要包括接近顾客，回答顾客的问题，消除顾客的疑虑，促成交易达成。

（4）提供服务。推销人员有责任为顾客提供各种售前、售中、售后服务，包括咨询服务、技术帮助、安排交货事宜等。

（5）分配货源。主要是在货源短缺时，根据顾客的信誉和急需程度，合理分配货源，调剂余缺。

二、人员推销的组织结构

人员推销队伍组织结构的不同直接影响其效率，共有四种类型的结构可供企业在设计推销队伍的组织结构时选择。

1. 区域型结构

区域型结构即将企业目标市场划分为若干个区域，安排每个推销人员全面负责一个特定区域内的各种商品的推销业务。这是最常见、最简单的组织结构。其主要优点是：推销人员的活动范围特定、责任明确，有利于调动其工作积极性；易于与顾客建立良好的人际关系，减少推销人员的流动时间，节省费用。其不足之处是：只适合那些产品品种单一、市场相似程度较高的企业。

2. 产品型结构

产品型结构即每位推销人员负责一种或一类产品的所有地区的推销工作。它适用于产品品种繁多、技术比较复杂、市场差异较大的企业。其主要优点是：有利于实行销售业务专业化，有利于销售人员熟悉产品，有利于销售人员为顾客提供高质量的服务，从而促进企业的产品销售。其不足之处是：当顾客同时需要购买企业的几种产品时，推销工作就会出现重复；而且这种策略不利于全面规划工作，往往要花费较多的差旅费。

3. 顾客型结构

顾客型结构即按顾客的类型分派推销人员，每位推销人员负责一个或几个顾客群体的推销工作。其主要优点是：有利于加强对顾客的了解，有利于建立稳定的顾客队伍，同时能较好地、有针对性地满足顾客的需求；其不足之处是：如果顾客区域过于分散，销售路线过长，会相应地增加销售费用。

4. 综合型结构

综合型结构即将上述三种结构形式混合运用、有机结合，如按照"区域—产品""产品—顾客""区域—顾客"甚至"区域—产品—顾客"的形式进行组合，配备推销人员。其优点是能吸收上述三种形式的优点，从企业整体营销效益出发开展营销活动。但它对销售人员的要求很高，且销售人员的管理也比较复杂。这种形式比较适合那些顾客种类复杂、区域分散、产品也比较多样化的企业。

三、人员推销的形式、对象与策略

1. 人员推销的基本形式

一般说来，人员推销有以下三种基本形式：

（1）上门推销。上门推销是最常见的人员推销形式。它是由推销人员携带产品的样品、说明书和订单等走访顾客，推销产品。这种推销形式可以针对顾客的需求提供有效的服务，方便顾客，故为顾客所广泛认可和接受。此种形式是一种积极主动、名副其实的"正宗"推销形式。

（2）柜台推销。柜台推销又称门市推销，是指企业在适当地点设置固定的门市，由营业员接待进入门市的顾客，推销产品。门市的营业员是广义的推销人员。柜台推销与上门推销正好相反，它是等客上门式的推销方式。由于门市里的产品种类齐全，能满足顾客多方面的购买要求，为顾客提供较多的购买方便，并且可以保证商品安全无损，因此，顾客比较乐于接受这种方式。柜台推销适合零星小商品、贵重商品和容易损坏的商品。

（3）会议推销。会议推销是指利用各种会议向与会人员宣传和介绍产品，开展推销活动。在订货会、交易会、展览会、物资交流会等会议上推销产品均属会议推销。这种推销形式接触面广、推销集中，可以同时向多个推销对象推销产品，成交额较大，推销效果较好。

2. 人员推销的推销对象

推销对象是人员推销活动中接受推销的主体，是推销人员说服的对象。推销对象有消费者、生产用户和中间商三类。

（1）向消费者推销。推销人员向消费者推销产品，必须对消费者有所了解，为此，要掌握消费者的年龄、性别、民族、职业、宗教信仰等基本情况，进而了解消费者的购买欲望、购买能力、购买特点和习惯等，并且要注意消费者的心理反应。对不同的消费者，要施以不同的推销技巧。

（2）向生产用户推销。将产品推向生产用户的必备条件是熟悉生产用户的有关情况，包括生产用户的生产规模、人员构成、经营管理水平、产品设计与制作过程以及资金情况等。在此前提下，推销人员还要善于准确而恰当地说明自己产品的优点，并能对生产用户使用该产品后所得到的效益做简要分析，以满足其需求；同时，推销人员还应帮助生产用户解决疑难问题，以取得用户的信任。

（3）向中间商推销。与生产用户一样，中间商也对所购商品具有丰富的专门知识，其购买行为也属于理智型。这就需要推销人员具备相当的业务知识和较高的推销技巧。在向中间商推销产品时，首先要了解中间商的类型、业务特点、经营规模、经济实力以及他们在整个分销渠道中的地位；其次，应向中间商提供有关信息，给予中间商帮助，建立友谊，扩大销售。

3. 人员推销的基本策略

在人员推销活动中，一般采用以下三种基本策略：

（1）试探性策略。试探性策略用于销售人员不十分了解顾客的需求、诉求重点不明确的情况。销售人员可以先用多种话题试探顾客，吸引顾客的注意并观察其兴趣所在，在了解顾客反应后进一步采取相应的推销措施。很多优秀的推销员都认为"只要顾客开口说话，买卖就成功了一半"，这也是他们把较多的时间和精力放在"投石问路"上的原因。

（2）针对性策略。针对性策略的运用是建立在原有的调查、经验基础上的，它无须再耗费资源对顾客进行了解，而是事先设计好针对性强、能投顾客所好的推销语言和方式，有目的、分步骤地进行宣传、展示和介绍产品，劝说顾客购买。运用该策略时，应注意要始终体现出诚意，让顾客感到销售人员是在真心实意地为其出谋划策，而不是想方设法推销产品，否则会适得其反。

（3）诱导性策略。诱导性策略即销售人员运用能激起顾客某种需求的说服方法，诱导顾客产生购买欲望，最终采取购买行动的策略。诱导性策略是一种创造性推销，要求销售人员运用高超的推销艺术和技巧诱发顾客产生某方面的需求，并激发这种需求，然后再不失时机地推出企业产品来满足这种需求。

◆ 阅读案例 11-1

打包机是如何卖出去的？

某推销员向一家商品包装企业的厂长推销新型打包机，他的目的是让这个企业全换上这种机器。下面是他与厂长的对话：

推销员："王厂长，您好。我带来了一种新型打包机，您一定会感兴趣的。"

厂长："我们不缺打包机。"

推销员："王厂长，我知道您在打包机方面是个行家。是这样，这种机器刚刚研制出来时间不长，性能相当好，可用户往往不愿意用。我这次来是想请您帮着分析一下，看问题出在哪里，占不了您几分钟的时间。您看，这是样品。"

厂长："哦，样子倒挺新颖的。"

推销员："用法也很简单，咱们可以试一试。"（接通电源，演示操作）

厂长："这机器还真不错。"

推销员："您真有眼力，不愧是行家。您看，它确实很好。这样，我把这台给您留下，您先试用一下，明天我来听您的意见。"

厂长："好吧。"

推销员："您这么大的厂子，留一台是不是太少了？一个车间试一台，效果就更明显了。您看，我一共带来了五台样机，先都留到这儿吧。如果您用了不满意，明天我一块拿走。"

厂长："全留下？也行。"

推销员："让我们算一下，一台新机器800多元，比旧机器可以提高工效30%，每台一天能多创利20多元，40天就可收回成本。如果您要得多，价格还可以便宜一些。"

厂长："便宜多少？"

推销员："如果把旧机器全部换掉，大概至少要300台吧？"

厂长："310台。"

推销员："那可以按最优惠价格，每台便宜30元，310台就是10000多元了。这有协议书，您看一下。"

厂长："好，让我们仔细商量一下。"

至此，买卖已一步步逼近成交。

四、人员推销的任务

人员推销的任务包括以下几个方面：

（1）寻找顾客，开拓市场。推销人员不仅要与现有顾客保持密切联系，还要深入市场，寻找、培养新顾客。

(2) 传递信息，促进销售。推销人员必须向目标市场传递有关企业产品信息，通过信息沟通赢得用户的信任与好感。

(3) 热情服务、协调关系。为用户提供技术咨询、义务指导、帮助解决运输问题等。当供需双方发生误解和纠纷时，要善于协调关系，化解矛盾。

(4) 收集信息，预测需求。推销人员在销售产品的同时，还担负着一定的调研和情报收集分析的任务，通过捕捉市场信息，了解同类产品的市场状况，预测市场需求动向。

(5) 权衡缓急，分配产品。当企业的某些产品因短缺不能满足全部顾客的需求时，分析和评估各类顾客，然后向企业提出如何分配短缺产品、安排发货顺序的建议。

五、人员推销的策略

推销人员应根据不同的销售环境、推销气氛、推销对象和推销商品，审时度势，巧妙而灵活地采用不同的推销策略，吸引顾客的注意，激发顾客的购买欲望，促成交易。人员推销的策略主要有以下三种：

(1) 试探性策略，也称刺激—反应策略。这种策略就是在不了解顾客需求的情况下，事先准备好要说的话，对顾客进行试探；同时密切注意对方的反应，然后根据反应进行说明或宣传。

(2) 针对性策略，也称配合—成交策略。这种策略的特点是事先基本了解顾客某些方面的需求，然后有针对性地进行"说服"，当讲到"点子"上引起顾客共鸣时，就有可能促成交易。

(3) 诱导性策略，也称诱发—满足策略。这是一种创造性推销，即首先设法引起顾客需求，再说明自己所推销的这种服务产品能较好地满足这种需求。这种策略要求推销人员有较高的推销技术，在"不知不觉"中成交。

六、人员推销的主要步骤

在众多的推销理论中，应用最广泛的是"程序化推销"理论，这种理论把推销过程分成七个步骤。

1. 确定目标

选择极有可能成为顾客的人，即潜在顾客。这些潜在顾客可以从直接对消费者、企业进行调研，以及通过亲朋好友的介绍、公共档案、电话号码簿、工商企业名录、公司档案中获得。

2. 接触前的准备

接触前的准备包括收集顾客信息，进行必要的心理和物质方面的准备。

3. 接触顾客

同顾客会见之初，最重要的是唤起顾客的注意，把顾客的注意力从其手头工作吸引到自己的产品上。信息传播理论告诉人们，为提高信息传播效果，必须排除干扰，顾客手头的工作就是干扰，必须排除。为了达到排除干扰的目的，应与顾客谈论其最关心的问题，唤起顾客的兴趣；同时应给顾客留下一个良好的印象，注意自己的仪表、服装，懂礼貌、有教养，做到稳重而不呆板、活泼而不轻浮、谦虚而不自卑、直率而不鲁莽、敏捷而不冒失。

阅读案例 11-2

学会感染他人

有一次，一位推销员来办公室见拿破仑·希尔（Napoleon Hill）。她向他推销报纸杂志，其中一种就是《周六晚邮》。但她的推销方法则大为不同。她看了看他的书桌，发现书桌上摆了几本杂志，然后，忍不住热情地惊呼："哦！我看得出来，你十分喜爱阅读书籍和各种杂志。"

听了她的话，拿破仑·希尔把稿子放了下来，想要听听她还将说些什么。用短短的一句话，加上一个愉快的笑容，再加上真正热忱的语气，她已经成功地中断了拿破仑·希尔的工作，完成了对推销员来说最困难的事情，很好地吸引了拿破仑·希尔的注意力。在接下来的时间里，她成功地完成了自己的推销。

4. 推销介绍

在很多情况下，这一阶段除了对产品进行实际推销介绍外，还包括产品的展示。在这一过程中，推销人员应指出产品的特点和利益，以及它们如何优于竞争者的产品，有时甚至可指出本产品的某些不足，或可能出现的问题及如何减免或防范。在展示产品时，推销人员还可提请潜在顾客亲自演练使用展示品。在产品展示和试用中，必须把重点放在自己推销介绍时所指出的特点上。

5. 回答异议

潜在顾客任何时候都可能提出异议或问题，这就给推销人员提供一个机会去消除可能影响销售的那些反对意见，并进一步指出产品的其他特点，或提示公司可提供的特别服务。也就是说，潜在顾客所提问题可分为两类：第一类所提异议必须在成交前加以解决；第二类需要进一步沟通。

6. 成交

一旦对潜在顾客所提问题做答后，推销人员就要准备达到最重要的目标—成交，也就是使顾客同意购买自己推销的产品。在洽谈过程中，推销人员要识别成交的信号，及时提出成交的建议。有些买主不需要全面的介绍，介绍过程中，如果发现对方有愿意购买的表示，应立即抓住时机，签约成交。为了促成交易，推销人员还可提供一些优惠条件。

7. 追踪

商品售出后，推销人员必须予以跟踪，以确保产品按时、保质、在良好状况下送达顾客手中，并确保其处于正常的使用状态。这种追踪可以给顾客留下一个好印象，是保证顾客满意、培育忠诚顾客所必不可少的。因此，它是推销过程的重要环节。对一些重要的顾客，推销人员要特别注意与之建立长期合作关系，帮助顾客解决问题，提供各种必要的售前售后服务，发展个人之间的友谊，实行"关系营销"。尤其是企业与企业之间的交易，关系营销的重要性正在与日俱增。

上述推销过程的逻辑性很强。在实际工作中，推销员应尽力遵循，但也不能死守教条，而应灵活地将一些步骤根据顾客的反应加以合并，有的步骤可以越过，但对大笔生意，上述程序一般不可缺少。

阅读案例 11-3

一个女推销员的销售技巧

周日下午两点左右,我正在挑选一本营销类图书,这时,一个30岁左右干练的女子出现在我旁边,先是在翻阅一本书。然后她伸出胳膊在我面前一过又从书架上取下一本书。我不经意地一抬头,正好与她四目相对,她笑着说:"你也是做销售的吧?"

"是的。"我随意地应和着。

"我也是做销售的。你做什么产品的?"她又问了一句。

"欧派橱柜。"我边翻书边回答。

"听说过欧派,很有名气的,真羡慕你们。我是做××产品的,听说过吗?"她的话逐渐多起来。

"听说过,但不是很了解。"我还是在应和着。

"××是全球最大的直销产品企业,每年在全国销售几百亿元。做销售很累呀,估计你们也是吧?"她开始转移话题了。

"可不是嘛,每天都要思考和处理很多问题。"我们开始找到了共同语言。"所以呀,天天在外面奔波一定要注意身体哦。你们要洽谈生意肯定吸烟吧?"她开始关心我了。

"吸烟是必不可少的,是沟通和解压的一种方式嘛。"我深有体会地说。

"烟中含有苯和焦油,还有多种放射性物质能致癌,90%的肺癌患者多为吸烟引起的,还能引发口腔癌和喉癌等,所以你最好戒掉。"

我被说得心里一颤,呵呵地笑了下,也是在感谢她的好意。

"我以前一个同事就是吸烟过度引起身体不适的。既然吸烟,肯定也很能喝酒吧?"她笑着又转了一个话题。

"你看呢?"我反问了一句。

"我估计你至少能喝一斤白酒。"她笑了笑。

"没有那么多,一般而已。"我也笑了笑。

"经常喝酒能使脂肪堆积在肝脏引起脂肪肝,还会引起胃出血并危及生命。俗话说'抽烟伤肺,喝酒伤胃'嘛,所以你一定要注意了!"她说得我心里有一种恐惧,但也暖暖的。

"对了,纽崔莱有几种产品对胃和肺有一定的保养作用,尤其是针对长期吸烟喝酒的人,你可以先了解一下。"她边说边递给我一张关于纽崔莱的产品说明书,然后轻声向我介绍。

"你不是想向我推销保健品吧?"我笑道。

"不是的,因为我发现你脸色不太好,所以才向你介绍的。哦,这是我的名片。"她顺手塞给我一张名片。

"我脸色哪里不好?"我好奇地问道。

"这也是我根据长期的经验看出来的。呵呵,哎呀(她看了一下手机),真不好意思,我马上要给一个客户去送货,比较急。这样吧,名片上有我的联系电话和公司地址,明天晚上有一场相关的健康讲座,还有两位销售培训老师来给上课,我们可以相互交流一下,好不好?"她脸上流露出急切而真诚的表情。

"哦,好吧。"

"你看,我们的地址在××路××号,这是我的电话,你直接打就可以了。把你的电话留给我吧，我派人在附近接你。"她掏出纸和笔递给我。

我随手留下了电话。

"我先走了，真不好意思，明天见。"她消失在我眼前。

分析：

做销售培训工作的我从一开始就对××的直销人员保持着好奇和兴趣。以前也在书城接触过一些这样的人员，但发现今天接触的这个人员运用的技巧确实是非常独到的。

第一，人群细分非常准确。她主推的产品是保护肝脏的，而需要这些产品的顾客具有什么特征？这些顾客在哪里？怎样才能找到？如果把这三个问题解决了，基本客户群体就被牢牢掌握了。毫无疑问，经常在外面应酬的销售人员一般都是吸烟喝酒的（我指的是大部分），而且从数量上也都超出一般人的标准，这是不可或缺的润滑剂，同时也是一个沟通的平台，所以这个直销人员把目标锁定在销售人员身上。平时销售人员都在市场上奔波，一般人很难去寻找这些人员，即使找到了，他们也不一定有时间听你推销。而很多销售人员都是需要充电的，一些人把阅读书籍看成最好的充电方式，所以，购书中心就成了寻找他们的最佳场所。做销售的人一般都会看营销类书籍，因此，"守株待兔"就可以了，在营销类书籍的货架旁就能找到大批的目标客户。相反，其他很多××直销人员却在这里推销家庭日用品（笔者曾经接触过），人都找不对，产品能卖出去吗？

第二，市场定位精准。销售人员不一定都会选择保健品养肝护胃，有些人是不在意，有些人是没有意识，也有些人没有时间，情况很多。但我们想一想，这些人员既然能来书城看书、选书，就表明他们是比较注重学习、注重身体、注重生活的，如果善加引导，购买的可能性会比较大。

第三，接触方式恰到好处。她先是到我旁边逗留一会儿，然后通过取书引起我的注意并打开了话题。这种接触方法是很自然的，不会引起我的戒备心和反感，我也愿意与她交流。如果一个陌生人直接来问我是做什么职业的，或没话找话，我的警戒心理肯定会很强，以致没有兴趣继续交谈，整个过程就不会发展得特别顺利。

第四，逐步引导。大家可以明显地看出，她为了使整个谈话过程能持续下去并逐步找到我的需求，每一句谈话都是以问号结尾的。问号结尾能使我有话说，而通过我的话，她能了解到自己所想了解的内容。如果谈话都是以句号结尾，就可能随时中断，并且没有重点。例如，她先用"你也是做销售的吧"这句话来确定我是不是她的目标客户，目标明确以后，她又通过"你们要洽谈生意肯定吸烟吧"这句话继续明确问题，从而讲出吸烟对身体的害处，话题转到喝酒又引导出我的酒量，层层深入诱我上钩。

第五，迅速拉近两人之间的距离。这里她运用了两个方法：其一，找出共同话题。她问我的第一句话就是"你也是做销售的吧？"注意中间用了一个"也"字，说明了什么问题？她自己是做销售的，我们是同行，同行和同行之间的共同语言是比较多的。这个"也"字使我们找到了共同的话题，打破了我们之间的沟通障碍。其二，赞美我。人人都爱听好话，尤其是希望别人能认同自己、尊重自己。虽然我们在受到别人赞美的时候，嘴上都会谦虚地说道"哪里哪里，一般般啦"，但心里还是美滋滋的。赞美一个人是不需要成本的，但带来的成效却是最大的。她的一句话"听说过欧派，很有名气的，真羡慕你们"，使我感到了很大的满足与自信。

第六，销售痛苦。任何人做事的动力都有两个：一个是"逃离痛苦"；另一个是"获得快乐"。光说好话一个人不一定能听得进去，从相反的方面讲效果会更好。

记得在一次培训课上，我问学员："是逃离痛苦给一个人的动力大，还是获得快乐给人的动力大呢？"结果回答哪个方面的都有。

我又问："在北京奥运会上，牙买加飞人博尔特打破了100m的世界纪录，他的动力是什么？"

"获得金牌！"回答很一致。

"如果没有金牌，而是放一条狼狗在后面追他，结果会怎么样？"

"跑得更快！"下面一阵哄笑。

我们再看这个销售人员，她先是引导我说出既吸烟又喝酒，然后把更多的痛苦卖给我——"烟中含有苯和焦油，还有多种放射性物质能致癌。""经常喝酒能使脂肪堆积在肝脏引起脂肪肝……所以你一定要注意了！"短短两句话就使我深刻地意识到了抽烟与喝酒的危害，下一步，她就可以顺其自然地把"解药"卖给我了。

第七，关心顾客。"一定要站在顾客的立场考虑问题。"大家对这句话应该是熟得不能再熟，可真正能为顾客考虑的并不多，或即使你真的是为顾客考虑了，但却没有让顾客体会到。而这个销售人员的态度与表达就像亲人在关心我一样，让人听了很感动。例如，"所以呀，天天在外面奔波一定要注意身体哦。""烟中含有苯和焦油……所以你最好戒掉。"

第八，留下悬念。她发现我已经产生了兴趣，并且也有了警觉，这时却没有继续下去，而是用了一个没有结果的问题来吊起我的胃口——"不是的，因为我发现你脸色不太好，所以才向你介绍的……""这也是我根据长期的经验看出来的……"。最后找借口离开，并给我留下名片还要走了我的电话号码。分析她这样做的原因有以下几种：其一，虽然我已经有了兴趣，但这里毕竟不是产生销售结果的最佳场所，她要把我引导到他们的销售场所，并用××独特的文化给我"洗脑"，然后顺利地销售；其二，因为有以上悬念，所以我的好奇心还是很强的，特别想知道结果，因此第二次接触的机会很大，即使她电话回访也有很正常的理由；其三，间接地说明她的生意很好，客户很多——"……哎呀（她看了一下手机），真不好意思，我马上要给一个客户去送货，比较急……"，她要给我更强的信任感。

从我和这位直销人员的这段谈话中，可以分析出她是有着充分准备的，整个销售流程也经过精心设计，所以能运用得非常自如、灵活。在这里，我想告诉广大销售人员的是：机会是留给有准备的人的，要想在终端销售中取得更好的业绩，就必须先武装好自己，然后以逸待劳，创造辉煌佳绩！

（资料来源：http：//www.1000zq.com/HP/20100416/DetailD948744.shtml.）

七、推销人员的管理

1. 推销人员的甄选与培训

理想的推销人员应具备什么特征？一般认为，他们应该富有自信，精力充沛，工作热情，性格外向，能说会道，对工作有献身精神，具有强烈的顾客导向意识。但实际上，也有很多成功的推销员性格内向，温文尔雅，不善言辞。不过，企业在招聘推销人员之前总要根据工作的具体要求制定若干标准，如学历、身体、口才、仪表、年龄等。

业内有这样一种说法，说推销是由三个"H"和一个"F"组成的。第一个"H"代表"头"（Head），是指推销员要有学者的头脑，必须深入了解顾客的生活形态、顾客的价值观以及购买动机等，否则不能成为推销高手。第二个"H"代表"心"（Heart），是指推销员要有艺术家的心，对事物具有敏锐的洞察力，能经常地对事物感到一种惊奇和感动。第三个

"H"代表"手"(Hand),是指推销员要有技术员的手。推销员是业务工程师,对自己所推销产品的构造、品质、性能、制造工艺等,必须具有充分的知识。"F"代表"脚"(Foot),是指推销员要有劳动者的脚。不管何时何地,只要有顾客、有购买力,推销员就要不辞劳苦,无孔不入。

因此,具有"学者的头脑""艺术家的心""技术员的手"和"劳动者的脚"是一个的推销人员的基本条件。

推销人员素质的高低对实现企业目标、开拓市场、扩大销售的影响举足轻重。研究表明,普通推销员和优秀推销员的业务水准和销售实绩都相差甚远,在典型的销售队伍中,60%以上的销售额是由30%的优秀人员创造的。因此,推销人员的甄选与培训十分重要。

(1) 推销人员的甄选。甄选推销人员,不仅要对未从事推销工作的人员进行甄选,使其中品德端正、作风正派、工作责任心强、能胜任推销工作的人员加入推销人员的行列,还要对在岗的推销人员进行甄选,淘汰那些不适合推销工作的推销人员。

推销人员的来源有两个:一是来自企业内部,就是把本企业内德才兼备、热爱并适合推销工作的人选拔到推销部门工作;二是从企业外部招聘,即企业从大专院校的应届毕业生、其他企业或单位等群体中物色合格人选。无论哪种来源,应聘者都应经过严格的考核,以便择优录用。

(2) 推销人员的培训。对当选的推销人员,还需经过培训才能上岗,使他们学习和掌握有关知识与技能。同时,还要对在岗推销人员每隔一段时间进行一次培训,使其了解企业的新产品、新的经营计划和新的市场营销策略,进一步提高素质。培训内容通常包括企业知识、产品知识、市场知识、心理学知识和政策法规知识等。

培训推销人员的方法很多,常被采用的方法有如下三种:① 讲授培训。这是一种课堂教学培训方法,一般是通过举办短期培训班或进修等形式,由专家、教授和有丰富推销经验的优秀推销员来讲授基础理论和专业知识,介绍推销方法和技巧。② 模拟培训。它是受训人员亲自参与的有一定真实感的培训方法。具体做法是,由受训人员扮演推销人员向由专家教授或有经验的优秀推销员扮演的顾客进行推销,或由受训人员分析推销实例等。③ 实践培训。实际上,这是一种岗位练兵。当选的推销员直接上岗,与有经验的推销员建立师徒关系,通过传、帮、带,使受训人员逐渐熟悉业务,成为合格的推销人员。

◆ 阅读案例 11-4

"推销之神"原一平

有一天,日本"推销之神"原一平到一家百货公司买商品。一般人们在买商品的时候,心里总会有个预算,然后在这个预算之内货比三家,寻找物美价廉的东西。忽然间,原一平听到旁边有人问女售货员:"这个多少钱?"

说来真巧,问话的人要买的商品与原一平要买的商品一模一样。

女售货员很有礼貌地回答:"这个要7万日元。"

"好,我要了,你给我包起来。"

想来真气人,购买同一样东西,别人可以眼也不眨一下就买了下来,而原一平却得为了价钱而左右思量。原一平有条敏感的神经,他居然对这个人产生了极大的好奇心,决心追踪这位爽快的"有钱先生"。有钱先生继续在百货公司里悠闲地逛了一圈,他看了看手表后,打算离开。那是一只名贵的手表。

"追上去。"原一平对自己说。

那位先生走出百货公司门口，穿过人潮汹涌的马路，走进了一幢办公大楼。大楼的管理员殷勤地向他鞠躬。果然不错，是个大人物，原一平缓缓地吐了一口气。眼看他走进了电梯，原一平问管理员：

"你好，请问刚刚走进电梯的那位先生是……"

"你是什么人？"

"是这样的，刚才在百货公司我掉了东西，他好心地捡起给我，却不肯告诉我大名，我想写封信向他表示感谢，所以跟着他，冒昧向你请教。"

"哦，原来如此，他是某某公司的总经理。"

"谢谢你！"

看来，推销没有限制地方，只要有机会，都可以找到要找的准客户。

2. 推销人员的激励与考核

对推销人员的管理不仅仅是分给一个销售责任区域、拟定报酬制度和进行必要的培训，还有配套的日常工作中的激励和考核。

（1）激励。企业应通过各种激励手段，充分调动推销人员的积极性，发挥其最大作用。激励的方法无非是物质激励和精神激励。企业对推销人员的激励，应当将物质激励和精神激励有机地结合起来，在重视物质激励的同时，切不可忽视精神激励的作用。

企业对推销人员的激励，通常是通过推销系列指标和竞赛等激励工具来进行的。如果推销人员完成了所规定的指标，企业就应给予奖励。企业在制定指标定额时，应注意其合理性和可行性，所设计的指标既不能让销售人员过于容易就能完成，也不能让销售人员非常努力仍不能实现。在精神激励方面，可吸收员工参加销售会议，使员工从例行工作中解脱一会，并有机会与公司领导沟通交流，发表自己的感受。此外，还有给予表扬、增加休假、公费外出旅行等激励形式。

（2）考核。推销人员的工作流动性、变化性较大，对其工作的考核也较复杂。一般对推销人员的绩效考核采用多种方式、多个指标的综合考核。考核推销人员的基本方式有工作报告制度和成绩比较制度两种。通过定期、文字性工作报告，管理部门能了解推销人员的业务进展情况、访问次数、拜访新客户的数量、推销额等；同时，从中也可了解市场信息、顾客特点、竞争状况等，为考核推销人员、评估推销业绩等提供一些客观依据。成绩比较则是将推销人员的业绩进行相互比较，根据每个人的定额、以往业绩、所负责地区等对推销人员的绩效加以评价。具体的评价指标可依下列各式计算：

$$推销定额完成率 = \frac{实际销售额}{推销定额} \times 100\%$$

$$访问次数完成率 = \frac{实际访问次数}{计划访问次数} \times 100\%$$

$$新顾客销售率 = \frac{新顾客销售额}{总销售额} \times 100\%$$

$$新顾客访问率 = \frac{对新顾客访问时间}{总访问时间} \times 100\%$$

此外，企业还可通过用户反映等途径来考核推销人员，将各种指标加以综合，对推销人员的绩效做出较为客观、公正的评价。

在考核的基础上，企业可以决定推销人员的报酬，适当的报酬能激发推销人员的工作积极性，使人员推销发挥更大的效力。推销人员的工作性质决定了其报酬具有较大的灵活性。一般来说，可以采取以下四种形式：

1）纯薪金制。纯薪金制即固定工资制，适用于非推销工作占很大比重的情况。这种形式的优点是便于管理，给予推销人员安全感，情况发生变化时，容易根据企业需要调整推销人员的工作。其缺点是激励作用差，销售人员动力不足，容易导致效率低下，人才难以留下。

2）纯佣金制。纯佣金制即推销人员按销售额或利润额的一定比例获得佣金。佣金制可以最大限度地调动推销人员的工作积极性，形成竞争机制。企业可以根据不同产品、工作性质给予销售人员不同的佣金。其缺点是管理费用高，容易造成推销人员的短期行为，目光短浅地抢夺客户，忽视各种销售服务和企业的长期利益，容易破坏客户关系。

3）薪金加佣金制。薪金加佣金制是将薪金制和佣金制结合起来，力图避免两者的缺点而兼有两者的优点。至于两者各占多大比例，则依具体情况而定。

4）薪金加奖金加津贴加福利制。奖金是企业对推销人员工作的肯定，它根据具体销售情况来奖励业绩优异的推销人员。津贴是偿还销售人员与工作有关的费用，使推销人员能从事必要的有效推销。福利包括带薪休假、疾病或意外事件福利、养老金和人寿保险等，其目的是提高销售人员对职业的满意度和安全感。调查资料显示，目前约70%的企业采取这种混合制，平均大约由60%的薪金和40%的奖金组成。

第三节 营业推广

一、营业推广的概念和作用

1. 营业推广的概念

营业推广又称销售促进，是指企业运用各种短期诱导因素鼓励消费者和中间商购买、经销或代理企业产品或服务的促销活动。营业推广是促销组合的一个重要方面，与其他的促销方式不同，营业推广多用于一定时期、一定任务的短期特别推销。概括来说，它具有如下特点：

（1）营业推广的促销效果显著。在开展营业推广活动时，可选用的方式多种多样。一般来说，只要选择合理的营业推广方式，就会很快收到明显的促销效果，而不像广告和公共关系那样需要一个较长的时期才能见效。因此，营业推广适合在一定时期、一定任务的短期性促销活动中使用。

（2）营业推广是一种辅助性促销方式。人员推销、广告和公共关系都是常规性的促销方式，而多数营业推广方式则是非正规性和非经常性的，只能是它们的补充方式，常常是作为广告或人员推销的一种辅助手段，用于特定时期、特定商品的销售。营业推广方式的运用能使与其相配合的促销方式更好地发挥作用。

（3）营业推广往往会使人产生贬低产品之意。采用营业推广方式能打破消费者需求动机的衰变和购买行为的惰性。不过，营业推广的一些做法也常使消费者认为卖方有急于抛售的意图。若频繁使用或使用不当,往往会导致消费者对产品质量和价格产生怀疑。因此,企业在开展营业推广活动时,要注意选择恰当的方式和时机。

2. 营业推广的作用

(1) 刺激购买行为,在短期内达成交易。当消费者对市场上的产品没有足够的了解并做出积极反应时,通过营业推广的促销措施,如赠送或发放优惠券等,能够引起消费者的兴趣,刺激他们的购买行为,在短期内促成交易。

(2) 向消费者提供特殊的优惠条件,可有效地抵御和击败竞争者。当竞争者大规模地发起促销活动时,营业推广是在市场竞争中抵御和反击竞争者的有效利器。如减价、试用,此举能增强企业经营的同类产品对消费者的吸引力,从而稳定和扩大自己的消费者群,抵御竞争者的介入。

(3) 与中间商保持良好的业务关系。制造商常常通过营业推广的一些形式,如折扣、馈赠等鼓励中间商更多地购买本企业产品,同制造商保持稳定的业务关系,从而有利于双方的中长期合作。

(4) 营业推广可以吸引和鼓励推销人员努力推销本企业的产品,创造推销佳绩。

二、营业推广的形式

1. 针对消费者的营业推广

面向消费者的营业推广的目的是鼓励老顾客继续购买本企业产品,诱导新顾客试用本企业产品,并努力使之成为习惯购买者,引导其他同类品牌消费者改变购买习惯,培养消费者对本企业生产的产品的忠诚度。针对消费者的营业推广主要有以下几种方式:

(1) 赠送样品,即免费让消费者试用产品,通过亲身试用,使消费者领略到产品的好处和实际利益,从而迅速接受新产品,成为新产品的购买者。

◆ **阅读案例 11-5**

宝洁公司通过互联网派送样品

当宝洁公司决定再一次投放别致 (Pert Plus) 洗发水的时候,扩大了价值 2000 万美元的广告促销活动,并建立了新网站 (www.pertplus.com)。公司建立网站有三个目标:创造新配方洗发水的认知、让顾客使用产品和收集网络使用者信息。网站的首页请访问者"把头顶在屏幕上",测量头发的清洁程度。列出结果后,网站告诉访问者需要立即得到帮助,解决方案是"试一下新的别致洗发水"。访问者填好一张简短的个人信息表格,就可以得到样品。网站还有其他有趣的特点,例如,单击"赶快告诉朋友"可以出现一个窗口,给朋友发信息让他们参观网站并得到样品。样品促销的效果如何呢?宝洁公司对结果很惊讶:网站运行两个月内,有 170000 人访问,83000 人索要样品。更让人惊奇的是,网站虽然只有 10 个网页,每人平均访问网站 1.9 次,每次访问用时 7.5min。

(2) 有奖销售。企业销售某种产品时设立若干奖励,并印有奖券,规定购买数额,消费者达到购买数额后可获得奖券,然后由销售者宣布中奖号码,中奖者持券兑奖。奖品从小饰物到电话卡、光碟等。这种营业推广方法利用了人们的侥幸心理,对消费者刺激性较大,有利于在较大范围内迅速促成购买行为。但应注意奖励适度及奖品的真实性。

（3）廉价包装。包装注明统一折价率，购买时按折价率付款，包装上注明该包装是加大容量的包装或购买时另赠送小容量包装的商品。

（4）折价优待。随广告或商品包装发送折价优待券，凭券到指定商店购买该商品即可获得一定的价格优惠。

（5）赠品印花，也称交易印花。消费者购买商品时，赠送消费者印花，当印花积累到一定数量时，可以兑换现金或商品。

（6）提供信用。常发生在消费信贷的销售活动中，一般采取赊销、分期付款等形式。

（7）商品展销。通过展销会的形式，使消费者了解商品，增加销售的机会。常用的展销形式有：①为适应消费者季节性购买的特点而举办的"季节性商品展销"；②以名优产品为龙头的"名优产品展销"；③为新产品打开销路的"新产品展销"。

（8）现场演示。"耳听为虚，眼见为实"，在销售现场为消费者演示产品的使用，可以使消费者亲身感受到产品的效果，甚至让消费者亲自操作、使用，更能促其购买。

（9）俱乐部制或"金卡"制。俱乐部制是指消费者交纳一定数量的会费给组织者后，即可享受到多种价格服务优惠的促销方式；"金卡"制是指消费者交纳一定数量的现金，即可获得有期限的"金卡"，从而可享受价格折扣的促销方式。

（10）广告特制品。将印有广告商名字的常用物品作为礼物送给消费者（礼品包括笔、日历、钥匙链、购物袋、T恤衫、帽子以及茶杯等），是一项相当有效的促销手段。美国的一项调查结果表明，63%的消费者会使用这些特制品，在拿给采访者看之前，超过3/4的人记得特制品广告公司的名字。

由于竞争加剧，许多厂商不断地开发出新的营业推广方式，使其类型不断增多，如特价日优待、先购优待、购物积分、限时折价等。

2. 针对中间商的营业推广

制造商策划与掀起的促销活动，如果没有中间商的响应、参与和支持，是难以取得促销效果的。劝诱中间商更多订货的最有效办法是给予价格折扣，主要是数量折扣，或者当中间商订货达到一定数量之后，就免费赠送他们一部分产品。为中间商培训推销人员、维修服务人员，使中间商能更好地向消费者示范介绍产品、提高产品售后服务质量，对有效地促进中间商的营销工作、吸引消费者购买生产企业的产品具有积极的作用。

针对以上推广目标，有以下几种常见的营业推广方式：

（1）购买折让。这是最有代表性的一类方法。具体形式有批量折扣、季节折扣、现金折扣等，以鼓励经销商多购、付现金和非季节性进货。

（2）推广津贴。具体做法是为经销商提供商品陈列设计资料，付给经销商陈列津贴、广告津贴、经销新产品津贴，以鼓励经销商开展促销活动和积极经销本企业的产品，尤其是新产品。

（3）经销竞赛。组织所有经销本企业产品的中间商进行销售竞赛，对销售业绩较好的中间商给予某种形式的奖励。

（4）代销。代销是指中间商受生产厂家的委托，代其销售商品，中间商不必付款买下商品，而是根据销售额来收取佣金，商品要是销不出去，则将其返还给生产厂家。代销可以解决中间商资金不足的困难，还可以避免销不出去的风险，因此很受中间商的欢迎。

（5）业务会议和贸易展览。业务会议是指企业自办或与其他企业联办业务洽谈会或商品展示会，以便吸引消费者或中间商前来观看、购买或洽谈业务。这是难得的营业推广机会，更是有效的促销机会。

3. 针对推销人员的营业推广

面向推销人员的营业推广旨在鼓励推销人员积极工作，努力开拓市场，增加销售量。其主要方式有：

（1）发放销售红利，即事先规定推销人员的销售指标，对超指标的推销人员按比例提成一定的红利，以鼓励推销人员多推销商品。

（2）开展推销竞赛，即在推销人员中发动销售竞赛，对推销产品有功的人员或销售额领先的推销员给予奖励，用以鼓励推销人员，调动推销人员的积极性。

（3）发放特别推销金，即企业给予推销人员一定的现金、礼品或本企业的产品，以鼓励其努力推销本企业的产品。

三、营业推广决策

1. 确定营业推广的目标对象

例如，商店打折优惠应该因目标对象而异，部分成年男性是理性购买者，过分打折会降低品牌形象和被怀疑是清仓品，而不少女性是价格敏感型购买者，常常成为主要推广目标对象。

2. 明确营业推广的目标

销售促进有许多具体目标，如鼓励对新产品的试用，鼓励中间商增加进货，刺激消费者增加购买量，激发冲动型购买，寻找新的消费者等。企业应该根据实际情况从中选择，不要出现混乱。

3. 制定营业推广预算

企业应根据营业推广的管理成本、激励的幅度和预期的激励规模来测算营业推广费用。企业若与商店合作进行营业推广活动，则可以与商店分摊预算。

4. 选择营业推广媒介

企业必须考虑下列因素来选择营业推广媒介：

（1）销售促进的具体目标。

（2）目标对象的特点，包括激励对象的特点、产品的特点、分销渠道的特点、法律约束、竞争环境、整个经济大气候等。

假如是对中间商的销售刺激，那么媒介的选择与刺激最终消费者购买有所不同。目标顾客的特点，如年龄、受教育程度，也影响销售促进方法的选用。小件产品可以免费赠送或买一送一，而大件产品则更适合打折与提高售后服务的档次。要遵守法律规定，促销奖品不得超过 5000 元。POP 和店内产品陈列的选择要符合分销渠道的特点和中间商的意愿或要求；而如果竞争者提高对中间商的优惠力度，企业也必须考虑采取相应的措施。

5. 制订营业推广方案

制订营业推广实施方案是具体安排企业销售促进活动，一般要对整个活动进行统筹布置。其主要内容有：

（1）确定刺激强度。这会涉及费用数额、目标及对象。

（2）参与者的条件。例如，可选择任何人都可参加、持券人或老顾客参加或规定本企业职工及家属不得参加，等等。

（3）促销时间。可以限定时间，如半个月以上到半年，也可以以一定数量的产品销售完为止。

（4）营业推广活动信息的发布。主办者应该有效地把这一次活动的举办信息告诉目标消费者或中间商，广告或其他形式的沟通必须与之相配合。

（5）与经销商和零售商的合作安排。

（6）意外事件的应急处理安排。例如，参与者过多，奖品已发完怎么办？

（7）实施与效果评估。在活动实施后，应该对本次销售促进活动进行效果评估，这是对销售促进目标达成程度的检查。通过评估，测定营业推广的效果；总结好的经验，以便全面推广；对失误吸取教训，对营业推广方案进行调整，以提高推广效率。对营业推广绩效评估的标准，可选择市场占有率的变化、产品知名度的提高、推广费用与实际利润的比率、分销渠道的扩展与稳固等。一般而言，销售促进是企业促销活动的一部分，因而除了检查本身的效果外，还要看与其他促销活动相配合的情况，从整体上来评估营业推广的效果。

四、营业推广的控制

营业推广是一种促销效果比较显著的促销方式，但倘若使用不当，不仅达不到促销的目的，反而会影响产品销售，甚至会损害企业的形象。因此，企业在运用营业推广方式促销时，必须予以控制。

1. 选择适合的方式

营业推广的方式很多，且各种方式都有其各自的适应性。选择适合的营业推广方式是促销获得成功的关键。一般说来，应结合产品的性质、不同的营业推广方式的特点以及消费者的接受习惯等因素选择适合的营业推广方式。

2. 确定合理的期限

控制好营业推广的时间也是取得预期促销效果的重要一环。推广的期限既不能过长，也不宜过短。这是因为，时间过长会使消费者习以为常，失去刺激需求的作用，甚至会产生疑问或不信任感；时间过短会使部分消费者来不及接受营业推广的好处，收不到最佳的促销效果。一般应以消费者的平均购买周期或淡旺季间隔为依据来确定合理的推广期限。

3. 切忌弄虚作假

营业推广的主要对象是企业的潜在消费者。因此，企业在营业推广全过程中，一定要坚决杜绝徇私舞弊的短视行为发生。在市场竞争日益激烈的条件下，企业的商业信誉是十分重要的竞争优势，企业没有理由自毁商誉。本来营业推广这种促销方式就有贬低商品之意，如果再不严格约束企业行为，将会产生失去企业长期利益的巨大风险。因此，弄虚作假是营业推广中的最大禁忌。

4. 注重中后期宣传

开展营业推广活动的企业比较注重推广前期的宣传，这非常必要。在此还需提及的是，不应忽视中后期宣传。在营业推广活动的中后期，面临的十分重要的宣传内容是营业推广中的企业兑现行为。这是消费者验证企业推广行为是否具有可信性的重要信息源。所以，令消费者感到可信的企业兑现行为，一方面有利于唤起消费者的购买欲望，另一个更重要的方面是可以换来社会公众对企业良好的口碑，塑造企业的良好形象。

此外，还应注意确定合理的推广预算，科学测算营业推广活动的投入产出比。

◆ 阅读案例 11-6

小小栗子的"饥饿化"营销

一到秋冬季节，大街上的栗子摊就会如雨后春笋般冒出来。但并不是所有的糖炒栗子摊都赚钱：有的栗子摊一斤6元也无人问津，但有的栗子摊一斤卖10元顾客还得排长队。其中的原因不仅仅在于栗子质量和口感的好坏，更在于商家抓住了"饥饿化"营销的关键。

北京人熟悉的"老王头"和"秋栗香"栗子店门前永远排着长队，而且消费者可以亲眼看到栗子炒制的过程，从而监督整个"质量控制"流程。每锅栗子不多，也就20斤左右。商家并不是一味追求大规模生产来保证供应，这正是典型的市场"饥饿化"营销策略。供不应求，自然队伍越排越长，由于排队过程很枯燥，所以消费者在排队的过程中顺带买点儿瓜子、花生等炒货先犒劳自己，如此一来，栗子店的衍生业务也在同步增长，实现了多元化发展。而商家可谓摸透了消费者不愿吃亏的心理，在排了半小时甚至更长时间后，消费者肯定觉得买少了一定亏，于是原本想买半斤的变一斤，买一斤的变两斤，最后偷着笑的还是商家。

如今，"饥饿化"营销方式被越来越多的商家所运用。例如，国外最新款数码产品的上市、《哈利·波特》的全球同步首发，都是抓住了消费者的渴求心理。这种"饥饿化"的营销与定制在一个短暂的销售过程中不断创造新的市场需求。真的是市场供应不足吗？未必。商家就是要在吊足消费者胃口的同时，也让自己的口袋急速膨胀。

第四节 公 共 关 系

一、公共关系的概念及特征

1. 公共关系的概念

公共关系又称公关或公众关系。从市场营销学的角度来谈公共关系，仅是公共关系的一小部分，是指企业在从事市场营销活动中正确处理企业与社会公众的关系，以便树立企业的良好形象，从而促进产品销售的一种活动。

在理解公共关系概念时，应注意以下问题：

（1）公共关系不是广告。不可否认，广告可以是特定公共关系计划的一部分内容。但是，公共关系并不等同于广告。首先，广告需要购买媒体时间或空间并使用其传递企业想传递的品牌、产品等信息；而公共关系则无须为媒体的报道支付酬金。企业公关活动是通过新闻发布等手段来吸引媒体给予报道，至于媒体报道什么内容也由媒体来决定。

（2）公共关系不以具体产品或服务为导向。一般而言，公共关系关注的是企业及品牌形象，公关活动的目的是力图为企业营造对企业信任的公共环境（包括舆论氛围等），而不是为具体的企业产品或服务创造需求。

（3）企业公共关系是指企业与其相关的社会公众的相互关系。这些社会公众主要包括供应商、中间商、消费者、竞争者、信贷机构、保险机构、政府部门、新闻传媒等。所谓企业公关，就是指要同这些社会公众建立良好的社会联系。"银客户、金邻居"就是这个道理。

（4）企业形象是企业公共关系的核心。企业公共关系的一切措施都是围绕着建立良好的企业形象来进行的。在激烈的市场竞争中，一旦企业建立了良好的形象，就拥有了不凡的商誉，使企业在竞争中占据有利地位；反之，一旦企业在公众中造成不良形象，则会逐步被市场所淘汰。

（5）企业公共关系的最终目的是促进商品销售，提高市场占有率。从表面上看，企业公共关系只是为了建立良好的形象，与其他促销方式相比，企业公共关系活动的促销性似乎不存在。但从本质看，企业作为社会经济生活基本的经济组织形式，盈利性是它的基本特性。公共关系的最终目的，无疑仍然是促进商品的销售。通过企业公共关系达成促销的目的，首先经历了一个树立企业形象的环节。企业首先推销了自身，从而促进自身产品的销售。

2. 公共关系的特征

作为一种促销手段，公共关系与其他促销手段相比，具有如下特点：

（1）注重长期效应。公共关系是企业通过公关活动树立良好的社会形象，从而创造良好的社会环境。这是一个长期的过程。良好的企业形象也能为企业的经营和发展带来长期的促进效应。

（2）注重双向沟通。在公关活动中，企业一方面要把本身的信息向公众进行传播和解释，另一方面也要把公众的信息向企业进行传播和解释，使企业和公众在双向传播中形成和谐的关系。

（3）可信度较高。相对而言，大多数人认为公关报道比较客观，比企业的广告更加可信。

（4）具有戏剧性。经过特别策划的公关事件，容易成为公众关注的焦点，可使企业和产品变得戏剧化，引人入胜。

二、公共关系的作用

公共关系的行动主体是组织，其作用对象是公众，运作的手段主要是运用信息传播来达到目的。公共关系当中的组织包括各类企业、政府机关、事业单位、社会团体等。其面对的公众主要有股东、员工、媒体、政府机构、社会团体、民众等，企业需要与各类公众建立良好的关系。公共关系的作用主要表现在以下几个方面：

（1）树立企业的良好形象。在市场经济条件下，企业形象逐渐成为企业竞争战略的核心内容，而公共关系对于树立企业特定形象有着独特的、其他形式不能取代的作用。因为作为广告和人员推销的作用范围，主要是为企业销售产品服务，其形式主要是自我宣传。因此，它在树立形象方面所发挥的作用是有限的。而公共关系的作用是为整个企业服务的，不仅仅只是为某个方面的职能服务，其采取的形式是多样化的，有企业的自我宣传，也有公众的口头传播，还有新闻媒介、社会人士进行的客观宣传。所以，其发挥的作用是广泛的。

（2）创造和谐的企业外部环境。企业是一个经济、技术、文化、心理的复合体，其生存和发展离不开和谐的外部环境，因而维护、协调和发展各种多边关系成了每个企业都面临的课题。通过公关活动，发挥沟通和关系协调功能，可以帮助企业处理好与销售网络中各经销商、股东、消费者、政府、媒体、社区等的关系，使他们理解和支持本企业的工作，以保持企业在发展过程中的平衡和协调。

（3）化解企业面临的危机。企业生存在千变万化的环境之中，可能会在某些时候面临危机，这些危机的出现会影响企业和产品的形象，甚至摧毁企业。通过公共关系，可以对可能影响企业与公众关系的行为及时提醒和制止，对出现的危机产生的原因进行分析，采取措施化解危机，使企业度过困难阶段。例如，对由于企业过失行为造成的危机，通过公关活动，对企业的过失行为进行道歉等，可以起到化解危机、解决危机的作用。

（4）增强企业内部凝聚力。公共关系承担协调领导与员工的关系、各部门之间的关系及员工之间的关系，创造良好的内部环境的职责。通过公关活动，进行有效的双向沟通，可以使企业上下从领导层到基层员工同心同德，为企业经营目标的实现而努力，消除可能产生的误解和隔膜，增强员工的自豪感和认同感，使企业成为一个统一的整体。这样的企业才会在竞争中充满活力，即使面临暂时的困境，也会由于强大的凝聚力和高涨的士气而重整旗鼓、摆脱困境。

（5）有助于塑造名牌，增加企业的销售。消费者之所以追求、向往和崇尚名牌，其原因既在于它的内在价值，也在于产品的外在延伸。通过公共关系的宣传作用可以把企业的好产品名牌化，组合传播完整的品牌形象，全方位地提高产品的知名度、美誉度。例如，麦当劳中国第一家分店在深圳开业时，公司就宣布把当天的所有收入全部捐给儿童福利基金。这一公关宣传深受公众好评，麦当劳叔叔开朗热情、乐于助人的形象很快被公众接受，使深圳麦当劳的营业额一直居于世界各分公司的前列。

（6）信息收集。开展公共关系活动所需收集的信息主要有两大类，即产品形象信息与企业形象信息。产品形象信息包括公众对产品价格、质量、性能、用途等方面的反映，对该产品优点、缺点的评价以及如何改进等方面的建议。企业形象信息包括：①公众对本企业组织机构的评价；②公众对企业管理水平的评价；③公众对企业人员素质的评价；④公众对企业服务质量的评价。通过公共关系，企业可以及时获得可靠的社会信息、市场信息、质量反馈信息，为经营决策提供第一手资料，有助于及时开发新产品，提供新服务，不仅可以满足市场的现在需求，而且可以预测市场的未来发展趋势，引导消费者科学、文明、健康的消费潮流，驱动企业不断增强竞争能力。

三、公共关系的实施

1. 确定公关目标

开展公共关系活动要有明确的目标。目标的确定是公共关系活动取得良好效果的前提条件。企业的公关目标因企业面临的环境和任务的不同而不同。一般来说，企业的公关目标主要有以下几类：

（1）新产品、新技术在开发之中，要让公众有足够的了解。
（2）开辟新市场之前，要在新市场所在地的公众中宣传组织的声誉。
（3）转产其他产品时，要树立组织新形象，使之与新产品相适应。
（4）参加社会公益活动，增进公众对组织的了解和好感。
（5）开展社区公关，与组织所在地的公众沟通。
（6）本组织的产品或服务在社会上造成不良影响后，进行公共关系活动以挽回形象。

（7）创造一个良好的消费环境，在公众中普及同本组织有关的产品或服务的消费方式。

2. 确定公关对象

公关对象的选择就是公众的选择。公关的对象取决于公关目标，不同的公关目标决定了公关传播对象的侧重点不同。如果公关目标是提高消费者对本企业的信任度，毫无疑问，公关活动应该重点根据消费者的权利和利益要求进行。如果企业与社区关系出现摩擦，公关活动就应该主要针对社区公众进行。选择公关对象要注意两点：一是侧重点是相对的，企业在针对某类对象进行公关活动时，不能忽视了与其他公众沟通；二是在某些时候（如企业出现重大危机等），企业必须加强与各类公关对象的沟通，以赢得各方面的理解和支持。

3. 选择公关方式

在不同的公关状态和公关目标下，企业必须选择不同的公关模式，以便有效地实现公共关系目标。一般来说，可供企业选择的公关方式主要有以下两类：

（1）功能型公关方式。功能型公关方式是根据公关活动的功能和针对的目标不同来界定的公关方式。其表现形式主要有：①宣传型公关。宣传型公关是指企业运用各种传媒及沟通方法，向公众传递组织信息，使之了解企业的价值观念、产品特色、经营方针等，从而对内增强凝聚力，对外扩大影响力，提高美誉度。常用的方式有新闻发布会、开业庆典、周年纪念、形象广告、宣传图册、影视制品等。②服务型公关。服务型公关是指通过提供优质服务来增进公众对企业良好印象的公关活动，如免费安装、终生保修、提供保险、热线导购、代看婴幼童、出借雨具等。例如，小天鹅洗衣机厂推出的五项服务、荣事达奉行的红地毯服务等，都是典型的服务型公关活动。③交往型公关。交往型公关是以人际交往为主要方式的公关活动，其目的在于通过相互联络提供彼此接触的机会，以利于双方感情的交流。招待会、舞会、茶话会、座谈会、春节团拜、中秋赏月等都是被实践证明有效且易于操作的活动形式。④公益型公关。公益型公关的特点是注重社会效益，展现企业关心社会、关爱他人的高尚情操。其常见的活动形式有赞助文体赛事、资助公共设施建设、捐资希望工程、向慈善机构捐献、宣传社会新风尚、参与再就业工程等。⑤征询型公关。征询型公关活动以采集信息、了解民意为主要内容，其目的是通过征询这种特殊方式，加强双向沟通，加深公众印象。活动形式有民意测验、舆论调查、群众信访、监督电话、征询广告等。每年3月15日消费者权益日前后，是企业进行征询型公关活动的良好时机。

◆ 阅读案例 11-7

青岛啤酒的事件营销

2005年6月16日，青岛啤酒宣布赞助中央电视台主办的第二届"梦想中国"大赛活动，正式与"梦想中国"握手。同时，"梦想中国"正式采用青岛啤酒的品牌主张——"激情成就梦想"作为活动的主题。通过与"梦想中国"的合作，青岛啤酒收益颇丰。有关机构公布的统计数据表明，青岛啤酒近半年的"梦想中国"独家冠名，不仅得到了极高的广告回报，最主要的是通过"梦想中国"这个平台，青岛啤酒准确、广泛地传达了企业的文化内涵，并融合节目本身定位，塑造了其在消费者心目中的企业形象。据统计，通过各赛区的选拔赛这一平台，使青岛啤酒的品牌第一提及度上升1个百分点，产品销量上升8个百分点。在当年8月，青岛啤酒销售同比增长43%，9月同比增长38%。

青岛啤酒成为北京2008年奥运会的赞助商，这是对青岛啤酒百年品质和良好企业形象的充分肯定，也更好地诠释了青岛啤酒"激情成就梦想"的品牌主张。以推出新的品牌主张和赞助奥运为契机，青岛啤酒加大了品牌传播和市场推广的力度，并取得了良好的效果。

(2) 结构型公关方式。结构型公关方式是根据公关活动的复杂程度和规模大小来区分的公关活动类型。其表现形式主要有：①单一型公关。单一型公关是指公关目标集中、表现形式单一、公众类别统一的公关活动。其突出特点是目标明确、操作简便、开支小、易评估，如内部迎新晚会、新产品演示、端午节赛龙舟等。单一型公关活动的不足是影响范围有限，难以产生震动性反响。②复合型公关。复合型公关是指总目标下设置若干分目标、面对多重公众、在时空上有较大跨度的公关活动。企业组织实施这类活动时，一定要准备充分、计划周密、人力和财力到位。③依附型公关。企业自身没有重彩文章可做时，可以捕捉时机，借外界轰动性的人和事来宣传自己，借此提高自己。

◆ **阅读案例11-8**

蒙牛联手《超级女声》

2004年，湖南卫视的《超级女声》成功播出，此时，蒙牛决定进入乳酸奶市场。2005年2月，蒙牛与湖南卫视宣布共同启动《2005超级女声》。蒙牛以1400万元赢得了《超级女声》的冠名权，然后追加2亿元帮助推广《超级女声》。有关调查显示，冠名《超级女声》的蒙牛酸酸乳在北京、上海、贵州和成都四地的销售超过1亿L，是2004年同期的5倍。

4. 实施公关方案

公关计划的实施是整个公关活动的"高潮"。为确保公共关系实施的效果最佳，正确地选择公共关系媒介和确定公共关系的活动方式是十分必要的。公关媒介应依据公共关系工作的目标、要求、对象和传播内容以及经济条件来选择；确定公关的活动方式，宜根据企业自身特点、不同发展阶段、不同的公众对象和不同的公关任务来选择最适合、最有效的活动方式。

5. 评估公关效果

公关计划实施效果的评估，主要依据社会公众的评价。通过评估，能衡量和检测公关活动的效果，在肯定成绩的同时，发现新问题，为制定和不断调整企业的公关目标、公关策略提供重要依据，也为使企业的公共关系成为有计划的持续性工作提供必要的保证。

◆ **阅读案例11-9**

眼球公关：激活品牌记忆度

富绅集团（简称富绅）自成立以来，专注男装的设计、开发、生产与销售，一直处于稳定、健康的发展中，并取得过不俗的成绩和辉煌。

然而，随着外资的不断涌入和本土服装企业雨后春笋般地崛起，在同质化程度日益严重的非常时期，富绅没有及时更新自己的生产、管理、经营观念，一度濒临被挤出一线品牌行列的危险。

处于"二度创业"期的富绅，急需一个合适的契机来对外界进行品牌新一轮更有深度的传播。是继续沿用"千锤百炼、富绅精品"这样一种传统的产品诉求方式，还是另辟蹊径，寻找新的，更容易引发媒体、公众兴奋的传播方式？经过认真、慎重考虑后，集团认为，基于前几年富绅在传媒、广告、策划、公关层面较少投入，市场有关"富绅"的声音越来越少，既有的品牌广告语虽然涵括甚广，但并未及时注入新的内容，单一的品质诉求难以引起消费者共鸣等客观事实，富绅决定效仿凤凰卫视成立之初的做法：先打造核心人物形象，以人物公关带动品牌整体形象提升，从而达到"以点带面，水到渠成"的效果。

2005年8月下旬，集团全面启动对外宣传和媒体公关工作。充分抓住富绅在中国服装行业第一次大胆外委专家人才组阁经营与管理这一创新举措，进行事件传播。截至9月底，先后有24家专业网站、5家报纸在重点栏目和版块对集团的人事改革和品牌提升、完善思路和进程进行了全面、深入的报道。登载或转载《权力外交，富绅再图品牌话语权》一文的网站包括人民网、中国品牌总网、中国服装商务网、中国时尚品牌网、中国服装财富网、富民时装网等一批高端、专业网站，《经济日报》《服装时报》《南方都市报》等也摘录重点内容进行了深入报道。上海名崇商学院将该文收入"经典案例库"，编入教材。9月26日，《民营经济报》在重点栏目"天下华商"中以1/2的版面刊载了记者采访董事长陈成才先生的文章《陈成才：一只永不疲倦的"缝纫鸟"》。文章重点回顾了富绅集团的发展历史，以及在新时期、新环境下，为了进一步巩固和提升富绅品牌知名度、影响力而必然形成的先进的人才观、质量观和品牌观。初步统计，2015年9月有关富绅集团的正面宣传报道文字逾15万字。富绅集团再一次成为万众瞩目的焦点。

2005年9月12日至15日，富绅集团参展在广州琶洲国际展览中心举办的"第二届中小企业暨中法中小企业博览会"。集团全新的产品广告语，宽敞的展厅，简洁大方、富有内涵的徽标设计，多款最新开发、设计成果，多样齐全的产品族群，吸引了大批中外客商驻足参观、询问，主动前来探访的媒体记者也络绎不绝。据初步统计，该次展览，集团共接待政府官员、协会组织、媒体、商团、参观者逾8000人次，所带1000份企业自办报纸《富绅报》几乎被参观者索取一空，公司产品画册和销售部、公关部、产品开发部等经常对外联络部门的经理名片也被参观者索取一空。

10月18日，富绅同时在中国营销传播网和中国广告网等高端网站面向全国征集新的品牌广告语。截至11月2日，公司共收到逾1200人反馈的超过8500条广告语。公司网站的点击率一路攀升，各种相关的意见和建议也纷至沓来。

富绅集团如此高频率、大幅度、高规格地在媒介频频亮相，引起了业界和广告、公关、策划界的广泛关注。一段时间以来，品牌中心不断收到来自媒体、代理商、供应商的合作意向。

（资料来源：http://www.lzcc.edu.cn/Department/GongShongSch.）

第五节 广　　告

"商品如果不做广告，就好像一个少女在黑暗中向你暗送秋波。"西方流行的这句名言充分表现了广告在营销中的独特地位。

一、广告的含义和作用

1. 广告的含义

广告，通俗地讲就是"广而告之"。"广"是就范围而言，是面向大众；"告"就是传递信息。广告的定义具体表述如下：广告是由广告主以付费形式，通过特定的媒体向目标公众传播企业、商品或服务信息的一种促销手段。

广告的定义有以下几个要点：

（1）广告要由明确的广告主公开支付费用，这一点与一般的新闻报道不同。

（2）广告要通过诸如电视、广播、报刊、网络等传播媒体来实现，是一种非个人间的信息传递，这一点不同于人与人之间的口传信息。

（3）广告是一种有计划的信息传播和说服活动，有特定的公众、明确的主题和目标，并在广告设计、时机选择、媒体、效果评估等方面均进行周密的策划。

2. 广告的作用

广告发展到现代，人们已无法回避它无处不在的影响。在电视里，在广播里，在报纸上，在街头巷尾，在地铁车站，人们无时无处不在接触各种各样的广告。广告正在影响着人们的消费观念，影响着人们的购买行为，甚至影响着人们的学习、工作和生活。

（1）广告对企业的作用

1）传播信息，沟通产销。广告可以将企业生产的产品的成分、性能、用途等信息通过一定的媒介传递给消费者，或将商品的购买方式、营业时间、购货地点和价格等信息及时传递给消费者，使消费者通过广告了解产品和市场需求的有关信息，保证信息在买方与卖方之间的双向沟通。

2）降低成本，促进销售。从绝对成本的角度看，前述四种促销方式中，广告的成本是最高的；但如果从相对成本的角度看，因为广告的大众化程度高，它的成本又是比较低的。

3）塑造形象。一个企业不仅要有好产品，还要有好声誉，在消费者心目中要有较高知名度，这样产品才有影响力，而广告是塑造企业形象的重要手段。

（2）广告对消费者的作用

1）指导消费。广告是消费者获取商品信息的最重要的商业来源。可以说，在现代社会，面对琳琅满目的商品，如果离开了广告，消费者将无所适从。

2）刺激需求。广告的一个重要功能就是刺激消费者的购买欲望，促使消费者对商品产生强烈的购买冲动。广告刺激的需求包括初级需求和选择性需求。所谓初级需求，是指通过广告宣传，促使消费者产生对某类商品的需求，如对计算机、汽车等的需求；选择性需求是指通过广告宣传，促使消费者产生对特定品牌的商品的需求，如对联想计算机、红旗汽车等的需求，引导消费者认牌购买。

3）培养消费观念。广告引导着消费潮流，促使消费者树立科学的消费观念。

（3）对社会的作用

1）美化环境，丰富生活。路牌广告、POP广告、霓虹灯广告等，优化了城市形象，使都市的夜晚变得星光灿烂、绚丽多姿。因此，广告被称为现代城市的脸。优美的广告歌曲、绚丽的广告画面、精彩的广告词，无不给人以艺术的享受。

2）影响意识形态，改变道德观念。据调查，一个美国人从出生到 18 岁，在电视中看到的广告达 1800 多个小时，相当于一个短期大学所用的学时。所以，广告对社会的价值观念、文化传承都具有非常重要的影响。

二、广告的种类

根据不同的划分标准，广告有不同的种类。

1. 根据广告的内容和目的划分

（1）商品广告。商品广告是针对商品销售开展的大众传播活动。商品广告按其目的不同可分为三种类型：① 开拓性广告，也称报道性广告。它是以激发消费者对产品的初始需求为目标，主要介绍刚刚进入投入期的产品的用途、性能、质量、价格等有关情况，以促使新产品进入目标市场。② 劝告性广告。劝告性广告又称竞争性广告，是以激发消费者对产品产生兴趣，增进"选择性需求"为目标，对进入成长期和成熟前期的产品所做的各种传播活动。③ 提醒性广告。提醒性广告也称备忘性广告或提示性广告，是指对已进入成熟后期或衰退期的产品所进行的广告宣传，目的在于提醒消费者，使其产生"惯性"需求。

（2）企业广告。企业广告又称商誉广告，这类广告着重宣传、介绍企业名称、企业精神、企业概况（包括厂史、生产能力、服务项目等）等有关企业信息。其目的是提高企业的声望、名誉和形象。

（3）公益广告。公益广告是用来宣传公益事业或公共道德的广告。它的出现是广告观念的一次革命。公益广告能够实现企业自身目标与社会目标的融合，有利于树立并强化企业形象。公益广告有广阔的发展前景。

2. 根据广告的传播区域划分

（1）全国性广告。全国性广告是指采用信息传播能覆盖全国的媒体所做的广告，以此激发全国消费者对所广告的产品产生需求。在全国发行的报纸、杂志以及广播、电视等媒体上所做的广告，均属全国性广告。这种广告所要求广告的产品是适合全国通用的产品，并且因其费用较高，一般较适合生产规模较大、服务范围较广的大企业，而对实力较弱的小企业实用性较差。

（2）地区性广告。地区性广告是指采用信息传播只能覆盖一定区域的媒体所做的广告，借以刺激某些特定地区消费者对产品的需求。在省、市报纸、杂志、广播、电视上所做的广告，均属此类；路牌、霓虹灯上的广告也属地区性广告。此类广告传播范围小，多适合于生产规模小、产品通用性较差的企业和产品进行广告宣传。

此外还有一些分类。例如，按广告的形式划分，可分为文字广告和图画广告；按广告的媒体不同，可分为报纸广告、杂志广告、广播广告、电视广告、互联网广告，等等。

三、广告决策

尽管对广告在促销中的作用存在争论，尽管企业家不断发出"不做广告是等死，做广告是找死"的感叹，但在市场上，我国企业对广告却始终情有独钟。这从中央电视台每年黄金时段的广告招标金额节节攀升这一现象中即可见一斑。所以，当代企业所要考虑的并不是要不要做广告的问题，而是如何做出精品广告、赢得消费者对广告的信任的问题，这就需要企业进行科学的广告决策。

（一）广告媒体的决策

广而告之是广告最显著的特点之一，在传播业发达的今日，企业、媒体人员还必须评估媒体到达特定目标、沟通对象的能力，以便决定采用何种媒体。

1. 广告媒体

（1）报纸。报纸是最重要的传播媒介。它的优点是：读者稳定、面广，传播覆盖面大；弹性大、及时，特别是日报，可将广告及时登出，并马上送抵读者；地理选择性好；制作简单、灵活，收费较低。其缺点主要是保留时间短，读者很少传阅，表现力差，印刷质量不能保障，多数报纸不能表现彩色画面或色彩很简单，因此，刊登形象化的广告效果较差。

（2）杂志。杂志是印刷媒体期刊，与报纸相比，它的专业性较强，读者更为稳定、集中，特别适合刊登各种专业产品的广告。由于具有针对性强、保留时间长、传阅者众多、名声好、画面印刷效果好等优点，广告效果较好。其缺点是一般发行量不如报纸，有些发行量是无效的，覆盖面小，广告购买前置时间长，信息传递速度不如报纸、广播、电视及时。

（3）电视。电视是现代最重要的视听型广告媒体，它将视、听、动作紧密结合且引人注意，能充分运用各种艺术手法，最直观、形象地传递产品信息，具有丰富的表现力和感染力，是近年来国内外增长最快的广告媒体。电视广告播放及时，覆盖面广，选择性强，收视率高，且能反复播出，加深收视者的印象。其缺点是绝对成本高，展露瞬间即逝，无法保留，对观众无选择性。

（4）广播。广播是一种大量、广泛使用的听觉媒介，地理和目标消费者选择性强，制作简便，成本低。其缺点是不如电视吸引人，展露瞬间即逝，传递信息有限，遗忘率高。

（5）直接邮寄。邮寄广告最显著的优点是沟通对象已经选择，灵活，提供信息全面，反馈快，无同一媒体的广告竞争。其缺点是可信度低，有"垃圾邮件"的印象，成本也较高。

（6）户外广告。户外广告包括路牌、广告牌、招牌、交通工具广告等，营销者可以利用这些媒体向某一特定地区的消费者集中宣传介绍某种产品。这种广告比较灵活，展露重复性强，成本低，竞争少。其缺点是不能选择对象，创造力受到局限等。

（7）互联网。互联网是新的广告媒体，其优点为空间无限、即时互动、形式多样、针对性强。其缺点为网络广告范围比较窄，单位价格也不便宜。

由于互联网媒体价值逐渐被广告主认可，视频网站、社交网站等新媒体价值的凸显以及垂直媒体广告费用升快速增长，搜索引擎广告已成为我国网络广告市场主力增长点。

尤其值得注意的是，经历激烈竞争和快速发展，视频网站无论在用户体验方面还是在盈利模式探索方面，均已突破了前期仅停留在资本层面上的竞争，广告主纷纷试水视频网站媒体，在一定程度上肯定了其媒体价值。视频网站等新媒体正在成为整体网络广告市场强劲增长的拉动力之一。

2. 广告媒体的选择

广告媒体选择的本质就是在媒体成本与广告展露频次、范围和效果之间进行权衡，故在选择媒体前务必先就传播频次、接触人数和预期广告效果做出决策。

在选择广告媒体时，企业须综合考虑以下因素，方可做出最好的选择：

（1）目标顾客接受媒体的习惯。在选择媒体时，要考虑广告信息传播的目标受众接受媒体的习惯。不同群体选择媒体的习惯是有差别的，如青少年更多地接触电视、广播，中老年人看报纸，专业人员阅读杂志。不仅如此，即便是决定了选择报纸，全国有数百种报纸，同一地区也有若干种报纸发行，还要综合成本和效果考虑具体选择哪种报纸的哪个版面。

（2）产品特点。产品的特点不同，选择媒体也不同。例如，流行服饰最好选择在彩色杂志上做广告；技术复杂的产品，广告中必须包含大量产品的详细信息，以选择印刷媒体为宜；需求广泛的日用消费品广告适于选择以大众为对象的报纸、电视、广播媒体。

（3）信息内容。媒体的选择还取决于信息自身内容的特点。例如，技术数据多的广告信息，需要选择印刷邮寄广告或杂志广告；宣布某项展销活动或推出某种新产品，当然是电视广告和广播广告最及时、覆盖面最广；电影和演出的海报以在报纸和户外媒体上刊登比较及时。

（4）媒体的成本和企业支付能力。在不同的媒体上发布广告，所需的成本不同，不同企业的支付能力也不同。企业不仅要分析广告成本与效果之间的关系，也受预算和广告绝对成本的限制。中小企业实力弱、资金少，选择的媒体种类和数目都比较少（有的甚至只能选择一种媒体发布广告），媒体组合比较简单；对大企业来说，资金充足，预算宽盈，可选择的广告媒体种类和数目较多，就需要媒体之间的组合和搭配。

3. 广告媒体的选择策略

（1）无差别策略。无差别策略又称无选择策略，即在目标消费者所可能接触到的所有媒体同时展开全面的广告攻势，而且不计时间，甚至不计成本，旨在迅速、全方位地打开和占领市场。这种广告策略也就是通常所说的"地毯式广告轰炸"。这种广告策略在保健品、医药行业颇受青睐。在进入 21 世纪的中国市场上，异军突起的网络广告也以其投入之大、方式之多、覆盖面之广被形象地称为"烧钱"广告。广告媒体的无差别策略可以在一夜之间让一个完全陌生的商品和品牌迅速地变得知名，但成本极高，成功的概率也不尽理想。

（2）差别策略。差别策略即确定了符合企业的目标和任务、适合企业资源条件的细分目标市场后，企业有针对性地选择个别媒体做广告。其最终的目的是提高广告媒体的单位效益。

（3）动态策略。动态策略即根据广告媒体的传播效果和企业到达目标市场的需求状态来灵活选用广告媒体。一种选择是先采用较多媒体大范围地进行广告宣传，掌握了各种媒体的反馈情况后，再决定下一步的媒体选择目标，此为"先宽后窄"策略；另一种被称为"先窄后宽"策略，即先投入少量媒体广告和费用，投石问路，然后再决定是启用更多的媒体同时展开广告攻势，还是另择其他媒体从头再来。在时间许可而且竞争不足以构成致命威胁的前提下，这种策略有一定的灵活性，而且可以节省因盲目的广告投入而增加的成本。

(二) 广告市场策略的决策

（1）广告目标市场策略。为配合无差异性市场策略，需要利用各种媒体组合做统一主题内容的广告；为配合差异性市场策略，需要根据各个细分市场的不同，分别选择不同媒体组合，做不同主题内容的广告；为配合集中性市场策略，需要根据所选择的目标市场，做有针对性的广告。

（2）广告竞争策略。广告是参与竞争的重要工具，因此，可以利用和其他产品或企业对比的方法，做比较广告，还可在产品推出之前，进行密集性的广告宣传，即抢先广告策略。

（3）广告促销策略。将广告与其他手段相结合，可以提高广告促销效果。例如，将广告与举办文娱活动相配合，可以激发平常不关心广告的消费者对广告的兴趣；将广告与抽奖活动相结合，可以利用消费者希望得到奖品的心理来提高广告的阅读量；将广告与公益活动相结合，可以使消费者增加对企业的好感，从而促进销售。

（三）广告产品策略的决策

（1）广告产品生命周期策略。在产品生命周期的投入期和成长前期，应以投放告知性广告为主，以创牌为目标；在产品生命周期的成长后期和成熟期，应以投放说服性广告为主，以保牌为目标；在产品生命周期的成熟后期和衰退期，则应以投放提醒性广告为主，以维持品牌为目标。

（2）广告产品定位策略。为配合企业的产品定位，广告可以突出宣传产品的特殊功效、优良品质、低廉价格或主要消费者，也可以利用人们的心理特点，采取逆向的思维方式进行广告宣传。

（四）广告效果的评估

企业对广告效果进行评估的内容很多，但其重点有如下两个方面：

1. 对广告信息传递效果的评估

对广告信息传递效果的评估是指分析评估广告能让多少人听到或看到，能让多少人理解乃至认可所传播的信息。

这种评估在广告正式投放市场之前和事后都应进行。在做广告之前，可邀请消费者代表（可以是最终购买者，也可以是中间商）对已经制作好的广告进行评价，了解他们是否喜欢这则广告，广告信息及信息传达方式中还存在哪些问题。在做完广告之后，企业可再邀请一些目标消费者，向他们了解是否见到或听到过这则广告，能否回忆起广告内容等。

2. 对广告促销效果的评估

对广告促销效果的评估是指分析评估广告可能带来的市场销售量的增长速度。做出这种评估很困难，因为产品销售额的增长不仅取决于广告，而且取决于其他许多因素，如经济发展、消费者可支配收入增加、产品本身质量提高和功能改进、渠道效率提高、价格制定得是否更合理以及其他促销方式（人员推销、营业推广、公共关系等）的效果提高等。因此，仅仅衡量广告对销售额的影响是比较困难的。目前，有的企业尝试采用两种不同的试验方法来测量广告效果：一种方法是把某种产品的销售市场按地区进行划分，在甲地区使用电视广告，在乙地区使用杂志广告，在丙地区使用报纸广告，各种媒介的广告预算相等，经过一段时间后，检查各地的销售额增长情况，通过检查，可大致分析出哪种媒介广告最有效；另一种方法是在甲地区使用大量广告，在乙地区使用少量广告，在丙地区不做广告，在广告一定时期后，检查各地销售额的增长情况，这种检查可大致估计出广告对销售额的影响。

◆ 阅读案例 11-10

洛丽时装店

有一家名叫洛丽的时装店，其广告主题是"洛丽的姑娘们"，广告照片是一群穿着洛丽时装的美丽少女。这些少女全部不是时装模特，而是光顾洛丽时装店的顾客。照片每隔一段时间更换一次，照片上每次都是一群新的时装少女。这样，不少购买洛丽时装的少女有机会在广告照片上亮相，从而促进了销售。

洛丽时装店在广告宣传上大胆创新,一改明星广告模式,吸引顾客参与,增强了她们对时装店的亲切感和新颖感。洛丽时装和照片上的少女成了当地顾客的永恒话题,而洛丽时装也成了少女们常买常穿的时装。

主要名词

促销　促销组合　推式策略　拉式策略　人员推销　广告　公共关系

 **案例分析**

"凉茶双雄"的广告竞争

在王老吉与加多宝马拉松式的诉讼期间,加多宝一直忙着打官司,一边为自己准备退路,除了在渠道方面积极布局外,还在一些有影响力的省级卫视级、广东地方电视台投放广告。在加多宝铺天盖地的广告打压下,王老吉也开始反击,"凉茶双雄"的广告战正式打响。

一、王老吉:怕上火,喝王老吉

王老吉仍沿用过去的耳熟能详的广告词:"怕上火,喝王老吉。"这样做的优点是:能够借助王老吉过去的影响力,巩固品牌优势;可以节约大量的广告开支;广告的侧重点在于提醒。其缺点是:重复别人的广告词,没有创新,有拾人牙慧之嫌。其实,即使不涉及品牌纷争,广告词也不能一成不变,而应该根据企业的营销战略、消费者的心理、竞争情况及市场环境等因素的变化做出相应的调整。当然,变化的是广告的形式及手段,不变的是广告的定位,除非刻意要放弃原来的定位。

二、加多宝:怕上火,现在喝加多宝

输掉品牌官司后,香港加多宝公司不得不放弃原来红遍全国的"王老吉"商标,炮制出一个替代品"加多宝",广告词则换成了:"怕上火,现在喝加多宝。"很明显,加多宝不肯轻易放弃"怕上火"这个曾经让自己赚得钵满盆溢的"宝藏"。两家对"怕上火"这一秘籍都不肯轻易放手,但随之而来的问题是:消费者对此感到困惑,孙悟空一下子来了两个,究竟哪个才是真的?加多宝率先意识到问题的严重性,很快推出改进版:"还是原来的配方,还是熟悉的味道,全国销量领先的红罐饮料现改名加多宝。"从味道、配方、销量多角度试图帮助原来的王老吉消费者接受新的加多宝凉茶,可谓用心良苦。

三、硝烟中的沉思

王老吉与加多宝的广告战短时间内不可能停歇,双方都知道谁先停谁吃亏,但两家公司都应冷静下来思考下一步如何出招。王老吉的优势是具有较高的品牌知名度和认可度,独享"王老吉"的品牌资源。但王老吉的品牌营销与运作能力显然不如对手,毕竟加多宝才是王老吉红罐凉茶的操盘手。认清王老吉的优势与不足后,再来反思其广告策略。面对加多宝频频发起的广告攻势,王老吉除了沿用"怕上火,喝王老吉"的广告词外,没有其他新动作,只有招架之功而无还手之力。当然,这一广告需要继续做,但应根据形势的变化做适当修改。所以,建议王老吉在广告词中加一个"还"字:"怕上火,还喝王老吉。"一字千金,既保留了原有广告的韵味,又与竞争者针锋相对,可谓一箭双雕。

其实,王老吉更应该好好挖掘自己的优势,从多侧面表达广告诉求,形成以"怕上火"为

主、其他诉求为辅的"卫星阵"广告战略。例如,"王老吉诞生于1828年,180多年的专注服务。怕上火,还喝王老吉。"该广告在突出产品功效定位的同时,又强调了自己的优势——历史悠久,告诉消费者王老吉更专业、更正宗。当然,王老吉除了需要在广告词方面多下功夫外,在广告媒体的安排、广告时段的布局等方面同样需要高度重视。只有用"立体战"的思维统筹谋划,才有可能在与强手争霸的广告战中不输于人。

讨论并回答问题:

1. 通过互联网查阅王老吉、加多宝动态广告竞争的过程与内容,对两家公司的广告策略进行比价和评价。

2. 通过比较,找出你认为处于弱势的一方,基于当前的竞争态势,对其广告策略进行优化。

本 章 小 结

本章共分五节,分别探讨了促销与促销组合、人员推销、营业推广、公共关系、广告等。

促销作为一项重要的营销活动,其实质与核心就是沟通信息,目的是引发、刺激消费者产生购买欲望。促销的方式概括起来主要有四种:人员推销、广告、营业推广和公共关系。这四种方式的组合与搭配称为促销组合。影响促销组合策略的因素主要有促销目标、市场特点、产品类型、产品生命周期、促销费用等。

人员推销具有双向性沟通、灵活性好、选择性强、任务完整、公关作用、费用高等特点。要明确人员推销的任务,了解人员推销的策略,把握人员推销的七个步骤。推销人员的素质决定了人员推销活动的成败。人员推销的形式有上门推销、柜台推销、会议推销。

营业推广是为了配合一定的营销任务而采取的特种促销方式,促销效果显著,但也有降低产品身价之嫌。营业推广又称销售促进,是指企业利用各种短期诱导因素鼓励消费者和中间商购买、经销货代理企业服务的促销活动。营业推广的形式,其中针对消费者的营业推广的方式有:赠送样品、有奖销售、廉价包装、折价优待、赠品印花、提供信用、商品展销、现场演示、俱乐部制或"金卡"制、广告特制品等。

广告是由广告主以付费的形式,通过特定的媒体向目标公众传播企业、商品或服务信息的一种促销手段。广告媒体有报纸、杂志、电视、广播、直接邮寄、户外广告、互联网。

思考与实训

1. 促销方式有哪些?它们各自的特点是什么?
2. 在产品生命周期的不同阶段,营销策略的内容有哪些?
3. 试分析在推式策略和拉式策略中,分别是哪种促销方式起主要作用。
4. 分别叙述针对消费者、中间商及推销人员的营业推广形式。
5. 公共关系活动方式有哪几种?你认为一家运动服装企业应该怎样运用公共关系建立企业的市场形象?
6. 各种广告媒体的特点是什么?一般日用品适合选取哪种媒体做广告?

第十二章

市场营销组合、计划与战略

学习目标

1. 掌握市场营销组合的概念、特点、作用及运用的原则
2. 了解营销计划的内容和计划的编制
3. 掌握市场营销战略的内涵以及制定营销战略的步骤
4. 熟悉现有业务和新增业务的发展战略

导入案例

海尔集团营销网络的计划、组织和控制

在营销网络建设方面，海尔集团很早就按照决胜终端的原则进行网络计划和实施。区别于其他企业的大户批发以及代理制对终端的管理乏力，海尔对终端进行精耕细作。海尔的营销组织结构设置可以保证做到这一点：在全国范围内设立11个销售事业部，每一个销售事业部又根据地理位置、经济发展情况等设立若干工贸公司，工贸公司又划分为若干区域，每位区域业务代表具体负责相应的客户网点，不会出现网络管理盲区。海尔的营销网络按照性质可以划分为五类：国内家电连锁店、国外大型超市、百货公司家电部、海尔专卖店、批发商。这样的渠道结构，一方面可以使产品在终端展示的范围最大化；另一方面，五类渠道保持比较适中的比例，就可以保证在与经销商的谈判中始终处于平等的地位，甚至具有一定的谈判优势，可以防止任何一种渠道向集团索要更多的政策费用从而导致价格混乱、网络畸形、受制于经销商等情形的发生。集团对网点的管理分为两个层次：一是区域业务代表对网点的直接管理；二是非市场人员对网点的监控管理。每一个网点都受到双重关注，并且网点的运转效率将会纳入对监控管理人员的薪酬考核体系中，在月度工资中兑现。通过这种方法，可以及时了解消费者的需求，以便更好地进行产品改进和研发，及时解决客户的问题，提高客户满意度及忠诚度。

第一节 市场营销组合

前面几章分别讨论了企业的产品、价格、分销渠道和促销策略，这些策略在企业的营销活动中都是紧密相连、相互依赖的。企业不仅要制定正确的产品策略、价格策略、分销策略和促销策略，而且必须使所有这些策略协调配合，得到最佳的市场营销组合。

一、市场营销组合的概念及特点

1. 市场营销组合的概念

所谓市场营销组合（Marketing Mix），就是企业的综合营销方案，即企业根据目标市场的需要和自己的市场定位，对自己可控制的各种营销因素（产品、价格、渠道、促销等）的优化组合和综合运用，使之协调配合，以取得更好的经济效益和社会效益。

市场营销组合是现代营销学理论中一个十分重要的概念，是20世纪50年代由美国哈佛大学的鲍顿（N. H. Borden）教授首先提出来的，此后受到学术界和企业界的普遍重视和广泛运用。根据这一概念，可以看出企业可控制的营销因素很多，可分成几大类，最常用的一种分类方法是 E. J. 麦卡锡提出的，即把各种营销因素归纳为四大类：产品（Product）、价格（Price）、渠道（Place）和促销（Promotion）。因这四个词的英文首字母都是"P"，故简称"4P"。所谓市场营销组合，也就是这4个"P"的适当组合与搭配，它体现了现代市场营销观念中的整体营销思想。因此，企业营销管理者的任务就是适当安排营销组合，从整体上满足消费者的需求，这是企业营销能否成功的关键。

2. 市场营销组合的特点

市场营销组合是现代市场营销的一个重要概念。它具体包括以下四个特点：

（1）可控性。市场营销组合因素是企业可以调节、控制和运用的因素，即企业根据目标市场的需要，可以决定自己的产品结构，确定产品价格，选择分销渠道（地点）和促销方法等。对这些营销手段的运用和搭配，企业有自主权，但这种自主权是相对的，是不能随心所欲的。因为企业营销过程中不但要受本身资源和目标的制约，而且还要受各种微观和宏观环境因素的影响和制约。这些是企业所不可控制的变量，即不可控因素。

（2）动态性。营销的手段、因素受环境影响，因此，每一个组合因素都是不断变化的，是变量；同时，它们又是互相影响的，每个因素都是另一因素的潜在替代者。在四个大的变量中，又各自包含着若干小的变量，每一个变量的变动都会引起整个营销组合的变化，形成一个新的组合。

（3）复杂性。营销组合是一个复合结构，4P中的每一个因素本身又包含若干二级因素，在这个基础上，组成各个框架的二级组合。例如，产品策略是一个组合因素，而这个因素又可以划分为品种、质量、功能、式样、品牌、商标、服务、交货时间、退货条件等若干个二级因素。各个二级因素又分为若干个三级组合因素。例如，促销策略的二级因素有广告，广告又可以划分为各种不同的广告形式，如电视广告、广播广告、报纸广告、路牌广告等。因此，营销组合是一个多层次的复合结构。企业在确立营销组合时，首先应求得四个框架之间的最佳搭配，其次要注意每个框架内的合理搭配，使所有这些因素得到灵活运用和有效组合。

（4）整体性。企业必须在准确地分析、判断特定的市场营销环境、企业资源及目标市场需求特点的基础上，才能制定出最佳的营销组合。所以，最佳市场营销组合的作用，绝不是产品、价格、渠道、促销四个营销要素的简单相加，而是使它们产生一种整体协同作用。这就像中医开出的重要处方，四种草药各有不同的效力，治疗效果不同，所治疗的病症也各异，而且这四种中药配合在一起的治疗，其作用大于原来每一种药物的作用之和。市场营销组合也是如此，只有它们最佳组合，才能形成一个有机整体，产生一种整体协同作用。正是从这个意义上讲，市场营销组合又是一种经营的艺术和技巧。

由上可见，市场营销组合是企业可控因素多层次的、动态的、整体性的组合，即具有可控性、复杂性、动态性和整体性的特点。它必须随着不可控的环境因素的变化和自身各个因素的变化，协调地组合与搭配。图 12-1 是市场营销组合的示意图。

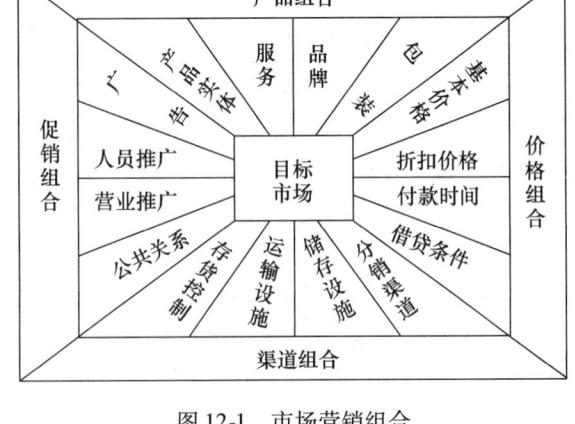

图 12-1　市场营销组合

二、市场营销组合的作用

对于企业来说，市场营销组合在企业实际工作中的作用表现在以下几个方面：

1. 制定营销战略的基础

营销战略本质上就是企业经营管理的战略，而营销战略主要是由企业目标和营销因素协调组成的。由于制定市场营销战略的出发点是完成企业的任务与目标，以投资收益率、市场占有率或其他目标为比较选择的依据来进行营销组合是比较符合实际的。作为企业营销的战略基础，市场营销组合既可以四个因素综合运用，也可以根据产品与市场的特点，分别重点使用其中某一个或某两个因素，设计成相应的销售策略。这是一个细致而复杂的工作。

2. 应对竞争的有力手段

企业在运用市场营销组合时，必须分析自己的优势和劣势是什么，以便扬长避短。在使用市场营销组合作为竞争手段时，要特别注意两个问题：第一，不同行业的不同产品，侧重使用的营销因素应当不同；第二，企业在重点使用某一营销因素时，要重视其他因素的配合作用，才能取得理想的效果。

3. 为企业提供系统管理思路

在实践中，人们认识到，如果以市场营销组合为核心进行企业的战略计划和工作安排，可以形成一种比较系统的、从点到面、简明扼要的经营管理思路。许多企业根据市场营销组合的各个策略方向去设置职能部门和经理岗位，明确部门之间的分工关系，划分市场调研的重点项目，确定企业内部和外部的信息流程等。企业的财务部门也会在完成财务报表的同时，按照 4P 数据列表，为企业分析资金运用、固定成本与变动成本支出等情况提供信息。运用营销因素组合，可以较好地协调各部门的工作。

三、市场营销组合的运用原则

为更好地发挥市场营销组合的上述作用，在具体运用时需遵循下列原则：

（1）目标性。营销组合首先要有目标性，即在制定市场营销组合时，要有明确的目标市场，同时要求市场营销组合中的各个因素都围绕着这个目标市场进行最优组合。

（2）协调性。协调性是指协调市场营销组合中各个因素，使其有机地联系起来，同步配套地组合起来，以最佳的匹配状态，为实现整体营销目标服务。

在组合方案中，也可以重点选择几个因素进行组合搭配，如产品质量和价格的关系直接关系到市场营销组合整体策略的优劣,将二者进行多方案选优,可以组成九种不同的组合策略方案。企业可据此进行知己知彼的分析,包括竞争对手组合策略分析,本企业资源、技术、设备等情况分析,切实推行价值工程,进而达到预期营销目标。

(3) 经济性。经济性即组合的杠杆作用原则,主要考虑组合的因素对销售的促进作用,这是优化组合的特点。图12-2 为销售量响应曲线,可说明这个原则。

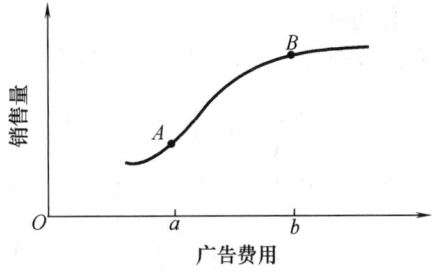

图12-2　销售量响应曲线

当广告费用开始增加时,对销售影响不大;当广告费用增加到 a 点后,销售量增长很快;广告费用继续增加到 b 点后,销售量趋于一个常数。若要发挥广告宣传对销售量的杠杆作用,在组合中就应考虑销售量和广告费用的这种关系:在它们处于曲线 AB 段时,采用增加广告费用的组合;若它们处于曲线 AB 段以外,就要考虑其他因素了。其他各因素与销售量的关系曲线都类似于图中的曲线。

(4) 反馈性。从营销环境的变化到企业营销组合的变化,要依靠及时反馈市场信息。信息反馈及时、反馈效果好,就可随营销环境变化,及时重新对原市场营销组合进行反思、调整,进而确定新的适应市场和消费者需求的组合模式。

下面以瑞士雀巢咖啡进入中国市场的营销组合为实例,来探讨市场营销组合的制定过程。

◆ 阅读案例 12-1

雀巢咖啡进入中国市场的营销组合策略

1987 年,雀巢公司(以下简称"雀巢")对中国内地和中国香港市场进行了全面的市场调查,聘请对中国问题非常了解的专业人士共同研究、制定了以下市场营销组合策略。

(1) 产品策略。"雀巢"通过调查发现,影响人们购买咖啡的主要因素是口味。国际上咖啡的口味主要分为以苦味为主的英国口味、苦和酸涩并重的美国口味、讲究淡味的日本口味。经过研究,"雀巢"认为中国内地的消费潮流受香港潮流领导,于是将产品定位为英国口味。

(2) 价格策略。在美国市场上,"雀巢"是名牌,而其在中国内地的竞争对手麦斯威尔咖啡则属杂牌,两者价格相差近 30%。在中国内地是否仍然保持这种价格差呢?公司决定保持这种价格差,并同时以相应的促销策略作为配合。

(3) 地点策略。为显示产品的档次,"雀巢"产品一般只供给中档以上的商店,不在小店出现。通过以上市场营销组合策略,"雀巢"迅速进入中国内地市场,取得了极大成功。

(4) 促销策略。①"雀巢"选择了京、津、沪三大城市为突破口,在三个城市的地方电视台和中央电视台同时播出广告,通过集中、统一、有特色的密集性发布,传播了"雀巢"咖啡"味道好极了"的良好品牌形象;②"雀巢"在京、津、沪三大城市多次举办名流品尝会,并为人民大会堂和一些重要会议免费提供咖啡,形成了名流只喝"雀巢"咖啡的时尚;③在营业推广上,"雀巢"没有采用欧美等国常用的折扣、减价等方式,而是采用较受中国内地消费者欢迎的买一赠一、买咖啡送伴侣等形式。

通过以上组合策略,"雀巢"迅速进入中国内地市场,并取得了成功。

第二节 市场营销计划

为了使企业的营销努力能够有效地为整体战略规划服务,应该制订更为具体的营销计划,使企业目标、资源和各种环境机会之间能够建立与保持一种可行的适应性,从而实现企业的市场战略目标。同时,营销计划也为营销实施提供了指导,为营销控制提供了参照系。

一、市场营销计划的内容

市场营销计划的内容一般由八个步骤构成,如图 12-3 所示。

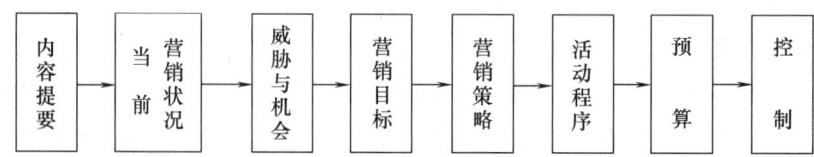

图 12-3 市场营销计划的内容

1. 内容提要

营销计划首先要有一个内容提要,即对主要营销目标和措施的简明概括的说明。

2. 当前营销状况

在内容提要之后,营销计划的第一个主要内容是提供该产品当前营销状况的简要而明确的分析:

(1) 市场情况。市场情况包括市场的范围有多大,包括哪些细分市场,市场及各细分市场近几年营业额有多少,顾客需求状况及影响顾客行为的各种环境因素等。

(2) 产品情况。产品情况包括产品组合中每个品种的价格、销售额、利润率等。

(3) 竞争情况。竞争情况包括主要竞争者是谁,各个竞争者在产品质量、定价、分销等方面采取了哪些策略,它们的市场份额有多大以及变化趋势等。

(4) 分销渠道情况。要掌握各主要分销渠道的近期销售额及发展趋势等。

3. 威胁与机会

营销计划中第二个主要内容是对市场营销中所面临的主要威胁和机会的分析。"威胁"是指营销环境中对企业营销的不利因素;"机会"是指营销环境中对企业营销的有利因素,即企业可取得竞争优势和差别利益的市场机会。营销管理人员应对威胁和机会进行评估。

一个市场机会能否成为企业的营销机会,还要看它是否符合企业的目标和资源。每个企业都在自己的任务和业务范围内追求一系列的目标,如利润水平、销售水平、销售增长率、市场占有率以及商誉等。有些市场机会不符合上述目标,因而不能成为企业的营销机会。例如,有些机会在短期内能提高利润率,但会造成不良影响,破坏企业的声誉,那是绝不可取的。还有些市场机会虽然符合企业的目标,但企业缺少成功所必需的资源,如在资金、技术、设备、分销渠道等方面力所不及,那也是不可贸然取之的。但如果能以合理的代价取得所必需的资源,也可能取得成功。

4. 营销目标

营销目标是营销计划的核心部分,是在分析营销现状并预测未来的威胁和机会的基础上制定的。营销目标也就是在本计划期内要达到的目标,主要有市场占有率、销售额、利润率、投资收益率等,如市场占有率要提高15%,销售利润率要增加20%等。

5. 营销策略

营销策略是指达到上述营销目标的途径或手段,包括目标市场的选择和市场定位策略、营销组合策略、营销费用策略等。

(1) 目标市场。在营销策略中应首先明确企业的目标市场,即企业准备服务于哪个或哪几个细分市场,以及企业的市场定位。

(2) 营销组合。企业准备在各个细分市场采取哪些具体的营销策略,如产品、渠道、定价和促销等方面的策略。

(3) 营销费用。根据上述营销策略确定营销费用水平。

6. 活动程序

营销策略还要转化成具体的活动程序。其内容包括:①要做些什么?②何时开始,何时完成?③由谁负责?④需要多少成本?按上述问题把每项活动都列出详细的程序表,以便于执行和检查。

7. 预算

营销计划中还要编制各项收支的预算,在收入一方要说明预计销售量及平均单价,在支出一方要说明生产成本、实体分配成本及营销费用,收支的差额为预计的利润(或亏损)。上层管理者负责审批预算,预算一经批准,便成为购买原材料,安排生产、人事及营销活动的依据。

8. 控制

营销计划的最后一部分是对计划执行过程的控制。典型的情况是将计划规定的目标和预算按月份或按季度分散,以便企业的上层管理部门进行有效的监督检查,督促未完成任务的部门改进工作,以确保营销计划的完成。

二、市场营销计划的编制

一个完整的市场营销计划的编制需要以下几个程序:

(1) 分析市场营销现状。分析市场营销现状包括对企业实力和弱点的分析、对营销环境的分析、对分销渠道现状的分析、对销售额和营销费用的分析及销售预测等。充分地分析市场营销现状,是企业编制市场营销计划的基础。

(2) 识别市场机会。通过对市场营销环境的分析,抓住环境变化的有利因素,识别有利可图的市场机会,为此充实市场营销计划的内容。

(3) 选择目标市场。要在充分了解市场环境、把握市场机会的前提下,结合企业的自身条件和竞争实力,选择目标市场。

(4) 拟定营销策略并加以选择。一般需要拟定几个可供选择的市场营销策略组合,并对其加以评价,选择满意的营销策略。

(5) 编制市场营销计划。需要通过对上述各项工作进行分析、汇总,才能编制出正式的市场营销计划。通常这个步骤由负责销售的副总经理汇总部门计划,经过协调,基本形成企业的市场营销计划,再由营销总经理审定即算完成,交由管理当局审批通过后,就可付诸实施了。

(6) 市场营销计划的实施。在市场营销计划实施过程中,常采取滚动计划方法,也就是根据计划的实施情况和内外部环境的变化适时地调整营销计划方案，并将营销计划逐期地向前推进，可以使长期、中期和短期计划有机地结合起来，保证营销计划的连续性和稳定性。

第三节　市场营销战略

一、市场营销战略的含义

企业在正确的市场营销管理哲学指导下开展市场营销管理的一个重要步骤，就是制定切实可行的市场营销战略。所谓市场营销战略，是指企业在现代市场营销观念下，为实现其经营目标，对一定时期内市场营销发展的总体设想和规划。

市场营销战略作为一种重要战略，其主旨是提高企业营销资源的利用效率，使企业资源的利用效率最大化。由于营销在企业经营中的突出战略地位，使其连同产品战略组合在一起，被称为企业的基本经营战略，对于保证企业总体战略的实施起着关键作用，尤其是对处于竞争激烈的企业，制定营销战略就更显得非常迫切和必要。市场营销战略包括两个主要内容：一是选定目标市场；二是制定市场营销组合策略，以满足目标市场的需要。根据购买对象的不同，将顾客划分为若干种类，以某一类或几类顾客为目标，集中力量满足其需要，这种做法，称作确定目标市场，这是市场营销首先应当确定的战略决策。目标市场确定以后，就应当针对这一目标市场，制定出各项市场经营策略，以争取这些顾客。

二、制定市场营销战略的步骤

市场营销战略的制定是一个创造和反复的过程。这个过程包含下列四个相互紧密联系的步骤：分析市场机会、选择目标市场、确定市场营销策略、市场营销活动管理。

1. 分析市场机会

在竞争激烈的买方市场，有利可图的营销机会并不多。企业必须对市场结构、消费者、竞争者进行调查研究，识别、评价和选择市场机会。企业应该善于通过发现消费者现实的和潜在的需求，寻找各种"环境机会"，即市场机会；而且应当通过对各种"环境机会"的评估，发现本企业最适当的"企业机会"。对企业市场机会的分析、评估，首先是有关营销部门对市场结构的分析、对消费者行为的认识和对市场营销环境的研究。此外，需要对企业自身能力、市场竞争地位、企业优势与弱点等进行全面、客观的评价，还要检查市场机会与企业的宗旨、目标与任务的一致性。

2. 选择目标市场

对市场机会进行评估后，要确定企业进入哪个市场或者哪个市场的哪个部分，即研究和选择企业目标市场。目标市场的选择是企业营销战略性的策略，是市场营销研究的重要内容。企业首先应该对进入的市场进行细分，分析每个细分市场的特点、需求趋势和竞争状况，并根据本公司优势，选择自己的目标市场。

3. 确定市场营销策略

在企业营销管理过程中，制定企业营销策略是关键环节。企业营销策略的制定体现在市场营销组合的设计上。为了满足目标市场的需要，企业对自身可以控制的各种营销要素如质量、包装、价格、广告、销售渠道等要进行优化组合，重点应该考虑产品策略、价格策略、渠道策略和促销策略,即"4P"营销组合。

4. 市场营销活动管理

企业营销管理的最后一个程序是对市场营销活动的管理,营销管理离不开营销管理系统的支持。具体来说,需要以下三个管理系统的支持:

(1) *市场营销计划*。既要制定较长期的战略规划,决定企业的发展方向和目标,又要制订具体的市场营销计划,具体实施战略计划目标。

(2) *市场营销组织*。营销计划需要有一个强有力的营销组织来执行。根据计划目标,需要组建一个高效的营销组织结构,对组织人员实施筛选、培训、激励和评估等一系列管理活动。

(3) *市场营销控制*。在营销计划实施过程中,需要控制系统来保证市场营销目标的实施。营销控制主要有企业年度计划控制、企业盈利控制、营销战略控制等。

营销管理的三个系统是相互联系、相互制约的。市场营销计划是营销组织活动的指导,营销组织负责实施营销计划,计划实施需要控制,以保证计划得以实现。

◆ **阅读案例 12-2**

山东兰陵美酒股份有限公司的市场营销战略

兰陵集团正式提出市场营销战略是在 2003 年,在这以前,公司虽然提出了市场营销"三步走"的指导思想,但并没有正式的市场营销战略提法,也未形成系统的营销战略。兰陵集团的市场营销开始于 1988 年国家对白酒价格的放开。兰陵集团根据市场情况,及时调整兰陵酒的价格,并开始通过广告促进销售。

在 20 世纪 90 年代,兰陵集团抓住当时历史发展的契机,通过产品结构的调整,生产出适时的兰陵美酒、兰陵陈香、兰陵特曲、兰陵大曲、兰陵喜临门等产品,分别以"中国老字号""三千年文化名酒""中国人的喜酒"为市场定位,树立了兰陵崭新的市场形象。品牌战略促使了兰陵集团近十年的高速发展,但是这些品牌除兰陵陈香、兰陵大曲等少数品牌外,大多数品牌在市场上已进入产品生命的衰退期,靠兰陵的品牌混饭吃,透支兰陵的无形资产。

2003 年,兰陵集团新的领导班子开始意识到过多、过快的品牌繁殖对公司的长远发展不利,对兰陵的品牌价值成长不利,于是兰陵集团决定大力整顿买断品牌,支持和扶持 8 个主要品牌,首次提出了公司要实行营销战略的思想,通过市场营销战略来规划公司的市场营销活动,并建立了兰陵集团 2003 年的市场营销战略:"一年理顺,两年起步,三年辉煌"的战略部署。

2005 年,兰陵集团领导班子又根据公司发展的实际,提出了新的营销战略:精耕临沂,巩固山东,练好内功,走向全国,将兰陵的区域性品牌打造为全国著名品牌。具体战略规划如下:

(1) 兰陵集团市场营销战略指导思想。以品牌战略为核心,实施品牌扩张和延伸,严抓产品质量,诚信经营,一心一意抓市场,集中精力抓销售,全力以赴抓营销,实现厂商并赢,共同发展,加快公司"第二次创业"的步伐。

(2) 兰陵集团的目标市场。高档白酒市场、中档白酒市场、低档白酒市场。

(3) 兰陵集团的市场定位。兰陵集团定位于传承经典、世袭尊贵、不断追求卓越的"天下第一酒都"形象。

(4) 兰陵集团的品牌战略。按照兰陵集团"第二次创业"的发展战略要求，为发挥公司的核心技术、无形资产和市场空间优势，把酒的主业做大，在全国配置资源，在国内寻找市场，打造全国著名的品牌。选择全国性品牌时注重：在知名度高、可塑性强的现有品牌中选择，通过公司不断创新、精心运作，形成具有独立个性、独立风格、独立空间的全国性知名品牌，占据国内高、中、低端销售市场，满足不同层面的消费需求。区域性品牌选择时着重考虑品牌的文化内涵、形象、口味、价格都适合的中、低价位产品，与地产酒相比具有极强竞争力的产品，努力实现精耕临沂，巩固山东，练好内功，走向全国，将兰陵打造为国内著名的白酒品牌。

(5) 兰陵集团的竞争战略为提高兰陵系列中、高档白酒市场的占有率，逐步降低低档白酒市场的占有率。通过增加专业经销商的数量控制经销渠道，加大终端营销来引导消费，提高公司形象，实施品牌战略来向市场渗透，通过新产品、新品牌的开发以及市场的拓展来增加销售，抢占市场份额。

(6) 兰陵集团的营销组合策略。①产品线：改进、开发从中低档到高档白酒产品，覆盖所有的价格区，开发高档白酒产品，满足上流社会的需求。②定价策略：高档白酒产品限量保价或限量提价；中档产品采用顾客需求定价；低档产品采用成本定价。③渠道策略：兰陵集团采用的是强势渠道策略，以传统渠道模式为主，由批发经销商向零售商供货。④促销策略：促销重点放在公司的形象宣传上，以电视和大型户外广告为主要媒体，以形象广告为主。销售促进主要针对经销商，以销售竞赛为主。采用相对饥饿销售策略，即常说的限量保价或者限量提价策略。

(资料来源：苏循亮. 山东兰陵美酒股份有限公司市场营销战略研究 [D]. 济南：山东大学，2007. 有改动。)

三、现有业务经营组合战略

企业的最高管理层规定了企业的任务和目标之后，就需要制定业务经营组合战略。大企业一般都有许多业务，如各种产品大类、产品、品牌等。过去，大多数企业都拨给其各业务单位较多资金，以鼓励各业务单位增加业务，扩大销售，增加盈利。近几年，许多企业和最高管理层认识到，企业的资金有限，而各个业务单位的增长机会、经营效益大不相同。因此，必须对现有的各种业务加以分析、评价，看看哪些应当发展，哪些应当维持，哪些应当减少，哪些应当淘汰。这就是说，必须制定业务经营组合战略，把企业有限的资金用于经营效益最高的业务单位上。每个战略业务单位可能包括一个或几个部门，或者是某部门的某类产品，或者是某种产品或品牌。

因此，在确定了企业任务和目标的基础上，企业的最高管理层还要对业务组合进行分析和安排，即确定哪些业务最能使企业扬长避短，发挥竞争优势，从而能最有效地利用市场机会和占领市场。这项工作需分两步进行：一是分析现有的业务组合，以确定对哪些业务或产品追加投入，对哪些业务或产品减少投入；二是制定企业新增业务的发展战略，即增加哪些新业务和新产品，从而达到优化业务组合的目的。

企业战略规划的重要内容之一是对现有业务经营组合进行分析。通过这种分析，企业管理部门可对各项业务进行分类和评估，然后根据其经营效果的好坏，决定给予投入的比例。应对盈利的业务（或产品）追加投入，对亏损的业务（或产品）维持或减少投入，以便使企业资源得到合理配置。

如何对现有业务组合进行分析和评估呢？主要有两种方法：一是波士顿咨询集团法（BCG Approach）；二是通用电气公司法（GE Approach）。

1. 波士顿咨询集团法

波士顿咨询集团（BOSTON CONSULTING GROUP）是美国一家著名的管理咨询公司。该公司建议企业用"市场增长率—市场占有率矩阵"对各业务单位进行评估，简称"BCG法"。该方法利用两阶矩阵，共分四个战略决策区（见图12-4），图中的纵坐标表示市场增长率，即产品销售的年增长速度，以10%为分界线分高低两个部分。图中的横坐标表示业务单位的市场占有率与最大竞争对手的市场占有率之比，称为相对市场占有率，以1.0为分界线分为高、低两个部分。如果相对市场占有率为0.1，则表示自己的市场份额为最大竞争对手市场份额的10%；如果相对市场占有率为10，则表示自己的市场份额为最大竞争对手市场份额的10倍。矩阵图中每个圆圈都代表一个业务单位，圆圈的位置表示该业务单位市场增长率和相对市场占有率的情况。

分别以相对市场份额和市场增长率为坐标的横轴和纵轴指数，并分别以标准值（1.0和10%）为界，将横轴、纵轴分为高、低两个部分，形成一个二阶矩阵，所得四个象限如图12-4所示。

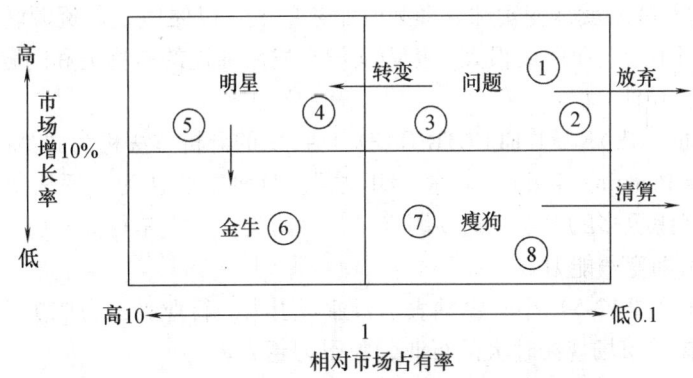

图12-4　波士顿咨询集团市场增长率—市场占有率矩阵

（1）明星类。明星类是市场增长率和相对市场占有率都高的业务单位。这类业务单位由于市场增长迅速，企业必须投入巨资以支持其发展。当其市场增长率降低时，这类业务单位就由"现金使用者"变为"现金提供者"，即"金牛类"。对明星类业务单位，应重点发展。

（2）金牛类。金牛类即市场增长率低、相对市场占有率高的业务单位。这类业务单位能为企业提供较多现金，可用来支持其他业务的生存与发展。所谓"金牛"，是产品金牛，类似我国的"摇钱树"。这类业务单位的多少，是企业实力强弱的标志。对金牛类业务单位，一般适用维持策略（弱小则"收获"）。

（3）问题类。问题类是市场增长率高但相对市场占有率低的业务单位。这类业务单位属于前途命运未卜的，对这类业务单位是大量投入使之转为明星类，还是精简合并以至断然淘汰，管理者应慎重考虑并及时做出决策。对问题类业务单位，应区别对待（择优发展）。

（4）瘦狗类。瘦狗类是市场增长率和相对市场占有率都低的业务单位。这类业务单有可能自给自足，也有可能亏损，但不可能成为大量现金的源泉，不应追加投入。对瘦狗类业务，一般适用放弃策略（较强则"收获"）。

上述四类业务单位的位置不是固定不变的，随着时间的推移会发生变化。多数业务单位在初期都属于问题类，如果经营成功，就会进入明星类，以后逐渐进入金牛类，最后进入瘦狗类。业务单位和产品一样，有其生命周期。

图 12-4 中共有 8 个业务单位，其中明星类 2 个，金牛类 1 个，问题类 3 个，瘦狗类 2 个，表明该企业经营状况尚可。因为处于金牛类的业务单位规模较大，所提供的现金可支持其他各类业务单位。但该企业应采取一些果断措施处理问题类和瘦狗类业务单位，以免负担过重，影响企业发展。

根据对各业务单位分析的结果，可确定对各个业务单位的投资战略。可供选择的战略有以下四种：①拓展（发展、增长）战略。这种战略是要设法提高市场占有率，必要时可放弃短期利润，适用于明星类和问题类中有希望转为明星类的业务单位。对这类业务单位应大量投入，促其成长。②维持战略。这种战略在于保持现有的市场占有率，适用于金牛类业务单位，目的是使其继续为企业提供大量现金。对其投入可维持现状。③收割（收获、榨取、缩减）战略。这种战略的目的在于增加短期现金收入，而不管其长期效果，是一种短期行为，主要适用于金牛类中前景暗淡的业务单位，对瘦狗类和问题类业务单位也适用。④放弃（淘汰）战略。这种战略就是变卖和处理某些业务单位，以便使企业资源转移到那些盈利的业务单位上，适用于给企业造成很大负担而又没有发展前途的瘦狗类和问题类业务单位。

2. 通用电气公司法

通用电气公司（GENEREL ELECTRIC CO.）提供的分析方法称为"战略业务规划网格"（Strategic Business Planning Grid），简称"GE 法"。这种方法认为，评估业务单位除上述两个要素外，还应考虑更多的因素。这些因素可分为两类：一类是行业吸引力；另一类是业务单位的业务实力，即竞争能力。

在 GE 矩阵（见图 12-5）中，纵轴表示行业吸引力。行业吸引力取决于下列因素：

（1）市场规模。市场规模越大的行业，吸引力越大。

（2）市场增长率。市场增长率越高的行业，吸引力越大。

（3）利润率。利润率越高的行业，吸引力越大。

（4）竞争激烈程度。竞争相对越缓和的行业，吸引力越大。

（5）周期性。受经济周期影响越小的行业，吸引力越大。

（6）季节性。受季节性影响越小的行业，吸引力越大。

（7）规模经济效益。单位产品成本随生产和分销规模的扩大而降低的行业，吸引力大。

（8）学习曲线。单位产品成本有可能随着经营管理经验的增长而降低的行业，吸引力大；反之，如果该行业管理经验的积累已达到极限，单位成本不可能因此再下降，则吸引力小。

GE 矩阵中的横轴表示业务单位的业务实力，由下列因素构成：

（1）相对市场占有率。相对市场占有率越大，业务实力越强。

（2）价格竞争力。价格竞争力越强（即较竞争者成本低），业务实力越强。

（3）产品质量。产品质量较竞争者越高，业务实力越强。

（4）顾客了解程度。对顾客的了解程度越深，业务实力越强。

（5）推销效率。推销效率越高，业务实力越强。

（6）地理优势。生产和市场的地理位置优势越大，业务实力越强。

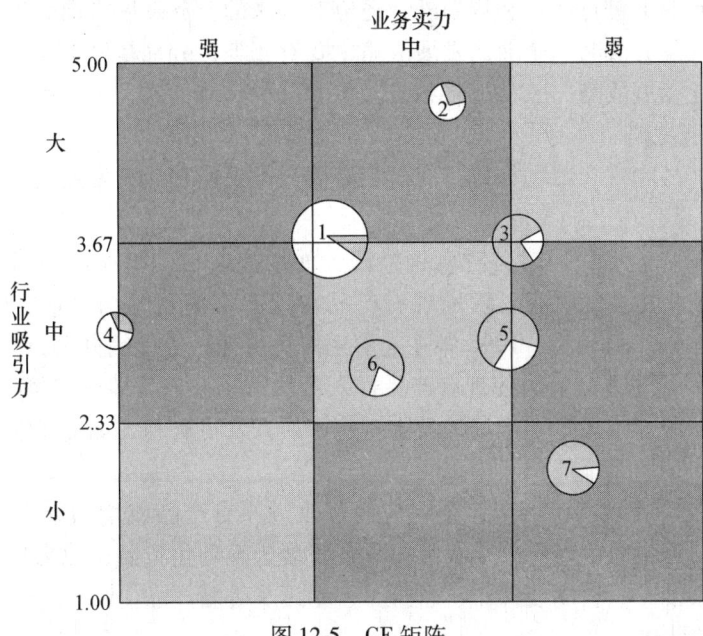

图 12-5　GE 矩阵

企业对上述两类因素进行评估，逐一评出分数，再按其重要性分别加权合计，就可计算出行业吸引力和企业业务实力的数据，然后利用 GE 矩阵加以分析。

在图 12-5 中，行业吸引力分为大、中、小三档，企业的业务实力分为强、中、弱三档，共有九个方格，可分成三个区域。

左上方三个方格组成的区域，即"大强""大中""中强"三格，这是最佳区域。对属于这个区域的业务单位，应该采取"拓展"战略，即追加投资，促进其发展。

对角线上三个方格组成的区域，即"小强""中中""大弱"三格，这是中等区域。对属于这个区域的业务单位，应采取"维持"战略，即维持现有投资水平，不增不减。

右下角三个方格组成的区域，即"小中""小弱""中弱"三格，这是行业吸引力和企业业务实力都低的区域。对属于这个区域的业务单位应采取"收割"或"放弃"的战略，不再追加投资或收回现有投资。

图 12-5 中的七个圆圈代表某公司的七个战略业务单位。圆圈的大小表示所在行业的规模的大小，圆圈中白色部分表示该业务单位在本行业中所占的市场份额。例如，圆圈 1、2、4 表示这些业务单位在本行业占有 50% 以上的市场份额，不仅业务实力强、行业吸引力大、行业规模也大，是理想的投资场所。圆圈 3、5、6 表示这些业务单位在本行业中占有 30% 以上的市场份额，业务实力较强，有可能发展为"金牛类"，但行业吸引力较小。圆圈 7 代表该业务单位在本行业所占的市场份额小，业务实力弱，行业规模也小。因此，该企业应发展 1、2、4 三个业务单位，维持 3、5、6 三个业务单位，并对业务单位 7 的去留及时做出决策。

上面介绍了西方企业常用的两种分析和评估的方法，无论采用哪种方法，都应根据评估的结果为每个业务单位确定经营目标，并据以分配企业资源。业务单位的管理人员的任务，就是努力实现企业管理当局为自己确定的目标。

四、新增业务的发展战略

企业除对现有业务进行评估和规划外,还应对未来的业务发展方向做出战略规划,即制定企业新增业务的发展战略。企业的发展战略主要有三类,分别是密集型发展战略、一体化发展战略和多角化发展战略。三类战略各自又包含三种具体形式,共九种,现分述如下:

1. 密集型发展战略

企业的现有产品和现有市场如果还有盈利潜力,可采用密集型发展战略。这一战略主要有下列三种形式:

(1) 市场渗透。企业应通过各种营销措施,如增加广告、增加销售网点、加强人员推销以及降价等,吸引更多的顾客,增加现有产品在现有市场上的销售量。例如,德国"阿克发"胶卷进入中国市场较晚,1992 年在上海采取免费冲扩等促销办法,立竿见影。

(2) 市场开发。企业应努力使现有产品打入新的市场,如从地方市场扩展到全国市场,从国内市场扩展到国外市场等。市场扩大有时比产品开发更有利,如美国箭牌口香糖只有一种产品系列,但市场遍及全球。

(3) 产品开发。在现有市场上,企业应通过改进原有产品或增加新产品来达到增加销售的目的。例如,原来只生产一种化妆品,现在发展为系列化妆品;原来只生产一种汽油货车,现在发展了柴油车、自动装卸车、越野车、专用车等新产品。

2. 一体化发展战略

如果企业所属行业的吸引力和增长潜力大,或实行一体化后可提高效率,提高盈利能力和控制能力,则可采取一体化发展战略。具体形式有以下三种:

(1) 后向一体化。后向一体化是指生产企业向后控制供应商,使供应和生产一体化,实现供产结合。例如,某汽车制造商原来向其他厂商购进汽车轮胎,现在发现汽车市场需求增长很快,改为自己开办轮胎厂或通过收购股份参与控制现有的轮胎企业。但不能把后向一体化理解为在一个工厂内搞"大而全",如汽车厂自己生产轮胎,又如大零售商附设(或控制)加工企业,实行供销一体化。

(2) 前向一体化。前向一体化是指企业向前控制分销系统(如控制批发商、代理商或零售商),实现产销结合。例如,汽车制造商自设分销系统等。

(3) 横向一体化。横向一体化是指企业兼并或控制竞争者的同类产品的生产企业。例如,实力雄厚的汽车公司收购或控制若干弱小汽车公司。

3. 多角化发展战略

多角化也称多样化或多元化,是指向本行业以外发展,扩大业务范围,向其他行业投资,实行跨行业经营。当企业所属行业缺乏有利的营销机会或其他行业的吸引力更大时,可实行多角化发展战略。但多角化并不意味着毫无选择地利用一切可获得的机会,而是要扬长避短,结合自身的资源优势来选择市场机会,以充分发挥资源潜力并使风险分散。多角化发展战略主要有以下三种形式:

(1) 同心多角化。同心多角化是指企业以现有产品为中心向外扩展业务范围,利用企业的现有技术和营销力量,发展与现有产品近似的新产品,吸引新顾客。例如,汽车厂商除增加汽车品种外,还可发展拖拉机、摩托车等产品。

(2) 横向多角化。为稳定现有的顾客,企业可发展与现有产品无关的新产品。例如,大型百货商店在其内部开设餐厅、酒吧、美容店等。

(3) 综合多角化。综合多角化是指企业发展与现有产品、技术和市场无关的新产品，吸引新顾客。例如，进入新的商业领域，经营房地产业，开设饭店、剧院等。

上述这些多角化战略可取得很大的竞争优势，因此，当代许多大企业都实行这一战略。例如，美国的柯达公司除生产经营照相器材外，还涉足食品、石油、化工、保险等多种行业。日本一些大商社的多角化经营更是达到了"从鸡蛋到导弹"无所不有的地步。我国一些大企业在改革开放的新形势下，也打破了长期以来"条块分割"、行业界限森严的局面，实行多角化战略，如广东的白云山药厂、健力宝饮料公司等，都实行跨行业的多角化经营，收到了很好的经济效益和社会效益。实行多角化战略的前提是必须慎重决策，不可贸然进入陌生行业，以防经营不善造成重大损失。

主要名词

市场营销组合　市场营销战略　波士顿咨询集团法　密集型发展战略
一体化发展战略　多角化发展战略

案例分析

基于销售人员考核的营销政策控制

营销政策左右着销售人员的销售行为。在以销量为核心的考核标准下，销售人员所追求的是拼命提高销量，而对利润、产品盈利组合、品牌、市场秩序等对企业发展有长远影响的要素置于不顾。在利益驱动下，销售人员为追求销量通过所谓的"捷径"去达成，而把市场秩序和管理放在次要的位置，结果常常造成窜货、市场秩序混乱。要解决冲货问题，最根本的措施就是改变企业以销量为核心的营销政策，以及对销售人员的考核进行有效的控制。本案例通过对某制药企业（以下称 H 公司）的诊断来加以具体分析。

一、H 公司营销管理的特点

H 公司的营销组织架构是以销售职能为核心的，如图 12-6 所示。

(1) 100 多个销售办事处使营销组织体系呈现偏重销售职能的特点，区域性的推广都由办事处自主完成，在营销总部，各项营销规划职能处于分散状态，如策略规划、计划管理、信息管理、物流管理、广告管理、市场研究等许多职能都是分散运作，缺乏整合统一。

(2) H 公司拥有处方药、非处方药和保健食品等多个产品系列，在销售上都使用统一

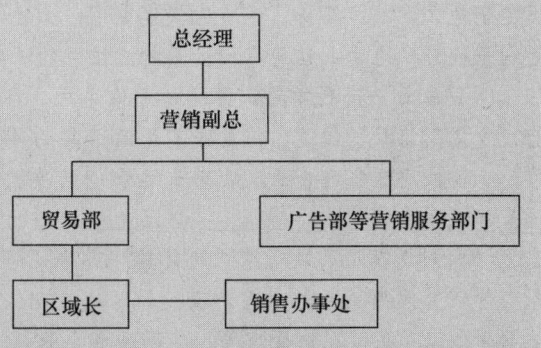

图 12-6　H 公司的营销组织架构

的销售办事处平台，而对每个类别的产品缺乏进行良好管理的专业部门，因而对于每类产品的推广来讲，都是缺乏系统管理的。

(3) 办事处对销售费用的使用有很大的权力。总公司只控制总体的费用比率，如何使用销售费用则完全由办事处自主决定。

(4) 公司对价格体系的管理重点是最低供货价。总公司要求办事处给医药公司的直接供货价不得低于最低出货价，但是至于医药公司以多少批发价销售，或者办事处给医药公司多少的暗中返利，公司并不予以控制。

二、H公司目前面临的销售问题

(1) 价格体系混乱，跨区冲货现象严重。分析其直接原因，一是由于办事处向医药公司实施暗扣政策，只要医药公司的销售回款完成了办事处规定的目标，就可以获得一定比例的返利。利用这个返利，医药公司降低批发价进行销售。各地医药公司的销售回款能力不同，获得的返利也不同，因此在相近的市场区域就发生了大量的冲货现象。另外，国家目前实施药品采购招标制，由当地医药公司负责某家医院的全面药品采购权。由于医药公司获得采购权投资较大，必然要拼命压低医药厂家的供货价，以获取较大的价差空间。不同的地区差异很大，同一个厂家在各地市场夺标后的供货价不同，自然就会发生低价市场向高价市场冲货的现象。

(2) 销售人员缺乏上进心，惰性严重。

(3) H公司决策层对上述两个问题缺乏良策。

三、造成销售考核失控的原因分析

(1) 营销政策偏重销量是造成以上问题的根本原因。由于H公司营销政策的核心思想就是以销量作为判断销售人员业绩的唯一标准，公司决策层看重的就是短期销量的增长，这就是其根本的经营思想。从销售人员的角度分析，一方面，完成销售目标就获得奖金是其内在动力；另一方面，既然提供了这样的决策，销售人员自然会充分加以运用，只要能提高销售量、拿到高额奖金，对是否发生冲货则根本不予重视，他们的精力只会放在能给他们带来大销量的产品上。

(2) 偏重销售总量，却忽视了不同产品类别的均衡发展。H公司考核销售人员的只是所有产品的销售总量，而对不同类别的产品或者新老产品之间所应占有的恰当比例没有规定。这样销售人员只会把精力和资源投放在能带来最大销量的产品上，而不会重视新产品或者高利润产品的推广。

(3) 对销售业务过程缺乏规范化的管理。由于办事处具有自主使用销售费用的权力，由此决定了什么方式能轻易、迅速地提高销量，就会倾向于投入费用去使用它。自然销售人员会用返利手段轻松地达成销售目标，而对应该做的一些市场管理工作，销售人员却不会费力去做。

(4) 缺乏一套科学的销售绩效考核系统。在现有以销量为核心的考核标准下，销售人员只能拼命提高销量。但是，销量并不是最可靠的衡量标准，更重要的是利润、产品盈利组合、品牌、市场秩序这些对企业发展有长远影响的要素。因此，应该建立一套科学的绩效考核评估系统来加以保障。

(5) 对医药公司缺乏系统的管理。办事处将精力都放在了以返利促进销售上，而对市场的各项管理工作都缺乏坚实的管理，如区域管理、价格体系管理、分销网络建设管理、终端客户关系管理以及医院系统管理等，从而造成企业缺乏核心竞争能力。

四、H公司营销管理调整与控制的重点

(1) 营销组织体制的调整。首先调整销售体系的职能，从下向上依次为办事处、区域长和贸易部，对它们的职能要求重新定位，同时，在总公司建立一个完善的销售后勤部门，涵盖销售计划、销售信息、销售物流和销售事务管理职能；其次是强化总公司市场部的专业力量，提高公司在市场研究、广告运作、策略规划、产品管理等方面的营销专业水准，为销售系统提供强大的推广支持；最后是建立品类管理模式，对每一大类的产品设置专业的管理部门，成立专业的产品推广部门，而将销售办事处改造成一个公共的销售平台。这种模式可以提高企业在市场上的推广力量和管理力量，也可以提高办事处进行市场拓展的成功率。

（2）营销政策的调整。一方面，取消目前的责任承包制度，不将销量作为唯一的评判标准，另外增加对市场进行系统管理的规范要求；另一方面，改变目前办事处对费用的使用方式，将费用使用的决策权收回到总公司，办事处必须制订费用的使用计划，并经总部批准后方可执行，这样可以提高费用使用的合理性和效率。

（3）销售业绩考核控制体系的建立。建立一套科学、规范的销售业绩考核体系，涵盖分销网络建设、分销网络管理和区域市场拓展的各个方面，全面评估销售人员的综合能力，同时以良好的职业规划激发销售人员的内在动力。

（4）分销渠道管理控制体系的建立。建立一套以渠道管理为核心的系统，将办事处的工作重点转移到对渠道通路和终端的系统管理上，塑造渠道的核心竞争力。

（5）销售业务管理体系的建立。提高销售队伍的专业能力，建立规范的销售业务流程，通过制度来激发销售队伍的潜力和积极性，通过培训来提高销售队伍的专业能力。

（资料来源：http：//ibs.nankai.edu.cn/marketing，南开大学市场营销学国家级精品课程网站.）

讨论并回答问题：
1. 通过案例分析，针对销售人员的考核对整个销售业务管理体系起到什么作用？
2. 以销售人员为例，说明营销政策如何才能发挥有效的控制作用。
3. 对企业营销系统而言，除了针对销售所进行的控制，还应就哪些方面实施控制？
4. 营销控制与高层管理者的战略思路关系如何？

本 章 小 结

本章共分三节，分别探讨了市场营销组合、市场营销计划、市场营销战略等。

市场营销组合是指企业的综合营销方案，即企业根据目标市场的需要和自己的市场定位，对自己可控制的各种营销因素（产品、价格、渠道、促销等）的优化组合和综合运用，使之协调配合，以取得更好的经济效益和社会效益。市场营销组合的特点包括可控性、动态性、复杂性、整体性。市场营销组合的运用原则是目标性、协调性、经济性、反馈性。

市场营销计划内容的八个步骤依次排列是内容提要、当前营销状况、威胁与机会、营销目标、营销策略、活动程序、预算、控制。

市场营销战略是指企业在现代市场营销观念下，为实现其经营目标，对一定时期内市场营销发展的总体设想和规划。制定市场营销战略的步骤是分析市场机会、选择目标市场、确定市场营销策略、市场营销活动管理。对于新增业务的发展战略共有三类，分别是密集型发展战略、一体化发展战略和多角化发展战略。

思 考 与 实 训

1. 什么是市场营销组合？列出市场营销组合的特点。
2. 分析并说明编制市场营销计划时所遵循的程序。
3. 如何对现有业务组合进行分析和评估？企业主要采用哪两种方法？
4. 企业新增业务的发展战略有哪几种类型和形式？试分别举例说明。
5. 请根据调查，对任一家用电器销售企业某年某类电器（如电视机、空调、电冰箱）的销售情况进行分析，并详细地制订出该类产品的营销计划。

第十三章

国际市场营销

学习目标

1. 了解国际市场营销的概念及其与国际贸易和国内市场营销的异同
2. 掌握各种国际营销环境对企业营销行为的影响
3. 熟悉企业国际目标市场的选择
4. 掌握企业进入国际市场的不同方式
5. 掌握企业国际营销策略的制定

导入案例

从"海尔中国造"到"海尔世界造"

海尔从1996年开始陆续在海外开设工厂,它相信,本土化制造是海尔国际化道路上关键的一步。

1996年,海尔在印度尼西亚设立了第一家海外工厂。到2001年,海尔已经在全球设立13家工厂,这些工厂每年生产上百种产品,这些产品大部分在当地销售。

世界跨国公司大多选择到劳动力成本低廉的地区开设工厂。1999年,当海尔在美国南卡罗来纳州投资开设一家工厂时,一家业界权威杂志驻美国记者立即对海尔的做法提出质疑:舍弃本国劳动力成本低廉的优势,到人力成本昂贵、市场饱和的欧美投资建厂,海尔是否明智?

对此,张瑞敏认为,应用逆向思维来算这笔账。美国很多工厂迁到中国来,看好的是中国廉价劳动力。我们唯一的优势可能就是廉价劳动力,如果我们总等在家里的话,最后我们什么相对优势都没有了,所以我们到美国去,主要是获取人才、资本、技术的优势。美国每两年提高一次家电的能耗标准,如果你不在那里建厂,就很难跟上它的要求。只要我生产的产品和美国产品的成本是一样的,在市场上的销售价也是一样的,它赚钱我就不会赔钱,就这么简单。

一些美国零售商曾经因为海尔是国外进口商品,在售后服务和零部件供应等方面都比本土产品麻烦而不愿意销售海尔的产品。直到印有"美国制造"字样的海尔产品一批批运出美国南卡罗来纳州工厂的时候,美国的零售商们才不再把海尔当作外来产品看待了。

理查是纽约连锁店老板,他说,对品牌的认识我们是有要求的。海尔品牌现在已经在美国本土生产和销售,是一个美国品牌了,因此,越来越多的消费者知道了海尔。我们向消费者推荐海尔,一旦他们购买了,发现海尔的确有着优良的品质,那么他们就会向更多的朋友推荐海尔,这样我们的生意也就好做了。

> 对美国消费者来说，在选择同样性能和价格的商品的时候，"美国制造"这个标签往往是决定他们取舍的微妙因素，这就是本土品牌的价值。
>
> 从"海尔中国造"到"海尔世界造"，海尔品牌无论是在质量、信誉还是售后服务等方面，都已经改变了人们对中国制造产品"质差价廉"的印象。
>
> （资料来源：寇小萱. 国际市场营销学[M]. 北京：对外经济贸易大学出版社，2006.）

第一节　国际市场营销概述

20 世纪末期，科学技术的突飞猛进引起了世界经济的迅猛发展，许多国家的企业逐步向着国际化方向发展，大型跨国公司的数量和规模也随着迅速扩大。我国的改革开放不仅仅吸引了外国的企业，同时也把中国企业推向了世界。在竞争日益激烈的国际市场上，企业能否经受得住考验，不仅取决于企业的经济、技术等实力，也取决于企业对国际市场的了解和国际营销能力。

一、国际市场营销的概念及发展

（一）国际市场营销的概念

国际市场营销（International Marketing）是指国内市场营销向国外市场地域上的延伸、扩展，即营销者跨越国界，在两个或两个以上的国家从事营销活动的过程。它是企业进军国际市场的行为，是世界经济发展的必然产物。

（二）国际市场营销的发展

国际市场营销实践活动的重心变化和演变是在众多相关环境变化的基础上形成的。第二次世界大战以后，国际贸易体系的改善、国际货币体系的确立、世界局势的主流转向和平与发展等，都使国际市场营销越来越成为企业经营的一个必不可少的方面。如今，很多企业就立足于全球的角度来规划企业的营销行为。国际市场营销的发展过程大致经历了以下三个阶段：

1. 出口营销阶段

出口营销阶段是指 20 世纪 60 年代以前。第二次世界大战以前，国际市场只是作为国内市场的补充，企业主要以国内消费者为销售对象，同时在国际市场上少量销售国内市场上的同类产品。第二次世界大战以后，发达国家开始重视国际市场，根据不同国家的需要，组织市场营销活动，但以出口为主。

2. 跨国营销阶段

跨国营销阶段是指 20 世纪 70 年代。该时期日本、西欧经济发展迅速，与美国一起进行大规模海外投资，出口导向的国际市场营销转向国际市场导向阶段，即把国内市场和国际市场作为一个整体看待，侧重于发现国际市场机会，往往采取在东道国投资、生产和销售的形式。

3. 全球营销阶段

全球营销阶段是指 20 世纪 80 年代以后。这一时期由于科技迅速发展，各国市场的同质化趋势加强，全球对外直接投资急剧增加。在这种情况下，国际市场营销进入全球营销阶段，这个阶段的企业持有全球营销的市场观念，即在当今的技术经济条件下，企业的市场营销活动突破国家（地域）的界限，通过对技术、资源、资金、人才的国际比较，按照资源配置最优化的原则，采取投资、生产、合作等方式，生产出最完整的产品以满足世界市场各国消费者的需要。国际产品的出现就是全球营销观念的结果。

以上三个阶段反映了国际市场营销的历史进程。由于各个企业所处国际营销发展的阶段不同，因此必须根据企业的实际情况来确定自己的营销策略，以达到企业的预期目标。

二、国际市场营销与国内市场营销、国际贸易的异同

国际市场营销活动跨越了国界，是国内市场营销活动的延伸；同时，正是由于跨越国界的性质，它与国际贸易有着密切的联系和区别。

1. 国际市场营销与国内市场营销的异同

国际市场营销与国内市场营销都是建立在对市场营销原理运用的基础上，其理论基础、行动原则基本相同。但是，由于国际市场营销是在本国以外的市场范围内进行的，因此，它与国内市场营销活动有以下区别：

（1）营销环境的差异性。各国在经济、政治、文化等方面都存在一定的差异，因此市场需求千差万别，要求营销决策因地制宜。

（2）营销系统的复杂性。构成国际营销系统的参与者既有来自本国的，又有来自东道国的，还有来自第三国的，因此，国际营销系统比国内营销系统更为复杂。

（3）营销过程的不确定性。由于环境的差异，国际营销人员无法确切地把握国外市场的情况，难以开展有效的营销活动。

（4）营销管理的困难性。在国际营销活动中，需要对各国的营销业务进行统一的规划、控制与协调，使母公司与分散在全球各国的子公司的营销活动成为一个整体，实现总体利益最大化。

◆ **阅读案例 13-1**

针对国际市场特点展开国际市场营销行为

荷兰的飞利浦公司在日本销售小型家用电器时，针对日本人的特点进行产品改进，以适应日本市场的需求，获得了丰厚的利润。飞利浦公司发现日本人的厨房比较狭窄，便缩小了咖啡壶的尺寸，因此受到日本家庭主妇的欢迎；剃须刀是飞利浦公司的重要产品，当飞利浦公司发现日本人手比较小时，便缩小了剃须刀的尺寸，因此受到日本用户的喜爱。

宝洁公司的佳洁士牙膏在墨西哥做广告时，仍然采用在美国做广告的主题，遭到了失败的厄运。因为墨西哥人根本不考虑如何预防牙齿方面的疾病，宣传科学道理的广告，对墨西哥人来说一般是毫无吸引力的。

（资料来源：寇小萱. 国际市场营销学[M]. 北京：对外经济贸易大学出版社，2006.）

从上述飞利浦产品在日本和宝洁产品在墨西哥的例子可以看出，企业在国际市场营销中，必须考虑目标市场国消费者的特点、偏好和风俗习惯等因素，才能在国际市场上取得成功。否则，如果把在本国市场的成功模式直接照搬到国际市场，往往会由于满足不了当地消费者消费行为的特殊性而很难取得成功。

2. 国际市场营销与国际贸易的异同

国际市场营销与国际贸易都是以获得利润收入为目的而进行的超越国界的经济活动，但它们之间又存在着明显的差异。这些差异表现在以下几个方面：

（1）业务范围不同。国际贸易由世界各国的对外贸易构成，每一个国家的对外贸易又都有进口贸易和出口贸易，因此，国际贸易包括购进和售出两个主要方面。而国际市场营销则主要是销售方面，即通过了解国际市场需求，向国际市场销售适销对路的产品或劳务，从而获得收益。

（2）交易的主体不同。国际贸易是国家之间产品和劳务的交换，是站在国际立场上进行的活动。而国际市场营销是企业的产品和劳务等内容与国际市场需求不断适应的过程，卖方是企业，买方则可能是国家，也可能是这个国家的企业和个人，还可能是本企业的海外公司或附属机构。因此，国际市场营销是站在企业的立场上，由企业组织实施的。

（3）超越国界的方式不同。在国际贸易中，产品和劳务的交换必须是超越国界的，即参加交换的产品和劳务必须真正地从一个国家转到另一个国家。而在国际市场营销中，作为超越国际的市场营销活动，是指这些活动超越国界，而不是指产品和劳务超越国界。例如，某个企业在若干个国家分别设有工厂，生产出来的产品用于满足东道国的市场需求。这样，尽管企业的产品并未超越国界，只是当地生产当地销售，但企业所进行的市场营销活动是超越国界的。这是因为企业要对国外子公司进行规划和协调。

（4）实施的过程不同。国际市场营销要涉及整个市场营销过程与企业发展战略等问题。而国际贸易与之不同，尽管它也要涉及某些市场营销活动，如产品购销、产品的实体分配、产品定价等，但在进行时往往缺乏整体的计划、组织和控制，一般也没有产品的研发，无须构建国外分销网络。

三、开展国际市场营销的重要意义

积极开展国际市场营销，在宏观和微观上都具有重要的意义。其意义如下：

（1）加速经济建设。世界各国经济、技术发展不平衡，特别是在科学技术高度发展的今天，任何一个国家都不可能拥有本国经济所需要的一切资源，更不可能拥有发展所需的所有先进技术。要加速发展本国经济，就需要积极开展国际市场营销，将国内产品打入国际市场，顺利实现产品的价值并获得更多盈利，通过出口创汇，引进先进的科学技术和设备，加速本国的经济发展。

（2）扩大产品销售。积极开展国际市场营销，为企业拓展营销领域，可以寻求到更广泛的市场，扩大企业的产品销售。扩大产品销售一是通过销售获得更大的利润回报；二是通过扩大销售来扩大企业的生产规模，降低产品单位成本，获得规模效益。

（3）规避经营风险。积极开展国际市场营销可以在本国经济不景气时积极开拓国际市场，寻求有利的市场机会，在一定程度上避开国内市场饱和与竞争过度给企业带来的损失。同时，对于跨国公司来说，开展多国市场营销可以在全球范围内选择有利的市场机会，保证企业的健康发展。

（4）加速企业成长。积极开展国际市场营销，使企业投身到激烈的国际市场竞争中，可以磨炼企业的生存发展能力，加快技术进步，提高经营管理水平，从而加速企业成长壮大。对于我国这样一个发展中国家来说，加入世界贸易组织对众多企业来说既是压力也是动力，既有挑战又有机会。在我国现代化建设过程中，鼓励国内企业积极开展国际市场营销，参与国际竞争，可以在强手如林的激烈竞争中锻炼自己，在融入世界经济主流的同时，从根本上转变我国企业的发展思路，锻造出适应国际竞争环境的新型现代企业。

第二节　国际市场营销的环境

国际市场营销环境具有较大的复杂性和差异性，程度不同的相关性，以及控制、把握、利用和影响的较大难度等特点。通过对国际市场营销环境的研究，可以使企业自觉地利用现有的市场机会，避开可能出现的威胁，发挥企业优势，制定有效的营销战略，实现企业的国际营销目标。国际市场营销的环境因素包括国际社会文化环境、国际经济环境、国际政治环境、国际法律环境等。这些因素制约和影响着企业的国际市场营销活动。

一、国际社会文化环境

国际市场营销的国际社会文化环境是指对企业国际市场营销行为产生影响和制约作用的各种文化因素的总和，是企业从事国际市场营销的重要的外部条件。它广泛深入到人类生活的各个方面，如衣食住行、礼节、大众传播、工作节奏、日常规矩等。其中，服装、城市、建筑等是文化的有形部分，宗教、价值观念、传统习惯等是文化的无形部分。

文化作为一种适合本民族、本地区、本阶层的是非观念影响着消费者的行为，进而影响到这一市场的消费结构、消费方式，并使生活在同一文化范围内的人们的个性具有相同的方面。因此，学习国际市场营销知识、从事国际市场营销活动的每一个人，都应该准确地理解社会文化的含义，并且对文化在国际市场营销中的重要性有深刻的认识，以便在不同国家或地区进行营销活动时，不会忽略文化这一决定性因素的影响。

1. 物质文化

物质文化质量的高低和完善程度直接影响国际市场营销的方式、规模，如运输、能源、广告促销策略、分销渠道选择等。国际市场营销者在把握东道国的物质文化时，要注意到各国不同的物质文化水平直接影响消费者对其所需产品的质量、品种、使用特点及其生产、销售方式的要求。

2. 语言

语言是文化的镜子，是文化的核心组成部分，它折射出民族的价值观和世界观，反映某一文化的本质特性，也是经济活动沟通的桥梁和表达思想、传递感情的工具，需要适时、适地而用。英语是世界上最流行的商业文字，但法国、德国却分别提倡使用法文和德文以示民族尊严。

3. 审美

美是一种高层次的人类心理需求，关于美、审美认识的观念，是文化的重要组成部分。在不同的文化环境中，美有不同的评价标准，人的审美活动，如对数字、色彩、图案、形体、运动、音乐旋律与节奏、建筑式样等艺术表现形式的喜好和忌讳，对产品设计和营销有很大影响，是营销活动的重要工具。国际市场营销者应使自己的产品、包装、广告、工厂布置等符合当地的审美偏好，应依据营销环境的审美观来设计产品、包装和广告，进行工厂和店铺布置。

4. 教育

教育是技能、思想、态度的传授和专门知识的学习和培训，与经济发展水平密切相关。经济越发达的国家和地区越重视教育，教育水平也越高。受教育水平对国际市场营销的影响主要表现在这样几个方面：①受教育水平影响人们的消费行为；②受教育水平制约国际市场营销活动；③受教育水平影响当地市场的商品构成；④受教育水平影响国际市场营销活动在当地可利用的人力资源状况。

5. 宗教

宗教对很多国家和地区的国际市场营销活动的影响很大。宗教信仰影响着人们的消费行为、社交方式、穿着举止、经商风格、价值观、在社会中处理和谐与冲突的方式，以及人们对时间、财富、变化、风险的态度。企业要在国际市场营销活动中充分认识宗教信仰对企业营销的影响，尊重目标市场各方的宗教信仰和观念，充分利用营销契机，巧妙规避风险。

6. 社会组织

社会阶层是一个社会具有相对同质性和持久性的群体，按等级排列。同阶层成员具有类似的价值观、兴趣爱好、行为方式乃至产品偏好和品牌偏好，其经济收入、购买力也相似。

家庭是社会组织的基本单位，家庭的作用在不同的社会中具有差异，亲属关系是社会组织的最基本组成部分。农业社会的家庭是最重要的社会中心，为家庭成员提供衣食住行、教育、文化传承，浓厚的家庭观念使家庭成员之间联系紧密，购买决策以家庭为主，家庭成员的消费受家庭的影响很大。

7. 风俗习惯

《礼记·曲礼上》："入境而问禁，入国而问俗，入门而问讳。"了解目标市场国消费者的风俗习惯，是企业进行国际市场营销的重要前提。

一个社会、一个民族的饮食起居、婚丧仪式等都是与人们的风俗习惯分不开的，对其消费行为、消费方式等起着重要的作用。例如，中国人的主食是米、面制作的米饭、馒头、包子、饺子等，而西方人则主要是面包；中餐讲究色、香、味、形，多是用明火煎、炒、蒸、炸方式制作，而日本饭菜则以清淡、简洁为主。各国或各地区的饮食习惯不同，相应的对一些商品的需求也就不同。例如，我国制作米饭、馒头，一般用蒸锅、电饭锅等；而西方国家则主要用烤箱、微波炉等。这些习惯上的差异将直接影响相关产品的生产和销售。

二、国际经济环境

经济环境是企业在国际市场营销中确定目标市场和制定营销决策要考虑的一个重要因素，也是影响企业不同国际市场营销决策之间差异性的最重要的因素。分析国际市场营销环境中的经济环境，一般可以从经济发展水平、经济结构和经济特征等方面入手。

1. 经济发展水平

一般而言，在经济欠发达的国家，市场发育程度较低，非货币化的生产活动所占比重较大；处于经济起飞阶段的发展中国家，则往往走上工业化道路，第二产业迅速发展，第三产业也逐渐得到孕育、发展；在发达国家，以第三产业为主，物质产业大量转移到海外。此外，农村人口与城市人口比重的进一步变化和教育水平的提高也体现出一个国家从欠发达国家向发达国家转变的进程。这一切无疑也对市场产生了深刻的影响。一个国家的经济发展所处的阶段不一样，居民收入水平明显不同，消费者对产品的需求也就不一样，因此会直接或间接地影响到企业的国际市场营销。

2. 经济结构

经济结构是指一个国家的第一产业、第二产业和第三产业之间，劳动密集型产业、资本密集型产业、技术密集型产业和知识密集型产业之间，以及各产业所属部门之间的比例关系。经济结构直接决定需求结构。随着一个国家经济的发展，其经济结构不断升级和变化，需求结构也在不断地随之变化。通过对一个国家经济结构现状和变化趋势的分析，企业可以发现某些市场机会，所以，经济结构也是选择目标市场的首要依据之一。

3. 经济特征

经济特征主要有人口、收入、基础设施、自然条件、城市化程度等。它们也对企业的国际市场营销行为有着重要的影响。如总人口，人的需求是生产的出发点和归宿点，作为消费者，人的需求是无条件的，在其他条件相同的情况下，一个国家的人口越多，市场容量也就越大。因此，作为世界上人口最多的国家，中国是一个消费品大国。国民收入越高，工业品市场的规模和潜力就越大。人均收入越高，消费品的市场就越大；基础设施越完善，越利于企业的发展。自然条件的差异决定了对不同产品的需求和购买水平的差异。由于城市和农村在经济、文化等方面存在巨大差异，城市消费者和农村消费者在生活方式、消费观念、消费行为上有很大的不同。

三、国际政治环境

在国外经营所面临的一个无法否认的事实是，经营的许可权完全控制在东道国的手中。东道国政府能够控制、限制外国企业的行为。因此，对于企业而言，要想进入他国市场，开展国际市场营销的前提，就是获得东道国政府的批准和同意。东道国政府是外国企业的一个几乎可以支配一切的隐形合伙人，是企业每一项国外经营活动的重要参与者。

1. 国际政治关系

企业在进行国际市场营销时，常常受到政治因素的影响。世界上每一个国家都与世界上其他国家有着独特的关系。每一个国家的企业在其国际市场营销中都会发现并切实体验到这些关系对企业营销活动的影响，有时是有利的，有时是不利的。而这些关系并不是一成不变的，它会随着某些情况的变化而发生改变。例如，在尼克松访华前后、中日邦交正常化前后，中国与美国、日本的双边贸易都发生了巨大的变化。

2. 政府对外商投资的态度

由于一国政府用以实现国家目标的方针不同，对外商的基本政策和态度会有很大的差别。有些国家很愿意接受而且实际上很欢迎外国企业，有些国家却十分反对，还有些国家则是有条件地允许外国企业进入，等等。总之，各国对国际投资和国际贸易的态度，因各国的经济发展水平等具体情况不同而各异，具体表现为鼓励、限制和禁止等。

3. 企业国外经营的政治风险

企业从事跨国经营，通常是把资金投放到国外市场，其生产经营活动也都在当地进行，因而东道国的政治环境对海外企业的生存和发展影响极大。如果东道国的政治不安定，甚至出现冲突、战乱等，则海外企业的生产经营必然陷于混乱、停滞，甚至造成难以估量的经济损失。因此，全面深入分析和考察一个国家的政治风险是非常必要的。政治风险的种类多种多样，常见的有国有化、外汇管制、贸易壁垒、价格控制、雇工问题等。

◆ 阅读案例 13-2

技术标准导致的贸易壁垒

各国采用不同的技术标准,提高了商品贸易的成本,对各国商品的自由贸易形成了一定程度的障碍。一些国家甚至有意通过不同标准来设置贸易壁垒。

1988 年 1 月,欧盟对食用牲畜制定了禁止使用催肥激素物质的规定,这一禁令影响了美国对欧盟的肉类出口。根据美国官方估计,如果此项规定全面实施的话,将使美国向欧盟的肉类出口量每年减少 1.15 亿美元。为此,双边出现了贸易摩擦,美国认为这是欧盟利用动植物检疫措施设置的技术壁垒,而欧盟则强调此规定的目的是保护人体健康。无论出于什么目的,此项卫生检疫规定对外国肉类进入欧盟市场起到了明显的阻碍作用。

美国太平洋西北部的七个州小麦产区有一种称为"矮腥黑穗病"(TCK)的小麦病害,小麦感染 TCK 病害后会造成减产和商业价值损失。中国并没有这种小麦病害,为了防止 TCK 传入中国,从 1972 年开始,中国一直对美国那七个州生产的小麦实行进口禁运,直到 1999 年 11 月的《中美农业合作协议》生效之后才对这项严格的禁运措施做出了调整。

(资料来源:闫国庆. 国际市场营销学[M]. 北京:清华大学出版社,2007.)

从以上案例可以看出,企业所面临的任何一种政治风险都会对企业的国际营销行为产生重大的影响,因此,企业必须重视可能面临的政治风险。

四、国际法律环境

法律代表一个国家书面的或正式的政治意愿。在这种意义上,一个国家的政治与法律制度是密切相关的。国际市场营销的法律环境是由企业母国法律(国内法律)、国际经济法律和东道国法律组合而成的。

1. 母国法律

许多国家为了保护国内市场,增加国内就业机会,以及更好地与国际惯例接轨,都制定了明确的法律规定。其内容大体上包括出口控制、进口控制和外汇管制。

2. 国际经济法律

国际法是调整交往中国家间的相互关系并规定其权利和义务的原则和制度。国际法的主体,即权利和义务的承担者一般是国家而不是个人。其主要依据是国际条约、国际惯例、国际组织的决议以及有关国际问题的判例等。这些条约或惯例可能适用于两国间的双边关系,也可能适用于许多国家间的多边关系。尽管国际上没有一个相当于各国立法机构的国际法制定机构,也没有一个国际性执行机构实施国际法,也没有实际的法官去裁判国际法,但国际法依然在国际商业事务中扮演着重要的角色。

3. 东道国法律

影响国际市场营销活动最经常、最直接的因素是目标市场国即东道国有关外国企业在该国活动的法律规范。目前,世界上大多数国家现行的法律制度大致可分为两大体系,即成文法系和习惯法系。

成文法系又称大陆法系。法国、德国和其他一些欧洲国家,以及南美洲各国、日本、土耳其、中国等世界上大多数国家的法律制度,都实行成文法系。成文法系最重要的特点就是以法典为第一法律渊源，在实行成文法系的国家，明确的法律条文非常重要。实行成文法系的国家的司法不是依据法院以前的裁决，同样的条文可能产生解释上的偏差。这样就使国际市场营销人员面临一个不确定的法律环境。

习惯法系又称不成文法或普通法。习惯法系最重要的特点是以传统导向为主，重视习惯和案例，过去案例的判决理由对以后的案件有约束力，即所谓的先例原则。近年来，英国、美国等国家制定了大量的成文法，作为对习惯法的补充，但是合同法与侵权行为法仍为习惯法。

不同的法律制度对同一事物可能有不同的解释，因此，国际市场营销者在进行国际市场营销时，必须对国外市场的法律环境进行慎重而明确的分析。

第三节 国际目标市场的选择

满足国际市场的消费者需要是企业国际营销活动的关键，然而不同国家和地区的消费者需求特点差异很大，企业难以同时满足所有消费者的需求，因此必须依照一定的标准、一定的步骤对众多的国家和地区市场进行划分，并在此基础上对各个细分市场进行深入调研与评价，从中选出企业能有效满足其消费者需求的细分市场作为目标市场。

一、国际市场细分

国际市场是一个庞大、多变的市场，为了选择目标市场，首先要根据各国或各地区消费者的不同需要和购买行为，对国际市场进行细分。所谓国际市场细分，是指企业按照一定的细分标准，把整个国际市场细分为若干个需求不同的子市场，其中任何一个子市场中的消费者都具有相同或相似的需求特征，企业可以在这些子市场中选择一个或多个作为其国际目标市场。国际市场细分是企业确定国际目标市场和制定国际市场营销组合策略的必要前提。

国际市场细分有两层含义，即宏观细分和微观细分。宏观细分是指以世界为市场范围，通过确立若干标准，将整个世界市场分成若干个国家或国家组合，每一个国家或国家组合具有相似的营销环境和需求，即为一个分市场。微观细分是指跨国营销者在给定的国家或国家组合内，通过确立若干微观细分标准，细分出若干个用户群或若干个分市场，以便更准确地选择目标市场，实施有针对性的营销活动。不难发现，对国际市场进行细分有两个基点：一是消费者对商品的需求有着明显的差异；二是商品的不同消费者对同样的营销活动有着不同的反应。基于此，企业必须针对潜在的消费者群体开发有效的营销方式。

1. 国际市场细分的宏观细分标准

世界上有众多的国家，企业究竟进入哪个（或哪些）市场最有利，这就需要对国际市场进行宏观细分。宏观细分是微观细分的基础，因为企业首先确定进入哪个或哪些国家，然后才能进一步在某国进行一国之内的细分。国际市场宏观细分的标准有地理标准、经济标准、文化标准和组合标准等。

（1）地理标准。根据不同的地理区域单位，整个国际市场可以划分为若干个子市场。企业可以决定在一个或一些地理区域开展业务，或者面向所有地区。如按照洲际划分，可以把整个国际市场分为非洲市场、美洲市场、欧洲市场、亚洲市场、大洋洲市场等；如按照国别划分，则可分为中国市场、美国市场、印度市场、马来西亚市场等。按照地理标准进行国际市场细分有很多优点。例如，同一地理区域的国家和地区，往往有相似的文化背景和需求共性；将同一地理区域的国家归为一个细分市场有利于进行统一管理；地理位置相邻的国家和地区一般有着相同的经济制度和经济发展水平，这些区域性经济集团对国际企业的营销活动影响很大，有时一个企业进入了某一集团的某一个国家，就等于进入了该集团的每一个国家。当然，国际市场营销者使用地理标准细分国际市场只是国际市场细分的第一步，因为有时处于同一地理区域的国家由于经济发展水平或文化背景悬殊，也不能够向企业提供同样的市场机会。例如，美国、加拿大、墨西哥虽处于同一地区，但其经济文化有着明显的差别，消费者需求也就存在着明显的差别。

（2）经济标准。比较常用的经济标准有人均国民收入、收入分配状况、经济发展水平等。人均国民收入是最简单也是最常用的细分国际市场的经济标准。一般来说，人均国民收入越高的国家，其市场需求质量越高。一国的收入分配状况影响的是该国的市场需求结构，如果国民生产总值、人均国民收入都相同的国家的收入分配状况不一样，其市场需求的结构也不一样。经济发展水平影响着国际市场细分，一般情况下，经济发展水平越高的国家，参与国际分工的程度也就越深，对外部市场的依赖也就越大。

（3）文化标准。生活方式密切地受到文化的影响，所以按照文化标准细分国际市场对营销者做出决策是非常有益的。文化标准对国际市场营销决策的重要影响之一，就是文化的诸因素（如语言、教育、宗教、美学、价值观和社会组等）都能构成国际市场的细分标准。然而，由于世界上文化的类型和种类很多，要把世界上所有不同国家的文化类型进行分类并为所有文化类型都分别制定策略是十分困难的。一个替代的方法是，将世界上众多的不同文化类型按以下文化要素进行再分类，得出五种文化要素。这五种文化要素是物质文化、社会制度、信仰体系、美学和语言。单纯地用文化类型作为细分市场标准在很多情况下是不可行的。以宗教为例，仅仅以宗教为标准以实现对一组国家实施共同营销策略往往是不够的。巴基斯坦和沙特阿拉伯都恪守伊斯兰教义，可是两国在经济上的差别很难把它们联系起来实行同一营销策略。沙特阿拉伯的人均国民生产总值 2009 年达 14250 美元，是一个各类消费品和工业品的需求大国，而巴基斯坦人均国民生产总值 2009 年只有 790 美元，这对国际市场营销者来说，市场潜力较小。因此，在应用文化标准进行国际市场宏观细分时，还应兼顾其他的一些细分变量（如经济、地理等），才能避免以单一变量进行细分而导致的片面性。

（4）组合标准。许多企业在国际市场上的营销实践表明，单独使用上述任何一个标准细分国际市场都是不完善的，国际市场营销者可以使用组合标准来细分国际市场。例如，使用地理标准可以细分出某一市场；在此基础上再使用经济标准，可细分出某一市场；在经济细分的基础上，再使用文化标准分出不同的细分市场。

2. 国际市场细分的微观细分标准

国际市场的微观细分方法与国内市场的微观细分方法是相同的，细分的标准也基本一致。

（1）消费品市场的细分标准。消费品市场的细分标准主要有人口统计因素、社会经济因素、地理因素、心理因素和行为因素等。其中，人口统计因素包括年龄、性别、家庭规模、职业、教育、种族、宗教等；社会经济因素包括社会阶层、家庭生命周期、收入等；地理因素包括区域因素，如南方、北方、城市、农村、平原、山区、沿海、内地等；心理因素包括消费者的性别、生活方式、对产品和企业的态度等；行为因素包括消费者所追求的利益、对品牌的偏爱程度、购买频率、消费模式、对企业营销组合的敏感程度等。

（2）工业品市场的细分标准。工业品市场因其特殊性，其细分标准与消费品市场的细分标准有所不同，主要参照的标准包括地理位置、用户性质（如生产企业、中间商、政府部门等）、用户规模、用户要求（如经济型、质量型、方便型等）以及购买方式（如购买频率、支付方式等）。

二、评估国际细分市场

企业对国际市场细分后，会发现某一个或几个细分市场上的需求未被满足，这便是市场机会。但市场机会能否转化为企业机会，还要根据以下标准进行估测和判断：①该市场是否具有一定的购买力。市场购买力很小的市场机会不能变成企业机会，因为这样的细分市场不能达到一定的销售额和获得一定的利润。②该市场是否具有一定的发展潜力。任何一个国际企业不仅要生存下去，而且要长期生存下去。假如某一细分市场虽然有现实的未被满足的需求，但没有长期潜在需求或需求不大，那么这种市场机会就是转变成了企业机会，也只是短期的。③该市场的竞争状况。某细分市场上存在市场机会，竞争者不多，竞争不激烈，并且企业在该市场上有竞争优势，那么企业就可以将该市场转化为企业机会。④本企业的能力。市场机会存在，还要考虑企业自身的人力、物力、财力等是否足以进入该市场。⑤东道国政府的宏观经济政策。企业应考虑东道国政府的宏观经济政策是否允许本企业的产品进入该细分市场，以及进入该细分市场后按照东道国宏观经济政策能否顺利开展营销活动。

三、选择国际目标市场

在对不同子市场进行评估后，企业必须决定进入哪些市场和为多少子市场服务。一般有以下五种选择策略：

（1）选择单一子市场。这是指选择一个子市场，提供一种非常有特色的产品或服务。很多中小型企业选择这种策略可以避免激烈的竞争，集中优势在很小的范围内或市场上专注经营，如北大方正的中文电子排版系统和金利来的男士职业服装。企业通过专注单一市场，能够深入了解子市场的需要，并树立在该领域特别的声誉，因此可以在子市场建立稳固的市场地位。选择一个单一子市场的风险较大，因为单一子市场可能出现不景气的情况。在20世纪50年代，索尼公司（当时名为东京通信工业株式会社，简称东通工）最初的产品磁带录音机曾经在日本的九州地区非常畅销，该地区煤炭业的蓬勃发展使得当地的经济异常景气，人们都很富有。然而，东通工的产品突然又因煤矿的纷纷破产、整个地区经济情况恶化而滞销了。当时，东通工作为一个刚起步的小公司几乎完全依赖于该地区，那里销售的突然滑坡使公司一片大乱，但后来终于通过提高其他地区的销售渡过了这个难关。由此盛田昭夫开始意识到："仅仅依靠九州，东通工也许会垮台。"

（2）有选择的专门化。这是指选择几个子市场，提供不同的产品或服务。各个子市场之间联系很少或没有任何联系，然而每个子市场都可能盈利。选择多个子市场可以分散企业的风险。对于大型集团企业来说，则可分成若干相对独立的实体，分别服务于不同的客户群。例如，香格里拉集团在北京国贸中心拥有中国大饭店和国贸饭店两个不同档次的饭店。

（3）产品专门化。这是指集中生产一种产品，向几个子市场提供这种产品。例如，企业向各类顾客销售传统照相机，而不提供其他产品。通过这种战略，企业在某个产品领域树立起很高的声誉。但是，如果传统照相机被数码相机代替，该企业就会发生危机。

（4）市场专门化。这是指选择一个子市场，提供这个子市场的顾客群体所需要的各种产品。例如，企业可以为大学实验室提供一系列产品，包括显微镜、化学烧瓶及试管等。企业专门为这个顾客群体服务而获得良好声誉，并成为这个顾客群体所需各种新产品的代理商。但是，如果大学实验室突然削减经费预算，该企业就会产生危机。

（5）完全市场覆盖。用各种产品满足各种子市场的需求难以做到，只有大公司才能采取完全市场覆盖战略，如通用汽车公司（汽车市场）和微软公司（计算机操作系统市场）等。

◆ 阅读案例 13—3

通用汽车公司国际目标市场的选择

通用汽车公司曾经长期占据国际汽车市场头把交椅的位置。目前，通用旗下拥有十几个不同品牌，汽车型号几乎覆盖了市场上所能见到的全部系列。通用汽车采用合资的方式，在20世纪90年代末进入中国市场。为进入中国，通用汽车选择了别克品牌来打响头炮，它所针对的是中国的中高级市场。当时的中国汽车市场还没有完全启动，轿车消费中的私人购车还不普遍，公车改革也未进行，中高级车市场有政府和机关采购作为保证。别克车以其大气的造型、宽阔的空间赢得了广大客户的青睐，迅速打开了市场。此后，通用汽车又先后引进了凯越、乐风、乐骋等紧凑型、小型车进入中国市场。到今天，通用汽车在中国市场上已成为合资汽车企业中的佼佼者。

（资料来源：甘碧群. 国际市场营销学[M]. 北京：高等教育出版社，2007.）

第四节　进入国际市场的决策

企业对进入外国市场的产品、技术、技能、管理诀窍或其他资源进行系统规划，选择国际目标市场的进入方式，是企业最关键的活动之一。它将直接影响到企业进入外国市场以后的经营活动，因此，如果开始选择不当，就会造成损失。而且，从一种方式转换到另一种方式需要付出转换成本，有时候这种成本还会相当高昂，这就要求企业在选择进入方式时要进行深入的分析和准确的判断。

一、企业进入国际市场的方式

企业可以有多种方式进入外国市场，这些方式包括：出口进入方式，包括直接出口、间接出口；契约进入方式，包括许可证、特许经营、管理合同、合同制造、交钥匙工程；直接投资进入方式，包括合资经营和独资经营。选择特定的进入方式反映出企业在目标市场上想获得什么利益、如何获得这种利益等战略意图。因此，对于进行国际市场营销的企业来说，了解各种进入方式的特点有利于进行正确的选择。以下对企业进入国际市场的方式分别做一介绍：

1. 出口进入方式

长期以来，出口一直被作为企业进入国际市场的重要方式。从宏观角度看，由于出口有利于增加国内就业、增加国家外汇收入、提高本国企业的国际竞争力，因此一直受到各国政府的鼓励。同时，从企业的角度看，为了降低国内竞争所带来的风险和进行自身扩张，各国的企业也都将扩大出口作为进入国际市场的重要方式。出口进入方式有许多优点：首先，由于出口面临的政治风险最小，它常被企业作为进入国际市场的初始方式；其次，当母国的市场潜量不能准确探知时，出口方式可以起到投石问路的作用；再次，当企业发现目标市场具有吸引力时，可以利用出口为将来直接投资积累经验；最后，当目标市场的政治、经济状况恶化时，可以以极低的成本终止与这一市场的业务关系。出口进入方式也有一些缺点，例如，汇率的波动和政府贸易政策的变动会给出口企业的收益带来负面效果。除此之外，出口企业也常常会发现难以对目标市场的变动做出迅速反应，对营销活动的控制也较差。出口可分为间接出口和直接出口两种方式。

（1）间接出口。间接出口是指企业使用本国的中间商来从事产品的出口。通过间接出口，企业可以在不增加固定资产投资的前提下开始出口产品，费用低、风险小，而且不影响目前的销售利润。企业可借助这种方式逐步积累经验，为以后转化为直接出口奠定基础。

（2）直接出口。直接出口是指使用目标国家的中间商来从事产品的出口。在直接出口方式下，企业的一系列重要活动都是由自身完成的。这些活动包括调查目标市场、寻找买主、联系分销商、准备海关文件、安排运输与保险等。直接出口使企业部分或全部控制国外营销规划，可以从目标市场快捷地获取更多的信息，并针对市场需求制定及修正营销规划。

直接出口的主要形式有：①设立国内出口部。企业设立专门负责对外销售的出口部，通常由一名出口销售经理和几名职员组成。它可能演变为独立的出口部门，负责企业所有的出口业务，甚至成为企业的销售子公司，单独计算盈利。②利用国外经销商和代理商。国外经销商直接购买本企业产品，拥有产品所有权；而国外代理商是代表企业在国际市场推销企业产品，不占有产品，收取佣金。在企业不了解国外市场又想尽快进入国际市场时，可以把产品卖给国外经销商，或委托国外代理商代售。③设立驻外办事处。设立驻外办事处实质是企业跨国化的前奏。办事处可从事生产、销售、服务等一条龙服务。其优点有：一是可以更直接地接触市场，信息反馈准确迅速；二是可以避免代理商的三心二意，而集中力量攻占某个市场。其缺点是设立国外办事处需要大量投资。④建立国外营销子公司。国外营销子公司的职能与驻外办事处相似，所不同的是，子公司是作为一个独立的当地公司建立的，而且在法律和赋税、财务上都有其独立性，这说明企业已更深入地介入了国际市场的营销活动。这种直接出口方式有利于更好地了解市场、把握市场，也能很好地保护企业的商标、商誉及其他无形资产，并且能更好地提供售后服务，满足当地市场的需求，但风险较大。

2. 契约进入方式

契约进入方式是国际化企业与目标国家的法人单位之间长期的非股权联系，前者向后者转让技术或技能。

（1）许可证进入方式。在许可证进入方式下，企业在一定时期内向外国法人单位（如企业）转让其工业产权，如专利、商标、产品配方、公司名称或其他有价值的无形资产的使用权，获得提成费用或其他补偿。许可证合同的核心就是无形资产使用权的转移。

许可证进入方式是一种低成本的进入方式。其最明显的好处是绕过了进口壁垒，如避过关税与配额制的困扰。当出口由于关税的上升而不再盈利时，当配额制限制出口数量时，制造商可利用许可证方式。当目标国家货币长期贬值时，制造商也可由出口方式转向许可证方式。许可证进入方式的另一个优势是其政治风险比股权投资小。当企业由于风险过高或者资源方面的限制而不愿在目标市场直接投资时,许可证进入方式不失为一种好的替代方式。

许可证进入方式同时也有许多不利的方面。企业不一定拥有外国客户感兴趣的技术、商标、诀窍及公司名称,因而无法采用这种方式。同时,这种方式限制了企业对国际目标市场容量的充分利用,它有可能将接受许可的一方培养成强劲的竞争对手;许可方有可能失去对国际目标市场的营销规划和方案的控制;甚至还有可能因为权利、义务问题陷入纠纷、诉讼。鉴于许可证进入方式存在的这些弊端,企业在签订许可证合同时,应明确规定双方的权利和义务条款,以保护自身的利益。

(2) 特许经营进入方式。这种方式是指企业(特许方)将商业制度及其他产权,如专利、商标、包装、产品配方、公司名称、技术诀窍和管理服务等无形资产许可给独立的企业或个人(被特许方)。被特许方用特许方的无形资产投入经营,遵循特许方制定的方针和程序。作为回报,被特许方除向特许方支付初始费用以外,还定期按照销售额的一定比例支付报酬。

特许经营进入方式与许可证进入方式很相似,所不同的是,特许方要给予被特许方以生产和管理方面的帮助,如提供设备、帮助培训、融通资金、参与一般管理等。特许进入方式的优点和许可证进入方式很相似。在这种方式下,特许方不需太多的资源支出便可快速进入外国市场并获得可观的收益,而且它对被特许方的经营具有一定的控制权。它有权检查被特许方各方面的经营。如果被特许方未能达到协议标准和销售量或损害产品形象,则特许方有权终止合同。另外,这种方式政治风险较小,并且可充分发挥被特许方的积极性,因而是广受欢迎的一种方式。特许进入方式的缺点是:特许方的盈利有限;特许方很难保证被特许方按合同所约定的质量来提供产品和服务,这使得特许方很难在各个市场上保证一致的品质形象;容易把被特许方培养成自己未来强劲的竞争对手。

(3) 合同制造进入方式。合同制造进入方式是指企业向外国企业提供零部件由其组装,或向外国企业提供详细的规格标准由其仿制,由企业自身保留营销责任的一种方式。利用合同制造方式,企业将生产的工作与责任转移给了合同的对方,以将精力集中在营销上,因而是一种有效的扩展国际市场的方式。但这种方式同时存在如下缺点:①有可能把合作伙伴培养成潜在的竞争对手;②有可能失去对产品生产过程的控制;③有可能因为对方的延期交货导致本企业的营销活动无法按计划进行。

(4) 管理合同进入方式。管理合同进入方式是指管理公司以合同形式承担另一公司的一部分或全部管理任务,以提取管理费、一部分利润或以某一特定价格购买该公司的股票作为报酬。这种方式可以保证企业在合营企业中的经营控制权。管理合同进入方式具有许多优点,企业可以利用管理技巧而不发生现金流出来获取收入,还可以通过管理活动与目标市场国的企业和政府接触,为未来的营销活动提供机会。这种方式的主要缺点是具有阶段性,即一旦合同中约定的任务完成,企业就必须离开东道国,除非又签订新的管理合同。

(5) 交钥匙承包进入方式。交钥匙承包进入方式是指企业通过与外国企业签订合同并完成某一大型项目,然后将该项目交付给对方的方式进入外国市场。企业的责任一般包括项目的设计、建造,在交付项目之后提供服务,如提供管理和培训工人,为对方经营该项目做准备。交钥匙合同除了发生在企业之间外,许多是就某些大型公共基础设施,如医院、公路、码头等与外国政府签订的。交钥匙进入方式最具吸引力之处在于,它所签订的合同往往是大型的长期项目，而且利润颇丰。但正是由于其长期性，这类项目的不确定性因素增加，如有可能遭遇政治风险。对企业来说，预期外国政府的变化对项目结果的影响往往是很困难的。

3. 直接投资进入方式

随着经济全球化及各国经济开放的发展，越来越多的企业将对外直接投资作为进入外国市场的主要方式。与出口和合约进入方式相比，直接投资进入方式具有以下优点：①投资进入容易得到东道国的支持和鼓励。对于东道国来说，它能获得所需的资金、技术和先进的管理经验，带动同行业的发展，并可扩大出口，解决劳动力就业等问题。而其他进入方式（如进口产品）则不可能带来这些好处，相反会制约东道国民族经济的发展。所以，一些东道国（尤其是缺乏资金的国家）政府往往对投资进入持欢迎态度。②投资进入有利于控制市场、产品和技术优势。因为投资进入是以自己控制产品生产和销售的方式向东道国转让技术、商标、管理经验和资金等，这就有利于企业对产品质量进行严格控制，对工业产权加以有效保护，对东道国市场实行全面控制，从而发挥竞争优势。而企业采取许可证进入方式则难以对接受方的产品产销进行严格控制，出口进入方式则缺乏当地生产的后勤上的优势。③有效降低生产成本，提高产品的国际竞争力。在东道国产销产品，与出口进入方式相比，显然节省了运输、关税等费用，也不受东道国进口配额的限制和本国生产能力的影响，同时还可在东道国取得廉价的土地、劳动力、原材料，有效地降低了生产成本。这样，企业可向东道国提供低成本、低价格的产品，从而提高产品的供应能力和市场竞争能力。④投资进入能形成市场优势。首先，在东道国生产的产品一般比出口产品更能适应当地消费者的需求；其次，在当地生产能够及时向中间商和消费者交货，并能提供更好的售后服务，在促销过程中与当地消费者的沟通障碍小，易于被接受；最后，可通过加强对东道国的资源投入来巩固市场，不会像出口、许可证贸易那样因容易失去市场而造成巨大损失。⑤投资进入也会带动出口。投资进入往往可以带动设备、半成品、原材料等实物的出口，实际上达到了扩大出口的目的。

对外直接投资可分为两种形式，即合资经营和独资经营。

（1）合资经营。合资经营是指与目标国家的企业联合投资，共同经营，共同分享股权及管理权，共担风险。联合投资方式可以是外国公司收购当地的部分股权，或当地公司购买外国公司在当地的股权，也可以是双方共同出资建立一个新的企业，共享资源，共担风险，按比例分配利润。

合资经营的优点是：投资者可以利用合作伙伴的专门技能和当地的分销网络，从而有利于开拓国际市场；同时，还有利于获取当地的市场信息，从而对市场变化做出迅速灵活的反应；当地政府易于接受和欢迎这种模式，因为它可以使东道国政府在保持主权的条件下发展经济。但这种模式也存在弊端，如双方常会就投资决策、市场营销和财务控制等问题发生争端，有碍于跨国公司执行全球统一协调战略。

（2）独资经营。独资经营是指企业独自到目标国家去投资建厂，进行产销活动。独资经营的标准不一定是100%的公司所有权，主要是拥有完全的管理权与控制权，一般只需拥有90%左右的产权便可。独资经营的方式可以是单纯的装配，也可以是复杂的制造活动。其组建方式可以是收买当地公司，也可以是直接建立新厂。

独资经营的优点是：企业可以完全控制整个管理与销售，经营利益完全归其支配；企业可以根据当地市场特点调整营销策略,创造营销优势;可以同当地中间商发生直接联系,争取它们的支持与合作;可降低在目标国家的产品成本,降低产品价格,增加利润。其主要缺点是:投入资金多,可能遇到较大的政治与经济风险,如货币贬值、外汇管制、政府没收等。

二、影响企业进入方式选择的因素

在选择进入方式时,企业必须考虑外部因素和内部因素的影响。

1. 外部因素

影响企业进入国际市场方式选择的外部因素包括目标国家的市场因素、目标国家的环境因素、目标国家的生产因素等几个部分。

(1) 目标国家的市场因素。目标国家的市场因素包括市场规模、市场竞争结构和营销基础设施三个方面。从市场规模方面来看,如果目标国家的市场规模较大,或者市场潜力较大,则企业可以考虑以直接投资方式进入;反之,则可以考虑以出口方式或契约方式进入,以保证企业资源的有效使用。从竞争结构方面来看,如果目标国家的市场竞争结构属于自由竞争,则以出口方式为宜;如果是垄断竞争或寡头垄断型竞争结构,则应考虑以契约方式或直接投资方式进入。从营销基础设施方面来看,如果目标国家的营销基础设施较好且较容易获得,则可采用出口方式进入;反之,则应考虑以契约方式或直接投资方式进入。

(2) 目标国家的环境因素。目标国家的环境因素包括政治环境、经济环境、社会文化环境和法律环境四个方面。从环境因素方面来看,如果公司母国政府对出口采取鼓励和扶持的政策,或者对企业向境外投资有严格的约束,则可以采用出口方式;反之,则可以考虑契约方式或直接投资方式。

(3) 目标国家的生产因素。生产因素是指企业组织生产所必需的各项生产要素(如原材料、劳动力、资金、基础设施等)的可获得性和价格。如果企业在母国的生产成本加上运至目标国家市场的运费低于在目标国家生产所需花费的成本,则应采取出口方式;否则,应考虑契约方式和直接投资方式。

2. 内部因素

影响企业进入外国市场方式选择的内部因素包括产品因素和企业资源及投入因素两个部分。

(1) 产品因素。一般来说,如果企业生产的产品价值高、技术复杂,则以出口方式进入外国市场为宜,因为高价值的产品在外国市场上可能需求不足,同时,还可能由于当地技术基础无法达标和配套而难以在当地生产;如果企业生产的产品属低值易耗品,如日用化工产品、食品和饮料等,则可以在许多国家建厂生产。另外,如果企业所生产产品的用户对售后服务要求较高,则一般以契约方式或直接投资方式进入为宜,以保证让用户满意。

(2) 企业资源及投入因素。如果企业的资金较为充足,技术较为先进,且积累了较丰富的国际市场营销经验,则可以采用直接投资方式进入外国市场;反之,则以出口方式和契约方式进入外国市场为宜,待企业实力增强,积累了一定的国际市场营销经验以后,再采用直接投资方式。

第五节　国际市场营销的策略

一、国际市场产品策略

现代企业的生存方式就是向消费者提供各种各样的产品，包括有形的商品和无形的服务等。企业要跻身国际市场，就必须向国外目标市场上的消费者提供适销对路的产品。所以，产品是企业生存和发展的关键。国际市场产品决策是企业的一个关键性决策，并且是构成国际市场营销组合的策略之一。

1. 国际产品生命周期

在一个国家的市场上，产品生命周期理论形象地描述了产品在市场上被引入，随后成长、成熟直至衰退的过程。在国际市场上，国际产品生命周期理论主要描述一种新产品在一国出现后如何向其他国家转移的过程。它最先在 20 世纪 60 年代末由美国哈佛商学院的雷蒙德·弗农（Raymond Vernon）教授提出。国际产品生命周期理论是在早期的技术差距贸易理论的基础上不断发展、完善而形成的。雷蒙德·弗农教授根据美国的实际情况，提出了国际产品生命周期的阶段模型。弗农的这一理论为国际市场上诸如纺织品、自行车、黑白电视机、船舶等产品的发展过程所证实。产品的国际生命周期在不同技术水平的国家里，发生的时间和过程是不一样的，其间存在一个较大的差距和时差，这一时差表现为不同国家在技术上的差距。它反映了同一产品在不同国家市场上的竞争地位的差异，从而决定了国际贸易和国际投资的变化。弗农认为，在国际市场上，产品的发展需要经过下述三个阶段：

（1）新产品阶段，也称产品导入期。此阶段产品尚未定型，技术也不完善，当生产发展到一定的水平时，才有少量的产品出口到其他国家。在新产品阶段，创新国利用其拥有的垄断技术优势，开发新产品，由于产品尚未完全成形，技术上未加完善，加之竞争者少，市场竞争不激烈，替代产品少，产品附加值高，国内市场就能满足其摄取高额利润的要求等，产品极少出口到其他国家，绝大部分产品都在国内销售。

（2）成熟产品阶段，又称产品成长期和成熟初期。在成熟产品阶段，由于创新国技术垄断和市场寡头地位被打破，竞争者增加，市场竞争激烈，替代产品增多，产品的附加值不断走低，企业越来越重视产品成本的下降，较低的成本开始处于越来越有利的地位，且创新国和一般发达国家市场开始出现饱和，为降低成本，提高经济效益，抑制国内外竞争者，企业纷纷到发展中国家投资建厂，逐步放弃国内生产。

（3）标准化产品阶段，又称成熟后期。在标准化产品阶段，产品的生产技术、生产规模及产品本身已经完全成熟，这时对生产者技能的要求不高，原先新产品企业的垄断技术优势已经消失，成本、价格因素已经成为决定性的因素。这时发展中国家已经具备明显的成本因素优势，创新国和一般发达国家为进一步降低生产成本，开始大量地在发展中国家投资建厂，再将产品远销至第三国和别国市场。

2. 国际产品进入策略

国际营销者在制定产品策略时，面临的一个首要问题是，产品是否应该标准化，即在世界范围内销售标准化的产品，还是为适应每一个特殊的市场而设计特殊的产品。从国际营销的实践来看，一般生产能力强、单位成本低的企业赞成标准化营销；而对营销环境，尤其是文化环境比较敏感的企业则主张产品应该因市场而异。

（1）国际产品标准化。国际产品标准化是指在世界各国市场上都提供同一种产品。例如，在世界各地，人们可以喝到包装、品牌、口味都相同的可口可乐，吃到同样的肯德基炸鸡，人们也可以在各国买到一模一样的尼康照相机。国际产品标准化可获得规模经济效益，节省研究开发费用和其他技术投入，也可以节省营销费用。它可使消费者在世界各地都能享受到同样的产品，有助于树立企业的国际形象。

（2）国际产品的差异化。差异化是指对不同国家或地区的市场，根据其需求差异而提供经过改制的、略有不同的产品。对于电视机来说，各个国家可能电视线路不同，电源电压不同，因此，向不同国家供应的电视机就需略做修改而略有不同。面对有差异的市场，国际企业为了开拓市场、增加销量，可能不得不实施产品差异化策略，当然由此必须承担额外的成本与费用。

（3）国际产品包装与品牌策略。国际企业在不同的海外市场销售产品，其包装是否需要改变，取决于各方面的环境因素。从包装所具有的两个方面的基本作用——保护和促销来看，如果运输距离长、运输条件差、装卸次数多、气候过冷或过热或过于潮湿，则对包装质量要求就高，否则难以起到保护产品的作用。如果东道国消费者由于文化、购买力、购买习惯的不同而可能对包装形状、图案、颜色、材料、质地有偏好，则从促销角度来看，应重视并调整包装，以起到吸引与刺激消费者的作用。当今一些发达国家的消费者出于保护生态环境的强烈意识，重新倾向于使用纸质包装；而在一些发展中国家，消费者仍普遍使用塑料袋包装，因为它较牢固且可重复使用。

就品牌而言，大多数国际企业当然喜欢采用统一的国际牌号，因为这样做可以达到促销上的规模经济。一个国际名牌具有很强的号召力，本身就是一笔无形财富，而重新树立一个品牌却绝非易事，如日本的"索尼""东芝"美国的"柯达""麦当劳"等。然而，如果由于法律、文化等方面的原因，就需更改品牌名称。当然，在不同国家和地区，对同一种产品采用不同品牌有时也是细分市场和研究市场需求状况的需要。例如，日本的"松下"有三个英文品牌——"National""Panasonic"和"Technic"。

二、国际市场价格策略

国际市场营销环境复杂多变，这给国际企业对在海外销售的产品的定价增加了许多困难，其价格的构成更加复杂，影响其变动的因素也更多。

1. 国际市场价格的形成

在国际市场上，人们会发现这样一个事实，即许多产品由产地销售到其他国家和地区，其价格会上升很多，这就是所谓的国际价格的升价现象。通常这是由于该种产品在分销过程中渠道延长，被征收关税、需承担运输成本和保险费用以及汇率变动所致。

国际市场价格仍然是由生产成本、流通费用、利润和税金构成的。但是，经过仔细分析不难看出，影响国际定价的因素远比影响国内定价的因素多。国际市场价格除了包括国内市场价格的各个要素外，还包括国际运费、装卸费、储存费用、关税等。因此，流通费用、利润和税金这三个要素在价格构成中的比重远远大于生产成本。这是国际市场价格在构成方面的一个特点。

为商品制定一个既能为国外消费者接受、又符合公司利益的价格是很难的，需要企业站在全球市场的角度，充分考虑各方面的影响因素，如国际价值、汇率与货币价值、供求和竞争、价格管制等，制定出一个具有竞争力并为各方所接受的适当的价格。

2. 国际市场定价的方法

国际企业做出定价决策前，首先要确定定价目标：是以获取最大利润为目标，还是以获取较高的投资回报为目标；是为了维持或提高市场份额，还是为了应付或防止市场竞争，抑或为了支持价格的稳定。一个有实力的跨国公司在进入一个新兴的、富有潜力的海外市场时，大多会以获得较高的市场占有率为目标，因此，在短期内，其价格或收益可能不能覆盖成本。国际企业定价决策一般有三种做法：第一种做法是母公司总部定价；第二种做法是东道国子公司独立定价；第三种做法是总部与子公司共同定价。最常见的是第三种定价方法，使母公司既对子公司的定价保持一定的控制，子公司又可有一定的自主权，以使价格适应当地市场环境。

3. 国际市场的定价策略

在国际市场营销中，企业常用的定价策略仍然是阶段定价策略、折扣定价策略、心理定价策略和地理定价策略等。但是，在此需要特别指出的是，根据各个出口国家的实力，出口定价策略可以分为以下两大类：

（1）发达国家的出口定价策略。发达国家的企业出口定价一般较多采用高价厚利的策略。因为发达国家的企业出口的产品以加工制成品为主，其中新产品或高技术产品占很大的比重，而且出口产品大都进入进口国收入水平较高的家庭。因此，即使维持较高的价格水平，也不会降低国际市场营销企业的竞争力和市场占有率。

（2）发展中国家的出口定价策略。发展中国家企业的出口定价一般采用低价薄利的策略。发展中国家的企业出口的产品大多以基础原材料、农副产品和劳动密集型产品为主，因此，出口产品的价格往往低廉。

三、国际市场渠道策略

任何企业在进行国际市场营销时，都必然面临分销的决策问题。分销是指将产品或服务从生产者向消费者转移的过程。国际分销与国内分销的重要区别在于，国际分销是跨越国界的营销活动，而国内的分销活动则仅限于一国的国境之内。因此，国际分销要比国内分销复杂得多，决策也将困难得多。

1. 国际中间商的类型

从商品在国际市场营销中的流通顺序来看，国际中间商可分为国内中间商和国外中间商两种。

（1）国内中间商。国内中间商与国际市场营销企业处在同一国家的国境之内，由于社会文化背景相同，因此彼此容易沟通，可以很方便地合作。但由于它们远离目标市场国家，与目标消费者接触少，因此在提供目标市场信息方面存在一定的不足。国内中间商一般是在生产企业由于资源不足或缺乏国际市场营销经验，或认为没有必要直接进入某个或某些国际市场时被使用的。国内中间商根据其是否拥有出口商品的所有权可以分为两大类，即出口商和出口代理商。凡对出口商品拥有所有权的，称为出口商；凡接受委托，以委托人的名义买卖货物，收取佣金，不拥有商品所有权的，称为出口代理商。

（2）国外中间商。国外中间商也主要包括代理商、经销商、批发商、零售商四大类。

代理商对产品无所有权,与所有者只是委托与被委托的关系。它主要有三种形式:经纪人、独家代理商和一般代理商。经销商对产品拥有所有权,自行负责售后服务工作,对消费者索赔需承担责任。批发商是指靠大批量进货、小批量出货以赚取差价的中间商。零售商是指向最终消费者提供产品的中间商,依据其经营品种的不同,可分为专业商店、百货商店、超级市场、超超级市场等类型;依据其经营特色,有便利商店、折扣商店、连锁商店、样本售货商店、仓库商店、无店铺零售等类型。

当今一些发达国家的零售业出现了一些新的特点:在大城市的中央商业区,零售商店规模越来越大,许多大型零售商店不仅在本国各地开设分店,形成连锁集团,而且将其业务拓展至海外,零售业国际化趋势日益明显。与此同时,在居民区,便利商店、无店铺零售形式相当流行,仓库商店、折扣商店也颇为流行。因此,产品进入这些国家的零售渠道,必须充分考虑这些商店的不同特点与优势,以获取最有效率的零售渠道。

2. 影响企业选择国际分销渠道的因素

国际市场营销者在选择国际分销渠道时,一般要考虑六个因素,即成本(Cost)、资金(Capital)、控制(Control)、覆盖(Coverage)、特征(Character)和连续性(Continuity)。这六个因素被称为渠道决策的六个"C"。

成本是指开发渠道的投资成本和维持渠道的维持成本。资金是指建立分销渠道的资本要求。渠道设计会直接影响企业对国际市场营销的控制程度。企业自己投资建立国际分销渠道时,将最有利于渠道的控制,但会增加分销渠道的成本;如果使用中间商,企业对渠道的控制将会相对减弱。覆盖是指渠道的市场覆盖面,即企业通过一定的分销渠道所能达到或影响的市场。国际市场营销者在进行国际市场分销渠道设计时,必须考虑自身的企业特征、产品特征以及进口国的市场特征、环境特征等因素。一个企业的国际市场分销渠道的建立往往需要付出巨大的成本和营销努力,而且,一个良好的分销渠道系统不仅是企业重要的外部资源,也是企业在国际市场中建立差异优势的基础。因此,维持渠道的连续性对于国际市场营销者来说是一项重要的任务和挑战。

3. 国际中间商的选择

生产商在进行国际销售渠道设计时,只有准确地选择了理想的国际中间商,才能为今后的渠道建设工作打下坚实的基础。中间商的选择是否合适,直接关系着生产企业在国际市场的经营效果。国际中间商的选择应建立在对国外市场的详细考察和充分了解的基础上。例如,某公司在向国外销售其自动计量产品时,采取直接到国外销售的方式。它鼓励其公司的销售人员积极到海外市场考察,以达到消除文化和语言障碍的目的。该公司在进入中国市场之前,其总裁曾多次到中国考察,了解中国人的特点和经商方式,以及对计量产品的一般要求等,为其产品顺利地进入中国市场、采用合适的销售渠道和选择理想的国际中间商提供了充足的依据。

选择国际中间商要着眼于长远的规划,而不能简单地考虑中间商的知名度、经营实力等常用和静态的指标。国际中间商的选择标准一般包括目标市场的状况、地理位置、经营条件、业务能力与特点、信誉、合作态度等。

(1)目标市场的状况。企业选择中间商的目的就是把自己的产品打入国外目标市场,让那些需要企业产品的国外最终用户或消费者能够就近、方便地购买或消费。因此,企业在选择销售渠道时,应当注意所选择的中间商是否在目标市场拥有自己需要的销售渠道,如是否有分店、子公司、会员单位或忠诚的二级分销商；是否在那里拥有销售场所，如店铺、营业机构。国际中间商应对自己的实力和特长有清楚的了解，有固定的服务对象，应与目标市场的消费者建立起良好的关系。国际中间商的销售对象应该与企业的目标市场相一致。这样生产企业才能够利用国际中间商的这一优势，建立高效率的营销服务网络。

（2）地理位置。国际中间商要有地理区位优势，所处的地理位置应该与生产商的产品、服务和覆盖地区一致。具体地说，如果是批发商，其所处的地理位置要交通便利，以便于产品的仓储、运输；如果是零售商，其地理位置则应该具有客流量较大、消费者比较集中、道路交通网络完备、交通工具快捷等特点。

（3）经营条件。国际中间商应具备包括营业场所、营业设备等良好的经营条件。例如，零售商营业场所的灯光设施、柜台等设施应齐全，才能有效地支撑零售商的业务经营。

（4）业务能力与特点。国际中间商的业务能力是决定销售成功与否的关键因素。国际市场营销企业需要对中间商的经营特点及能够承担的销售功能进行全面考察。一般来说，专业性的连锁销售公司对那些价值高、技术性强、品牌吸引力大、售后服务好的商品具有较强的分销能力；各种中小百货商店、杂货商店在经营便利品、中低档选购品方面的力量很强。只有那些在经营方向和专业能力方面符合所建分销渠道要求的中间商，才能承担相应的分销功能，组成一条完整的销售渠道。

（5）信誉。国际中间商还应该有较高的声望和良好的信誉，能够赢得消费者的信任，能与消费者建立长期稳定的业务关系。具有较高声望和信誉的中间商，往往是目标消费者或二级分销商愿意光顾甚至愿意在那里以较高价格购买商品的中间商。这样的中间商不仅在消费者的心目中具有较好的形象，还能够烘托并帮助生产商树立品牌形象。

（6）合作态度。生产企业在选择中间商时，要注意分析有关分销商分销合作的意愿以及与其他渠道成员的合作关系，以便选择良好的合作者。分销渠道作为一个整体，每个成员的利益来自成员之间的彼此合作和共同的利益创造活动，从这个角度上讲，共同承担分销商品的任务，通过分销把彼此之间的利益"捆绑"在一起。只有所有成员具有共同的愿望、共同的抱负，具有合作精神，才有可能真正建立起一个有效运转的销售渠道。

四、国际市场促销策略

在国际市场营销中，促销受到了广泛的重视。美国的一项统计表明，获得国际市场营销成功的新产品，其品种数还不到研究开发的品种数的10%。其中，多数品种的失败并不是由于产品策略、定价策略等方面的原因，而主要是促销策略不够有效所致。在国际市场上，由于人们社会地位、经济条件、学识素养、情趣爱好等的不同，市场需求呈现多层次性。同时，各国、各地区的风俗习惯及文化差异等也增加了营销的困难。因此，促销作为一种非价格竞争手段越来越被广泛地采用。

促销的主要任务是在卖方与买方之间进行信息沟通，国际促销也不例外，它也是通过国际广告、人员推销、营业推广和公共关系活动来完成其任务的。

1. 国际广告

国际市场营销企业的产品进入国际市场初期，通常广告是其先导和唯一代表，它可以帮助产品实现其预期定位，也有助于树立国际企业形象。

然而，国际广告还受到多方面因素的制约：①语言方面的限制。一国制作的广告要在另一国宣传，语言障碍较难逾越，因为广告语言本身简洁明快、寓意深刻，同样的含义要用另外一种语言以同样方式准确表达实在是一件困难的事。②广告媒介的限制。有些国家政府限制使用某种媒介，如规定电视台每天播放广告的时间，而有些国家大众传媒的普及率很低，如许多非洲国家。③政府方面的限制。东道国政府除限制媒介外，还会限制一些产品，如香烟不能做广告，有的还对广告信息内容与广告开支进行限制。④社会文化方面的限制。由于价值观与风俗习惯方面的差异，一些广告的内容或形式不宜在东道国传播。⑤广告代理商方面的限制，即可能在当地缺乏有资格的广告商的帮助。这些问题需要国际企业做出通盘考虑，而后才能做出国际广告是采用标准化策略还是当地化策略的选择。

2. 人员推销

人员推销往往因其选择性强、灵活性高、能传递复杂信息、有效激发消费者购买欲望、及时获取市场反馈等优点而成为国际市场营销中不可或缺的促销手段。然而，国际市场营销中使用人员推销往往存在费用高、难培训等问题。所以，要有效地利用这一促销方式，还需要招募到富有潜力的优秀人才并加以严格培训。

推销人员不仅可以从母国企业中选拔，也可从第三国招聘。作为海外推销人员，他们在东道国应表现出很强的文化适应能力，包括语言能力、较强的市场调研能力和果断决策的能力。但若面对一个潜力可观、意欲长期占领的市场，国际企业显然应以招募、培训东道国人才作为优秀推销员的最主要来源。

在国际市场营销中，国内人员推销经常使用的上门推销、柜台推销、会展推销以及现场示范推销等方式也都基本适用于国际人员推销活动。国际人员推销的对象也主要是消费者、用户和中间商等。只不过出口企业在设计国际市场人员推销活动时，必须充分考虑不同目标市场国家或地区在文化、宗教、价值观等方面存在的巨大差异，让推销人员做好充分的思想准备。在国际市场面对面的推销活动中，推销人员要能很好地把握目标市场消费者的各种消费心理与购买行为特征，消除不同文化背景和风俗习惯给推销工作造成的不利影响，求同存异，以诚取信，积极主动地发展与目标国市场消费者或用户之间的良好客户关系。只有这样，才能消除目标国市场消费者或用户对来自国外的推销商的疑虑与偏见，也才能正确接受推销人员传递给他们的企业与商品信息，最终实现企业在国际市场的营销目标。

一般情况下，企业在国际市场开展人员推销工作，必须研究和把握与目标国市场消费者或用户接触的技巧与方法，控制好谈判与洽谈的进度，抓住有利时机，促成其完成交易。为此，推销人员必须掌握国际市场人员推销策略。研究表明，国际市场人员推销常见的策略有以下三种：

（1）试探性策略。试探性策略又称"刺激—反应"策略，即推销人员在不了解消费者情况的前提下，运用刺激性较强的方法引发消费者购买行为的一种策略。运用这种策略时，推销人员事先设计好能引起消费者购买兴趣、刺激消费者购买欲望的推销方法，通过交谈进行刺激，并不断观察消费者的反应，然后根据其反应调整人员推销对策，采取更加有效、得体的推销语言对消费者进行鼓动、刺激，诱发其购买动机，引导消费者最终发生购买行为。这种策略适用于简单的购买过程，不适合复杂的国际营销环境。

（2）针对性策略。针对性策略又称"配方—成交策略"，即推销人员在了解消费者基本情况的前提下，运用有针对性的说服方法，促进消费者发生购买行为的一种促销策略。它要求推销人员根据事先已经掌握的消费者需求信息，设计出投其所好的推销语言和方案，对消费者进行有的放矢的宣传、展示和推介，以说服消费者购买商品。由于事先了解消费者的一些需求信息，因此，预先设计好的推销方案会更具针对性，效果也较理想。但是，如果没有了解与掌握消费者信息这个前提条件，这种策略就会失去意义。

（3）诱导性策略。诱导性策略又称"诱发—满足策略"，是指推销人员运用能激起消费者某种需求的推销方法，诱导消费者产生购买行为的一种策略。它要求推销人员想方设法首先能引导、提示消费者或用户产生某种消费欲望，诱发、唤起他们的潜在需求，使消费者或用户产生强烈的购买动机。然后不失时机地宣传，介绍和推荐所推销的产品，以满足消费者对需求的渴望。这种策略要求推销人员具有较高的推销艺术，能够切实站在消费者的立场考虑问题，循循善诱地创造和引导消费者需求，在满足消费者需求的前提下，实现企业的推销目标。

3. 营业推广

营业推广手段非常丰富，在不同的国家和地区运用，有时会受法律或文化习俗方面的限制。例如，法国的法律规定禁止抽奖的做法，免费提供给消费者的商品价值不得高于其购买总价值的5%。当新产品准备上市时，向消费者免费赠送样品的做法在欧美各国非常流行。

在国际市场营销中，还有几种重要的营业推广形式，如博览会、交易会、巡回展览、贸易代表团等。值得一提的是，这些活动往往因为有政府的参与而增加了其促销力量。事实上，许多国家政府或半官方机构往往以此作为推动本国产品出口、开拓国际市场的重要方式。

4. 公共关系

随着国际市场营销的迅速发展，国际公共关系在国际市场营销中的地位与作用日益重要。在国际市场营销中，企业必须面对比国内更加复杂的营销环境和各种关系，针对不同国家的社会文化、风俗习惯、宗教信仰等特点，与目标市场的消费者、社会公众、新闻媒体和政府部门建立一种密切、和谐与融洽的关系，以利于企业在国际市场的长远发展。

公共关系是一项长期性的促销活动，其效果也只有在一个很长的时期内才能得到实际的反映。在国际市场营销中，它是一种不可轻视的促销方式。由于在国际市场营销中，国际企业面临的海外市场环境会让其感到非常陌生，它不仅要与当地的消费者、供应商、中间商、竞争者打交道，还要与当地政府协调关系，如果在当地设有子公司，则还需积累如何团结与文化背景截然不同的母国员工共创事业的经验。试想，一个国际企业如果不能让其自身为东道国的公众接受，其产品怎么可能让这些公众接受呢？

企业公共关系营销的主要方式有市场宣传、新闻报道和为社会事业提供赞助等。

（1）促销沟通中的市场宣传。促销沟通中的市场宣传是指用视听手段编印小册子和商品目录，开设陈列室，举办训练班，参加或举办展览会，邀请外界有关人员参观企业，对商品用途进行操作表演等。

（2）新闻宣传报道。新闻宣传报道主要包括撰写新闻稿件，编辑、撰写企业的各类刊物、简讯和年度报告，向新闻界及有关团体和个人散发企业的宣传资料。

（3）提供社会赞助。提供社会赞助主要是指赞助社会事业，如文娱体育活动、教育事业中的奖学金和教育基金、社会福利事业、各种专业奖、节日庆典活动等。

（4）积极参加各种学术交流活动。参加学术交流活动可以宣传介绍企业的营销能力和科技成果，扩大企业对社会的影响，提高社会公众对企业的认同度。

主要名词

国际市场营销　国际市场细分　国际产品生命周期

案例分析

借姚明的光，燕京啤酒开拓美国市场

自2000年起，燕京啤酒销到国际市场，进入美国、英国等国家。燕京依托自己的综合优势，在国际市场上创出了中国人自己的世界知名品牌。

2002年10月21日，休斯敦火箭队在主场与奥兰多魔术队进行热身赛，当姚明首次出现在休斯敦康柏体育馆时，人们同时发现，在中国很受欢迎的燕京啤酒也首次在这里打出了广告。但是，姚明并不是燕京啤酒的形象代言人，姚明与燕京啤酒结缘事出有因。

1999年，理查德·德西科在美国纽约长岛建立了哈布鲁进口公司，进行燕京啤酒的分销工作。他顺利地申请到了联邦注册商标许可证，开始在美国亚裔人口相对集中的州内发展分销商。自2000年8月起，燕京啤酒进入美国市场，打入了加利福尼亚、新泽西等16个州。由于已有中国啤酒早于燕京啤酒进入美国市场，美国的亚洲风味餐厅里基本上是另一家中国啤酒的天下。到2002年，理查德的分销网络虽已初步建设完毕，但销售情况不是很理想。正当他为此事发愁时，他的一个分销商传来一条给燕京啤酒在美国市场的命运带来转机的消息：休斯敦火箭队获得了第一顺位的NBA选秀资格，他们打算选择姚明。在宣布结果之前，火箭队开始招募新的赞助商。当时哈布鲁公司的一位分销商里克正携燕京啤酒在休斯敦参加饮食展，他听说火箭队要召开一个选秀前的晚会，就免费给庆典提供一些燕京啤酒。短短的半小时之内，火箭队的晚会就喝完了45箱啤酒，聚会的"中国气氛"也达到顶点，每个人都盼望姚明能被火箭队选中。理查德知道这是一次赌博，但是他预料到，选秀结果产生之后赞助费用将会冲至天价，其他一些比哈布鲁公司实力强上百倍的竞争者也会蜂拥而至，那个时候就再也不会有机会下注了。于是他当机立断，在选秀结果出来之前的极短时间内，就代表燕京啤酒——中国第二大啤酒制造商，与火箭队签署了一份长达六年、每年金额超过100万美元的赞助合同，合同的内容包括媒体广告、场边广告板和球队推广等内容。几个星期后，当火箭队宣布选中姚明的时候，哈布鲁公司也如愿以偿地完成了自己的"鲤鱼跳龙门"。

如前所述，姚明并不是燕京啤酒的形象代言人。为了保护球员和球队的健康形象，NBA中的大部分球员在合约中都有不能替各种硬饮料（含酒精）做广告的条款，自然他们会拒绝一切啤酒广告。在这种情况下，燕京啤酒虽然同休斯敦火箭队签约，但并没有取得姚明的个人形象使用权，所以也就无法用姚明的照片或者签名来推广产品。燕京啤酒不可以宣称姚明是为自己的品牌代言，但是只要姚明出现在赛场上，燕京啤酒的标志就会伴随着姚明的身影在赛场上出现。

火箭队因姚明的加盟而名声大振，燕京啤酒也随着火箭队地位的上升进一步打开在美国市场的销路。据报道，自从燕京啤酒广告在NBA休斯敦火箭队比赛现场出现以来，燕京啤酒在美国的销量开始明显上升，2002年的总销量超过了1000t。

（资料来源：万后芬．市场营销教学案例[M]．北京：高等教育出版社，2003．）

讨论并回答问题：
1. 如何看待中间商在国际市场渠道开拓中的作用？
2. 国外代理商的选择需要注意什么问题？
3. 姚明并不是燕京啤酒的代言人，为什么燕京啤酒会因为姚明而大获成功？

本 章 小 结

本章共分五节，分别探讨了国际市场营销概述、国际市场营销的环境、国际目标市场的选择、进入国际市场的决策、国际市场营销的策略等问题。

国际市场营销是指国内市场营销向国外市场地域上的延伸、扩展，即营销者跨越国界，在多个国家从事营销活动的过程。国际市场营销的发展分为三个阶段：出口营销阶段、跨国营销阶段、全球营销阶段。开展国际市场营销的重要意义包括：加速经济建设；扩大产品销售；规避经营风险；加速企业成长。

国际市场营销的环境因素包括国际社会文化环境、国际经济环境、国际政治环境、国际法律环境。

国际市场细分包括宏观细分和微观细分两部分，其各自有着国际市场宏观细分标准和国际市场微观细分标准。

企业进入国际市场的方式可分为出口进入方式、契约进入方式、直接投资进入方式。在选择进入方式的时候，企业必须考虑外部因素与内部因素的影响。

国际市场营销的策略包括国际市场产品策略、国际市场价格策略、国际市场渠道策略、国际市场促销策略。

思考与实训

1. 国际市场营销与国际贸易、国内市场营销的区别是什么？
2. 企业选择国际目标市场的策略有哪些？
3. 联系实际，谈谈企业如何选择进入国际市场的方式。
4. 试阐述企业如何制定国际市场营销策略。
5. 根据所学内容，针对某个企业制定出合理的国际市场营销策略。

第十四章

市场营销的新趋势与新概念

> **学习目标**
> 1. 理解服务的内涵、特点与服务营销策略
> 2. 理解关系营销的内涵、特征与实施过程
> 3. 掌握整合营销的内涵、特点与实施过程
> 4. 了解直复营销的内涵、特点与管理
> 5. 理解绿色营销的内涵与策略
> 6. 掌握网络营销的内涵、特点与策略

导入案例

2006年7月5日,格兰仕在北京推出"绿色回收废旧家电——光波升级,以旧换新"活动。消费者手中任何品牌的废旧家电,均可折换30~100元,用于购买格兰仕部分型号的微波炉和小家电。同时,格兰仕联合专业环保公司对回收的废旧小家电进行环保处理,为绿色奥运做出自己的贡献。活动推出后,格兰仕在北京市场上连续3日单日销售突破1000台,高端光波炉的销售同比增长69.6%。《北京电视台》《北京晚报》《北京青年报》《中国青年报》《京华时报》《北京娱乐信报》《中国经营报》等媒体都对这项活动进行了追踪报道。随后,活动向山东、福建、辽宁、云南、吉林、重庆等10多个省市蔓延。格兰仕"绿色回收废旧家电"的活动成为2006年淡季小家电市场上一道靓丽的风景。

(资料来源:方四平.市场营销技能实训[M].北京:清华大学出版社,2009.)

第一节 服务营销

如今人们正处在"服务经济"时代,服务并不是服务行业特有的,制造业中也存在着服务。随着市场竞争的加剧,服务的重要性日益突出,并已逐渐成为所有企业在市场竞争中取胜的关键。

一、服务与服务营销

1. 服务的内涵

人们每天都在接受别人的服务或为别人提供服务,但要对服务下一个准确的定义却十分困难,理论界对服务的定义也不尽相同。美国市场营销协会对服务的定义是:"服务是用于

出售或者是同产品联系在一起进行出售的活动、利益或满足感。"经过实践的检验，美国市场营销协会对上述定义进行了修正，表述为："服务是可被区分界定，主要为不可感知却可使欲望得到满足的活动，而这种活动并不需要与其他产品或服务的出售联系在一起，生产服务时可能会或不会需要利用实物，而且即使需要借助某些实物协助生产服务，这些服务的所有权将不涉及转移的问题。"

现代营销理论将产品概念的内涵扩充为，凡是提供给市场的、能满足消费者或用户某种需求或欲望的任何有形物品和无形服务均为产品。由此可见，服务也是产品。

2. 服务的分类

通过服务的分类，可以帮助人们明确服务行为的对象，更好地理解提供的服务究竟是什么。在此基础上，寻求提供这些服务的最佳方法与途径，最大限度地满足消费者的需求。根据商品分类学的方法，服务可分成以下五类：

（1）生产服务。生产服务是直接与生产过程有关的服务。例如，厂房机器的维护与保养、生产组织的经营管理活动等。

（2）生活服务。生活服务是直接为满足人们生活需要的服务。例如，有物质载体的加工性服务，如饮食、服装加工等；不提供物质载体的活动性服务，如旅店、理发等；文化性服务，如戏剧、音乐等文化活动以及旅游活动中的服务。

（3）流通服务。流通服务是指商品交换和金融领域内的服务。例如，商业售货、算账等一般商业活动，银行保险、证券、股票交易等金融服务。

（4）知识服务。知识服务是指商品交换和金融业务领域的服务。例如，新闻出版、文化教育等发展性服务。

（5）社会综合性服务。社会综合性服务是指不限于某个领域的交叉性服务活动。例如，交通运输、医疗消防、环境保护等公共事业服务；供水、供电及市政建设等城市基础服务。

3. 服务的特点

与有形（实物）产品相比，服务具有以下五个基本特点：

（1）无形性。服务最本质的特征是无形性，即消费者在购买某种服务之前是看不到、听不到也感觉不到这种服务的，购买某种服务之后，也并不会因此而取得任何实体持有物。虽然某些服务的价值体现为商品，如作家的书，照相馆的照片，饭馆提供的菜肴等。但这些服务产品的生产过程是一个服务劳动过程，人们去饭馆不仅是去购买食品，而主要是去享受融化在饭菜中的服务，照片、书、画等有形物也只是服务活动的载体，人们欣赏的是这些载体所提供的内容给人们带来的精神享受，所以，从这个意义上来说，这类服务仍然是无形的。

（2）同时性。绝大多数服务产品的生产和消费是同时进行的，且消费者是参与这一服务过程的。例如，医生给病人看病，老师给学生上课，这与有形产品的购买完全不同。

（3）差异性。服务没有固定的标准，存在较大的差异性，这种差异性不仅来源于提供服务的人，而且可能由于时间、地点、环境的不同所致，还会因为消费者本身的素质、季节的变化等影响服务产品的质量和效果，如同去旅游，有人乐而忘返，有人却败兴而归。

（4）不可储存性。服务不像有形产品那样可以保存，生产出来的服务如不当时消费掉，就会造成浪费，如车船的空位、旅馆的空房间。这种损失与有形产品的损失相比，也是无形的。

(5) 相互替代性。服务产品具有很强的替代性。这包含以下两层含义：①与其他有形产品之间有很强的替代性，如人们购买了洗衣机就可以不去购买洗衣店的服务，电视机、VCD 的普及使电影院的服务受到极大的影响；②各类服务产品之间有很强的替代性，如各种运输方式可以相互替代，去某目的地可以乘飞机也可以乘火车。

4. 服务营销的实质与特点

营销的核心是交换，是个人和集体通过创造并同别人交换产品和价值，以获得所需之物的交换过程。由此不难推论，服务营销的实质就是如何促进服务的交换。正如前面提到过的，服务不仅包括纯粹的服务产业的服务，而且包括制造业中的服务。对于前者来说，服务营销的实质就是促进这些纯粹服务的交换；对于后者来说，服务营销的实质就是利用服务来促进其主要产品的交换。例如，对于一个计算机供应商来说，他提供许多售前、售后服务，主要是为了促进机器的销售。

服务的特点决定了服务的市场营销与一般实物产品的市场营销具有不同的特点：

（1）推销困难。服务的无形性，使得服务的消费在购买服务之前一般不能进行调查、比较和评价，只能凭经验或推销宣传信息来购买。服务的结果在交易结束之前也是难于把握的，对于消费者来说，有较大的购买风险；对于服务的提供者来说，则增加了推销的困难。此外，服务的无形性还使得服务的创新者无法利用专利权来保护服务新产品。

（2）销售渠道单一。服务的同时性决定了服务通常只能采取直接销售渠道，既不能采取中间商的间接渠道，也不能储存待售。这使得服务的生产者不可能在许多市场上同时出售自己的产品，在一定程度上限制了服务业市场的规模和范围。

（3）需求弹性大。人类对实物产品的需求大多是为了满足衣、食、住、行等基本生活需要，是一种低层次的原发性需求，需求弹性较小；对服务的需求则是一种较高层次的继发性需求，需求弹性较大，在实际生活中，它是一个很难确定的变量。此外，人们对服务的需求还常常受到各种因素的影响，如经济收入对饭店、旅游服务需求的影响就很大。由于服务的不可储存性，调节服务的供需之间的矛盾变得更为困难。

（4）对生产者个人的技能、技术要求高。例如，医生给患者治病，音乐家演奏音乐，均要求有较高的业务技能。由于服务的差异性特点，服务的质量很难控制，而消费者对服务的质量要求又很高，这两者之间的矛盾使得如何提高和维护服务的品质成了服务营销的又一难题。

二、服务营销策略

（一）服务的产品策略

1. 新服务的设计

与新产品的概念一样，新服务也不一定是全新服务。新服务可以包括以下几类：

（1）重大变革，是指为尚未定义的市场提供的新服务。

（2）创新业务，包括所有为现有市场的同类需求提供的新服务，而该市场已存在满足同类需求的产品。例如，ATM 成为新的银行货币流动形式载体。

（3）为现有服务市场提供新的服务，是指向现有的消费者提供企业原来未能提供的服务。例如，书店开始提供咖啡等。

（4）服务延伸，是指扩大现有的服务产品线。例如，饭店增加新的菜谱、航空公司增加新的航线等。

（5）服务改善，即改变已有服务的性能，包括加快已有服务过程的执行、延长服务时间、扩大服务内容。例如，在饭店客房中增添一些便利设施等。

（6）风格转变，是服务变革中最为时尚的一种形式。表面上，这种改变最为显眼，并可能对顾客感知、情感与态度产生显著影响。例如，改变饭店的色彩设计、修改保险公司的标志等，就是一种风格转变。

2. 新服务开发的步骤

新服务开发的步骤多数与制造业中开发新产品类似，不过鉴于服务本身的特点，企业在某些环节需要进行一定的调整。新服务开发的基本步骤如下：

（1）创意产生。除了与实体产品市场具有共同的收集方法以外，在服务业中，与顾客直接打交道的服务人员往往能提出改进服务、开发新服务的好点子。

（2）服务概念的开发与评价。一旦某种创意被确认既符合基本业务又符合新战略，那企业就可以实施开发步骤了。由于服务的特点，用画图或语言的方式来描述抽象的服务很难，因此，企业必须要准确地对其进行定义。有了明确的概念之后，企业要形成服务说明书，阐明其具体特性，然后估计出顾客和员工对概念的反应，让员工和顾客来评价新服务概念。

（3）业务分析。当一项创意获得了积极的评价后，企业就要确定其可行性与潜在利润。在此阶段，企业要进行需求分析、收入计划分析、成本分析和操作可行性分析。需要注意的是，企业在进行业务分析时，要对培训人员的费用、加强服务实施系统等费用进行初步预测。

（4）服务的开发和检验。由于服务的无形性和生产与消费同时进行的特点，企业在该阶段会遇到许多困难。在这一阶段，企业应当把所有将与新服务有利害关系的人都考虑进来，如顾客、一线服务人员、来自企业各职能部门的代表等。

（5）市场测试。由于服务的特殊性，对新服务的市场测试有一定的局限性。企业可以向内部员工及其家庭提供新服务，以获得他们对营销组合的反应；也可以在一个不尽现实的条件下，向顾客提供假设的营销组合，以观测在不同条件下顾客的反应。

（6）商业化阶段。在这一阶段，服务开始实施并被引进市场。企业要注意扩大新服务的影响，同时要关注新服务的实施情况。

3. 服务质量管理

服务质量是服务的效用及其对顾客需求的满足程度的综合表现。一家服务公司取胜的方法在于一贯地提供比竞争者更高和超过目标顾客期望的服务质量。顾客的预期是由过去的感受、口头传闻和广告宣传形成的。顾客在接受服务之后，会对感知服务与预期服务进行比较。如果感知服务达不到预期水平，顾客便失去了对服务提供者的兴趣；如果感知需求得到满足或超过自己的预期，顾客就有可能再次光顾。服务质量一般是由以下因素决定的：

（1）可行性，即服务的提供者要不折不扣地兑现其所承诺的服务，使顾客建立起对企业的充分信任。

（2）责任心，即为顾客提供优质服务的精神。企业和服务人员应设身处地地为顾客着想，努力满足顾客的要求，想顾客所想，急顾客所急，了解顾客的实际需要并千方百计地予以满足。

(3) 保证性，即企业和服务人员的素质和胜任本职工作的能力。服务人员热情、友好的工作态度和较高的知识素养、能力水平是获得顾客信任的前提和保证。

(4) 有形因素，即提供服务的有形部分，如各种设施、设备、环境、员工仪表、沟通材料等。这些因素往往是顾客判断一项服务质量的主要依据。

（二）服务的价格策略

在服务营销中，定价决策特别重要。定价为顾客发出了服务质量的信号，为企业带来了经营收入，同时还具有为服务树立形象的作用。由于服务的差异性和无形性特征，服务定价的策略性、灵活性要大得多，定价也困难得多。

1. 服务价格与有形产品价格的区别

（1）顾客对服务价格的理解有限。服务产品的无形性、服务项目的不确定性，使得服务的价格更加复杂、灵活，因此，顾客对服务价格的了解远不如对有形产品价格的了解，也难以找到准确的参考价格。例如，顾客在购买人寿保险时，很难找到恰当的可比价格。由于种类繁多、特色多样、顾客情况不同等，几乎没有哪几家保险公司经营特色完全相同而且价格相同的业务。同时，许多服务商不能或不愿提前对价格进行评估。例如，医疗或法律服务机构，往往是在服务的过程展开后，才会知道究竟有哪些服务。导致参考价格不准确的另一个因素是顾客的需求不同。例如，一些发型设计师根据顾客头发的长短、发型等来制定价格，因此，同一发型设计师往往也会有多种不同的价格。

（2）非货币成本的作用加大。非货币成本是指顾客购买及使用服务时付出的货币价格之外的其他代价，包括时间成本、搜寻成本、精神成本等。在服务产品的购买活动中，非货币成本的作用尤其明显。

所谓时间成本，即顾客在购买某项服务时所花费的时间，如顾客参与的时间、等候的时间等；搜寻成本，即顾客花在确定及选择某项服务上的努力；便利成本，即顾客在购买某项服务时的方便程度以及为此所付出的额外代价，如路途远近、时间是否合适等；精神成本，即顾客在接受某项服务时所付出的心理上的成本，如购买保险时担心弄不明白一些条款，美容时担心伪劣产品等。提供服务的企业要努力减少非货币成本，如银行推行取号等候以减少排队时间，酒店推行网上预订房间等。有许多顾客愿意花钱以减少非货币成本，如付费送货上门等。

（3）服务价格更多地被顾客作为判断服务质量的信号。由于服务产品的特征和它的信息有限性，顾客在选择服务时，往往把价格看作是质量的标志。正因为如此，服务价格必须小心制定，价格的水平必须传达适当的质量信号。定价过低，会导致顾客产生服务质量不高的推断；定价过高，会让服务人员在服务过程中产生难以达到的压力。

2. 服务定价的方法

服务定价的基本方法仍然是成本导向定价法、需求导向定价法和竞争导向定价法三大类。但由于服务产品的特殊性，上述三种方法都有别于有形产品的定价方法。

（1）成本导向定价法。成本导向定价法即以成本为中心的定价方法。其基本公式为

$$价格 = 完全成本 \times (1 + 成本加成率)$$

在服务定价中，成本导向定价存在如下问题：①不易确定成本，特别是在企业多次提供服务的情况下；②影响成本的主要因素是员工的时间而不是材料，而人所花费的时间的价值，尤其是非专业人员的时间价值是难以估算的；③成本可能不等同于价值。因此，服务定

价中的成本定价要复杂得多。在这种方法的运用中，企业要注意根据服务产品的特性区别对待。例如，对那些需要提前估算成本的领域，企业要认真测算有关成本，加上利润，合理估算价格，同时要注意说明可能会发生的其他费用。某些行业是运用时间成本定价的，如咨询人员、心理医生、会计、律师等，通常是计时收费。几乎所有心理学家和社会工作者都有向顾客收费的每小时固定标准。

（2）需求导向定价法。需求导向定价法即以顾客愿意为所购买的服务支付的价格水平为导向的定价方法。其与有形产品需求导向定价的主要差别在于：在计算顾客的理解价值时必须考虑非货币成本和利益，如顾客愿意为获得服务的便利和时间的节省支付较高的价格。顾客获得服务产品信息的有限性，使得顾客在选择服务产品时对货币价格不够敏感，因而需求导向定价法在服务产品定价中有着更多的应用前景。

（3）竞争导向定价法。竞争导向定价法即以同行业或市场中其他企业的收费定价为依据的定价方法。这一方法主要用于提供的服务是标准化的和寡头垄断两种情况。由于服务所具有的特殊性，这种方法运用的范围比较小。

（三）服务的渠道策略

服务的渠道策略是指如何把服务交付给顾客和应该在什么地方交付，也就是关于服务的渠道和位置的决策。服务的交付环境和交付方式对顾客感知服务价值和利益具有重要的影响。由于服务不能储存并且是在同一地点生产和消费的，因此，这一决策也变得十分复杂和困难。

渠道策略的内容包括：

（1）位置决策。位置决策即企业确定其经营地点，也就是在什么地方提供服务。这在一般情况下有三种可能：顾客来找服务者，如餐馆、银行、商店等行业；服务提供者来找顾客，如电器维修、保洁等；服务提供者和顾客在随手可及的范围内交易，如电话、网上银行等。这三种情形中，在第一种即顾客来找服务提供者的情况下，位置的确定特别重要。企业一定要经过科学论证，为自己的网点选择一个适宜的地点。一般来说，企业要着重考虑两方面的因素，即所选地域范围内潜在顾客和竞争对手的数量及分布。

（2）渠道决策。渠道决策即企业确定参与服务交付的机构和人员。一般有三种类型的参与者：服务提供者、中间商和顾客。服务分销渠道类型（见图14-1）通常有以下几种：

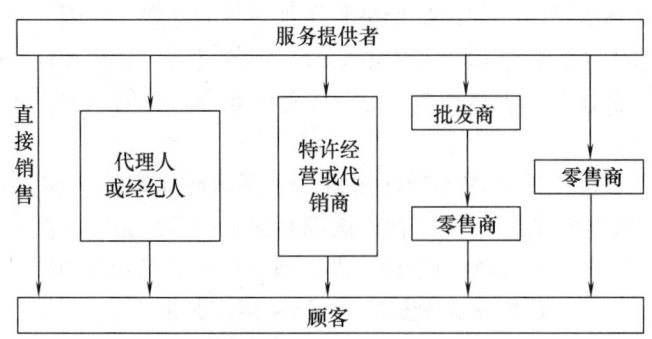

图14-1　服务分销渠道类型

1）直接销售。直接销售是指服务提供者直接为顾客进行面对面的服务，如理发、法律咨询等。直接销售是适合服务的配送形式，许多服务仍是由供应商直接销售给顾客的。一些全国范围的连锁店拥有许多商店，这也是可以被视为直接渠道。例如，星巴克咖啡店公司，就拥有多家自有商店。在美国，它完全控制和经营着2000多家咖啡店。但是，为了促进增长并且填补未曾使用的能力，许多服务企业都在不断地寻找其他渠道。

2) 代理人或经纪人。代理人是指依据代理合同的规定，受服务提供者的授权委托从事某项服务活动的中介者，如保险代理人、房地产代理人、旅游代理人等。经纪人是指在市场上为服务提供者和顾客双方提供信息、充当中介并收取佣金者，如房地产经纪人、保险经纪人等。代理人和经纪人不取得服务的所有权，他们有合法权利代表生产者出售服务，完成其他一些营销功能。

3) 特许经营。特许经营是一种最普遍的分销方式，是指特许者将自己所拥有的服务商标、商号、专利和专有技术、经营模式等以许可经营合同的形式授予被特许者使用，被特许者按合同规定，在特许者统一的业务模式下从事经营活动，并向特许者支付相应的费用。这种方式应用广泛且发展迅速。特许经营适合那些可以标准化或者实际上可以被复制的服务，如快餐、轿车服务和干洗服务等。例如，麦当劳公司就是世界上最大的特许连锁企业之一。

企业应根据市场的特殊需要和服务自身的特点，为自己的服务产品选择适宜的渠道。

（四）服务的促销策略

服务促销是指服务企业为了与目标顾客及相关公众沟通信息，使他们了解企业以及其所提供的服务、刺激消费需求而设计和开展的营销活动。由于服务产品的标准化程度相对于有形产品来说要低一些，因此顾客期望与服务传递感知之间潜在的差距就比较大。所以，精确的、一致的、恰当的企业沟通是使顾客感觉服务高质量的关键。

需要服务的顾客不仅可以通过电视、报纸、网上资源等传统和现代的媒介获得信息，还可通过更多的渠道了解商品和服务，如服务场景、顾客服务中心、与服务人员的接触等。为了使顾客得到的信息与承诺的保持一致，企业必须注意不同渠道信息的整合。服务企业要特别注意在传统的沟通或促销组合基础上进一步关注与顾客的交互营销。为此，服务沟通的手段或者说传递服务沟通信息的方式，就比有形产品的沟通方式显得复杂，主要有广告、人员推销、公共关系、营业推广、顾客服务交互活动、服务接触交互活动和服务场景等。

（1）广告。同有形产品一样，广告是企业向顾客传递服务信息的主要手段，并且常常作为企业促销工作的基石。人们每天都在接触大量的服务广告，其所涉及的范围非常广泛。

（2）人员推销。人员推销适用于复杂或价格昂贵的服务。在促销专业服务（如法律咨询、科研公司等）和企业对企业服务（如广告公司、科研公司等）时，人员推销应发挥更大的作用。

（3）公共关系。公共关系适用于推销全新的或高风险的服务产品。公共关系能够帮助企业树立良好的形象，并以一种令人信服的方式向社会推荐创新型或风险型产品。例如，媒体评论与宣传是戏剧、舞蹈等产品取得成功的关键。公共关系还能削弱如食物中毒等服务事件对企业的负面影响。

（4）营业推广。营业推广能制造轰动效应，如竞赛、抽奖和样品赠送等措施，能够帮助企业从竞争中脱颖而出。

第二节 关系营销

一、关系营销的内涵

关系营销是从20世纪70年代开始,由北欧的学者率先提出的。自20世纪80年代以来,关系营销理论得到了广泛的传播、发展与应用。有的学者从关系这一角度把市场营销定义为"管理企业市场关系的过程",或表述为"在盈利的基础上,为满足各方利益而识别、建立、维持、促进及在必要时终止与顾客和其他相关利益者关系的过程。这只有通过相互提出和履行承诺才能实现"。有的甚至说关系营销就是"认识、解释和管理供应商和顾客间持续的业务合作关系",是企业与外界的"交互、关系和网络"。

菲利普·科特勒认为,关系营销是与关键成员——顾客、供应商、分销商——建立长期满意关系的实践活动,目的是保持他们之间的长期成绩和业务往来。精明的营销者都会努力同有价值的顾客、分销商和供应商建立长期的、互相信任的双赢关系。而这些关系是靠不断承诺和给予对方高质量的产品、优良的服务和公平的价格来实现的。

二、关系营销的要素

关系营销首先是一种过程,所有营销活动都必须指向这个过程的管理。这个过程从识别潜在顾客开始到与顾客建立关系,然后是维持和促进已经建立的关系,以便产生更多的业务及良好的口碑。这一过程是企业与顾客之间的相互交流、对话沟通、价值让渡的结果。

1. 关系营销的起点和终点

在关系营销中,因为企业必须让顾客感知和欣赏双方持续关系中创造的价值,所以企业要付出比交易营销更多的努力。由于企业与顾客之间关系的建立是一个长期的过程,因此,顾客价值会在一个较长的时间内才能体现出来,营销专家称之为价值过程。

在这一过程中,企业除了为顾客提供核心产品外,还必须提供相应的附加价值,如送货、顾客培训、产品维护、零部件供应及有关的使用信息和文件等。当前,由于核心产品已不成问题,如计算机的硬件、钟表的准确性等,附加价值就显得尤为重要。而顾客所付出的代价包括价格和与企业维持关系而发生的额外成本。在关系范畴中,这些额外的成本可以称为关系成本。这些成本是在决定与某个供应商或服务企业建立关系后发生的。例如,由于供应商的送货不及时,顾客不得不保持大量的库存;由于不及时的维修和保养服务,导致实际成本超出预期成本,关系成本有可能提高。在关系营销中,顾客对企业的感知价值可以表述为以下公式:

$$顾客感知价值 = \frac{核心产品 + 附加服务}{价格 + 关系成本}$$

显然,关系成本越低,企业与顾客保持已有关系的可能性就越大。例如,由于不准时送货和对顾客抱怨处理不当,附加服务的价值就会变成负值,产品的核心价值也会因此而大大降低,甚至荡然无存。

2. 关系营销的核心

企业营销的目的是要为用户提供解决问题的答案。在传统的交易营销中,这个答案仅仅是实体产品。而在关系营销中,这个答案包括关系本身及其运作的方式和顾客需求满足的过程。关系包括实体产品或服务产出的交换或转移,同时也包括一系列的服务要素,没有这些服务,实体产品服务的产出可能只有限的价值或对顾客根本没有价值。例如,送货延误、不及时的服务、对顾客抱怨处理不当、缺少信息或员工态度不友好等,都有可能破坏质量优良的产品价值。关系一旦建立,便会在交互过程中延续。供应商或服务企业与顾客之间发生不同类型的接触,这些接触可能是很不相同的,主要取决于具体的营销情形。有些接触是人与人之间的,有些则是顾客与机器或系统之间的。正如一部成功的电视连续剧是由许多打动观众的具体情节组成的一样,要想实现关系营销的目标,企业必须在交互过程中设计出有利于价值转移的"服务情节"及相配套的动作方式,从而为顾客创造持续的价值。

3. 关系营销的关键

在营销过程中,实体产品、服务过程、管理程序和支付手段等实际上都向顾客传递企业的某种信息。然而,关系营销理论认为,企业与顾客沟通的特点是双向的,有时甚至是多维的沟通过程。所有的沟通努力都应该导致某种形式的能够维护和促进双方关系的发展。企业为维持顾客关系的种种努力,如销售洽谈会议、直接联系信函等,都应该整合进一个有计划的过程中。这种对关系营销的沟通支持称对话过程。这个过程包括一系列的因素,如销售活动、大众沟通活动、直接沟通和公共关系。大众沟通包括传统的广告、宣传手册、销售信件等不寻求直接回应的活动;直接沟通包括含有特殊提供物、信息和确认已经发生交互的个人化信件等。这里,要寻求从以往交互中得到某种形式的反馈,要求有更多的信息、有关顾客的数据和社会各界的反应。

三、关系营销的特点

1. 以双向为原则的信息沟通

关系营销是一种双向的信息沟通过程。社会学对关系的研究认为,关系是信息和情感交流的有机渠道。在这一过程中,不仅仅简单地传递了信息和感情,而且能有机地影响、改变信息和感情的发展。良好的关系即渠道的畅通,恶化的关系则意味着渠道的阻滞,中断的关系则指渠道堵塞。关系的稳定性表现为关系并不因为交流的间歇或停止而消失,因为人们在交往过程中形成认识、了解和态度,这种认识、了解和态度是持久的、不易改变的。

在企业和顾客的交流中,如果仅仅是顾客联系企业,那么顾客往往会认为这种交流和沟通不能充分和坦率地表达他们的意见和看法,因而也无法和某一特定企业建立特殊关系。如果由企业主动与顾客联系,进行双向交流,则对加深顾客对企业的认识、察觉需求的变化、满足顾客的特殊需求以及维系顾客等有重要意义。因此,交流应该是双向的。

2. 以协作为基础的战略过程

关系营销强调企业与顾客、分销商、供应商甚至竞争者建立长期的、彼此信任的、互利的关系。它有以下几种具体表现形式:

(1) 顺从。关系双方之间,一方自愿或主动地调整自己的行为,按照对方的要求行事,即一方服从另一方,这种状态就是所谓的顺从。它体现于:一方面,企业根据顾客的要求,提供顾客需要的产品和服务,企业才能赢得社会的信赖和支持;另一方面,顾客对有可靠产品和服务的企业是尊重的、服从的,其采购和消费活动一般会接受多数人的舆论影响而表现出从众的特点。这种状态下的关系是良性的。

（2）顺应。除包括顺从的含义外，还指关系的主客体双方调整自己的行为，以实现相互适应。这是营销中更常见的关系类型，如妥协和修正。前者是指双方相互做了让步而避免、平息冲突或争执；后者则是指关系双方各自修改、调整自己的目标、行为、态度等，以适应对方的要求。

（3）互助。双方各自具有优势，相互补充对方的不足，相互援助。

（4）合作。关系双方为了达到对各方都有益的共同目的而彼此配合，联合行动，协同完成某项工作。合作是协调关系的最高形态。协同、合作的关系状态，实质上是一种协调状态，双方彼此相互适应、相互顺从、互助互利。

企业市场营销的宗旨是追求各方利益关系的最优化，只有通过与企业营销网络中的各成员建立长期、良好、稳定的伙伴关系，才能保证更多有利的交易，才能保证销售额和利润的稳定增长，否则，那些暂时的利润随时都可能消失。同行企业之间的过度竞争往往会产生一些负效应，从而增加企业的生产成本和营销成本，降低企业收益，进行某种形式的合作营销则可以避免上述情况。它可以使系统具有并保持整体性、稳定性。

3. 以互惠互利为目标，而且要照顾到公众的利益和需要

通常，出于竞争动机的交易者往往是为争取各自最大的利益，而出于合作动机的交易则会谋求双方共同的利益。关系营销产生的最主要原因是买卖双方相互之间有利益上的互补。企业用产品或服务从消费者那里获取利润，消费者则用货币从市场上得到企业提供的自己所需的产品和服务。如果没有各自利益的实现和满足，双方就不会建立良好的关系。例如，如果一方提供伪劣产品，另一方受害，那么双方就会发生冲突。关系建立在互利的基础上，使双方在利益上取得一致，并使双方的利益得以满足，这是关系赖以建立和发展的基础。真正的关系营销是达到关系双方互利互惠的境界。因此，了解双方的利益需求，寻找双方的利益共同点，并努力使共同的利益得到实现，是关系协调的关键。

4. 以反馈为职能的管理系统

关系营销必须具备一个反馈循环，用以连接关系双方。企业由此可以了解到环境的动态变化，根据合作方提供的非常有用的反馈信息，改进产品和技术，挖掘新的市场机会。许多企业为现有和潜在的顾客提供机会，包括产品的展示和提前使用，并收集反馈信息进行产品改善和深入创新。一些企业定期向随机抽取的顾客寄送调查表，请他们对企业职员的态度、服务质量等做出评价。关系营销的动态应变性来源于企业的组织结构和经营风格。

四、关系营销的管理目标

现代企业开展关系营销的目的是形成顾客忠诚，与顾客达成一种良好的、互惠的关系。为达到该目的，企业首先要发现正当需求，其次要满足顾客的需求并保证顾客满意，最后才是营造顾客忠诚。

1. 发现需求

关系营销的起点是分析顾客。不同于需要和欲望，顾客需求反映了顾客对某一特定产品或劳务的购买能力。需要和欲望是行为的内在动力，正是由于新的需求不断产生，人们才会不断追求，为满足自身的需求而进行某种形式的交换，因而市场才得以存在。但是，分析需求的不同层次还不能对顾客需求做出正确的判断。顾客常常不会说出真正的、全部的需求，因此理解顾客需求并不那么容易。关系营销必须以顾客需求为中心，协调各种可能影响顾客

的活动，最终达成满足顾客需求的目标。

2. 满足需求

在发现顾客的正当需求之后，企业必须满足这种需求并保证顾客满意。顾客满意战略之所以行之有效，是因为一个满意的顾客会对产品、品牌乃至企业保持忠诚，从而给企业带来有形和无形的好处：顾客会产生重复购买行为，而且可能对企业的其他产品产生兴趣，加之交易惯例的口头宣传，对企业树立良好形象的效力远远大于媒体广告的作用。同时，一个满意的顾客会高度参与和介入企业的经营活动，为企业提供广泛的信息、意见和建议。

3. 营造顾客忠诚

市场竞争的实质是一场争取顾客资源的竞争，因为任何企业都必须依赖顾客。松下幸之助曾经坦言："对我自己来说，没有什么比顾客更值得感激的了。我常常教导员工，不要忘了感恩。"竞争所导致的争取新顾客的难度和成本的上升，使越来越多的企业转向保持现有的顾客。因此，建立与顾客的长期友好关系，并把这种关系视为企业最宝贵的资产，已成为市场营销的一个重要趋势。

企业只有拥有顾客，才能谈得上获取利润；反之，如果顾客叛离企业，则企业必将丧失利润来源，这是对企业最为严重的打击。据分析，一个企业只是比以往多维持5%的顾客，其利润就可增加100%。这是因为企业产品的信任度和忠诚度的增强，可诱发顾客提高相关产品的购买率。因此，"反叛离管理"成为关系销售理论和实践的重要内容之一。不少企业正积极推行"零距离叛离"计划，其目标是让顾客没有"变心"的机会。这种计划要求企业善于及时掌握顾客的信息，随时与顾客保持联系，并追踪顾客动态。

五、关系营销的实施过程

现代企业实施关系营销，必须设立关系管理机构，通过其卓有成效的活动，使企业的内外部关系更加融洽；同时，企业也须注意各种资源的有效配置，使其向企业的同一目标努力。企业关系各方面由于某些差异会造成障碍，因此企业必须进行文化的整合，协调各方利益，达到关系营销效率的提升。

1. 组织设计

企业在组织设计时，主要必须做到内部组织结构的整合和在企业之间建立各种联盟。

企业是由拥有共同目标的人群所构成的集合体，组织内必须有各种分工，通过分工以长补短，大大提高生产率，从而取得比个人所能取得效果之和大得多的整体效果。可是，分工在带来专业化高效率的同时，可能会导致本位主义、各自为政、相互扯皮等弊端。因此，企业要对各个部门进行整合。企业各职能部门之间暂时或永久的联系是企业组织结构整合的基础。这种结构联系不仅要作为发起和执行关系营销活动的机制，还要作为教育员工认识关系重要性的手段。

联盟是企业间形成长期联合但不彻底兼并的一种组织形式。现代企业之间通过形成联盟，可以互相协调，共享企业资源，形成一种互惠互利的关系。企业之间的联盟关系具有以下特点：

（1）边界模糊。联盟打破了传统的公司组织机构的层次和界限，一般是由具有共同利益关系的企业组成战略共同体，可能是供应者、生产者、分销商甚至包括竞争者之间形成的联盟。

(2) 关系松散。联盟主要是以契约的形式连接起来的，合作各方之间的关系十分松散，主要通过协商的方式解决各种问题。

(3) 机动灵活。组建联盟所需时间较短，过程简单，同时也不需要大量投资。如果企业环境出现发展机会，而联盟不适应变化的环境，则可迅速将其解散。

(4) 高效运作。由于组建联盟的合作各方可以将企业的核心资源加入联盟中，联盟的实力是单个企业很难达到的。在这种条件下，联盟可能会高效运作，完成一些单个企业难以完成的任务。

联盟的形式主要包括合资、研究与开发协议、合作生产营销、相互持股等。

2. 资源配置

关系营销要求企业进行资源配置时，充分利用企业的人力资源和信息资源，尽量达到资源最佳利用。企业的人力资源配置的措施，有部门间的人员轮换、内部提升等。当今时代，科学技术飞速发展，企业在采用新技术和新知识的过程中，有以下四种形式实现信息资源分享：

(1) 利用计算机网络协调企业内部各部门及企业外部拥有多种知识与技能的人员。

(2) 制定政策或提供帮助以削减信息超载，从而提高信息管理的工作效率。

(3) 建立一个"知识库"或"回复网络"。这是一个统一的数据库，包含企业的各种问题，如人力资源政策、解难指导或新技术等。有些问题可以通过数据库的信息轻易得到解决，有些问题则需逐级去找更高级的专家来处理。

(4) 利用日益增多的独立受聘专业人员和新的交流技术建立临时"虚拟小组"，以完成自己或顾客的交流项目。

3. 障碍排除

现代企业开展关系营销往往会碰到许多障碍，影响营销效果。这些障碍的解决通常是通过企业文化的整合做到的。关系营销的障碍主要有以下几种：

(1) 利益不对称。在某些情况下，关系营销虽然明显地对企业整体有利，但对某个部门却可能产生副作用。

(2) 失去自主权和控制权。企业常常抵制与竞争者进行关系营销，因为它们担心失去顾客或损害与顾客的关系。

(3) 片面的激励体系。对同一服务目标、转移定价和分配方案都可以精确计量，但却不能衡量一个部门对企业效益的整体贡献。激励体系只片面衡量各部门的业绩，而没有评价该部门对其他部门所做的贡献。

(4) 担心损害分权。关系营销有可能会使部门之间本来明确的职权和责任变得界限不清，因此，最高管理层担心部门负责人可能会以关系营销为借口为其业绩不佳做辩护。

关系各方面的差异会增加建立关系的难度，因为这种差异会产生交流上的问题。文化背景的不同，也就意味着关系双方的知识、信仰、艺术、道德、法律、习俗、习惯等诸多方面存在很大差异。这些差异会阻碍交流，并使工作关系难以沟通和维持。如果业务单元间人员的背景、能力和风格不同，这些差异也会使关系的建立和维持变得很困难，双方打交道时可能感到不适或紧张，以致难以达成协议。妨碍关系建立的管理差异包括年龄、职位、教育背景、工艺技能和工作年限等方面的差异。跨文化的人们要相互理解和沟通，就必须克服不同文化规范带来的交流障碍。只有关系双方在文化上达到融合，才有可能协调双方的本质利益。文化的融合，对于关系双方能否真正协调运行有着关键的影响。合作伙伴的文化敏感性要非常敏锐和灵活，以便使合作双方在一起有效地工作，而且学习彼此的文化差异。当企业的规模、优势和需求意识等相当、对待风险的态度和道德观念能够相互适应的时候，合作伙伴之间容易产生平衡的合作关系。

4. 关系营销方法的应用

关系营销是一项复杂的系统工程，其实质是企业通过对顾客和环境的利益承诺及其兑现来换取顾客的长期惠顾和社会的认可与回报。在具体操作中，有以下几种方法：

（1）建立企业与顾客的紧密联系，依靠信息和网络技术实现二者之间的全面互动。电话、传真、计算机电话集成系统（CTI）、呼叫中心以及互联网的在线支持为此提供了技术上的支持。企业通过采集和积累有关消费者的各方面信息，经过处理后，利用计算机综合成有条理的数据库，然后在各种软件的支持下，生成企业经营活动所需要的各种详细、准确的数据。通过数据库的建立和分析，可以帮助企业更为准确地找到目标顾客群，降低营销成本，提高营销效率，并且可以为营销和新产品开发提供准确的信息。尤其是通过计算机网络的互动式交流，可以更准确地掌握顾客的需求动态，更及时地获得顾客对产品的反馈信息，从而使企业与顾客之间的关系更加紧密。美国著名网络设备供应商思科公司利用计算机网络建立的顾客服务系统，一年节省了3.6亿美元的客户服务费用，客户的满意度也从以前的3.4提高到了4.17（5分标准）。目前，我国的海尔、联想等公司也都投资设立了呼叫中心。微软中国公司认为，一家商业企业如不考虑用网络来改造自己的销售和管理体系，那一定是死路一条，不管它今天多么繁荣。

（2）改变顾客的角色。企业应该摒弃把顾客当作讨价还价的对手这样一种旧观念，而应把顾客作为诲人不倦的老师和共同创造价值的伙伴。一些大公司还建立了高层管理人员与顾客定期会面的制度，以准确掌握顾客的偏好、竞争对手的动态以及顾客对产品和服务的意见等第一手材料，从而为改进工作、开发新产品打下基础。一些企业甚至把顾客纳入自己的组织范围之内，有的企业与用户一起开发新产品，有的甚至直接聘请顾客加入自己的产品开发小组当中。还有一种流行的做法是，企业成立顾客俱乐部，其成员主要是企业的现有顾客或潜在顾客。俱乐部为其会员提供各种特别服务，如新产品情报、优先销售、优惠价格等。顾客俱乐部加强了企业与顾客之间的相互了解，培养了顾客对企业的忠诚。企业通过建立顾客的情报反馈系统，了解顾客需求，还可通过其会员宣传企业的产品与服务，取得了意想不到的促销效果。

（3）关系营销要求企业着眼未来，以真诚换忠诚。顾客忠诚是企业在营销中所追求的理想境界，但忠诚的顾客依赖于企业与顾客的关系质量，即顾客对企业的信任感和满意程度。要做到这一点，买卖双方都必须坦诚相待、加强合作。除提供质量过得硬的产品外，企业要加强产品的服务工作，搞好产品售前、售中、售后服务，企业必须消除消费者购买产品后的风险，如效能风险、财务风险、生理风险、社会风险等，努力增加产品的附加价值，减少顾客的关系成本。

（4）要用动态的观点看待关系营销。时代在进步，技术在发展，企业今天的独特产品和服务，明天就可能成为人人都能做到的大路货。例如，前几年少见的产品包退包换制度、送货上门服务，现在都已成为标准化的服务内容。要想以此维系与顾客的良好关系，显然是不够的。进一步讲，关系营销本身就是一个企业向顾客转移价值的过程，所以，企业在进行关系营销时，要不断地进行技术创新、服务创新，以赢得顾客，换取忠诚。

第三节 整 合 营 销

一、整合营销的基本内涵

整合营销（Integrated Marketing）又称"整合营销传播"（IMC），它兴起于商品经济发达的美国，是一种实战性极强的操作性策略。

1995年，美国学者保斯蒂安·库德（Paustian Chude）首次提出了整合营销这一概念。他认为，整合营销就是"根据目标设计企业的战略，并支配企业各种资源以达到企业目标"。菲利普·科特勒认为，整合营销包括两个层次的内容：一是不同的营销功能——销售、广告、产品管理、售后服务、市场调研等必须共同工作；二是营销部门必须与企业的其他部门相协调。

近年来，我国学者结合我国国情，对整合营销进行了研究，认为"整合营销是以整合企业内外部所有资源为手段，重组、再造企业的生产行为与市场行为，充分调动一切积极因素，以实现企业目标的、全面的、一致化营销"。整合营销就是使各种作用力统一方向，形成合力，共同为企业的营销目标服务。

整合营销是一种系统化的营销方法，具有自身的指导理念、分析方法、思维模式和运作方式，是对抽象的、共性的营销的具体化、个性化，是挑战营销环境的工具。因此，整合营销是对营销整合的升华和理性化，使之更成体系。

二、整合营销的特点

（1）整合营销以服务顾客为宗旨，使每一位顾客都能体验到企业高效、优质、一致的服务。它把顾客视为贯穿于整个营销传播活动的第一个环节，并实现与顾客的双向沟通。

（2）整合营销以系统化思想做指导，将整个营销沟通作为一个系统，对其进行计划、协调和控制。整合营销不仅关心局部，更注重全局，考察所有行动与方案的效果，使营销资源在营销工具间得到最优配置，提高企业的组织管理水平。

（3）整合营销理念引入了整体观与动态观，要求企业用动态的观点看待市场，认清企业与市场之间的互动关系，并根据市场的变化及时调整发展战略。企业内部所有的部门都应当相互配合、竭诚协作，形成一个紧密团结的整体。

三、整合营销的实施

整合营销的实施是将整合营销计划转化为行动和任务的部署过程，通过这一过程，最终实现整合营销目标。

1. 整合营销实施的前提

正确区分整合营销策略和传统市场营销策略在观念上的不同，树立并贯彻整合营销新观念，是积极有效地实施整合营销的前提。传统的营销观念基本上是以企业为中心，围绕企业的需求来决定产品、价格、分销渠道等；整合营销则强调企业的一切活动必须适应顾客，实现企业和顾客之间的双向沟通。

2. 影响整合营销实施的技能

企业在实施整合营销的过程中可能面临各种问题，这些问题一般发生于企业的三个层次，即基本的营销功能层、营销方案执行层和营销战略层。为了使营销计划的实施快捷有效，企业应从各个层面入手，学会运用分配、调控、组织和协调等技能。分配技能是指各层面的营销负责人对资源进行最优配置的能力；调控能力是指年度计划控制、利润控制、战略控制等有效整合的能力；组织技能是指开发组建有效的工作组织；协调技能是指营销人员要具备发动本企业内外的所有力量去执行营销方案的能力。同时，企业还应具备营销诊断、问题评估等技能，并对营销中出现的每一个问题提出具体的解决办法。

3. 整合营销的具体实施过程

整合营销的实施是一个不断改进和完善的过程，涉及资源、人员和组织等方面的问题。

（1）资源的合理配置。在实施过程中，要以整合营销为导向，对企业的有形资源和无形资源进行规划管理，实现最优配置，同时避免资源浪费。

（2）人员的选择和激励。要建立一支以企业营销经理为核心的，包括市场营销研发人员、销售人员、广告与营销行政事务人员等组成的高素质的营销团队，建立人员激励机制，激发员工的积极性，最大限度地发挥团队精神。

（3）整合监督管理机制。整合营销的实施需要强有力的组织领导和健全的监督管理机制。最高管理层要对整合营销进行监督，整合营销团队要正确领悟企业的整合营销目标，实行自我监管和团队成员之间的相互监督。整合营销的实施是一个复杂的过程，实施期间会出现许多意料不到的问题，企业应合理地安排战略计划，为推动整合营销的实施而努力。

第四节 直复营销

一、直复营销的内涵

直复营销（Direct Marketing）即"直接回应的营销"，它是以盈利为目标，通过个性化的沟通媒介向目标市场成员发布信息，以寻求对方直接回应（问询或订购）的社会和管理过程。美国直复营销协会（Direct Marketing Association，DMA）将直复营销定义为："一种互动的营销系统，运用一种或多种广告媒介在任意地点产生可衡量的反应或交易。"该定义揭示了直复营销的三个基本特性：互动性、可衡量性和空间上的广泛性。

1. 互动性

直复营销是互动性的，营销者和顾客之间可以进行双向沟通。营销者通过某个（或几个）特定的媒介（电视、目录、邮件、印刷媒介、广播、电话、互联网）向目标顾客或潜在顾客传递产品或服务信息，顾客通过邮件、电话、在线等方式向企业发盘进行回应，订购企业发盘中提供的产品或服务，或者要求提供进一步的信息。

传统的营销方式只能提供单向信息沟通，向目标市场传递企业产品或服务方面的信息，视听群（读者或听者，又称受众）并不对其做出立即反应，而通常是在获得该产品或服务信息后，在以后的某个时间到相关的零售机构去购买。这样，在某个特定广告活动中，顾客与企业之间的信息沟通是单向的，即由企业到目标市场成员。

直复营销的互动性给予目标市场成员回应的机会，同时，这种反馈信息又是企业规划后续直复营销项目的重要依据。

2. 可衡量性

直复营销的互动活动的效果更易于衡量。目标市场成员对企业直复营销活动项目回应与否，与每个目录邮件、每次电视广告、每次广播广告或每个直邮直接相关。而且，直复营销者还可以借助营销数据库，分析顾客个体或家庭的购买行为等方面的信息，进而得出顾客某方面特征的判断，以规划新的直复营销活动。数据库在直复营销活动中是非常重要的，是所有直复营销活动的基础或前提。

3. 空间上的广泛性

直复营销活动可以发生在任何地点。只要直复营销者所选择的沟通媒介可以到达的地方，都可以开展直复营销。顾客不必亲临各种零售商店，也不用销售人员登门拜访，营销者与顾客之间的联系可以通过邮件、电话、传真，或通过个人计算机在线沟通，而产品的传递一般可以通过邮递渠道。随着网络经济的发展，新的商品传递渠道正在形成。

二、直复营销的特点

1. 利用媒体信息要多于一般广告

直复营销者也要使用付费的大众媒体发布信息，这一点与一般营销广告无差异，但是，直复营销利用媒体信息要多于一般广告，这是因为直复营销主要通过发布信息来寻求目标市场成员的反应。在该沟通过程中，没有通过任何中介机构就同时实现了广告和销售两种功能。由于直复营销不需要零售商等中介机构，大大减少或省去了中间商的价格加成，从而使企业的盈利增加。当然，直复营销省去的人员推销和零售环节，也可能会被相应增加的媒体开支所抵消。

2. 个性化

直复营销活动具有很强的目标指向性。直复营销的营销对象就是具体的个人、家庭或企业，而不是通过大众媒体指向大众市场。顾客与直复营销者之间的互动都是以一对一为基础的，这在直邮或目录营销中显得更为明显，这时企业向目标市场成员的产品或服务发盘和目标市场成员对该发盘的回应都是个性化的。对于电视、广播、互联网等媒介，虽然营销者向目标市场成员传递产品或服务发盘信息类似于传统营销，但是，顾客对该发盘的回应还是个性化的。直复营销的这一特点，使企业可以针对不同顾客个体的特征差异，选择不同的营销策略。

3. 以名录作为目标市场选择的主要工具

直复营销一般都是以名录作为细分和选择目标营销对象的工具。名录以顾客或潜在顾客的姓名和地址等基本数据为基础，包括他们的人口统计特征、财务状况、过去的购买行为等方面的信息。营销者在开展某项直复营销活动时，首先需要通过自己的营销数据库或租赁等渠道获得符合该项目目标市场成员特征的名录；然后还要根据一定的标准，对该名录做进一步细分，并选择出适合本次直复营销活动的名录来。

4. 没有（或极少）中间分销环节

由于直复营销是一种顾客与企业互动性的营销方式，目标市场成员对企业发盘的回应是直接的，其订购的产品一般也是通过直接渠道传递的，所以直复营销一般没有中间环节。有些直复营销者出于效率或资源限制等方面因素的考虑，可能会将直复营销活动中的某些商业履行功能外部化。例如，商品配送通过专门的配送公司进行，或者与其他直复营销公司建立联合性的配送体制。这时出现了有限的中间环节，但是其特征和功能都与传统分销渠道有所不同。

5. 媒介选择更具有针对性

虽然直复营销使用的广告媒介通常也是一般营销广告使用的媒介，但是二者在选择上是有所不同的。直复营销广告媒介的选择更加针对该媒介受众的特点，所选择的媒介往往是具有某个特定共同特征的高度细分市场。传统营销广告虽然也考虑媒介的目标受众，但是，它往往是以获得最大展露度为重要目标，所以在选择媒体时，一般不会选择那些往往为直复营销者所看好的受众相对狭小的媒介。此外，直复营销还大量使用"一对一"式的媒介，如直邮、目录和电话等，这使得直复营销活动可以获得最强的针对性。

6. 营销手段的隐秘性

营销手段的隐秘性主要是针对"一对一"式的直复营销工具而言的。通过直邮、目录和电话等手段，直复营销活动是在竞争对手不知情的情况下运营的，具有一定的隐秘性，当竞争对手获知本企业的直复营销策略时，企业可能已经占领市场并获得销售量。直复营销的这种隐秘特性，尤其适合在大规模营销活动开展前进行隐秘性的营销测试。

7. 注重顾客服务和长期合作关系

在直复营销中，顾客服务扮演着非常重要的角色。对于多数直复营销公司来说，顾客忠诚度是一个很重要的方面，因为公司要通过重复购买获取利润。强调顾客服务，包括强化订购和配送职能，可以促进直复营销者与顾客之间的互动性和反应机制，从而建立长期关系。

8. 广泛适用性

与一般营销旨在树立公司形象的广告宣传的不同之处是，直复营销对于各种规模的企业都适用。对于实力雄厚的大企业，直复营销是其增加竞争优势的利器；对于资源有限的小企业，直复营销则是其达到目标市场、实现销售的良好渠道。

9. 顾客存在可信度问题

在普通营销方式下，顾客购买是面对面（顾客与分销商或销售代表）进行的。这样，顾客可以目睹产品和销售商的情况，容易在相信自己判断的基础上，产生真实感和信任感。而直复营销的典型表现为顾客与商家不直接接触，商品传递是通过某个中间渠道进行的。这样，顾客往往会产生一种不真实或不信任的心理，这种心理的存在会阻止其进行购买的行为。因此，如何消除目标市场成员的疑虑，增加其购买信心，是每个直复营销者都要面对的问题。

由于直复营销以能够到达具有不同需求的、分散的市场而见长，企业能够更有效地利用其营销资源，使每个单位营销投入都有其明确的配比收入，因此，对于小型公司来说尤为重要。

三、直复营销管理

1. 直复营销的目标

美国学者罗伯茨和伯格（Roberts & Berger）将直复营销的目标分为以下五种：销售产品或服务、产生销售线索、销售线索资格认证、建立和维护顾客关系、顾客服务。

（1）销售产品或服务。销售产品或服务是直复营销项目最普遍的目标。以盈利为目的的企业或个人通过销售产品或服务以获得利润。

（2）产生销售线索。产生销售线索是直复营销活动的另一个可能目标。销售线索（Lead Generation）是指那些可能会成为企业潜在顾客的个人或组织，销售线索的产生主要是通过人们对直复营销发盘的回应获得的。销售线索的产生为企业的直复营销活动提供可供选择的目标对象。

（3）销售线索资格认证。企业通过寻求人们对企业直复营销发盘的回应所获得的销售线索往往包含各种主体。其中的一些会通过企业的营销努力而成为购买者；而另外一些则不具备这种潜力，甚至根本没有购买意愿。销售线索资格认证的目的就在于淘汰没有潜力的线索。

（4）建立和维护顾客关系。运用直邮、电话等直复营销工具，可以建立顾客关系，并加以日常维护。建立和维护顾客关系的目的在于期望从对方的忠诚中获得更大的销售收入和利润。

（5）顾客服务。直复营销的成功主要依靠顾客的重复购买。因此，如何留住顾客是关系到直复营销盈利性的重要因素。建立顾客忠诚度的一个途径就是向顾客提供使其满意的服务，因为顾客对服务满意与否直接关系到其购买决策。因此，许多成功的直复营销者都将在顾客服务上的开支视作一种无形资产投资，因为顾客本身就是企业最大的无形资产。主要的顾客服务通常包括迅捷准确的订购处理、顾客询问和投诉及时满意的处理和退货三个方面，其他还有提供免费电话号码、退款保证、使用信用卡等方便顾客的服务。这些服务有利于克服顾客对通过直接回应渠道购物的抵触心理，使其乐于接受这种购物方式。

2. 直复营销的媒介

如前所述，直复营销的媒介是直复营销者发盘以获得其目标市场成员回应的途径或载体。实际上，媒介就是直复营销者进行直复营销广告的载体或通道。与一般营销广告不同的是，直复营销广告是一种直接回应广告。与一般营销广告相似，几乎各种媒介都可以为直复营销所用，只不过直复营销采用不同的使用和效果评价方式。

典型的直复营销媒介主要有以下几种：电话营销、直邮营销、直接反应电视、直接反应印刷媒介、直接反应广播、网络营销。在这几种媒介中，除了网络营销是近几年才发展和兴起的，前几种媒介都是基本的直复营销媒介，而数据库营销则是几种基本直复营销媒介的组合使用。

在发达国家，直复营销已发展成为一个拥有一定规模、相对独立的行业，直复营销业所创造的销售额已经在全部商品销售额中占有较高的比重。美国是当今世界上直复营销业最发达的国家。

3. 直复营销策略

直复营销策略是对直复营销活动的策划和安排，使企业在不断变化的市场环境中获取竞争优势，实现成长。直复营销策略决策往往是非常复杂的，这是因为：①影响市场运营结果的因素是多种多样的，当直复营销企业决定投放一个新的产品或服务发盘计划时，存在着多种因素决定该项目的成败，如竞争对手的反应、经济环境的变化、顾客对新事物的接受程度等因素，都会直接影响最终的销售业绩和盈利。②许多影响市场结果的因素都是营销管理不可控制的，几乎所有外部营销环境因素都是直复营销企业不可控制的。③影响营销计划结果的因素缺乏稳定性，如信息产业的产品或服务，技术变革速度之快，几乎每隔若干个月就有利用最新技术的产品面市，这些因素的经常变化可能会对直复营销企业的销售和利润产生不利影响。④市场结果对追加营销资源的回报是非线性的。也就是说，随着营销资源的增加，所能产生的额外回报是逐渐减少的。

第五节　绿　色　营　销

在 21 世纪，由于可持续发展的理念深入人心，一场绿色革命的浪潮正在席卷全球，环保成了最时尚的追求，人们越来越关注人与自然的共同发展。所有企业也都面临着环境保护的严峻挑战，越来越多的业界人士坚信，在 21 世纪，如果企业希望成功地开展经营活动，就必须在所有的活动中融入环保的思想。人们对环境问题的关注已经成为营销实践环节中的一个重要议题。伴随着这样的态势，绿色营销开始显示出冰山一角，成为 21 世纪营销的一大趋势。

绿色营销即意味着在企业营销的各环节中，如在设计、生产、包装、运输、销售、服务、广告宣传等一切经营活动中注入环保意识，在企业的营销过程中贯穿绿色概念，使企业行为向着与生态环境协调发展的方向发展。

一、绿色营销的内涵

绿色营销以保护全球资源、生态和维护人类健康为宗旨，是社会营销观念的具体化、系统化。在产品方面，绿色营销强调节约生产资源，防止产品的品质污染，反对过度包装；在定价方面，政府对绿色产品实行优惠的税收和成本政策；在分销方面，注重卫生、安全的物流载体和流程过程；在促销方面，主要依靠社会团体和公益活动展开推广计划。近年来，对绿色营销的分析、研究正向系统的营销学分支演变。

20 世纪 70 年代，菲利普·科特勒和杰拉尔·萨尔特曼（Gerald Zaltman）曾指出，"社会营销"应该成为营销学科中的一个重要概念。社会营销被定义为"把营销的概念和技术运用到各种各样的对社会有利的观念和事业中去，而不是商业营业上的产品和服务营销"。在这个定义中，隐含着把对自然环境的保护观念作为社会营销的一个组成部分。

为了进一步建构社会营销的基本原理，哈聂和科尼尔（Henion & Kinnear, 1976）对绿色营销给出了这样一个定义：绿色营销涉及所有的营销活动，包括：①导致环境问题的活动；②能够解决环境问题的活动。因此，绿色营销从营销活动对污染、能源危机和非能源性资源枯竭影响的正反两个方面进行研究。

绿色营销的概念是在传统的商业导向型营销耗费社会能源资源遭到批评、社会大众的环保意识增强、绿色浪潮到来的前提下提出的。绿色营销的含义包括两个层次：一是基于企业自身的利益进行的营销；二是基于社会道义而进行的绿色营销。所谓基于企业自身利益而进行的营销，是指企业实施绿色营销以满足消费者的绿色消费需求，有利于降低成本，有利于在竞争中获取差别优势，从而获得更多的市场机会，占有更大的市场份额，相应获得更多的利益。所谓基于社会道义而进行的绿色营销，是指在营销过程中与社会对环境保护的要求相适应，与社会可持续发展战略相一致，尽量减少对环境的污染，维护全社会的公共利益。

综上所述，本书给出如下概念：绿色营销是企业通过致力于变换经营过程以满足人们的绿色消费需求，履行环境保护的责任和义务，促进经济与生态的发展，实现企业的自身利益、消费者利益及社会利益三者相统一的一系列经营活动。

二、绿色营销的策略

1. 建立绿色营销观念

绿色营销必须在绿色营销观念的指导下进行。所谓绿色营销观念，就是环境保护意识与市场营销观念相结合所形成的新观念。绿色营销观念的服务对象不仅是消费者，还包括整个社会和全球的环境，目的是求得社会和全球环保的长远利益、消费者切身利益与企业效益三者的结合和统一。它是在全球可持续发展战略理论的指导下，结合市场营销实际产生的新概念，是为执行这一战略服务的。企业转变经营战略、确立绿色营销观念的一个主要方面，是企业家要有一种长远发展的发展意识，确立绿色营销的观点。企业家在进行生产管理和营销管理时，必须时时注意绿色意识的渗透，要保护生态环境，反对资源浪费，以获取长远发展。

2. 绿色产品开发

绿色营销的使命是促进可持续发展，即在满足现代人需求的同时不牺牲子孙后代满足他们自身需求的能力。这意味着人们不仅要寻求不破坏环境的绿色产品，还要开发出能改善环境状况的产品与服务。传统的产品开发与设计强调的是成本最小化和性能最优化，而绿色产品开发则把降低能耗、回收再利用、防止污染与成本最小和性能最优列入同等重要的地位。例如，德国汉高（Henkel）公司在开发洗涤剂中磷化物的替代物的过程中，花了10年的时间对产品的环境适应性和性能的有效性进行研究和试验，最后才发现了一种令人满意的添加剂。如今，这种环保性添加剂是世界上领先的磷化物替代品，它不仅为汉高公司赚到丰厚的利润，还使河流和湖泊更加清澈。

3. 绿色包装

绿色包装是指企业在包装商品时，既要考虑包装的成本费用，又要考虑包装的废弃物对环境的污染程度，采用对人体健康和生态环境无危害、易回收、可再生利用、无污染的包装。目前，国际商界正在兴起被称为"绿色包装"的包装革命。符合下列条件的包装可以视为绿色包装：

（1）大容量包装。消费者在减少购买次数的同时，减少了包装材料的耗费。

（2）剔除不必要的花哨包装。

（3）重新设计包装，使之产生更少的固体垃圾。

（4）采用的包装材料具有能回收利用、可生物降解的特点。

4. 绿色产品的分销

绿色产品的特殊性使得企业在选择分销渠道时存在很大困难。企业必须考虑运输过程是否会带来污染，如何尽量缩短分销渠道的长度，如何选择分销商，企业是否应建立自己的分销系统等问题。

（1）运输策略。选择运输工具时，应选择无铅燃料、有污染控制装置、节省燃料的交通工具；选择运输路线时，应选用储运过程浪费最小、运输距离最短的路线。

（2）分销商选择策略。企业可以不经过分销商直接建立自己的绿色分销系统，这种方式可以最大限度地减少分销过程中的污染和社会资源的浪费，直接在市场上建立企业形象，向消费者提供更完善的服务。但是，大部分企业都无此实力，大多选择中间商来为它们分销产品。

5. 绿色促销

企业实施绿色营销策略，是企业通过对社会大众的宣传，表达自己对环境保护的重视，从而在公众心目中塑造良好的绿色形象。为此，企业以人类社会可持续发展为目的的整体理念、经营宗旨和价值观念的广告，传播企业理念精神，对内使全体员工树立共同的价值观念，培养和增强员工的凝聚力和向心力，对外在广大社会公众心目中形成良好印象，以得到社会公众的理解和支持。同时，绿色营销的促销作用还体现在用营销的沟通方法和手段对顾客和潜在顾客进行教育、宣传，并把他们的需求引导到符合社会环境要求的产品、服务和活动中来。大量的研究表明，消费者的消费观念正在发生变化，他们开始关心环境，关心自然，希望在享受生活的同时节约能源、保护环境。人们对绿色产品的态度正变得越来越积极。这种消费观念的转变，也有助于企业进行绿色促销。

6. 绿色标志与绿色保护

绿色标志又称环境标志、生态标志，是由政府部门或公共社会团体根据一定的环境标准，向有关厂家颁发的证明，以认证其产品是否符合绿色产品的要求，是否允许该产品佩带绿色标志。绿色标志是企业向社会证明其环保意识和环保行为的一个重要标准。

世界上主要的环保标志有德国的"蓝色天使"、日本的"生态"标志及中国的"绿色食品"标志等。

第六节 网络营销

20世纪90年代以来，飞速发展的国际互联网促使网络技术应用急剧增长，全球范围内的企业纷纷上网提供信息服务和拓展业务范围，积极改组企业内部结构和发展新的管理营销方法。网络营销就是伴随着信息技术的发展而发展的，目前互联网已发展成为辐射面更广、交互性更强的新型媒体。随着上网用户的迅猛增加，互联网市场已成为一个急速扩张、潜力巨大的市场，蕴涵着无限商机。如何在这巨大的网络市场上开展网络营销、占领市场，对企业来说既是机遇也是挑战。

一、网络营销的内涵

网络营销就是互联网为媒体，并用相关的方式、方法和理念实施营销活动，以更有效地促成个人与组织交易活动的实现。网络营销作为适应网络技术发展与信息网络时代社会变革的新兴营销策略，越来越受到企业的重视。网络营销在国外有多种表达，如cyber marketing、internet marketing、network marketing、e-marketing等，不同的单词有着不同的侧重和含义。目前较常见的表达是e-marketing，"e"表示电子化、信息化和网络化，集中体现了网络营销的特质。

作为新的实现企业营销目标的营销方式和营销手段，网络营销的内容非常丰富。

（一）网络营销针对网上虚拟市场

互联网是现代社会的支柱，给人们的生活带来了极大方便。可以接入互联网的设备无处不在，个人计算机、数码照相机和摄影机、网络摄像头和智能手机……消费者无论在世界上的哪个地方，只要能接入互联网，就能足不出户、一天24小时购物，能创建和分享信息，通过网络与人群沟通。

网络营销要求企业及时了解和把握网上虚拟市场的消费者特征和消费者行为模式的变化，为企业在网上虚拟市场进行营销活动提供可靠的数据分析和营销依据。

（二）网络营销与传统营销不同的手段和方式

网络营销的基本营销目的和营销工具是一致的，但在实施和操作过程中与传统方式有着很大区别。以下是网络营销的一些主要内容：

（1）网上市场调查。利用互联网交互式的信息沟通模式来进行市场调查活动，包括直接在网上通过问卷进行调查，或通过网络来收集市场调查中所需的其他二手资料。利用网上调查工具可以提高调查效率和调查效果。

（2）网上消费者行为分析。互联网用户作为一个特殊群体，有着与传统市场群体不同的特性，因此，要开展有效的网络营销活动，必须深入了解网上用户群体的需求特征、购买动机和购买行为模式。互联网作为信息沟通工具，正成为许多兴趣、爱好趋同的群体聚集交流的地方，并且形成一个个特征鲜明的网上虚拟社区。了解这些虚拟社区的群体特征和偏好是网上消费者行为分析的关键。

（3）网络营销战略的制定。不同企业在市场中处于不同地位，在采取网络营销实现企业营销目标时，必须采取与企业相适应的营销战略。因为网络营销虽然是非常有效的营销工具，但企业实施网络营销时仍需要进行投入并且有一定风险。

（4）网上营销组合策略的制定。企业应该根据网络的独特功能和优势并结合自身实际情况，来设计网上产品和服务策略、网上价格策略、网上渠道策略及网上促销策略等市场营销组合策略。

（5）网络营销管理与控制。网络营销往往面临许多传统营销活动没有碰到的新问题，如网络产品质量保证、消费者隐私保护、在线支付及结算管理、网络订购与物流配送的协调以及信息安全与保护等。这些问题都是网络营销必须重视和进行有效控制的问题，否则网络营销效果会适得其反，甚至产生很大的负面效应。

（三）网络营销对市场营销发展方向和领域的贡献

（1）互联网超越时空限制的特性，及其传送文字、声音、动画和影像的多媒体功能，较之传统的媒体，在表现的可能性和丰富性上要杰出得多，可以更好地发挥营销人员的创意。

（2）互联网可以展示商品目录，连接资料库提供有关商品信息的查询，可以与顾客进行双向沟通，搜集市场情报，进行产品测试与顾客满意度调查等，是产品设计、信息提供以及顾客服务的最佳工具。

（3）互联网上的促销是一对一的、双向的、消费者主导的、非强迫的、循序渐进的促销，同时也是一种低成本与人性化的促销，因此符合分级与直销的发展趋势，深化并促进了关系营销与数据库营销的理论与实践。

（4）互联网使用者数量快速增长并遍及全球，使用者多属年轻、中产、高教育水平的阶层，因此是极具开发潜力的市场渠道。互联网上的营销可由商品信息提供至收款、售后服务，一气呵成，因此也是一种全过程的营销渠道，为营销4P与4C的整合提供了可能性。

二、网络营销的特点

与传统的营销策略和营销手段相比，网络营销具有诸多鲜明的特点：

（一）营销成本低

传统的营销方式往往要花大量的经费用于产品目录、说明书、包装、储存和运输，并设专人负责向顾客寄送各种相关信息。而运用网络营销，企业只需将产品的信息输入计算机系统并上网，顾客就可自己查询，无须设专人寄送信息。电子版本的产品目录、说明书等使企业不必再进行印刷、包装、储存和运输，这样就大大节约了营销费用，降低了营销成本。

（二）营销环节少

在网络营销中，营销数据不必再求助于出版商，企业可以直接将有关数据发布到网上供顾客查询，潜在顾客也不必再等企业的营销人员打电话告诉他们所要咨询的信息。自己就可以上网查找。网络营销的运用使企业的营销进程加快，信息传播更快，电子版本的产品目录、说明书等随时可以更新。对于软件、书籍、歌曲、影视节目等知识性产品来说，已经没有海关和运输问题，人们可以直接从网上下载并采用电子方式付款。

（三）营销方式新

在购买的同时，顾客可以自行控制购买过程。现今顾客的需求多种多样，他们在购买产品时，希望能够掌握更多有关产品的信息，得到更好的售后服务。聪明的营销者运用多媒体展示技术和虚拟现实技术，使得顾客可以坐在家中了解最新产品和最新价格，选择各种商品，做出购买决策，自行决定运输方式，自行下订单，从而获得最大的消费满足。

（四）营销国际化

互联网已经形成了一个全球体系，企业运用网络进行营销，能够超越时间和空间的限制，随时随地提供全球性的营销服务，使国外的顾客与本企业在网上达成交易，实现全球营销。

（五）营销全天候

网络营销可以一直进行，没有时间限制。企业的营销信息上网后，电子"信息服务员"就可以一直工作，一天24小时、一年365天不间断。

三、网络营销中的营销组合

市场决定着市场营销战略，在互联网巨大影响下的市场必然要求市场营销战略的更新。企业必须以市场为生命，从市场营销因素最基本的4P组合来调整、更新自己的营销战略。

（一）产品/服务

目前，适合在互联网上销售的产品通常是：①具有高科技或与计算机相关的商品；②目标市场为网络用户的商品；③市场需求地理范围广的商品；④设店销售有困难的特殊商品；⑤消费者依据网络信息就可做购买决策的商品。

互联网所提供的产品主要在于信息的提供，除可以充分显示产品的性能、特点、质量以及售后服务等内容外，更重要的是能够对个别需求进行一对一的营销服务。企业要根据消费者对产品提出的具体或特殊要求进行产品的生产供应，最大限度地满足消费者的需求。在网络上可开展以下工作：

（1）提供消费者之间、消费者与企业之间的互动讨论区，借此了解消费者需求、市场趋势等，以作为企业改进产品开发的参考。

（2）在网络上建立消费者意见调查区，了解消费者对产品特性、质量、包装及样式等的意见，以协助企业产品的开发与改进。

（3）建立网上消费者自助设计区，提供顾客化的产品与服务，如顾客可以自行设计服装的款式和花色，购车者可以自行决定所需颜色和配件等。

（二）价格

企业制定产品价格应在核算产品成本的基础上，适当增加无形成本的含量，精确计算产品中的无形价值量，科学合理地制定产品的网上交易价格。由于网络交易能够充分互动沟通，并完全掌握消费者的购买信息，因此应该以理性的方式制定价格战略。网络定价可以采取下列方法：

（1）顾客可以通过网络价格查询功能，查询市场相关产品的价格，进而理性地购买价格合理的产品，即可以货比三家。因此，企业一定要在对网上企业相关产品价格和竞争情况进行认真调研的基础上，合理估计本企业产品在消费者心目中的形象，进而确定产品的价格。

（2）可以开通网络会员制，依据会员过去的交易记录与偏好、购买数量的多少，给予顾客折扣，鼓励其上网消费。

（3）建立网络议价系统，与消费者直接在网上协商价格。

（4）建立自动调价系统，可以依季节变动、市场供求形势、竞争产品价格变动、促销活动等，自动进行调价。

（三）分销

互联网直通消费者个人，使得销售针对性加强，商品直接展示在消费者面前，并直接接受消费者订单，因此，任何一个单个用户对企业都具有重要意义。

（1）设立虚拟商店橱窗，使消费者如同进入实体店一般；同时，商店的橱窗可以因季节、促销活动、经营战略的需要迅速地改变设计。虚拟橱窗不占空间，可 24 小时营业，服务全球顾客，并由服务售货员回答任何专业性的问题，这样的优势绝非一般实体店可以比拟。

（2）可以结合相关企业的相关产品，共同在网上组织商品展销，消费者一次上网，可以饱览各种商品，增强上网意愿与消费动机。

（3）采取灵活的付款方式。目前，金融机构已率先进入信息网络，企业通过金融机构采取更加灵活的购买付款方式已成为可能。在互联网的推动下，企业可以依赖金融机构的专业信息优势，针对不同的用户采取灵活的付款方式，达到刺激和方便消费者购买的目的。

（4）可以在网上以首页方式设立虚拟经销商或虚拟公司，提供各类商品目录及售后服务。除部分产品（如计算机软件、电子图书等）可以在网上取货外，大部分产品采用送货上门或邮寄等方式。

（四）促销

网络促销具有一对一服务与消费需者需求导向的特点，除了可以作为企业广告外，也是发掘潜在顾客的最佳渠道。但网上促销基本是被动的，因此，如何吸引消费者上网，并提供具有价值诱因的商品信息，对企业来说是一个巨大的挑战。常用的促销方法有：

（1）利用网上聊天的功能，举行消费者联谊活动或网络记者招待会。这种方式可以跨越时空进行沟通，同时也是一种低成本的促销活动。

（2）网络促销可以利用诱因工具，如进行网上竞赛游戏、提供折扣券与赠品券、样品赠送、发放彩券和进行抽奖等，增强消费者上网搜寻及购买产品的意愿。

（3）网络广告目前已成为一种普遍的商业宣传方式，可以宣传企业与产品信息，阐释企业理念和企业文化，说明售后服务与质量保证措施等，进而提高企业在消费者中的知名度和美誉度。

（4）外文版页面和网络广告是企业产品国际化不可或缺的促销活动。

四、网络营销与电子商务

网络营销作为互联网最早的成功商业应用，近年来获得了长足的甚至是革命性的发展。随着网络营销活动的渐趋深入，它不再仅仅是营销部门市场经营活动方面的业务，还需要其他相关业务部门，如采购部门、生产部门、财务部门、人力资源部门、质量监督管理部门和产品开发与设计部门等的配合。因此，局限在营销部门在互联网上的商业应用已经不能适应互联网对企业整个经营管理模式和业务流程管理控制方面的挑战。电子商务是从企业全局角度出发，根据市场需求来对企业业务进行系统规范的重新设计和构造，以适应网络知识经济时代的数字化管理和数字化经营需要。

不同公司和不同组织对电子商务有不同的定义，但基本内容是一致的。比较权威的定义是经济合作与发展组织（OECD）给出的定义：电子商务是关于利用电子化手段从事的商业活动，它基于电子处理和信息技术，如文本、声音和图像等数据传输。主要是遵循 TCP/IP 协议、通信传输标准，遵循 Web 信息交换标准，提供安全保密技术。如果给出一个更简单系统的定义，电子商务是指系统化地利用电子工具，高效率、低成本地从事以商品交换为中心的各种活动的全过程。网络营销作为促成商品交易实现的企业经营管理手段，显然是企业电子商务活动中最重要的商业活动。

根据国际数据公司（IDC）的系统研究，电子商务的应用可以分为两个层次或类型：

第一个层次是面向市场、以市场交易为中心的活动，它包括促成交易实现的各种商务活动，如网上展示、网上公关、网上洽谈等活动，网络营销是其中最重要的网上商务活动；同时还包括实现交易的电子贸易活动，主要是利用 EDI（电子数据交换）、互联网实现交易前的信息沟通、交易中的网上支付和交易后的售后服务等。两者的交融部分就是网上商贸，它将网上商务活动和电子贸易活动融合在一起。因此，有时将网上商务活动和电子贸易统称为电子商贸活动。

第二个层次是利用互联网来重组企业内部经营管理活动，并与企业开展的电子商贸活动保持协调一致。最典型的是供应链管理，它从市场需求出发，利用网络将企业的销、产、供、研等活动连在一起，实现企业网络化、数字化管理，最大限度地适应网络时代市场需求的变化。

五、网络营销与传统营销整合

网络营销作为新的营销理念和策略，凭借互联网特性对传统经营方式产生了巨大的冲击，但这不应该成为片面夸大网络营销作用的理由，更不能说网络营销将完全取代传统营销。网络营销与传统营销的整合是一个务实的、创造性的过程。

（1）互联网作为新兴的虚拟市场，覆盖的只是整个市场中的部分群体，许多群体由于各种原因还不能或者不愿意使用互联网，如老年人和经济较落后国家（地区）。因此，仍需要传统的营销策略和手段覆盖这部分群体。

（2）互联网作为一种有效渠道，有着自己的特点和优势，但对于许多消费者来说，由于个人生活方式不同，有些人不愿意接受或者不愿意使用新的沟通方式和营销渠道。如许多消费者不愿意在网上购物，而仍习惯在商场一边购物一边休闲。

（3）互联网作为一种有效沟通方式，可以方便企业与用户之间直接双向沟通，但一些消费者有着个人偏好和习惯，愿意选择传统方式进行沟通。如报纸有了网上电子版本后，并没有冲击原来的纸介出版业务，相反，起到了相互促进的作用。

（4）互联网只是一种工具，而营销所面对的是有情感的人，因此，一些以人为本的传统营销策略所具有的独特亲和力是网络营销无法替代的。

随着技术的发展，互联网将逐步克服上述不足，在很长一段时间内，网络营销与传统营销是相互影响和相互促进的，最后实现融洽的内在统一。可以预见，将来没有必要专门谈论网络营销了，因为营销的基础之一就是网络。

网络营销和传统营销之间最明显的差异是，网络营销中顾客与企业之间的互动以技术媒介为特点。传统营销中的产品质量、服务问题与人际互动，如今被顾客网上体验所替代。实体零售店的设计、质量和环境，以及销售人员的知识、品质和行为，都是向顾客提供的产品和服务的质量符号。网上缺少这些彰显产品和商店可信度的重要感觉线索。所以，网络平台承担了双重作用，作为有形环境和人员互动的替代，标志着生产企业的潜在可靠性和产品质量。这些符号在顾客远离企业并要求更多保证的网络环境下更加重要。

总之，网络营销与传统营销是相互促进和补充的，企业在进行营销时，应根据企业的经营目标和细分市场，整合网络营销和传统营销策略，以尽可能低的成本达到最佳营销目标。网络营销与传统营销的组合，就是利用整合营销策略实现以消费者为中心的传播统一、双向沟通，实现企业的营销目标。

六、网络营销与在线社区

社会化媒体推动了在线社区的发展。在Web 1.0时代，人们上网是为了获取感兴趣的内容，这不是真正的社区，因为信息流是单向的。但在Web 2.0环境中，一切都变了，互动平台使在线社区呈现出不同以往的特点，网络营销需要适应、迎合在线社区的发展趋势。这些特点包括：

（1）对话。在线社区因成员间的沟通而快速成长。对话不仅仅是基于口头的或者是书面的方式，而是二者的结合，如通过QQ或微信与网友交谈，消费者可能感觉与真实的交谈一样。

（2）在场。虽然在线社区是一种虚拟的存在，而不是一个实体的地方，但是运作良好的在线社区具备了有形的特征，创造出一种确实在某个地方的感觉。通过增强访客间的互动或者使环境看起来或感觉更加真实，社会化媒体网站增强了现场感。

（3）集体兴趣。正如线下社区是基于家庭、宗教信仰、社会活动、爱好、目标、居住地等一样，在线社区也需要共同点来创造成员间的联结，让这些群体能够集中在一起，让人们能够分享他们的情感，不管这些共同点是社会热点话题还是某款智能手机。

（4）民主。大多数网络社区的治理模式是民主，领袖是因为其在全体成员中的声誉而产生的。由于社会化媒体的扁平结构，对社会化媒体所呈现内容的控制权已从少数精英转移到大

第十四章 市场营销的新趋势与新概念

众手中，因此，社区成员决定着媒体内容的创造、传播和流行，这与传统出版商不一样。

（5）行为标准。在线社区需要规则来管理行为以维持正常运作。一些规则是明文的，例如，当消费者在京东上购买东西时，需要同意有关支付的法律合同，而另外一些则是隐性的。

（6）参与水平。为了在线社区的繁荣发展，大多数成员必须参与，否则这些网站将不能提供新的东西，最终将会慢慢关闭。大多数人是"潜水者"，他们获取其他人提供的内容，但并不贡献自己的内容。研究者发现，大约只有1%的典型社区用户经常参与，9%的用户阶段性地参与，其他90%的用户只是看网站内容。

（7）群体力量。社会化媒体改变了营销者和消费者的基本关系：企业不再只向消费者营销，而是共同营销。尽管许多人抵制这一变化，但是有一些人从群体智慧（Wisdom of Crowds）理论的角度建立了新的商业模式。该理论认为，在适当的环境下，群体比群体中的个人更有智慧。如果真的是这样，就意味着大量的消费者可以成功预测产品。

主要名词

服务营销　关系营销　整合营销　直复营销　绿色营销　网络营销

 **案例分析**

锦江之星：绿色营销的践行者

今天，绿色产品和绿色管理已经融入锦江之星的品牌文化之中。绿色营销不仅仅体现了锦江之星在战略上的高瞻远瞩，也体现了这家企业强烈的社会责任感和使命感。

1. 背景资料

锦江之星旅馆有限公司成立于1996年5月，是经营与管理经济型连锁酒店著名品牌"锦江之星"的专业性公司，也是全国驰名的综合性旅游企业集团——锦江国际集团的下属企业。经过20余年的发展，如今锦江之星已覆盖中国31个省的129个城市，项目总数超过480家。到2010年年底，锦江之星的酒店数量已超过600家。

锦江之星的品牌特质：

安全——房屋结构安全检测达到7级抗震标准，配合红外线监控系统。

健康——采用环保材料和家具、优质食品原料。

舒适——四星级标准的床上用品、高星级洗浴设备、营养美味的绿色早餐。

专业——锦江酒店全球排名第13位，提供专业化的酒店商旅服务。

2010年4月，锦江之星上海6家门店同时被中国饭店协会评为中国绿色饭店。其中，新虹桥店、浦东机场二店和张江店通过绿色饭店四叶级标准评选；花木店、陆家嘴店、世博园区浦三路店通过绿色饭店三叶级标准评选。这样，锦江之星在全国范围内已经有20多家酒店被中国饭店协会授予绿色饭店四叶的标志，同时还有10多家在申报、审批之中。这是锦江之星在追求绿色、坚持环保方面的又一个喜人成果。

事实上，绿色营销的呼声早就不绝于耳。但迄今为止，响应者仍寥寥无几。个中原因主要是"好事"难变"好生意"。锦江之星则创造性地开展了绿色营销，创造绿色价值链，在盈利之时，为消费者创造"绿色"价值。

2. 绿色产品

产品是营销的原点,也是绿色营销的根基。锦江之星始终将产品的绿色环保放在首位。经济型酒店的竞争很激烈,有些经济型酒店为了尽快开张、节约成本而选用较低档次的建筑材料,但这些材料往往容易出现问题。

锦江之星出于对卫生、安全、环保的考量,选用的建筑材料都是符合国际最高标准的。很多消费者之所以选择锦江之星,正是看中其绿色环保的选材以及良好的室内空气质量。通常酒店在装修3个月之后方可入住,而锦江之星酒店装修完成3天后即可入住,这也成为锦江之星绿色环保的绝佳例证。

3. 绿色管理

就目前而言,很多企业的绿色营销只是一种噱头或传播手段,往往流于形式。其中的主要原因是:企业并没有在管理制度和组织架构上做出相应调整,这样绿色营销难以融入企业战略。

具体到酒店行业,一般经济型酒店工程的考核指标是以单店造价来考核的,而耗能是营运部门的事,两个部门的利益诉求点不一样,这使得绿色营销很难真正实施。而在锦江之星,这一管理难题得到了较好的解决。

锦江之星有一套很完善的制度:用能耗指标来考核营运部门,一旦这个指标超过了考核标准,那么营运部门需要查明原因,并且将调查结果反馈给项目部门。如果这个能耗的增加不是因为不使用造成的,那么工程部门就需要找出能耗超标的原因并加以改进。有了制度的保证,在锦江之星,从高层到基层,环保已经成为所有人的共识。

此外,锦江之星对加盟商的要求几乎是所有经济型酒店里最苛刻的,尽管因此失去了不少加盟商,但锦江之星仍然认为这是值得的。

4. 绿色品牌

近年来,因绿色环保能够使消费者对品牌产生正面、积极的品牌联想,它已经成为品牌资产的重要组成元素。锦江之星的管理层把节能、环保作为提升品牌价值、深化品牌内涵的一项重要工作来抓,相信未来锦江之星必将继续探索和引领经济型酒店创建绿色饭店发展的新模式。

(资料来源:贾惠文. 锦江之星:绿色营销的践行者[J]. 销售与市场,2010(6).)

讨论并回答问题:
1. 锦江之星能够成功进行绿色营销的关键因素是什么?
2. 锦江之星在其经营过程中采用的绿色营销策略与企业自身的品牌文化之间有什么样的关系?

本 章 小 结

本章共分六节,分别探讨了服务营销、关系营销、整合营销、直复营销、绿色营销、网络营销等。

服务是用于出售或者是同产品联系在一起进行出售的活动、利益或满足感。服务与服务营销的内容包括服务的内涵、服务的分类、服务产品的特点、服务营销的实质与特点。服务营销策略包括服务的产品策略、服务的价格策略、服务的渠道策略、服务的促销策略。

关系营销是指在盈利的基础上,为满足各方利益而识别、建立、维持、促进及在必要时终止与顾客和其他相关利益者关系的过程。关系营销的内容包括关系营销的内涵、关系营销的要素、关系营销的特点、关系营销的管理目标以及关系营销的实施过程。

整合营销又称"整合营销传播",它兴起于商品经济发达的美国,是一种实战性极强的操作性策略。整合营销的内容包括整合营销的基本内涵、整合营销的特点、整合营销的实施。

第十四章 市场营销的新趋势与新概念

直复营销又称"直接回应的营销",它是以盈利为目标,通过个性化的沟通媒介向目标市场成员发布信息,以寻求对方回应的社会和管理过程。直复营销的内容包括直复营销的内涵、直复营销的特点和直复营销管理。

绿色营销以保护全球资源、生态和维护人类健康为宗旨,是社会营销观念的具体化、系统化。绿色营销的内容包括绿色营销的内涵、绿色营销的策略等。

网络营销是指建立在互联网的基础上,借助互联网来实现一定营销目标的一种营销手段。网络营销的内容包括网络营销的内涵、网络营销的特点、网络营销策略等。

思考与实训

1. 如何理解服务的内涵和特点?
2. 什么是关系营销?简述其实施过程。
3. 如何理解绿色营销的内涵?绿色营销的策略有哪些?
4. 如何理解网络营销的内涵?网络营销的策略有哪些?

参 考 文 献

[1] 菲利普·科特勒,等. 市场营销[M]. 俞利军,译. 北京:华夏出版社,2003.
[2] 李强. 市场营销学教程[M]. 大连:东北财经大学出版社,2004.
[3] 吴泗宗. 市场营销学[M].4 版. 北京:清华大学出版社,2012.
[4] 吴健安. 市场营销学[M].4 版. 北京:高等教育出版社,2011.
[5] 王海云. 市场营销学[M].2 版. 北京:经济管理出版社,2014.
[6] 王煊. 市场营销学新编[M]. 武汉:华中科技大学出版社,2009.
[7] 王军旗,张蕾. 市场营销基本理论原理分析[M]. 北京:中国人民大学出版社,2009.
[8] 杨洁,甄翠敏,王宏伟. 市场营销学[M]. 北京:中国社会科学出版社,2009.
[9] 盛安之. 营销的58个创新策划[M]. 北京:企业管理出版社,2008.
[10] 冯丽云. 现代市场营销学[M]. 北京:经济管理出版社,2008.
[11] 龚曙明. 市场调查与预测[M]. 北京:北京交通大学出版社,2006.
[12] 周莹玉. 营销渠道与客户关系策划[M]. 北京:中国经济出版社,2003.
[13] 张科平. 营销策划[M]. 北京:清华大学出版社,2006.
[14] 庄贵军. 企业营销策划[M].2 版. 北京:清华大学出版社,2012.
[15] 李石华. 营销中的博弈知识[M]. 北京:新世界出版社,2008.
[16] 邓月英. 公共关系[M]. 上海:复旦大学出版社,2008.
[17] 迈克·欧德罗伊德. 市场营销环境[M]. 杨琳,译. 北京:经济管理出版社,2005.
[18] 特里 A 布里顿. 体验从平凡到卓越的产品策略[M]. 王成,龙潜,译. 北京:中信出版社,2003.
[19] 刘宝. 消费者行为学理论、实务、实例、实训[M]. 北京:高等教育出版社,2010.
[20] 吕一林. 营销渠道决策与管理[M]. 北京:中国人民大学出版社,2008.
[21] 寇小萱,王永萍. 国际市场营销学[M].5 版. 北京:首都经济贸易大学出版社,2017.
[22] 达娜-尼科莱塔·拉斯库. 国际市场营销学[M]. 马连福,赵颖,高楠,译. 北京:机械工业出版社,2010.
[23] 甘碧群. 国际市场营销学[M].3 版. 北京:高等教育出版社,2014.
[24] 胡正明. 国际市场营销学[M]. 济南:山东人民出版社,2002.
[25] 方四平. 市场营销技能实训[M]. 北京:清华大学出版社,2009.